Cassandra Clare

Chroniken der Unterwelt

**City of Bones**

Weitere Titel von Cassandra Clare:

*Chroniken der Unterwelt*
City of Ashes (Band 50261)
City of Glass (Band 50262)
City of Fallen Angels (Band 50670)
City of Lost Souls (Band 50568)
City of Heavenly Fire (Band 6674)

Alle Titel auch als E-Books erhältlich
Die Hörbücher erscheinen bei Lübbe Audio

City of Bones — Roman mit exklusiven Filmbildern (Band 6908)
Die Schattenjäger — Das offizielle Handbuch (Band 6933)
Der Schattenjäger-Codex (Band 6981)

*Chroniken der Schattenjäger*
Clockwork Angel (Band 50799)
Clockwork Angel Graphic Novel (Band 6909)
Clockwork Prince (Band 6475)
Clockwork Princess (Band 6476)
Alle Titel sind auch als E-Books erhältlich

*Die Chroniken des Magnus Bane*
Die Chroniken des Magnus Bane (Band 50819)
Auch als E-Book erhältlich

*Legenden der Schattenjäger-Akademie*
E-Book-Serie

*Cassandra Clare*
wurde in Teheran geboren und verbrachte die ersten zehn Jahre ihres Lebens in Frankreich, England und der Schweiz. Ihre Serie *Chroniken der Unterwelt* sowie die *Reihe Chroniken der Schattenjäger* wurden auf Anhieb zu internationalen Erfolgen, ihre Bücher stehen weltweit auf den Bestsellerlisten. Cassandra Clare lebt mit ihrem Mann, ihren Katzen und einer Unmenge an Büchern in einem alten viktorianischen Haus in Massachusetts.

*Cassandra Clare*

# Chroniken der Unterwelt
# City of Bones

*Aus dem Amerikanischen von*
*Franca Fritz und Heinrich Koop*

Arena

FÜR MEINEN GROSSVATER

11. Auflage der Sonderausgabe 2016
Die Originalausgabe erschien 2007 unter dem Titel
*The Mortal Instruments. Book One. City of Bones*
bei Margaret K. McElderry Books, einem Imprint der
Simon & Schuster Children's Publishing Division, New York.

Aus dem Amerikanischen von Franca Fritz und Heinrich Koop
Umschlagtypografie: knaus. büro für konzeptionelle und
visuelle identitäten, Würzburg
Umschlaggestaltung: Frauke Schneider
Gesamtherstellung: Westermann Druck Zwickau GmbH
ISBN 978-3-401-50260-1

*www.arena-verlag.de*
*Mitreden unter forum.arena-verlag.de*

# Inhalt

## Teil eins
## Dunkler Abstieg



## Teil zwei
## Leicht ist der Abstieg

## Teil drei
## Der Abstieg lockt

*Seit Cassius mich spornte gegen Cäsar,*
*Schlief ich nicht mehr.*
*Bis zur Vollführung einer furchtbar'n Tat*
*Vom ersten Antrieb, ist die Zwischenzeit*
*Wie ein Phantom, ein grauenvoller Traum.*
*Der Genius und die sterblichen Organe*
*Sind dann im Rat vereint; und die Verfassung*
*Des Menschen, wie ein kleines Königreich,*
*Erleidet dann den Zustand der Empörung.*

WILLIAM SHAKESPEARE, *Julius Cäsar*

TEIL EINS

# DUNKLER ABSTIEG

*Als ich von Nacht und Chaos sang*
*Mit anderer als Orpheus' Leier: denn*
*Des Himmels Muse hatte mich gelehrt,*
*Hinab- und wieder aufzuschwingen mich . . .*

JOHN MILTON, *Das verlorene Paradies*

# 1
# Pandemonium

»Du willst mich wohl verarschen«, sagte der Türsteher und verschränkte die Arme vor seiner breiten Brust. Er schaute auf den Jungen in der roten Reißverschlussjacke hinab und schüttelte den kahl rasierten Schädel. »Du kannst das Ding da nicht mit reinnehmen.«

Die fünfzig Teenager, die vor dem Pandemonium Schlange standen, spitzten die Ohren. Die Wartezeit am Eingang des Clubs, der auch Jugendlichen Eintritt gewährte, war lang – vor allem sonntags – und normalerweise ziemlich öde. Die Türsteher waren gnadenlos und erteilten jedem, der auch nur entfernt so aussah, als könne er Ärger machen, eine Abfuhr. Die fünfzehnjährige Clary Fray, die zusammen mit ihrem besten Freund Simon in der Schlange wartete, beugte sich wie alle anderen in der Hoffnung auf etwas Abwechslung ein wenig vor.

»Ach, komm schon.« Der Junge hielt den Gegenstand hoch; er sah aus wie ein an einer Seite zugespitzter Holzbalken. »Das gehört zu meinem Kostüm.«

Der Türsteher zog fragend eine Augenbraue hoch. »Und das wäre?«

Der Junge grinste. Fürs Pandemonium sah er ziemlich normal aus, fand Clary. Seine stahlblau gefärbten Haare standen zwar vom Kopf ab wie die Tentakel eines aufgeschreckten Tintenfischs, aber er besaß weder kunstvolle Gesichtstattoos noch gepiercte Lippen oder Ohren. »Ich bin Vampirjäger.« Er stützte sich auf den Holzpfahl, der sich unter seinem Gewicht so widerstandslos durchbog wie ein Grashalm. »Das ist Schaumgummi, alles nur Fake. Okay?«

Die geweiteten Augen des Jungen leuchteten viel zu grün, dachte Clary – wie eine Mischung aus Frostschutzmittel und Frühlingsgras. Wahrscheinlich trug er getönte Kontaktlinsen.

Plötzlich gelangweilt, zuckte der Türsteher die Achseln. »Von mir aus. Geh schon.«

Der Junge glitt blitzschnell an ihm vorbei. Clary gefiel, wie er die Schultern schwang, wie er das dunkle Haar beim Gehen zurückwarf. Ihre Mutter hätte das sicher als *provokante Lässigkeit* bezeichnet.

»Du findest ihn süß«, bemerkte Simon resigniert, »stimmt's?«

Clary verpasste ihm einen freundschaftlichen Knuff mit dem Ellbogen, blieb aber die Antwort schuldig.

Über dem gesamten Club hingen Schwaden von Trockeneisnebel. Das Spiel der Farbspots verwandelte die Tanzfläche in eine irisierende Märchenwelt aus Blau und Neongrün, sattem Pink und Gold.

Der Junge mit der roten Jacke streichelte die lange, rasiermesserscharfe Klinge in seiner Hand; ein hintergründiges Lächeln umspielte seine Lippen. Es war so einfach – ein bisschen Zauberglanz auf die Klinge und schon sah sie harmlos aus. Dann etwas Glanz in die Augen, und kaum dass der Türsteher ihn wahrgenommen hatte, war er auch schon drinnen. Natürlich hätte er auch ohne all diese Mühen hineinkommen können, aber das war schließlich Teil des Vergnügens – die *Mundies,* diese dummen Irdischen, unverhohlen zum Narren zu halten, direkt unter ihrer Nase, und die verdutzten Blicke auf ihren einfältigen Gesichtern auszukosten.

Dabei war es keineswegs so, als wären Menschen zu nichts zu gebrauchen, dachte er. Seine grünen Augen suchten die Tanzfläche ab; schlanke Gliedmaßen tanzender Mundies in Leder und Seide leuchteten in rotierenden Trockennebelsäulen auf und verschwanden wieder im Dämmerlicht. Mädchen schwangen ihr langes Haar hin und her, Jungs ließen die lederbekleideten Hüften kreisen, nackte, schweißglitzernde Haut. Ihre Körper versprühten pure Lebendigkeit – Wellen von Energie, die ihn mit einer trunkenen Vorfreude erfüllten. Er grinste hämisch. Sie wussten nicht, wie gut sie es hatten oder was es hieß, vor sich hin zu vegetieren in einer toten Welt, in der die Sonne matt wie ausgeglühte Kohle am Himmel hing. Ihr Lebenslicht flackerte so hell wie eine Kerzenflamme – und war genauso leicht auszulöschen.

Seine Finger schlossen sich um die Klinge. Gerade wollte er die Tanzfläche betreten, als sich ein Mädchen aus der pulsierenden Menge löste und auf ihn zukam. Er starrte sie an. Für ein menschliches Wesen war sie unglaublich schön – langes, fast rabenschwarzes Haar, die Augen mit schwarzem Kajal geschminkt, dazu ein bodenlanges weißes Kleid, wie es die Frauen getragen hatten, als diese Welt noch jünger gewesen war. Spitzenärmel umhüllten ihre schlanken Arme. Um den Hals trug sie eine dicke Silberkette mit einem dunkelroten Anhänger von der Größe einer Babyfaust. Er kniff die Augen zusammen – was er sah, war echt, echt und kostbar. Das Wasser lief ihm im Mund zusammen, während sie näher kam. Lebensenergie strömte aus ihr wie Blut aus einer Wunde. Als sie an ihm vorüberkam, lächelte sie ihn an und bedeutete ihm mit Blicken, ihr zu folgen. Schon während er sich umwandte, um ihr nachzugehen, kostete er den Geschmack ihres baldigen Todes auf seinen Lippen.

Es war so einfach. Er spürte bereits die Kraft ihres verlöschenden Lebens wie Feuer durch seine Adern pulsieren. Die Menschen waren so dumm. Sie besaßen ein solch kostbares Gut, doch sie schützten es fast gar nicht. Sie warfen ihr Leben für Geld fort, für ein Päckchen voll Pulver, für das berückende Lächeln eines Fremden. Wie ein bleicher Geist entfernte sich das Mädchen durch den bunten Nebel. An der gegenüberliegenden Wand angekommen, drehte sie sich um, raffte ihr Kleid mit den Händen und grinste ihn an. Die hohen Stiefel, die darunter zum Vorschein kamen, reichten ihr bis zu den Schenkeln.

Langsam schlenderte er zu ihr hinüber; ihre Gegenwart prickelte auf seiner Haut. Aus der Nähe wirkte sie weniger perfekt: Die Wimperntusche war leicht verwischt und das Haar klebte im verschwitzten Nacken. Er witterte ihre Sterblichkeit, den süßlichen Geruch der Verwesung. *Bingo,* schoss es ihm durch den Kopf.

Ein raffiniertes Lächeln umspielte ihre Lippen. Als sie einen Schritt zur Seite machte, sah er, dass sie an einer Tür lehnte. »Lager – Zutritt verboten« hatte jemand in Rot daraufgeschmiert. Sie griff nach dem Türknauf hinter sich, drehte ihn und schlüpfte durch die Tür. Sein Blick fiel auf Kistenstapel, Kabelgewirr. Ein ganz normaler Lagerraum. Er sah sich kurz um – niemand schaute zu ihnen herüber. Okay, wenn sie es gerne etwas intimer wollte, umso besser.

Dass ihm jemand folgte, als er den Raum betrat, fiel ihm gar nicht auf.

»Nicht schlecht, die Musik, oder?«, sagte Simon.

Clary antwortete nicht. Sie tanzten oder taten zumindest so – heftiges Hin- und Herschwanken mit gelegentlichen Hechtsprüngen Richtung Boden, als gälte es, verlorene Kontaktlinsen aufzufischen. Das Ganze zwischen einer Meute Teenagern in Metallkorsetts und einem heftig fummelnden asiatischen Pärchen, dessen bunte Haarextensions sich wie Ranken ineinander verschlungen hatten. Ein junger Kerl mit Teddyrucksack und Lippen-Piercing, dessen Fallschirmspringerhose im Luftzug der Windmaschine flatterte, verteilte gratis Ecstasy auf Kräuterbasis. Clary achtete allerdings weniger auf ihre unmittelbare Umgebung – ihre Augen folgten dem Blauhaarigen, der vorhin den Türsteher bequatscht hatte. Er schlich durch die Menge, als suche er etwas. Die Art und Weise, wie er sich bewegte, erinnerte sie an irgendetwas ...

»Ich«, fuhr Simon fort, »amüsiere mich jedenfalls wahnsinnig.«

Besonders glaubwürdig klang das nicht. Simon wirkte hier im Club wie immer denkbar deplatziert, in seiner Jeans und dem alten T-Shirt mit dem *Made-in-Brooklyn*-Schriftzug auf der Brust. Seine frisch gewaschenen Haare schimmerten dunkelbraun statt grün oder pink und die Brille thronte schief auf seiner Nasenspitze. Er machte den Eindruck, als wäre er auf dem Weg zum Schachclub, statt sich von dunklen Mächten inspirieren zu lassen.

»Hm.« Clary wusste genau, dass er sie nur ins Pandemonium begleitete, weil es *ihr* hier gefiel, und dass ihn das Ganze eigentlich langweilte. Sie war sich nicht einmal sicher, was sie an dem Club mochte – vielleicht lag es an der Kleidung? Oder an der Musik, die alles wie einen Traum erscheinen ließ, wie ein anderes Leben, das sich radikal von ihrem eigenen Langweilerdasein unterschied? Aber sie war jedes Mal zu schüchtern, um mit jemand anderem als Simon ins Gespräch zu kommen.

Der Blauschopf verließ gerade die Tanzfläche. Er wirkte verloren, als habe er nicht gefunden, wonach er suchte. Clary fragte sich, was wohl passieren würde, wenn sie hinübergehen, sich vorstellen und ihm anbieten würde, ihn herumzuführen. Vielleicht würde er sie nur stumm anstarren. Vielleicht war er ja auch schüchtern. Vielleicht würde er sich einfach freuen, aber versuchen, es zu verbergen, wie Jungs es nun mal taten – doch sie würde es trotzdem merken. Vielleicht . . .

Plötzlich ging ein Ruck durch den Jungen. Er wirkte nun hellwach und aufmerksam, wie ein Jagdhund, der eine Fährte aufnimmt. Clary folgte seinem Blick und sah das Mädchen in dem weißen Kleid.

*Okay,* dachte sie und versuchte, sich ihre Enttäuschung nicht anmerken zu lassen, *das war's dann wohl.* Das Mädchen war umwerfend, der Typ, den Clary gern gezeichnet hätte – hochgewachsen, gertenschlank, mit langen schwarzen Haaren. Sogar aus dieser Entfernung konnte Clary die Kette mit dem roten Anhänger erkennen, den die Lichtreflexe der Tanzfläche pulsieren ließen wie ein lebendiges, körperloses Herz.

»DJ Bat liefert heute Abend aber echt ganze Arbeit, oder?«, versuchte Simon es erneut.

Clary verdrehte wortlos die Augen, denn Simon hasste Trance.

Und Clary war mehr an dem Mädchen in dem weißen Kleid interessiert, deren helle Gestalt durch Dämmerlicht, Rauch und Trockennebel strahlte wie ein Leuchtfeuer. Kein Wunder, dass ihr der Blauhaarige wie gebannt nachlief und nichts mehr um sich herum wahrnahm – nicht einmal die beiden dunklen Schatten an seinen Fersen, die sich dicht hinter ihm durchs Gedränge schlängelten.

Clary tanzte langsamer, unfähig wegzuschauen. Sie konnte nicht viel erkennen, nur dass die Schatten zwei große, schwarz gekleidete Jungs waren. Woher sie wusste, dass sie dem Blauschopf folgten, vermochte sie nicht zu sagen, doch sie war sich sicher. Vielleicht erkannte sie es an der Art, wie sie sein Tempo hielten, an ihrer gespannten Wachsamkeit und der schlangengleichen Anmut ihrer Bewegungen. Eine dunkle Ahnung beschlich sie.

»Ach übrigens«, fuhr Simon unbeirrt fort, »ich trag neuerdings manchmal Frauenkleider – und ich schlaf mit deiner Mutter! Ich dachte, das solltest du wissen.«

Das Mädchen hatte die Wand erreicht und öffnete nun eine Tür, auf der »Zutritt verboten« stand. Sie bedeutete dem Blauhaarigen, ihr zu folgen, und dann schlüpften sie durch die Tür. Natürlich war es nicht das erste Mal, dass Clary ein Pärchen sah, das sich in eine dunkle Ecke zurückzog; aber das machte die Tatsache, dass die beiden verfolgt wurden, nur umso bizarrer.

Clary stellte sich auf die Zehenspitzen, um besser über die Menge hinwegschauen zu können. Die beiden Jungs standen vor der Tür und berieten sich offenbar. Einer von ihnen war blond, der andere dunkelhaarig. Der Blonde griff in seine Jacke und holte etwas Langes, Spitzes hervor, das im Stroboskoplicht aufblitzte – ein Messer.

»Simon!«, schrie Clary und packte ihn am Arm.

»Was ist?« Simon fuhr verschreckt herum. »Keine Sorge, Clary, ich schlaf gar nicht mit deiner Mutter. Ich wollte dich nur dazu bringen zuzuhören. Nicht dass sie nicht sehr attraktiv wäre für ihr Alter.«

»Siehst du die Typen da drüben?« Sie fuchtelte mit dem Arm herum und erwischte fast ein üppiges schwarzes Mädchen, das in der

Nähe tanzte und ihr daraufhin einen finsteren Blick zuwarf. »'tschuldigung!«, rief Clary und wandte sich wieder Simon zu. »Siehst du die beiden? Bei der Tür da?«

Simon blinzelte und zuckte die Achseln. »Ich seh überhaupt nichts!«

»Zwei Kerle. Sie folgen dem Typ mit den blauen Haaren . . .«

»Den du so süß fandest?«

»Ja, aber darum geht's nicht. Der Blonde hat ein Messer gezogen.«

»Bist du *sicher?«* Simon schaute nochmals hin und schüttelte den Kopf. »Ich seh niemanden.«

»Todsicher.«

Simon straffte die Schultern, dann meinte er nüchtern: »Ich geh mal die Security-Leute holen. Bleib du solange hier.« Im nächsten Moment bahnte er sich mit langen Schritten einen Weg durch die Menge.

Als Clary sich wieder umdrehte, sah sie gerade noch, wie der Blonde durch die »Zutritt verboten«-Tür glitt, dicht gefolgt von seinem Freund. Sie schaute sich um; Simon kämpfte sich immer noch durch die Tanzenden, kam aber kaum vorwärts. Selbst wenn sie jetzt laut schrie, würde niemand sie hören, und bis Simon zurück wäre, konnte längst etwas Schlimmes passiert sein. Clary biss sich auf die Lippe und begann, sich durch die Menge zu zwängen.

»Wie heißt du?«

Sie drehte sich um und lächelte ihn an. Durch die hohen, schmutzigen Gitterfenster drang nur wenig Licht. Der Boden des Lagerraums war übersät mit Kabelsträngen, Spiegelstückchen von Disco-Kugeln und leeren Farbdosen.

»Isabelle.«

»Hübscher Name.« Er ging auf sie zu, vorsichtig für den Fall, dass eines der Kabel noch Strom führte. Im Dämmerlicht wirkte sie durchsichtig, fast farblos, in Weiß gehüllt wie ein Engel. Sie zu Fall zu bringen, würde ein wahres Vergnügen sein . . . »Ich hab dich hier noch nie gesehen.«

»Du meinst, ob ich öfter hierherkomme?« Sie kicherte hinter vorgehaltener Hand. An ihrem Handgelenk, unter dem Ärmelaufschlag, schimmerte eine Art Armband – beim Näherkommen sah er jedoch, dass es eine Tätowierung war, ein kunstvolles Muster aus spiralförmigen Linien.

Er erstarrte. »Du . . .«

Doch er kam nicht dazu, den Satz zu beenden. Blitzschnell holte sie aus und schlug ihm mit der offenen Hand so kräftig vor die Brust, dass ein menschliches Wesen normalerweise nach Luft schnappend zu Boden gegangen wäre. Er stolperte rückwärts. Jetzt sah man etwas in ihrer Hand golden glänzen, eine zuckende Peitsche, die sie mit einer weit ausholenden Bewegung schwang und dann auf ihn herabsausen ließ. Der dünne Schwanz der Peitsche wand sich um seine Knöchel und riss ihn von den Füßen. Er schlug auf dem Boden auf und krümmte sich; das verhasste Metall fraß sich tief in seine Haut. Lachend stand sie über ihm und benommen dachte er, dass er es eigentlich hätte *wissen* müssen. Keine Irdische würde sich wie Isabelle kleiden. Sie hatte das lange Kleid angezogen, um ihre Haut zu bedecken – jeden Zentimeter ihrer Haut!

Mit einem energischen Zug der Peitsche sicherte Isabelle ihren Fang. Ein triumphierendes Lächeln breitete sich auf ihrem Gesicht aus. »Er gehört euch, Jungs.«

Hinter sich hörte er leises Lachen. Dann wurde er gepackt, hochgerissen und gegen einen der Pfeiler gestoßen. Er spürte feuchtkalten Beton im Rücken, seine Hände wurden nach hinten gezogen und an den Gelenken mit Draht gefesselt. Während er dagegen ankämpfte, spazierte jemand um den Pfeiler herum in sein Gesichtsfeld – ein blonder Junge, kaum älter als Isabelle und genauso gut aussehend. Die goldbraunen Augen funkelten wie Bernsteinsplitter. »Soso«, stellte er fest. »Sind noch mehr von deiner Sorte hier?«

Der Blauhaarige spürte, wie unter dem zu straff gezogenen Metalldraht Blut hervorquoll und seine Handgelenke glitschig wurden. »Noch mehr wovon?«

»Jetzt tu nicht so.« Der Blonde hob die Hände, sodass die dunklen Ärmel seines Hemdes nach unten rutschten und runenbedeckte Handgelenke, Handrücken und Handflächen freigaben. »Du weißt genau, was ich bin.«

Der Gefesselte fühlte, wie weit hinten in seinem Schädel die zweite Zahnreihe zu knirschen begann.

»Ein *Schattenjäger*«, zischte er.

Der blonde Junge grinste übers ganze Gesicht. »Bingo.«

Clary stieß die Tür zum Lager auf und schlüpfte hinein. Zuerst dachte sie, der Raum sei leer. Es gab nur wenige Fenster, doch die befanden sich hoch unter der Decke und waren verschlossen; von draußen drangen gedämpfter Straßenlärm, Autohupen und quietschende Reifen an ihr Ohr. Es roch nach alter Farbe und eine dicke Staubschicht voll verwischter Schuhabdrücke bedeckte den Boden.

*Es ist niemand hier,* stellte Clary verwundert fest und schaute sich um. Trotz der Augusthitze war der Raum kühl. Ihr verschwitzter Rücken fühlte sich eiskalt an. Gleich beim ersten Schritt verfing sich ihr Fuß in einem Elektrokabel. Sie bückte sich, um den Schuh zu befreien, als sie plötzlich Stimmen hörte. Das Lachen eines Mädchens, dann eine scharf reagierende Jungenstimme. Als Clary sich aufrichtete, sah sie sie.

Es schien, als wären sie aus dem Nichts vor ihr aufgetaucht. Da war das Mädchen mit dem langen weißen Kleid; das schwarze Haar floss über ihre Schultern und ihren Rücken wie feuchter Seetang. Neben ihr sah sie die beiden Jungen – ein lang aufgeschossener Kerl mit ebenso dunklen Haaren wie das Mädchen und ein kaum kleinerer Blonder, dessen Haar im dämmrigen Zwielicht wie Messing glänzte. Der Blonde stand mit den Händen in den Taschen vor dem blauhaarigen Punker, dessen Arme und Füße offenbar mit Klavierdraht an den Pfeiler gefesselt waren. Angst und Schmerz hatten seine Züge zu einer Fratze verzogen.

Clarys Herz hämmerte wie wild. Sie duckte sich hinter den nächsten Betonpfeiler, spähte um die Ecke und beobachtete, wie der blonde Junge mit vor der Brust verschränkten Armen hin und her stolzierte. »Du hast mir noch immer nicht gesagt, ob noch mehr von deiner Sorte hier sind.«

*Von deiner Sorte?* Clary überlegte, was er damit meinen konnte. Vielleicht war sie ja in eine Art Bandenkrieg geraten.

»Ich weiß nicht, wovon du redest«, ächzte der Blauschopf unter Schmerzen, doch mit fester Stimme.

»Er meint andere Dämonen«, meldete sich jetzt der Dunkelhaarige zum ersten Mal zu Wort. »Was ein Dämon ist, brauch ich dir ja nicht zu erklären, oder?«

Der Gefesselte wandte das Gesicht ab; sein Kiefer zuckte.

»Dämonen«, dozierte der Blonde und malte das Wort mit dem Finger in die Luft. »Die Religion definiert sie als Höllenbewohner, als Diener Satans, aber hier, im Sinne des Rats, versteht man darunter jeden bösen Geist, der nicht unserer eigenen Dimension entstammt . . .«

»Komm, Jace, es reicht«, unterbrach das Mädchen.

»Isabelle hat recht«, erklärte der Dunkelhaarige. »Wir brauchen keine Lektionen in Bedeutungslehre und Dämonologie.«

*Die sind verrückt,* dachte Clary, *völlig verrückt.*

Jace hob lächelnd den Kopf. Diese Geste hatte etwas Entschlossenes an sich; sie erinnerte Clary an einen Dokumentarfilm über Löwen, den sie im Discovery Channel gesehen hatte. Genauso hoben die Großkatzen ihren Kopf, wenn sie Beute witterten. »Isabelle und Alec meinen, ich würde zu viel reden«, sagte er Vertraulichkeit vortäuschend. »Was meinst du?«

Der Blauhaarige antwortete zuerst nicht; seine Kiefer malmten noch immer. »Ich kann euch Informationen geben«, sagte er schließlich. »Ich weiß, wo Valentin ist.«

Jace blickte zu Alec hinüber, der die Achseln zuckte. »Valentin ist unter der Erde«, brummte Jace. »Der Typ da will uns bloß hochnehmen.«

Isabelle warf ihr Haar nach hinten. »Komm, Jace, schaff ihn aus der Welt. Er wird uns eh nichts Vernünftiges sagen.«

Jace hob den Arm und Clary sah das Messer im Zwielicht aufblitzen. Es wirkte merkwürdig transparent – die Klinge schimmerte kristallklar und scharf wie eine Glasscherbe. Das Heft war mit roten Steinen besetzt.

»Valentin ist zurück!«, stieß der Gefesselte atemlos hervor und zerrte an den Drähten, die seine Hände festhielten. »Das weiß die ganze Schattenwelt – und ich auch. Ich kann euch sagen, wo er steckt . . .«

Plötzliche Wut flackerte in Jace' eiskalten Augen auf. »Beim Erzengel! Jedes Mal, wenn wir einen von euch Dreckskerlen schnappen, behauptet ihr, ihr wüsstet, wo Valentin steckt. Wir wissen es übrigens auch. In der Hölle. Und du . . .« Jace drehte das Messer in seiner Hand, sodass die Schneide blitzte wie eine Spur aus Feuer, »du wirst ihm gleich dorthin folgen.«

Clary konnte es nicht länger mit anhören und schoss hinter ihrem Pfeiler hervor. »Hört auf!«, brüllte sie. »Das könnt ihr nicht machen!«

Jace wirbelte herum, so verdutzt, dass ihm das Messer aus der Hand flog und über den Betonboden schlitterte. Auch Isabelle und Alec drehten sich zu ihr um, ähnlich verblüfft wie Jace. Der blauhaarige Junge hing in seinen Fesseln, den Mund ungläubig aufgesperrt.

Alec brachte als Erster ein Wort heraus. »Was ist *das* denn?« Fragend schaute er von Clary zu seinen Freunden, als müssten sie wissen, was Clary dort zu suchen hatte.

»Ein Mädchen«, sagte Jace, der sich rasch wieder gefasst hatte, »du weißt doch, was Mädchen sind, Alec. Deine Schwester Isabelle ist eins.« Er ging einen Schritt auf Clary zu und blinzelte, als könne er nicht ganz glauben, was er da sah. »Eine Irdische«, sagte er, mehr zu sich selbst, »aber sie kann uns sehen.«

»Natürlich kann ich euch sehen«, erwiderte Clary, »ich bin doch nicht blind.«

»Doch. Du weißt es nur nicht«, meinte Jace und bückte sich, um sein Messer aufzuheben. Er richtete sich wieder auf. »Aber jetzt verschwindest du besser – in deinem eigenen Interesse.«

»Ich werde auf keinen Fall gehen«, sagte Clary, »weil ihr ihn sonst umbringt.« Sie zeigte auf den Jungen mit den blauen Haaren.

»Wohl wahr«, räumte Jace ein, wobei er das Messer zwischen den Fingern herumwirbelte, »aber was kümmert es dich, ob ich ihn töte oder nicht?«

»W-w-weil . . .« Clary stotterte vor Entrüstung. »Weil ihr nicht einfach in der Gegend rumlaufen und Leute umbringen könnt.«

»Auch richtig«, stimmte Jace zu, »man darf nicht einfach herumlaufen und Menschen umbringen.« Er zeigte auf den Blauhaarigen, der die Augen zu Schlitzen zusammengekniffen hatte. Clary fragte sich, ob er ohnmächtig war. »Aber das da ist kein Mensch, Kleine. Er sieht zwar so aus und redet auch so und möglicherweise blutet er sogar so. Aber er ist ein Monster.«

*»Jace«,* zischte Isabelle warnend, »es reicht.«

»Du bist verrückt«, sagte Clary und wich vor ihm zurück. »Ich hab die Polizei gerufen, damit du's weißt. Die wird jeden Moment hier sein.«

»Sie lügt«, sagte Alec, allerdings mit Zweifel in der Stimme. »Jace, mach . . .«

Er konnte seinen Satz nicht beenden, denn in diesem Moment stieß der blauhaarige Junge ein schrilles Geheul aus, riss sich vom Pfeiler los und stürzte sich auf Jace.

Sie fielen und rollten über den Boden – fast schien es, als besäßen die Hände des Blauhaarigen, die an Jace' Körper zerrten, metallene Klauen. Clary wich zurück und wollte wegrennen, doch ihre Füße verfingen sich erneut in einer Kabelschlaufe und sie ging so heftig zu Boden, dass ihr die Luft wegblieb. Sie hörte Isabelle schreien. Als sie sich herumrollte, sah sie, dass der Blauhaarige auf Jace' Brust saß und Blut an den Spitzen seiner rasiermesserscharfen Klauen glitzerte.

Alec rannte auf die Kämpfenden zu, dicht gefolgt von Isabelle, die ihre Peitsche schwang. Der Blauschopf hieb seine ausgefahrenen Klauen in Jace' Körper. Jace versuchte, sich mit dem Arm zu schützen, doch die Krallen durchfurchten seine Haut und seine Muskeln. Blut spritzte. Wieder holte der Blauhaarige aus – da traf ihn Isabelles Peitsche am Rücken. Er brüllte auf und fiel auf die Seite.

Im nächsten Moment war Jace wieder auf den Beinen. In seiner Hand blitzte eine Klinge auf, die er dem blauhaarigen Jungen tief in die Brust stieß. Um das Heft des Dolchs schoss schwarze Flüssigkeit in die Höhe. Der Junge wälzte sich windend und gurgelnd am Boden. Jace stand auf und verzog das Gesicht. Sein schwarzes Hemd war jetzt an den Stellen, wo das Blut es getränkt hatte, noch dunkler. Er schaute auf die zuckende Gestalt zu seinen Füßen und zerrte das Messer aus ihr heraus. Das Heft glänzte von der schwarzen Flüssigkeit.

Der Blauschopf starrte Jace mit glühenden Augen an. Zwischen zusammengebissenen Zähnen zischte er: *»So sei es. Die Forsaken werden euch alle holen.«*

Jace' Antwort war ein Knurren. Der Blauschopf verdrehte die Augen. Dann begann sein Körper, wild zu zucken – und plötzlich schrumpfte er und fiel immer weiter in sich zusammen, bis er kleiner und kleiner wurde und schließlich ganz verschwand.

Clary rappelte sich auf und kickte das Kabel weg. Langsam machte sie ein paar Schritte rückwärts; niemand beachtete sie. Alec kümmerte sich um Jace und rollte dessen Hemdsärmel hoch, um die Verletzung genauer zu untersuchen. Clary drehte sich um, bereit wegzurennen – da stand plötzlich Isabelle vor ihr, die Peitsche in der Hand. Die goldene Schnur war auf ganzer Länge mit dunkler Flüssigkeit getränkt. Isabelle ließ die Peitsche schnalzen; das Ende wickelte sich um Clarys Handgelenk und zog sich fest zu. Vor Schmerz und Überraschung schnappte Clary keuchend nach Luft.

»Du dämliche *Mundie«,* zischte Isabelle wütend, »Jace hätte sterben können.«

»Er ist verrückt«, stieß Clary hervor und versuchte, ihr Handgelenk zurückzuziehen, doch die Schnur schnitt nur noch tiefer in ihre Haut. »Ihr seid alle vollkommen durchgeknallt. Für wen haltet ihr euch eigentlich? Für eine bewaffnete Bürgerwehr? Die Polizei . . .«

»Interessiert sich normalerweise nicht für Fälle ohne Leiche«, sagte Jace. Er hielt sich den Arm und bahnte sich zwischen den Kabelhaufen einen Weg zu Clary. Alec folgte mit finsterer Miene.

Clary schaute auf die Stelle, an der der Blauhaarige sich aufgelöst hatte, und schwieg. Nicht einmal ein Tropfen Blut war zu sehen – nichts deutete darauf hin, dass der Junge je existiert hatte.

»Falls du dich fragen solltest, wo er ist: Sie kehren in ihre eigene Dimension zurück, wenn sie sterben«, erklärte Jace.

»Jace«, zischte Alec und packte ihn am Arm, »halt dich zurück.«

Jace entzog ihm den Arm. Sein blutverschmiertes Gesicht sah gespenstisch aus. Mit den bernsteinfarbenen Augen und dem goldbraunen Haar erinnerte er Clary mehr denn je an einen Löwen. »Sie kann uns sehen, Alec«, sagte er. »Sie weiß sowieso schon zu viel.«

»Und was soll ich jetzt mit ihr machen?«, fragte Isabelle.

»Lass sie laufen«, erwiderte Jace ruhig. Isabelle warf ihm einen überraschten, fast wütenden Blick zu, sagte aber nichts. Die Peitschenschnur glitt zu Boden und gab Clarys Arm frei. Clary rieb sich das schmerzende Handgelenk und fragte sich, wie sie sich möglichst schnell aus dem Staub machen konnte.

»Vielleicht sollten wir sie besser mitnehmen«, überlegte Alec. »Hodge würde bestimmt gern mit ihr reden.«

»Wir können sie auf keinen Fall ins Institut bringen«, konterte Isabelle, »sie ist eine *Mundie.«*

»Ach, tatsächlich?«, fragte Jace leise; sein ruhiger Ton wirkte bedrohlicher als Isabelles bissige Art oder Alecs Wut. »Hast du dich mit Dämonen eingelassen, Kleine? Hast mit Hexenmeistern gemeinsame Sache gemacht, mit den Kindern der Nacht gewacht? Hast du . . .«

»Erstens heiß ich nicht ›Kleine‹«, unterbrach Clary ihn, »und zweitens weiß ich nicht, wovon du überhaupt redest.« *Wirklich nicht?*, dröhnte eine Stimme tief in ihrem Innern. *Du hast doch gesehen, wie sich der Junge in Luft aufgelöst hat. Jace ist nicht verrückt – das hättest du nur gern.* »Ich glaub nicht an . . . an Dämonen oder was du da . . .«

»Clary?« Das war Simons Stimme. Clary wirbelte herum. Dort stand er in der Tür des Lagerraums, einen der kräftigen Türsteher im Schlepptau. »Alles in Ordnung mit dir?« Er blinzelte, um seine Augen an das Dämmerlicht zu gewöhnen, und sah sich um. »Was treibst du hier eigentlich allein? Und was ist mit den Typen mit den Messern?«

Clary starrte ihn an und blickte dann über ihre Schulter zu Jace, Isabelle und Alec zurück. Jace stand noch immer mit blutverschmiertem Hemd und dem Messer in der Hand da. Grinsend zuckte er halb entschuldigend, halb amüsiert die Achseln. Es schien ihn nicht zu überraschen, dass weder Simon noch der Türsteher ihn sehen konnten.

Und Clary wunderte es irgendwie auch nicht. Langsam wandte sie sich wieder Simon zu. Ihr war bewusst, wie sie auf ihn wirken musste – allein in dem feuchtkalten Lagerraum, die Füße in bunten Stromkabeln verheddert. »Ich dachte, sie wären hier reingegangen«, murmelte sie, »aber ich hab mich wohl getäuscht. Tut mir leid.« Sie blickte von Simon, dessen besorgte Miene nun vor Verlegenheit rot anlief, zum Türsteher, der einen genervten Eindruck machte. »War wohl ein Irrtum.«

Hinter sich hörte sie Isabelle kichern.

»Ich kann's einfach nicht glauben«, knurrte Simon ungläubig. Clary stand an der Bordsteinkante und versuchte vergebens, ein Taxi heranzuwinken. Während ihres Aufenthalts im Club war die Orchard Street gereinigt worden und die Straße schimmerte nun schwarz vom ölverschmierten Wasser.

»Genau, man sollte doch annehmen, dass zumindest ein paar Taxen hier langfahren. Wo sind die um die Uhrzeit denn alle hin?« Clary drehte sich zu Simon um und fragte achselzuckend: »Meinst du, auf der Houston Street haben wir mehr Glück?«

»Ich rede nicht von irgendwelchen Taxen«, erwiderte Simon, »sondern von dir. Ich glaub dir nicht. Es kann doch nicht sein, dass deine Messerschwinger einfach verschwunden sind.«

Clary seufzte. »Vielleicht waren da ja gar keine Messerschwinger, Simon. Vielleicht hab ich mir das alles nur eingebildet.«

»Quatsch.« Simon hob mehrmals die Hand, doch die Taxen rasten an ihm vorbei, Schmutzwasser aufwirbelnd. »Ich hab dein Gesicht gesehen, als ich in das Lager kam. Du hast total entsetzt gewirkt, als wäre dir gerade ein Geist begegnet.«

Clary dachte an Jace und seine Löwenaugen. Dann schaute sie kurz auf ihr Handgelenk, an dem Isabelles Peitsche eine dünne rote Linie hinterlassen hatte. *Nein, keine Geister,* dachte sie, *sondern etwas viel Unglaublicheres.*

»Ich hab mich einfach geirrt«, erwiderte sie lahm und fragte sich, warum sie ihm nicht die Wahrheit sagte. Weil er sie für verrückt halten würde. Außerdem hatte dieser ganze Vorfall etwas an sich – das schwarze, hochspritzende Blut an Jace' Messer und seine Stimme, als er fragte: *Hast du mit den Kindern der Nacht gewacht?* –, dass sie lieber nicht darüber reden wollte.

»Ein ziemlich peinlicher Irrtum«, brummte Simon und warf einen Blick zurück in Richtung des Clubs, vor dessen Eingang noch immer eine lange Schlange stand. »Ich bezweifle, dass sie uns noch mal ins Pandemonium reinlassen.«

»Na und? Das kann dir doch egal sein. Du findest den Laden ja sowieso blöd.« Clary hob erneut die Hand, als ein gelbes Fahrzeug auf sie zusauste. Glücklicherweise stoppte der Fahrer sein Taxi quietschend an der Ecke des Blocks. Er hupte sogar, als müsse er sie erst noch auf sich aufmerksam machen.

»Na endlich.« Simon riss die Wagentür auf und rutschte auf die kunststoffbezogene Rückbank. Clary folgte ihm und sog den vertrauten Geruch der New Yorker Taxis ein – eine Mischung aus kaltem Rauch, Leder und Haarspray. »Nach Brooklyn«, instruierte Simon den Fahrer. Dann wandte er sich Clary zu. »Du weißt doch, dass du mir alles erzählen kannst, oder?«

Clary zögerte einen Moment und nickte dann. »Das weiß ich, Simon.«

Sie schlug die Tür zu und das Taxi schoss in die Nacht.

# 2
# Geheimnisse und Lügen

*Rittlings saß der dunkle Prinz im Sattel seines schwarzen Streitrosses; ein dunkler Umhang umspielte seine Schultern. Ein goldener Reif bändigte die blonden Locken, sein attraktives Antlitz glühte vom Schlachtengetümmel . . .*

»Und sein Arm sah aus wie eine Aubergine«, murmelte Clary entnervt. Die Zeichnung wollte ihr einfach nicht gelingen. Seufzend riss sie auch dieses Blatt vom Skizzenblock, knüllte es zusammen und pfefferte es gegen die orangefarbene Wand ihres Zimmers. Der Boden war bereits mit zerknüllten Papierbällchen übersät – ein deutliches Zeichen dafür, dass sie den Inspirationsfluss nicht so umsetzen konnte, wie sie es sich vorgestellt hatte. Sie wünschte sich zum tausendsten Mal, mehr wie ihre Mutter zu sein. Alles, was Jocelyn Fray zeichnete, skizzierte oder malte, ging ihr perfekt und scheinbar mühelos von der Hand.

Clary setzte abrupt die Kopfhörer ab, mitten in einem Song von Stepping Razor, und rieb sich die pochenden Schläfen. Erst jetzt hörte sie das laute Schrillen des Telefons durch die Wohnung hallen. Sie warf den Zeichenblock aufs Bett, sprang auf und rannte ins Wohnzimmer, wo das rote Retrodesign-Telefon auf dem Tischchen am Eingang thronte.

»Ist da Clarissa Fray?« Die Stimme am anderen Ende der Leitung kam ihr irgendwie bekannt vor, doch sie konnte sie nicht direkt einordnen.

Clary wickelte das Kabel des Telefonhörers nervös um einen Finger. »Jaaa?«

»Hi, ich bin einer von den messerschwingenden Hooligans, die du gestern im Pandemonium getroffen hast. Ich fürchte, ich hab keinen besonders guten Eindruck bei dir hinterlassen, und wollte dich bitten, mir noch eine Chance zu geben und . . .«

»Simon!« Clary hielt den Hörer vom Ohr weg, als er in schallendes Gelächter ausbrach. »Ich finde das überhaupt nicht witzig!«

»Witzig ist es schon; du verstehst nur die Pointe nicht.«

»Idiot.« Clary seufzte und lehnte sich an die Wand. »Du hättest sicher nicht gelacht, wenn du gestern Abend noch mit zu mir raufgekommen wärst.«

»Wieso?«

»Meine Mutter. Sie war nicht gerade begeistert, dass wir erst so spät aufgekreuzt sind. Sie ist regelrecht ausgeflippt. Es war echt übel.«

»Was? Der Stau war doch nicht *deine* Schuld!« Simon war empört; als jüngstes von zwei Kindern hatte er ein feines Gespür für familiäre Ungerechtigkeiten.

»Na ja, sie sieht das anders. Ich habe sie enttäuscht, sie hängen lassen, ihr Sorgen bereitet, bla, bla, bla. Ich bin der Nagel zu ihrem Sarg«, imitierte sie ihre Mutter wortgetreu, nur von leichten Gewissensbissen geplagt.

»Und, hast du Hausarrest?«, fragte Simon irritierend laut.

Clary hörte halblaute Stimmen im Hintergrund; mehrere Leute redeten durcheinander.

»Ich weiß es noch nicht«, sagte sie. »Meine Mutter ist heute Morgen mit Luke weggefahren und sie sind noch nicht zurück. Wo steckst du überhaupt? Bei Eric?«

»Ja. Wir sind gerade mit der Probe fertig.« Ein Becken, das genau hinter Simon geschlagen wurde, ließ Clary zusammenzucken. »Eric hat heute Abend eine Lyriklesung drüben im Java Jones«, fuhr Simon fort. Das Java Jones war ein Café nicht weit von Clarys Wohnung, in dem an manchen Abenden Livekonzerte stattfanden. »Die ganze Band läuft zur Unterstützung auf. Kommst du mit?«

»Okay.« Clary hielt inne und zerrte nervös am Hörerkabel. »Warte mal, lieber doch nicht.«

»Seid kurz mal ruhig, Jungs, okay?«, schrie Simon. Clary merkte, dass er den Hörer weit vom Mund weghielt, da sein Gebrüll nur schwach bei ihr ankam. Sekunden später war er wieder am Apparat. »War das jetzt ein Ja oder ein Nein?«, fragte er leicht verunsichert.

»Ich bin nicht ganz sicher.« Clary biss sich auf die Lippe. »Meine Mutter ist noch sauer wegen gestern Abend. Und ich hab keine Lust, sie in ihrer Scheißlaune um etwas zu bitten und deswegen Ärger zu kriegen. Zumindest nicht wegen Erics poetischen Ergüssen.«

»Ach komm schon, so schlecht ist er nun auch wieder nicht.« Eric war Simons Nachbar; die beiden kannten sich schon fast ihr ganzes Leben lang. Mit Eric war Simon zwar nicht so eng befreundet wie mit Clary, aber sie hatten schon im zweiten Highschool-Jahr mit Erics Freunden Matt und Kirk eine Rockband gegründet. Gemeinsam probten sie jede Woche in der Garage von Erics Eltern. »Außerdem bittest du sie ja gar nicht um einen Gefallen«, fuhr Simon fort. »Das ist eine ganz gesittete Poetry-Slam-Veranstaltung gleich um die Ecke; ich schleife dich schließlich nicht zu einer Orgie in Hoboken. Außerdem kann deine Mutter mitkommen, wenn sie will.«

»Orgie in Hoboken!«, hörte Clary jemanden johlen, vermutlich Eric. Ein weiterer krachender Beckenschlag. Allein bei der Vorstellung, dass ihre Mutter gezwungen sein könnte, sich Erics Gedichte anzuhören, lief es ihr kalt den Rücken hinunter.

»Ich weiß nicht. Die flippt aus, wenn ihr alle hier aufkreuzt.«

»Gut, dann komm ich allein vorbei und wir gehen zu Fuß rüber und treffen die anderen dort. Deine Mutter ist bestimmt einverstanden. Sie mag mich.«

»Was nicht gerade für ihren Geschmack spricht, wenn du mich fragst«, prustete Clary.

»Dich fragt aber keiner.« Simon legte unter wildem Gejohle der Bandkollegen auf.

Clary legte den Hörer zurück auf die Gabel und sah sich im Wohnzimmer um. Es wimmelte nur so von Zeugnissen der künstlerischen Ader ihrer Mutter, angefangen bei den selbst genähten Samtkissen auf dem dunkelroten Sofa bis hin zu Jocelyns sorgsam gerahmten Bildern an den Wänden. Das meiste waren Landschaften: die Straßen von Manhattan im goldenen Sonnenlicht, winterliche Szenen im Prospect Park, graue Teiche mit weißen Eisrändern, die an geklöppelte Spitze erinnerten.

Auf dem Kaminsims stand ein gerahmtes Foto von Clarys Vater. Kleine Lachfalten in den Augenwinkeln straften die ernste Miene des blonden Manns in Soldatenkleidung Lügen. Er hatte im Ausland gedient und war mehrfach geehrt worden; Jocelyn besaß noch ein paar seiner Militärabzeichen. Doch auch die Medaillen hatten ihm nicht geholfen, als Jonathan Clark mit seinem Wagen kurz vor Albany gegen einen Baum gerast und gestorben war – noch ehe seine Tochter zur Welt kam.

Jocelyn hatte nach seinem Tod wieder ihren Mädchennamen angenommen. Sie sprach nie von Clarys Vater, hatte aber ein Holzkästchen mit den Initialen J. C. neben ihrem Bett stehen, in dem sie die Abzeichen aufbewahrte. Neben den Medaillen enthielt das Kästchen noch zwei Fotos, einen Ehering und eine blonde Haarlocke. Manchmal öffnete Jocelyn es, nahm die Locke heraus und streichelte sie sanft mit den Fingern, ehe sie sie wieder hineinlegte und das Kästchen verschloss.

Das Geräusch eines Schlüssels im Schloss der Eingangstür riss Clary aus ihren Gedanken. Rasch warf sie sich auf die Couch und tat so, als sei sie in eines der Taschenbücher aus dem Stapel vertieft, den ihre Mutter auf dem Couchtisch deponiert hatte. Für Jocelyn war Lesen eine heilige Tätigkeit; sie unterbrach Clary dabei normalerweise nicht einmal, um mit ihr zu schimpfen.

Polternd flog die Tür auf. Luke schwankte herein, völlig überladen mit etwas, das nach Pappkartons aussah. Als er den Stapel absetzte, erkannte Clary, dass es sich um zusammengefaltete Umzugskisten handelte. Luke richtete sich auf und grinste.

»Hey, On. . . ich meine, hi Luke«, begrüßte Clary ihn. Vor etwa einem Jahr hatte er sie gebeten, ihn nicht mehr Onkel zu nennen, weil er sich dann so alt fühlte und immer an Onkel Toms Hütte denken musste. Außerdem hatte er sie sanft daran erinnert, dass er gar nicht ihr richtiger Onkel, sondern nur ein enger Freund ihrer Mutter war, den sie schon ein Leben lang kannte. »Wo ist Mom?«

»Sie parkt gerade den Wagen«, erwiderte er und dehnte ächzend seinen hoch aufgeschossenen, schlaksigen Körper. Er trug sein übliches Outfit: alte Jeans, dickes Holzfällerhemd und eine Brille mit Goldrand auf der Nase. »Kannst du mir noch mal sagen, warum dieses Haus keinen Lastenaufzug hat?«

»Weil es alt ist und *Atmosphäre* hat«, entgegnete Clary wie aus der Pistole geschossen. Luke musste grinsen. »Wofür sind diese Kartons?«

Sein Grinsen verflog. »Deine Mutter wollte ein paar Sachen zusammenpacken.« Er wich ihrem Blick aus.

»Was für Sachen?«, hakte Clary nach.

Er machte eine unbestimmte Handbewegung. »Irgendwelchen Krempel, der nur im Weg herumliegt. Sie kann ja nichts wegwerfen. Und was machst du da? Lernen?« Er nahm das Buch und las laut: *»Noch immer wimmelt es in unserer Welt von all diesen seltsamen Wesen, die die moderne Philosophie verworfen hat. Noch immer treiben Feen und Kobolde, Geister und Dämonen . . .«* Er ließ das Buch sinken und schaute sie über den Brillenrand hinweg an. »Ist das für die Schule?«

»Frazers *Der goldene Zweig*? Nein, die Schule geht erst in zwei Wochen los.« Clary nahm das Buch wieder an sich. »Das gehört Mom.«

»Ich hatte mir schon so was gedacht . . .«

Sie legte das Buch zurück auf den Tisch. »Luke?«

»Hm?« Luke hatte das Buch bereits vergessen und wühlte in einer Werkzeugkiste, die vor dem Kamin stand. »Ah, da ist er ja.« Er zog einen orangefarbenen Paketbandabroller heraus und betrachtete ihn zufrieden.

»Was würdest du tun, wenn du etwas siehst, das sonst niemand sehen kann?«

Der Abroller fiel Luke aus der Hand und krachte auf die Fliesen vor dem Kamin. Luke bückte sich und hob ihn auf, ohne Clary dabei anzuschauen. »Du meinst, wenn du als Einzige ein Verbrechen beobachtest oder so etwas?«

»Nein. Ich meine, wenn andere Leute dabei sind, aber du der Einzige bist, der es sehen kann. Als ob es für alle anderen unsichtbar wäre.«

Er hielt inne; seine Hand umklammerte den leicht lädierten Abroller.

»Ich weiß, dass es verrückt klingt«, bohrte Clary nervös weiter, »aber . . .«

Luke drehte sich zu ihr um. Seine tiefblauen Augen ruhten liebevoll auf ihr. »Clary, du bist eine Künstlernatur, genau wie deine Mutter. Deshalb kannst du diese Welt auf eine andere Weise sehen als andere Leute. Du hast die Gabe, Schönes und Schreckliches in alltäglichen Dingen zu erkennen. Deswegen bist du noch lange nicht verrückt, sondern einfach nur anders. Es ist absolut okay, anders zu sein.«

Clary zog die Beine an und stützte ihr Kinn auf die Knie. Vor ihrem geistigen Auge zogen noch einmal der Lagerraum, Isabelles goldene Peitsche, der sich in Todeskrämpfen windende blauhaarige Junge und Jace' goldbraune Augen vorbei. *Schönes und Schreckliches.* »Glaubst du, dass mein Dad ein Künstler wäre, wenn er noch leben würde?«

Luke schaute verblüfft. Doch ehe er antworten konnte, öffnete sich die Tür und Clarys Mutter kam herein. Die Absätze ihrer Stiefel klapperten über das polierte Parkett. Sie reichte Luke den klirrenden Bund mit den Autoschlüsseln und drehte sich zu ihrer Tochter um.

Jocelyn Fray war eine schlanke, ranke Frau. Ihr langes Haar schimmerte ein paar Nuancen dunkler als Clarys und war zu einem dunkelroten Knoten hochgesteckt, den sie mit einem Bleistift fixiert hatte. Über ihrem lavendelblauen T-Shirt trug sie einen mit Farbe bekleckerten Overall und auch an den Sohlen ihrer braunen Stiefel klebte Farbe.

Alle sagten, Clary sähe aus wie ihre Mutter – nur sie selbst war anderer Meinung. Die einzige Gemeinsamkeit, die sie erkennen konnte, offenbarte sich in ihrer Figur: Sie waren beide schlank, mit schmächtiger Brust und schmalen Hüften. Doch Clary wusste, dass sie keine Schönheit war wie ihre Mutter; dazu fehlten ihr ein paar Zentimeter. Mit gerade mal ein Meter fünfzig war man süß. Nicht hübsch, auch nicht schön, einfach nur süß. Dazu noch das karottenrote Haar und die unzähligen Sommersprossen ... Neben ihrer Mutter sah sie aus wie eine Lumpenpuppe neben einer Barbie.

Außerdem bewegte Jocelyn sich so anmutig, dass die Leute ihre Köpfe verdrehten, wenn sie vorbeiging. Clary dagegen stolperte ständig über die eigenen Füße. Ihr schaute nur jemand nach, wenn sie an ihm vorbei die Treppe hinunterfiel.

»Danke, dass du mir die Kartons hochgebracht hast.« Clarys Mutter schenkte Luke ein Lächeln, das er jedoch nicht erwiderte. Clary spürte, wie sich ihr Magen verkrampfte. Irgendetwas ging hier vor. »Tut mir leid, dass ich so lange zum Parken gebraucht habe. Anscheinend war heute eine Million Leute unterwegs ...«

»Mom«, unterbrach Clary sie, »wofür sind diese Kisten?«

Jocelyn biss sich auf die Lippe. Luke rollte die Augen in Clarys Richtung, als wolle er Jocelyn stumm zu etwas drängen. Mit einer nervösen Handbewegung schob sie sich eine Haarsträhne hinters Ohr und setzte sich zu ihrer Tochter auf die Couch.

Aus der Nähe bemerkte Clary, wie müde ihre Mutter aussah. Sie hatte dunkle Ringe unter den Augen und ihre Augenlider schimmerten durch den Schlafmangel perlmuttgrau.

»Hängt das irgendwie mit gestern Abend zusammen?«, fragte Clary.

»Nein«, erwiderte ihre Mutter rasch und zögerte dann. »Na ja, ein bisschen schon. Das gestern Abend hättest du nicht tun dürfen. Das weißt du ganz genau.«

»Dafür habe ich mich doch schon entschuldigt. Warum fängst du jetzt noch mal damit an? Wenn du mir Hausarrest verpassen willst, dann sag es einfach.«

»Ich will dich nicht einsperren«, sagte ihre Mutter mit angespannter Stimme. Dann schaute sie Luke an, der jedoch den Kopf schüttelte.

»Sag's ihr einfach, Jocelyn«, meinte er.

»Könntet ihr bitte aufhören, über mich zu reden, als ob ich nicht da wäre?«, protestierte Clary verärgert. »Und was meint ihr mit ›mir sagen‹? *Was* soll sie mir sagen?«

Jocelyn seufzte schwer. »Wir fahren in Urlaub.«

Lukes Gesichtsausdruck wurde undurchdringlich wie ein Stück Leinwand ohne Farbe.

Clary schüttelte den Kopf. »Was soll das alles? Ihr fahrt in Urlaub?« Sie ließ sich in die Kissen zurückfallen. »Ich kapier es nicht. Wozu dann der ganze Aufstand?«

»Du hast mich nicht richtig verstanden. Ich meinte, dass wir alle in Urlaub fahren, wir drei – du, Luke und ich. Wir fahren ins Landhaus.«

»Oh.« Clary schaute zu Luke hinüber; er hatte die Arme vor der Brust verschränkt und starrte mit verkrampftem Kiefer aus dem Fenster. Sie fragte sich, was ihn so wütend machte. Schließlich liebte er die alte Farm im Norden von New York – er hatte sie selbst vor zehn Jahren gekauft und renoviert und verbrachte so viel Zeit dort, wie er nur konnte. »Wie lange bleiben wir denn?«

»Den Rest des Sommers«, antwortete Jocelyn. »Ich hab diese Kartons gekauft, für den Fall, dass du irgendwas einpacken willst, Bücher, Malsachen . . .«

»Den *ganzen* Rest des Sommers?« Clary richtete sich empört auf. »Das geht nicht, Mom. Ich habe auch meine Pläne – Simon und ich wollen eine Party zum Schulbeginn machen, ich habe eine Menge Termine mit meiner Kunst-AG und noch zehn Stunden bei Trish . . .«

»Das mit Trish tut mir leid. Aber alles andere lässt sich absagen. Simon wird das schon verstehen und die Kunst-AG auch.«

Clary bemerkte die Unnachgiebigkeit im Ton ihrer Mutter; anscheinend war es ihr sehr ernst. »Aber ich habe für den Kunstunterricht bezahlt! Ich hab ein ganzes Jahr lang dafür gespart! Du hast es mir versprochen!« Sie fuhr herum und beschwor Luke: »Sag's ihr! Sag ihr, dass das unfair ist!«

Luke starrte weiter aus dem Fenster; ein Muskel zuckte in seiner Wange. »Sie ist deine Mutter. Es ist ihre Entscheidung.«

»Ich glaub's einfach nicht.« Clary wandte sich wieder an ihre Mutter. »Warum?«

»Ich muss hier weg, Clary«, sagte Jocelyn und ihre Mundwinkel zitterten. »Ich brauche Ruhe und Frieden, um malen zu können. Und wir sind gerade knapp bei Kasse . . .«

»Dann verkauf doch noch ein paar von Dads Aktien«, erwiderte Clary wütend. »Das machst du doch sonst auch immer, oder?«

Jocelyn fuhr hoch. »Werd jetzt bitte nicht unfair!«

»Mom, wenn du fahren willst, dann fahr doch. Es macht mir nichts aus, ohne dich hierzubleiben. Ich kann arbeiten und mir einen Job bei Starbucks oder so besorgen. Simon sagt, die suchen immer Leute. Ich bin alt genug, um selbst auf mich aufzupassen . . .«

»Nein!« Der schneidende Ton in Jocelyns Stimme ließ Clary zusammenzucken. »Ich geb dir das Geld für den Kunstunterricht zurück, Clary, aber du kommst mit uns. Das steht völlig außer Frage. Du bist zu jung, um allein hierzubleiben. Es könnte etwas passieren.«

»Was soll denn schon passieren?«, gab Clary zurück.

In dem Moment krachte es. Erstaunt schnellte Clary herum und sah, dass Luke eines der gerahmten Bilder umgestoßen hatte, die an der Wand lehnten. Sichtlich verärgert stellte er es wieder auf. Als er sich aufrichtete, bemerkte sie seinen verbissenen Gesichtsausdruck. »Ich werd dann mal gehen.«

Jocelyn biss sich auf die Lippe. »Warte.« Sie hastete ihm bis zur Wohnungstür nach, wo sie ihn einholte, als er den Türknauf schon in der Hand hatte. Clary, die vom Sofa aus spitze Ohren machte, konnte das eindringliche Flüstern ihrer Mutter nur halb verstehen.

». . . Bane«, wisperte sie, »ich versuche schon seit drei Wochen, ihn zu erreichen. Laut Anrufbeantworter ist er in Tansania. Was soll ich denn machen?«

»Jocelyn«, erwiderte Luke kopfschüttelnd, »du kannst doch nicht bis in alle Ewigkeit ständig zu ihm laufen.«

»Aber Clary . . .«

». . . ist nicht Jonathan«, zischte Luke. »Du hast dich total verändert, seit das passiert ist, bist danach nie mehr dieselbe gewesen, aber Clary *ist nun mal nicht Jonathan*.«

*Was hat mein Vater denn damit zu tun?,* dachte Clary verblüfft.

»Ich kann sie nicht ständig im Haus behalten und nicht mehr vor die Tür lassen. Das macht sie nicht mit.«

»Natürlich nicht!« Luke klang nun wirklich aufgebracht. »Sie ist kein Haustier, sondern ein Teenager, fast schon erwachsen.«

»Aber wenn wir aus der Stadt raus wären . . .«

»Du musst mit ihr reden, Jocelyn.« Luke klang entschlossen. »Ich meine es ernst.« Er griff nach dem Türknauf.

In dem Moment flog die Tür auf. Jocelyn stieß vor Schreck einen kleinen Schrei aus.

»Großer Gott!«, entfuhr es Luke.

»Ich bin's nur«, erklärte Simon unbekümmert, »obwohl ich oft zu hören bekomme, dass ich ihm verblüffend ähnlich sehe.« Er winkte Clary von der Tür aus zu. »Bist du so weit?«

Jocelyn holte tief Luft, dann fasste sie sich. »Simon, hast du etwa an der Tür gelauscht?«

Simon blinzelte überrascht. »Nein, ich bin gerade erst gekommen.« Er bemerkte Jocelyns bleiche Mine und Lukes angespannten Gesichtsausdruck. »Stimmt was nicht? Soll ich wieder gehen?«

»Keine Sorge, wir sind sowieso gerade fertig.« Luke quetschte sich an Simon vorbei und polterte geräuschvoll die Treppe hinunter. Unten hörte man die Haustür zuschlagen.

Simon drückte sich unsicher im Eingang herum. »Ich kann auch später noch mal wiederkommen. Wirklich. Das macht mir nichts aus.«

»Das wäre vielleicht ...«, setzte Jocelyn an, aber Clary war schon aufgesprungen.

»Vergiss es, Simon, wir gehen«, sagte sie schnell, riss ihre Kuriertasche vom Garderobehaken im Flur und warf sie sich über die Schulter. Ihrer Mutter schenkte sie einen feindseligen Blick. »Bis später, Mom.«

Jocelyn biss sich auf die Unterlippe. »Clary, lass uns noch mal darüber reden.«

»Dafür haben wir im Urlaub ja mehr als genug Zeit«, konterte Clary giftig und sah mit Genugtuung, wie ihre Mutter zusammenzuckte. »Warte nicht auf mich«, fügte sie noch hinzu, dann packte sie Simon am Arm und zerrte ihn förmlich in Richtung Tür.

Er sträubte sich und warf Clarys Mutter, die allein und verloren in der Diele stand und die Hände verkrampft zusammenpresste, über die Schulter einen halb entschuldigenden Blick zu. »Ciao, Mrs Fray«, rief er. »Schönen Abend noch!«

»Ach, halt die Klappe, Simon ...«, fauchte Clary und schlug die Tür hinter sich zu, sodass die Antwort ihrer Mutter ungehört verhallte.

»Mann, du reißt mir ja den Arm ab«, protestierte Simon, als Clary ihn hinter sich die Treppe hinunterzog. Ihre grünen Skechers dröhnten mit jedem wütenden Schritt auf den Holzstufen. Sie schaute zurück nach oben und rechnete fast damit, das Gesicht ihrer Mutter am Geländer zu sehen, doch die Wohnungstür blieb verschlossen.

»Tut mir leid«, murmelte Clary und ließ Simons Handgelenk los. Sie blieb kurz am Fuß der Treppe stehen, um ihre Tasche richtig umzuhängen.

Wie die meisten Sandsteinbauten in Park Slope hatte Clarys Haus früher einer reichen Familie gehört. Ein Abglanz seiner einstigen Pracht ließ sich noch an dem geschwungenen Treppenlauf und dem angeschlagenen Marmorboden der Eingangshalle erkennen, deren Oberlicht von einer einzigen Glasscheibe bedeckt wurde. Vor langer Zeit hatte man das Gebäude in mehrere Wohnungen unterteilt. Clary und ihre Mutter bewohnten das dreigeschossige Haus gemeinsam mit einer älteren Dame, die in ihrer Wohnung im Erdgeschoss als Hellseherin arbeitete. Sie verließ ihre Räumlichkeiten fast nie, obwohl sie nur selten Kundschaft empfing. Das goldene Schild an ihrer Tür wies sie als »MADAME DOROTHEA, SEHERIN UND WAHRSAGERIN« aus.

Der süße, schwere Duft nach Räucherstäbchen quoll aus der halb geöffneten Tür in die Eingangshalle. Clary hörte leises Gemurmel.

»Schön, dass ihr Geschäft floriert«, meinte Simon, »in unseren Zeiten findet sich für Seher viel zu selten regelmäßige Arbeit.«

»Kannst du dir deine sarkastischen Sprüche mal sparen?«, fauchte Clary ihn an.

Simon schaute verdutzt, ehrlich betroffen. »Ich dachte, du magst es, wenn ich geistreich und ironisch bin.«

Clary wollte gerade etwas darauf erwidern, als sich Madame Dorotheas Tür ganz öffnete und ein Mann heraustrat. Er war hochgewachsen, hatte goldbraune Haut, katzengleiche goldgrüne Augen und wirres schwarzes Haar. Der Mann schenkte ihr ein blendendes Lächeln, das seine scharfen weißen Zähne zum Vorschein kommen ließ.

Ein Schwindelgefühl überkam sie, ganz so, als ob sie jeden Moment ohnmächtig werden könnte.

Simon starrte sie besorgt an. »Alles in Ordnung? Du siehst aus, als würdest du gleich umfallen.«

Clary blinzelte und setzte eine erstaunte Miene auf. »Äh, was? Nein, nein, mir geht's gut.«

Doch anscheinend nahm Simon ihr das nicht ab. »Du siehst aus, als hättest du gerade einen Geist gesehen.«

Sie schüttelte den Kopf. Vor ihrem inneren Auge tauchte eine vage Erinnerung auf, die Erinnerung an etwas, das sie gesehen hatte.

Aber als sie sich darauf konzentrierte, löste sie sich in Luft auf. »Nein, es ist nichts. Ich dachte, ich hätte Dorotheas Katze gesehen, aber es war wohl bloß eine Lichtspiegelung.« Simon musterte sie ernst. »Außerdem habe ich seit gestern nichts gegessen«, rechtfertigte sie sich. »Wahrscheinlich bin ich deswegen ein bisschen daneben.«

Beschützend legte er ihr den Arm um die Schultern. »Komm, ich lad dich zum Essen ein.«

»Ich versteh einfach nicht, wie man so sein kann«, sagte Clary zum vierten Mal und versuchte, mit einem Nacho etwas Guacamole von ihrem Teller zu schaufeln. Sie saßen beim Mexikaner um die Ecke, einem winzigen Laden namens »Nacho Mama«. »Es ist schon schlimm genug, dass sie mir alle zwei Wochen Hausarrest verpasst. Aber jetzt werd ich auch noch für den Rest des Sommers ins Exil geschickt.«

»Du kennst doch deine Mutter. Ab und zu ist sie nun mal so – etwa jede zweite Minute«, grinste Simon sie über seinen vegetarischen Burrito hin an.

»Du hast gut lachen«, erwiderte sie beleidigt. »Du wirst ja auch nicht Gott weiß wie lange in die hinterletzte Pampa verschleppt . . .«

*»Clary.«* Simon unterbrach ihre Tirade. »Erstens hab *ich* dir nichts getan und zweitens ist es nicht für immer.«

»Und woher willst du das wissen?«

»Weil ich deine Mutter kenne«, erwiderte Simon nach kurzem Zögern. »Ich meine, du und ich, wir sind jetzt schon seit . . . hm . . . seit zehn Jahren befreundet. Ich weiß eben, dass sie manchmal so ist. Sie wird sich schon wieder beruhigen.«

Clary spießte eine Chilischote auf und knabberte geistesabwesend an der Spitze. »Ja, aber kennst du sie tatsächlich? Manchmal frage ich mich nämlich, ob überhaupt jemand sie wirklich kennt.«

Simon machte ein ratloses Gesicht. »Was willst du damit sagen?«

Clary atmete tief durch, um das Brennen im Mund zu lindern. »Na ja, sie erzählt nie etwas von sich. Ich weiß nichts über ihre Kindheit, ihre Familie und kaum etwas darüber, wie sie meinen Dad kennengelernt hat. Nicht mal Hochzeitsfotos hat sie. Als ob ihr Leben erst angefangen hätte, als sie mich bekam. Damit redet sie sich nämlich immer raus, wenn ich sie danach frage.«

»Ah, wie romantisch.« Simon zog ein Gesicht.

»Nein, das ist es nicht. Es ist merkwürdig. Es ist einfach seltsam, dass ich nichts über meine Großeltern weiß. Dass die Eltern meines Dads nicht sehr nett zu ihr waren, weiß ich, aber können sie wirklich *so* schlimm gewesen sein? Ich meine, dass sie nicht einmal ihr eigenes Enkelkind sehen wollten?«

»Vielleicht hasst deine Mutter sie ja. Vielleicht haben sie sie misshandelt oder so«, grübelte Simon. »Sie hat schließlich diese Narben.«

Clary starrte ihn erstaunt an. »Sie hat *was?«*

Simon schluckte ein Stück Burrito herunter. »Diese kleinen, dünnen Narben – überall auf ihrem Rücken und den Armen. Ich hab deine Mutter doch mal im Badeanzug gesehen.«

»Ich hab nie irgendwelche Narben bemerkt«, erwiderte Clary im Brustton der Überzeugung. »Ich glaube, das bildest du dir nur ein.«

Er starrte sie an und wollte gerade etwas sagen, als tief in der Kuriertasche ihr Mobiltelefon zu schrillen begann. Clary holte es heraus, sah die Nummer im Display und rümpfte die Nase. »Meine Mom.«

»Das sieht man deinem Gesicht an. Willst du mit ihr reden?«

»Jetzt nicht.« Wie so oft verspürte Clary ein schuldbewusstes Nagen im Bauch, als das Klingeln verstummte und sich die Voicemail einschaltete. »Ich will mich jetzt nicht mit ihr streiten.«

»Du kannst auch bei mir übernachten«, bot Simon an, »solange du willst.«

»Erst mal schauen, ob sie sich vielleicht wieder abregt.« Clary drückte die Voicemail-Taste. Die Stimme ihrer Mutter klang angespannt, aber um Unbefangenheit bemüht. »Clary, tut mir leid, dass ich dich mit den Urlaubsplänen überrumpelt habe. Komm nach Hause, dann reden wir drüber.« Clary unterbrach die Verbindung, ehe die Nachricht zu Ende war, wodurch sie sich noch schuldiger fühlte. Aber ihre Wut war noch nicht verraucht. »Sie will mit mir reden.«

»Und, willst du das auch?«

»Keine Ahnung.« Clary rieb sich die Augen. »Gehst du jetzt noch zu der Lesung?«

»Na ja, ich hab es schließlich versprochen.«

Clary stand auf und schob den Stuhl zurück. »Dann komm ich mit. Ich kann sie ja anrufen, wenn es vorbei ist.« Der Gurt der Kuriertasche rutschte von ihrem Arm. Simon schob ihn gedankenverloren zurück, wobei seine Finger einen Moment auf ihrer nackten Schulter verweilten.

Draußen war es schwül wie in einem Treibhaus. Die Feuchtigkeit sorgte dafür, dass Clarys Haar sich kräuselte und Simon das T-Shirt am Rücken klebte. »Und, wie geht's der Band?«, fragte sie. »Gibt's was Neues? Als wir vorhin telefoniert haben, war so ein Gejohle im Hintergrund.«

Simons Gesicht hellte sich auf. »Es läuft super. Matt sagt, er kennt jemanden, der uns einen Gig in der Scrap Bar besorgen könnte. Und wir überlegen uns gerade einen neuen Bandnamen.«

»Aha.« Clary musste sich ein Grinsen verkneifen. Simons Band hatte nie wirklich Musik gemacht; meist saßen die Jungs nur bei Simon im Wohnzimmer herum und stritten sich über Namen und Band-Logos. Manchmal fragte sie sich, ob überhaupt irgendeiner von ihnen ein Instrument spielen konnte. »Was steht denn zur Auswahl?«

»Wir überlegen, ob wir uns ›Sea Vegetable Conspiracy‹ nennen sollen oder ›Rock Solid Panda‹.«

»Das ist beides grauenhaft«, erwiderte Clary kopfschüttelnd.

»Eric hat ›Lawn Chair Crisis‹ vorgeschlagen.«

»Eric sollte lieber bei seinen Spielen bleiben.«

»Dann müssten wir uns aber einen neuen Schlagzeuger suchen.«

»Ach, Eric ist euer *Drummer?* Ich dachte, er schnorrt euch nur an und erzählt allen Mädels in der Schule, er spiele in einer Band, um Eindruck zu schinden.«

»Ach was«, meinte Simon leichthin, »Eric hat sich geändert. Er hat jetzt eine Freundin; sie sind schon seit drei Monaten zusammen.«

»Also so gut wie verheiratet«, sagte Clary und umrundete ein Paar, das einen Kinderwagen schob. Darin saß ein kleines Mädchen mit gelben Plastikspangen im Haar und umklammerte eine Elfenpuppe mit strahlend blauen, golddurchwirkten Flügeln. Aus den Augenwinkeln glaubte Clary zu erkennen, wie sie sich bewegten. Hastig wandte sie den Blick ab.

»Das heißt«, fuhr Simon fort, »dass ich jetzt der Einzige in der Band bin, der noch keine Freundin hat. Obwohl genau das der eigentliche Grund ist, überhaupt in einer Band zu spielen – um Mädchen kennenzulernen.«

»Ich dachte, es ginge nur um die Musik.« Ein Mann mit Gehstock kreuzte ihren Weg in Richtung Berkeley Street. Clary schaute zur Seite, besorgt, dass auch ihm Flügel, weitere Arme oder eine lange, gespaltene Zunge wachsen könnten, wenn sie ihn zu lange ansah. »Aber wen interessiert denn, ob du eine Freundin hast oder nicht?«

»Mich«, entgegnete Simon düster. »In der Schule bin ich bald der Einzige ohne Freundin – abgesehen von Wendell, dem Hausmeister. Und der stinkt nach Glasreiniger.«

»Na jedenfalls weißt du, dass *er* noch zu haben ist.«

Simon sah sie giftig an. »Sehr lustig, Fray.«

»Versuch's doch mal mit Sheila Barbarino, der Stringtanga-Tussi.« Clary hatte in der Neunten in Mathematik hinter ihr gesessen und jedes Mal, wenn Sheila einen Bleistift aufhob – also etwa alle zwei Minuten –, hatte sie den String unter der ultratief sitzenden Jeans begutachten dürfen.

»Das ist genau *die,* mit der Eric seit drei Monaten geht«, klärte Simon sie auf. »Sein Tipp war, ich sollte mir einfach die Braut mit dem geilsten Body aussuchen und sie am ersten Schultag zur Herbstfete einladen.«

»Eric ist ein sexistisches Schwein«, erwiderte Clary, die plötzlich gar nicht so genau wissen wollte, welches Mädchen der Schule in Simons Augen die geilste Figur hatte. »Nennt eure Band doch ›The Sexist Pigs‹.«

»Klingt nicht schlecht«, meinte Simon unbekümmert. Clary schnitt ihm eine Grimasse. In der Tasche plärrte erneut ihr Mobiltelefon. Sie fischte es heraus. »Noch mal deine Mom?«, fragte er.

Clary nickte. Sie stellte sich ihre Mutter vor, wie sie allein und verloren in der Diele stand. Schuldgefühle stiegen in ihr auf.

Sie blickte kurz zu Simon hoch, der sie sorgenvoll musterte. Sein Gesicht war ihr so vertraut, dass sie seine Züge im Schlaf hätte nachzeichnen können. Sie dachte an die Wochen der Einsamkeit, die ohne ihn vor ihr lagen, und schob das Handy wieder in die Tasche. »Los«, sagte sie. »Wir kommen zu spät zur Lesung.«

# 3
# Schattenjäger

Als sie im Java Jones ankamen, stand Eric schon auf der Bühne und schwankte mit zusammengekniffenen Augen vor dem Mikrofon hin und her. Zur Feier des Tages hatte er sich die Haarspitzen pink gefärbt. Hinter ihm malträtierte Matt, der ziemlich stoned wirkte, eine Djembe.

»Das wird der Horror«, warnte Clary und zog Simon am Ärmel zurück in Richtung Ausgang. »Wenn wir jetzt gehen, haben wir noch eine Chance.«

Simon schüttelte entschlossen den Kopf. »Wenn ich eines bin, dann zuverlässig.« Er straffte die Schultern. »Such schon mal einen Platz für uns, ich hol in der Zwischenzeit was zu trinken. Was willst du?«

»Einen Kaffee. Schwarz – *wie meine Seele.*«

Simon verschwand in Richtung Theke, nachdem er noch gemurmelt hatte, Eric sei schon viel, viel besser geworden. Clary machte sich auf die Suche nach einem Sitzplatz.

Das Java Jones war für einen Montag ziemlich voll. Die meisten der abgenutzten Sofas und Sessel schienen mit Teenagern besetzt, die den freien Montagabend genossen. Das Aroma von Kaffee und Nelkenzigaretten raubte Clary fast den Atem. Endlich fand sie ein winziges Sofa in einer dunklen Ecke im hinteren Bereich des Cafés. Nur ein blondes Mädchen mit orangefarbenem Trägertop saß in der Nähe und fummelte konzentriert an ihrem iPod herum. *Gut,* dachte Clary, *hier kann Eric uns nach der Show nicht finden und uns fragen, was wir von seinen Gedichten halten.*

Als ihr plötzlich jemand auf die Schulter tippte, blickte sie überrascht auf. »Sag mal« – es war die Blonde mit dem Trägertop, die sich zu ihr hinüberlehnte – »ist das dein Freund?«

Clary folgte ihrem Blick und wollte schon *Nein, den kenn ich nicht* erwidern, als ihr aufging, dass die Blondine Simon meinte. Er steuerte mit hoch konzentriertem Gesichtsausdruck auf sie zu, bemüht, den Kaffee in den zwei Styroporbechern nicht überschwappen zu lassen. »Ach der . . .«, sagte Clary, »nein, das ist nur ein guter Freund von mir.«

Das Mädchen strahlte. »Der ist ja süß. Hat er eine Freundin?«

Clary zögerte etwas länger als nötig. »Nein.«

Das Mädchen wirkte skeptisch. »Ist er schwul?«

Clary blieb die Antwort erspart, weil Simon in diesem Moment an den Tisch trat. Die Blonde lehnte sich schnell wieder zurück, als er die Becher absetzte und sich neben Clary auf das Sofa fallen ließ. »Ich hasse es, wenn sie keine richtigen Tassen mehr haben. An den Dingern verbrennt man sich dauernd die Finger.« Er blickte finster und pustete auf seine Hände. Clary versuchte, ihr Lächeln zu verbergen, während sie ihn musterte. Normalerweise fragte sie sich nie, ob Simon gut aussah oder nicht. Wenn sie ehrlich war, besaß er ziemlich attraktive dunkle Augen und er hatte sich in den vergangenen ein, zwei Jahren ganz gut gemacht. Mit einem vernünftigen Haarschnitt . . .

»Warum starrst du mich so an?«, fragte Simon. »Hab ich was im Gesicht?«

*Ich muss es ihm sagen,* dachte sie, obwohl sich irgendetwas in ihr dagegen sträubte. *Ich wäre eine schlechte Freundin, wenn ich es nicht täte.* »Sieh jetzt nicht hin, aber das blonde Mädchen da drüben findet dich süß«, flüsterte sie.

Simon schielte kurz zu der Blonden hinüber, die in eine Ausgabe von *Shonen Jump* vertieft war. »Die mit dem orangefarbenen Top?« Clary nickte. Simon schaute zweifelnd. »Wie kommst du darauf?«

*Komm, sag es ihm, na los.* Clary öffnete den Mund, um zu antworten, als eine schrille Rückkopplung sie unterbrach. Sie zuckte zusammen und hielt sich die Ohren zu, während Eric auf der Bühne mit seinem Mikrofon kämpfte.

»Sorry, Leute!«, brüllte er. »Okay. Ich bin Eric und am Schlagzeug sitzt mein Kumpel Matt. Mein erstes Gedicht heißt ›Ohne Titel‹.« Er verzog sein Gesicht zu einer schmerzverzerrten Grimasse und heulte ins Mikro: *»Herbei, mein trügerischer Moloch, meine schändlichen Lenden/Bestreiche jede Erhebung mit freudloser Inbrunst!«*

Simon rutschte ganz tief ins Sofa. »Sag bloß keinem, dass ich ihn kenne.«

Clary kicherte. »Wer benutzt denn noch Wörter wie ›Lenden‹?«

»Eric«, erwiderte Simon grimmig. »In all seinen Gedichten wimmelt es von Lenden.«

*»Aufgedunsen ist meine Qual!«*, jaulte Eric. *»In ihr schwillt Todesangst!«*

»Darauf kannst du Gift nehmen«, meinte Clary trocken und ließ sich tiefer neben Simon ins Sofa sinken. »Aber um auf das Mädchen zurückzukommen, das dich süß findet . . .«

»Ach, vergiss die mal für einen Moment«, sagte Simon. Clary blinzelte ihn verblüfft an. »Ich wollte was anderes mit dir besprechen.«

»Nein, ›Furious Mole‹ wär kein guter Name für eine Band«, erwiderte Clary wie aus der Pistole geschossen.

»Das mein ich doch gar nicht. Ich wollte mit dir über die Sache von vorhin reden. Du weißt schon – dass ich noch immer solo bin.«

»Ach so.« Clary zuckte ratlos die Achseln. »Tja, mal nachdenken. Verabrede dich doch mal mit Jaida Jones«, schlug sie vor – Jaida war eins der wenigen Mädchen an der St. Xavier School, die sie wirklich mochte. »Die ist nett und sie mag dich.«

»Ich will aber nicht mit Jaida Jones ausgehen.«

»Warum nicht?« Clary spürte plötzlich so etwas wie Ärger in sich aufsteigen. »Magst du keine intelligenten Mädchen? Suchst du immer noch *geile Bodys?«*

»Das nicht«, meinte Simon, irgendwie aufgewühlt. »Ich will nicht mit ihr ausgehen, weil es ihr gegenüber nicht ganz fair wäre, weil . . .«

Er verstummte. Clary beugte sich näher zu ihm. Aus den Augenwinkeln beobachtete sie, dass sich auch das blonde Mädchen hinüberlehnte und sichtlich die Ohren spitzte. »Weil . . .?«

»Weil ich jemand anderen mag«, sagte Simon schließlich.

»Ach so.« Simon sah etwas grün im Gesicht aus, so wie damals, als er sich beim Fußballspielen im Park den Knöchel gebrochen hatte und damit nach Hause humpeln musste. Ratlos fragte sie sich, was um alles in der Welt ihn zu so einer fassungslosen und verzweifelten Miene veranlasste. »Bist du vielleicht schwul?«

Simons Gesicht wurde noch grüner. »Wenn ich schwul wäre, würde ich mich definitiv besser anziehen.«

»Also, wer ist es?« Sie wollte noch hinzufügen, dass Eric ihm bestimmt die Hölle heißmachen würde, falls Simon in Sheila Barbarino verliebt wäre, als sie ein vernehmliches Räuspern hinter sich hörte – ein ironisches Hüsteln, so als fände jemand etwas ungemein komisch.

Sie drehte sich um.

Nur wenige Schritte von ihr entfernt saß Jace auf einem verblichenen grünen Sofa. Er war genauso dunkel gekleidet wie abends zuvor im Pandemonium. Seine nackten Arme waren mit feinen weißen Linien bedeckt, die alten Narben ähnelten. An den Handgelenken trug er breite Manschetten aus Metall; aus einer sah Clary den Horngriff eines Messers herausragen. Jace blickte sie direkt an und grinste amüsiert. Was Clary jedoch am meisten irritierte, war nicht die Tatsache, dass er sich über sie lustig machte, sondern dass er fünf Minuten zuvor noch nicht dort gesessen hatte. Das wusste sie ganz genau.

»Was ist los?« Simon folgte ihrem Blick, aber der fragende Ausdruck in seinem Gesicht zeigte, dass er Jace nicht sehen konnte.

*Aber ich sehe dich,* dachte sie und starrte Jace an, der ihr lässig mit links zuwinkte. Er erhob sich und ging ohne Eile auf den Ausgang zu. Clary blickte ihm sprachlos hinterher. Er marschierte tatsächlich einfach so aus dem Café.

Sie spürte Simons Hand auf ihrem Arm. Er sprach sie an und fragte, ob mit ihr alles in Ordnung sei. Doch sie hörte ihn kaum. »Ich bin gleich wieder da«, stieß sie hervor, während sie mit einem Satz von der Couch aufsprang und dabei fast vergaß, den Becher abzustellen. Simon konnte ihr bloß noch hinterherschauen.

Clary stieß krachend die Tür des Cafés auf. Sie hatte panische Angst, dass Jace wie ein Phantom plötzlich wieder verschwunden sein könnte. Doch da stand er, gegen die Wand gelehnt. Er hatte etwas aus seiner Tasche geangelt und drückte nun an ein paar Knöpfen herum. Erstaunt blickte er auf, als die Cafétür hinter ihr ins Schloss fiel.

In der rasch einsetzenden Dämmerung schimmerte sein Haar wie kupferrotes Gold. »Die Gedichte deines Freundes sind grauenhaft«, sagte er.

Clary blinzelte ihn völlig entwaffnet an. »Bitte?«

»Seine Gedichte sind grauenhaft, habe ich gesagt. Als hätte er ein Wörterbuch geschluckt und würde jetzt irgendwelche x-beliebigen Wörter hervorwürgen.«

»Erics Gedichte interessieren mich nicht«, fauchte Clary. »Ich will wissen, warum du mir hinterherläufst.«

»Wer sagt denn, dass ich dir hinterherlaufe?«

»Versuch nicht, dich rauszureden. Und gelauscht hast du auch. Sagst du mir jetzt, worum es hier geht, oder soll ich die Polizei rufen?«

»Und was willst du der erzählen?«, fragte Jace sarkastisch. »Dass dich Unsichtbare belästigen? Kleine, glaub mir, die Polizei verhaftet niemanden, den sie nicht sehen kann.«

»Ich hab dir schon mal gesagt, dass ich nicht Kleine heiße«, zischte sie, »sondern Clary.«

»Ich weiß«, sagte er. »Hübscher Name. Genau wie das englische

Wort für Scharlachsalbei – *clary sage*. Früher glaubten die Leute, man könne Feenwesen, Elfen und Kobolde sehen, wenn man die Samen dieser Pflanze aß. Wusstest du das?«

»Ich hab keine Ahnung, wovon du sprichst.«

»Du hast überhaupt von wenig 'ne Ahnung, was?« Er fixierte sie provokant und lasziv aus goldbraunen Augen. »Du wirkst wie eine ganz normale Irdische und kannst mich trotzdem sehen. Ein echtes Rätsel.«

»Was meinst du mit *Irdische?«*

»Na, jemand aus der Menschenwelt, jemand wie du.«

»Aber du bist doch auch ein Mensch!«, entgegnete Clary.

»Schon«, räumte er ein, »aber nicht so wie du.« Seine Stimme klang nicht belehrend, sondern eher so, als wäre es ihm egal, ob sie ihm glaubte oder nicht.

»Du hältst dich für was Besseres. Und deshalb hast du uns belächelt.«

»Ich habe über euch gelacht, weil mich Liebesbezeugungen amüsieren, vor allem, wenn die Liebe nicht erwidert wird«, sagte er. »Und weil dein Simon einer der irdischsten Irdischen ist, den ich je gesehen habe. Und weil Hodge befürchtete, du könntest gefährlich sein. Aber falls das stimmt, dürfte es dir kaum bewusst sein.«

»Gefährlich? Ich?«, wiederholte Clary verblüfft. »Gestern Abend habe ich gesehen, wie *du* jemanden umgebracht hast. Wie du ihm ein Messer in die Rippen gestoßen hast, und ...« *Und wie er dich mit rasiermesserscharfen Klauen aufgeschlitzt hat. Ich habe deine Wunde bluten sehen und jetzt siehst du so aus, als sei nichts geschehen.*

»Okay, an meinen Händen mag Blut kleben, aber zumindest weiß ich, wer ich bin. Kannst du das von dir auch behaupten?«

»Ich bin ein ganz normales menschliches Wesen, wie du schon gesagt hast. Wer ist Hodge?«

»Mein Tutor. Und an deiner Stelle würde ich mich nicht so schnell als normal bezeichnen.« Er beugte sich vor. »Zeig mir mal deine rechte Hand.«

»Meine rechte Hand?«, echote Clary, worauf er nickte. »Wenn ich dir meine Hand zeige, lässt du mich dann in Ruhe?«

»Natürlich«, sagte er leicht amüsiert.

Widerstrebend reichte sie ihm die rechte Hand. Im schwachen Licht, das durch die Fenster nach draußen fiel, wirkte sie bleich; die Fingerknöchel waren mit hellen Sommersprossen übersät. Irgendwie fühlte sie sich so entblößt, als hätte sie ihr Hemd hochgeschoben und ihm ihre nackte Brust gezeigt. Er nahm ihre Hand in seine und drehte sie. »Nichts.« Fast klang er enttäuscht. »Du bist nicht zufällig Linkshänderin?«

»Nein, warum?«

Er ließ sie achselzuckend los. »Alle Schattenjägerkinder werden schon sehr früh mit der Voyance-Rune auf der rechten Hand versehen – oder auf der linken, wenn sie Linkshänder sind wie ich. Eine unauslöschliche Rune, die uns die Fähigkeit verleiht, die magische Welt zu erkennen.« Er zeigte ihr den Rücken seiner linken Hand, der ihr völlig normal erschien.

»Ich seh nichts«, sagte sie.

»Entspann dich ein bisschen«, riet er, »warte, bis es von selbst vor deinen Augen erscheint. Wie etwas, das aus den Tiefen des Wassers an die Oberfläche steigt.«

»Du bist echt nicht ganz dicht.« Aber sie entspannte sich, während sie seine Hand betrachtete, die winzigen Linien um die Fingerknöchel, die schlanken Fingerglieder . . .

Und dann sprang es ihr förmlich ins Auge, blinkend wie ein Warnsignal. Ein schwarzes Muster, wie ein Auge, auf dem Rücken seiner Hand.

Sie blinzelte und es verschwand. »Ein Tattoo?«

Er lächelte selbstzufrieden und senkte die Hand. »Ich wusste, dass du es kannst. Und es ist keine Tätowierung, sondern ein Mal. Eine in die Haut gebrannte Rune. Die Male haben unterschiedliche Wirkungen. Einige sind bleibend, aber die meisten verblassen, nachdem sie verwendet wurden.«

»Und deshalb sind deine Arme heute nicht total bemalt, selbst wenn ich konzentriert hinsehe?«, fragte Clary.

»Genau deswegen.« Er klang sehr zufrieden. »Ich wusste ja, dass du zumindest das Zweite Gesicht hast.« Er schaute zum Himmel auf. »Es ist schon fast vollkommen dunkel. Wir sollten los.«

»Was soll das heißen – wir? Ich dachte, du lässt mich in Ruhe.«

»Ich hab gelogen«, sagte Jace ohne jede Spur von Verlegenheit. »Hodge hat mich beauftragt, dich ins Institut zu bringen. Er möchte mit dir reden.«

»Und warum sollte er das wollen?«

»Weil du jetzt von uns weißt«, erwiderte Jace.

»*Uns*? Du meinst, Leute wie dich? Die an Dämonen glauben?«

»Die sie töten«, entgegnete Jace. »Schattenjäger heißen wir. Zumindest nennen wir uns selbst so. Die Schattenwesen haben nicht ganz so schmeichelhafte Namen für uns.«

»Schattenwesen?«

»Na, die Kinder der Nacht, Vampire, Hexenmeister und Feenwesen. Die magischen Wesen dieser Dimension.«

Clary schüttelte den Kopf. »Ja klar. Nicht zu vergessen Meerjungfrauen, Werwölfe und Zombies.«

»Selbstverständlich«, erwiderte Jace seelenruhig. »Es gibt einen Grund, wieso diese ganzen Geschichten existieren. Sie basieren auf Fakten, auch wenn die Irdischen sie für Mythen halten. Die Schattenjäger sagen immer: ›Alle Geschichten sind wahr.‹ Allerdings halten sich Zombies normalerweise weiter südlich auf, dort wo die Voodoo-Priester praktizieren.«

»Und was ist mit Mumien? Gibt's die nur in Ägypten?«

»Mach dich nicht lächerlich. Kein Kind glaubt an Mumien.«

»Nein?«

»Natürlich nicht«, sagte Jace. »Hör zu, Hodge wird dir alles erklären.«

Clary verschränkte die Arme vor der Brust. »Und wenn ich nicht mitkomme?«

»Das musst du selbst entscheiden: Entweder begleitest du mich freiwillig oder . . .«

Clary glaubte, ihren Ohren nicht zu trauen. »Du drohst damit, mich zu entführen?«

»Wenn du so willst, ja.«

Clary wollte den Mund zu einer wütenden Entgegnung öffnen, wurde aber von einem durchdringenden Klingeln unterbrochen. Ihr Mobiltelefon meldete sich wieder.

»Du kannst ruhig abnehmen, wenn du willst«, sagte Jace gönnerhaft.

Das Klingeln brach ab, nur um kurz darauf erneut und nachdrücklich einzusetzen. Clary runzelte die Stirn – offenbar flippte ihre Mutter gerade völlig aus. Sie drehte sich halb von Jace weg und grub in ihrer Tasche. Als sie das Handy endlich gefunden hatte, plärrte es bereits zum dritten Mal. Sie führte es ans Ohr. »Mom?«

»Oh Clary. Gott sei Dank.« In Clarys Kopf schrillten alle Alarmglocken. Ihre Mutter klang panisch. »Clary, hör mir jetzt gut zu . . .«

»Mom, es ist alles in Ordnung. Mir geht's gut. Ich bin auf dem Weg nach Hause . . .«

»*Nein!*« Nackte Angst sprach aus Jocelyns heiserer Stimme. »Komm nicht nach Hause. Hast du verstanden, Clary? Komm auf keinen Fall nach Hause. Geh zu Simon. Geh sofort zu Simon und bleib bei ihm, bis ich dich . . .« Ein Hintergrundgeräusch unterbrach sie, irgendetwas Schweres fiel zu Boden, zersprang dort mit einem lauten Klirren . . .

»Mom!«, schrie Clary ins Telefon. »Mom, ist alles in Ordnung?«

Lautes Rauschen drang aus dem Handy. Dann hörte Clary die Stimme ihrer Mutter durch das statische Knistern: »Versprich mir, dass du nicht herkommst. Geh zu Simon und ruf Luke an – sag ihm, dass er mich gefunden hat . . .« Ein lautes Krachen nach splitterndem Holz übertönte ihre Worte.

»*Wer* hat dich gefunden, Mom? Hast du die Polizei gerufen? Hast du . . .«

Ihre verzweifelte Frage wurde von einem Geräusch abgeschnitten, das Clary nie vergessen würde – ein durchdringendes, schleifendes Geräusch, dann ein dumpfer Aufschlag. Clary hörte, wie ihre Mutter scharf Luft einzog, ehe sie mit tödlich ruhiger Stimme weitersprach: »Ich liebe dich, Clary.«

Dann brach die Verbindung ab.

»*Mom!*«, schrie Clary schrill ins Telefon. »Mom, bist du noch dran?« *Verbindung beendet,* erschien im Display. Aber warum hatte ihre Mutter aufgelegt?

»Clary«, setzte Jace an. Es war das erste Mal, dass er sie mit ihrem richtigen Namen ansprach. »Was ist los?«

Clary ignorierte ihn. Fieberhaft drückte sie die Kurzwahltaste für zu Hause. Aber als Antwort erhielt sie nur ein Besetztzeichen.

Clarys Hände begannen, unkontrolliert zu zittern. Als sie versuchte, ein weiteres Mal anzurufen, rutschte ihr das Telefon aus der bebenden Hand und schlug hart auf dem Gehsteig auf. Auf allen vieren suchte sie den Boden nach ihm ab, doch als sie es fand, musste sie feststellen, dass es nicht mehr funktionierte. Ein langer Riss zog sich über die Vorderseite. »Verdammt!« Den Tränen nahe, schleuderte sie das Telefon zu Boden.

»Lass das.« Jace zog sie am Handgelenk wieder hoch. »Ist was passiert?«

»Gib mir mal dein Handy«, sagte Clary und griff nach dem schwarzen metallischen Gerät, das aus seiner Hemdtasche ragte. »Ich muss . . .«

»Das ist kein Telefon«, erklärte Jace, machte aber keine Anstalten, es ihr wieder abzunehmen, »sondern ein Sensor. Du wirst nicht in der Lage sein, ihn zu bedienen.«

»Ich muss aber die Polizei anrufen!«

»Sag mir erst, was passiert ist.« Sie versuchte, ihm ihr Handgelenk zu entwinden, doch sein Griff war unglaublich fest. »Ich kann dir helfen.«

Brennende Wut loderte in Clary auf und rauschte durch ihre Adern wie ein Feuersturm. Ohne darüber nachzudenken, holte sie aus und fuhr Jace mit den Fingernägeln quer über die Wange. Überrascht zuckte er zurück. Clary riss sich los und rannte auf die Lichter der Seventh Avenue zu.

Als sie die Straße erreicht hatte, drehte sie sich um; fast rechnete sie damit, dass Jace ihr unmittelbar auf den Fersen sein würde. Doch die Straße war leer. Einen Moment lang starrte sie verunsichert ins Halbdunkel. Nichts bewegte sich dort. Sie machte auf dem Absatz kehrt und rannte in Richtung ihrer Wohnung.

# 4
# Ravener

Im Laufe des Abends war es noch schwüler geworden, und während Clary nach Hause rannte, fühlte sie sich, als müsse sie durch eine dicke, brodelnde Suppe schwimmen. An der Ecke vor ihrer Häuserzeile wurde sie von einer roten Ampel gestoppt. Ungeduldig wippte sie auf den Fußballen vor und zurück, während der Verkehr in einem Strom blendender Lichter an ihr vorbeizog. Sie versuchte erneut, zu Hause anzurufen, doch Jace hatte nicht gelogen; sein Sensor war kein Mobiltelefon. Zumindest ähnelte er nicht den Telefonen, die Clary kannte. Die Knöpfe des Geräts waren nicht mit Zahlen beschriftet, sondern trugen bizarre Symbole und ein Display gab es auch nicht.

Während sie auf ihr Haus zulief, bemerkte sie, dass alle Fenster im zweiten Stock erleuchtet waren – normalerweise ein Zeichen dafür, dass ihre Mutter zu Hause war. *Okay,* redete sie sich selbst gut zu, *alles ist in Ordnung*. Doch als sie die Haustür aufstieß, krampfte sich ihr Magen zusammen.

Die Flurlampe war durchgebrannt und die Eingangshalle lag im Dunkeln. Hinter jedem Schatten schienen Bewegungen zu lauern. Schaudernd nahm sie die ersten Treppenstufen.

»Wo willst du hin, Kleine?«, fragte unvermittelt eine Stimme.

Clary wirbelte herum. »Was . . .?«

Sie verstummte. Ihre Augen gewöhnten sich allmählich an die Dunkelheit und sie konnte die Umrisse eines großen Ohrensessels erahnen, der vor Madame Dorotheas verschlossene Tür gerückt worden war. Darin eingeklemmt, wie ein zu pralles Sofakissen, saß die alte Dame. Im Zwielicht konnte Clary nur die runden Umrisse ihres gepuderten Gesichts ausmachen, den weißen Spitzenfächer in ihrer Hand, und wenn sie redete, die dunkel klaffende Öffnung ihres Mundes. »Deine Mutter hat einen Mordslärm da oben veranstaltet«, setzte Dorothea an. »Was treibt sie denn? Möbelrücken?«

»Hören Sie, ich glaube nicht . . .«

»Und die Treppenhausbeleuchtung ist durchgebrannt.« Dorothea klopfte mit dem Fächer auf die Sessellehne. »Kann deine Mutter nicht mal ihren Freund bitten, die Birne zu wechseln?«

»Luke ist nicht . . .«

»Und das Oberlicht müsste mal geputzt werden. Kein Wunder, dass es hier so finster ist.«

*Luke ist nicht der Vermieter,* hätte Clary am liebsten erwidert, doch sie schwieg. Das war wieder typisch für die Alte. Sobald sie Luke so weit hatte, die Birne zu wechseln, würde sie ihm noch Hunderte anderer Jobs auftragen – ihre Einkäufe abholen, den Abfluss in ihrer Dusche reinigen und so weiter. Einmal hatte sie ihn ein altes Sofa mit der Axt zerkleinern lassen, damit sie es aus der Wohnung bekam, ohne die Türen auszuhängen.

Clary seufzte. »Ich werd ihn fragen.«

»Tu das.« Dorothea ließ den Fächer zuschnappen.

Clarys mulmiges Gefühl verstärkte sich, als sie die Wohnungstür erreichte. Sie stand einen Spaltbreit offen und ein keilförmiger Lichtkegel fiel auf den Treppenabsatz. Mit einem wachsenden Gefühl der Panik stieß Clary die Tür auf.

In der Wohnung brannten alle Lampen; alles strahlte so hell wie irgend möglich. Das grelle Licht schmerzte in den Augen.

Die Schlüssel und die rosafarbene Handtasche ihrer Mutter lagen wie immer auf dem schmiedeeisernen Regal neben der Tür. »Mom?«, rief Clary. »Mom, ich bin's!«

Es kam keine Antwort. Sie ging weiter ins Wohnzimmer. Beide Fenster standen offen und die langen weißen Vorhänge bauschten sich wie rastlose Geister in der schwülen Brise. Erst als der Wind sich legte und die Vorhänge sich senkten, bemerkte Clary, dass die Sofakissen quer durchs Zimmer geschleudert worden waren. Einige hatte man der Länge nach aufgeschlitzt und ihr Inneres quoll auf den Boden. Die Bücherregale waren umgekippt und ihr Inhalt verstreut. Auch der Klavierhocker lag umgestürzt da. Jocelyns geliebte Notenhefte schienen über den gesamten Boden verteilt zu sein.

Am schlimmsten traf Clary der Anblick der Bilder. Jedes einzelne war aus dem Rahmen getrennt und in Streifen zerfetzt worden, die verstreut auf dem Teppich lagen. Das musste jemand mit einem Messer bewerkstelligt haben, denn mit bloßen Händen ließ sich Leinwand kaum zerreißen. Die leeren Rahmen wirkten wie abgenagte Knochen. Ein Schrei stieg in Clary auf. *»Mom!«*, schrie sie. *»Wo bist du? Mommy!«*

Sie hatte Jocelyn seit ihrem achten Lebensjahr nicht mehr »Mommy« genannt.

Mit pochendem Herzen rannte sie in die Küche. Sie war leer und alle Schränke standen offen; aus einer Tabasco-Flasche hatte sich scharfe rote Flüssigkeit quer über das Linoleum ergossen. Clarys Knie wurden butterweich. Sie wusste genau, dass sie eigentlich aus der Wohnung rennen, ein Telefon suchen und die Polizei verständigen sollte. Aber all das schien so fern – zuerst musste sie ihre Mutter finden und sich davon überzeugen, dass es ihr gut ging. Was, wenn Einbrecher da gewesen waren und ihre Mutter sich mit ihnen angelegt hatte ...?

*Aber welche Sorte Einbrecher ließ eine Brieftasche liegen – ganz abgesehen vom Fernseher, dem DVD-Player und dem teuren Notebook?*

Inzwischen hatte sie die Tür zum Schlafzimmer ihrer Mutter erreicht. Einen Moment lang sah es so aus, als sei wenigstens dieser Raum verschont geblieben: Jocelyns handgenähte Tagesdecke lag ordentlich über dem Bett. Clarys eigenes Gesicht lächelte ihr vom Nachttischchen entgegen – das zaghafte Lächeln einer Fünfjährigen mit Zahnlücke, das Gesicht umrahmt von rotblonden Locken. Ein

Schluchzen stieg in ihr auf. *Mom,* weinte sie stumm in sich hinein, *wo bist du?*

Doch alles blieb still . . . nein, nicht ganz, denn plötzlich hörte sie ein Geräusch in der Wohnung, das ihr die Nackenhaare zu Berge stehen ließ. Es klang, als würde etwas umgeworfen – ein dumpfer, schwerer Aufprall auf den Boden, gefolgt von einem Schleifen. Das Geräusch näherte sich dem Schlafzimmer. Clary spürte, wie die Panik ihren Magen in einen Eisklumpen verwandelte. Zitternd stand sie auf und drehte sich langsam um.

Einen Moment lang sah sie nichts in der Tür und ihr Körper entspannte sich etwas. Doch dann schaute sie nach unten.

Eng an den Boden geschmiegt lauerte dort eine lange, schuppige Gestalt mit einer Reihe flacher schwarzer Augen, die weit vorn in der Mitte des gewölbten Schädels saßen. Mit der dicken, abgeflachten Schnauze und dem drohend hin und her peitschenden, stachligen Schwanz wirkte sie wie eine Kreuzung aus Alligator und Tausendfüßler. Ihre zahlreichen Beine waren zum Sprung leicht angezogen.

Ein Schrei brach aus Clary hervor. Sie taumelte rückwärts, stolperte und fiel genau in dem Moment zu Boden, als sich das Wesen auf sie stürzte. Sie rollte zur Seite; es verfehlte sie nur um wenige Zentimeter und schlitterte über den Boden, der von seinen spitzen Klauen aufgerissen wurde. Ein tiefes Knurren drang aus seiner Kehle.

Clary rappelte sich auf und rannte in Richtung Flur, doch das Ding war zu schnell für sie. Mit einem Satz hechtete es an die Wand oberhalb der Schlafzimmertür, klebte dort wie eine bedrohliche Riesenspinne und starrte sie mit seinen vielen Augen an. Langsam öffneten sich die Kiefer, wobei eine Reihe Fangzähne sichtbar wurde und grünlicher Schleim herabtropfte. Dazwischen bahnte sich eine lange schwarze Zunge schlängelnd und zischend ihren Weg. Erschrocken erkannte Clary im Gurgeln und Zischen des Untiers menschliche Worte.

*»Mädchen«,* zischte es. *»Fleisch, Blut. Fressen, aah, Fressssen.«*

In Zeitlupe schlängelte es sich die Wand hinab. Statt Panik überkam Clary jetzt eine fast eisige Ruhe. Das Geschöpf war auf den Füßen gelandet und kroch auf sie zu. Während Clary zurückwich, schnappte sie sich ein schweres, gerahmtes Foto von der Kommode – ihre Mutter, Luke und sie auf Coney Island, vor dem Autoscooter – und schleuderte es auf das Wesen.

Das Foto traf die Kreatur in der Mitte, prallte ab und schlug klirrend auf dem Boden auf, doch das Monster schien es gar nicht zu merken. Es kam näher; die Glasscherben zersplitterten unter seinen Krallen. *»Knochen zerbrechen, das Mark aussaugen. Adern ausschlürfen . . .«*

Clarys Rücken stieß an die Wand. Weiter konnte sie nicht zurückweichen. Sie fühlte eine Bewegung an ihrer Hüfte und wäre vor Schreck fast zur Salzsäure erstarrt. Ihre Tasche! Sie durchwühlte sie mit der Hand und riss das Ding heraus, das sie Jace abgenommen hatte. Der Sensor bebte wie ein Handy mit Vibrationsalarm. Sein hartes Material fühlte sich brennend heiß an. Sie umklammerte ihn mit aller Kraft, als das Wesen zum Sprung ansetzte.

Es prallte gegen Clary und riss sie zu Boden; ihr Kopf und ihre Schultern krachten auf das Parkett. Sie versuchte, sich zur Seite zu drehen, doch das Monster war erdrückend schwer. Bleiern und sabbernd hockte es auf ihr und ließ sie würgen. *»Fressen, fressssen«*, stöhnte es, *»aber es ist verboten, zu verschlingen, zu genießen.«*

Sein heißer, nach Blut stinkender Atem wehte ihr ins Gesicht. Clary bekam kaum noch Luft und ihre Rippen fühlten sich an, als müssten sie bersten. Ihr Arm war zwischen ihrem Körper und dem Monster eingeklemmt; der Sensor presste sich in ihre Handfläche. Sie wand sich hin und her, um die Hand freizubekommen. *»Valentin wird es nie erfahren. Hat nicht von Mädchen gesprochen. Valentin wird nicht böse sein.«* Die Kreatur verzog das lippenlose Maul, sperrte langsam den Kiefer auf und erneut schlug Clary eine stinkende Wolke entgegen.

Endlich bekam sie die Hand frei. Mit einem Schrei holte sie aus, um das Ding in tausend Stücke zu schlagen oder ihm zumindest das Augenlicht zu nehmen. Als das Wesen mit weit aufgesperrtem Maul nach ihrem Gesicht schnappte, stieß sie ihm den Sensor zwischen die Zähne. Heißer, ätzender Speichel floss über ihr Handgelenk und rann brennend an ihrem Gesicht und Hals entlang. Wie von Weitem hörte sie sich selbst schreien.

Als sei es überrascht, fuhr das Monster zurück, den Sensor fest zwischen den Zähnen. Es stieß ein verärgertes, lautes Gurgeln aus und warf den Kopf nach hinten. Clary sah es schlucken, sah den Sensor die Kehle hinabgleiten. *Gleich bin ich dran,* durchfuhr es sie, *das ist mein . . .*

Plötzlich begann das Wesen zu zucken. In unkontrollierten Krämpfen rollte es von Clary herunter und landete auf dem Rücken; seine zahlreichen Beine zappelten in der Luft. Schwarze Flüssigkeit rann ihm aus dem Maul.

Clary schnappte keuchend nach Luft, drehte sich zur Seite und begann davonzukriechen. Sie hatte die Tür schon fast erreicht, als sie etwas durch die Luft zischen hörte. Sie versuchte noch, sich zu ducken, aber es war bereits zu spät: Mit großer Wucht prallte etwas von hinten gegen ihren Schädel. Clary sank vornüber zusammen, dann wurde ihr schwarz vor Augen.

Licht drang durch ihre Augenlider – blau, weiß, rot. Ein hohes, heulendes Geräusch wurde immer durchdringender, wie die Schreie eines zu Tode erschreckten Kindes. Clary würgte und öffnete die Augen.

Sie lag im kalten, feuchten Gras. Über ihr schimmerte der Nachthimmel: Der stumpfe Glanz von Sternen, blass gegen die Lichter der Stadt. Neben ihr kniete Jace, dessen silberne Manschetten im Licht funkelten, während er ein Stück Stoff zerriss. »Halt still.«

Das Geheul zerriss ihr fast das Trommelfell. Trotz Jace' Warnung drehte sie den Kopf seitwärts und handelte sich dafür einen messerscharfen, stechenden Schmerz ein, der ihr bis tief in den Rücken fuhr. Sie lag auf einem Rasenstück hinter Jocelyns liebevoll gepflegten, dicht blühenden Rosenbüschen. Das Blattwerk verdeckte den Blick zur Straße, wo ein Polizeiwagen mit blau-weiß blinkendem Blaulicht und heulender Sirene halb auf dem Gehweg stand. Es hatte sich bereits eine kleine Gruppe von Nachbarn versammelt, die den Wagen anstarrten. Die Türen öffneten sich und zwei blau uniformierte Beamte stiegen aus.

Polizei! Clary versuchte, sich aufzusetzen, und würgte erneut; ihre Finger krampften sich in die feuchte Erde.

»Ich hab doch ›Stillhalten‹ gesagt«, zischte Jace. »Der Ravener-Dämon hat dich am Nacken erwischt. Das Vieh war zwar halb tot, daher war der Stich nicht besonders stark, aber wir müssen dich trotzdem ins Institut bringen. Halt jetzt still.«

»Das Ding – das Monster – hat *gesprochen.*« Clary zitterte am ganzen Körper.

»Du hast doch schon mal einen Dämon sprechen gehört.« Jace zog sanft einen Stofffetzen unter ihrem Nacken durch und band ihn vorn zusammen. Er war mit einer wachsartigen Substanz bestrichen, ähnlich dem Handbalsam, den Clarys Mutter verwendete, um ihre von Farbe und Terpentin malträtierten Hände zu pflegen.

»Ja, diesen Dämon im Pandemonium, aber der sah aus wie ein Mensch.«

»Das war ein Eidolon-Dämon, ein Gestaltwandler. Aber Ravener sehen exakt so aus, wie sie sind. Nicht besonders attraktiv, aber sie sind zu dumm, ums besser hinzukriegen.«

»Das Ding hat gesagt, es würde mich fressen.«

»Klar, aber du hast es ja getötet.« Jace zog den Knoten fest und richtete sich auf.

Erleichtert stellte Clary fest, dass die Schmerzen im Nacken nachließen. Sie versuchte, sich aufzusetzen. »Die Polizei ist da.« Sie brachte nur ein heiseres Krächzen heraus. »Komm, wir . . .«

»Die wird uns auch nicht helfen. Wahrscheinlich hat jemand dich schreien gehört und die Polizei gerufen. Aber ich gehe jede Wette ein, dass das keine echten Polizisten sind. Dämonen wissen genau, wie sie ihre Spuren verwischen.«

»Meine Mutter«, brachte Clary durch ihre geschwollene Kehle heraus.

»He, du hast Ravener-Gift in den Adern! Wenn du jetzt nicht mitkommst, bist du in einer Stunde tot.« Er stand auf und reichte ihr die Hand. Sie ließ sich von ihm aufhelfen. »Komm jetzt, na los.«

Die Welt drehte sich um sie. Jace legte ihr den Arm um die Schultern und hielt sie fest. Er roch nach Dreck, Blut und Metall. »Kannst du gehen?«

»Glaub schon.« Sie spähte durch die dichten Rosenbüsche. Die Polizisten kamen über den Gartenweg auf sie zu. Eine schlanke blonde Beamtin ging mit einer Taschenlampe voran. Als sie die Hand hob, erkannte Clary eine fleischlose Skeletthand mit vorn zugespitzten Fingerknochen. »Ihre Hand . . .«

»Ich hab ja gesagt, es könnten Dämonen sein.« Jace sah zur Rückseite des Hauses. »Wir müssen hier weg. Kommt man hinten durch die Gasse raus?«

Clary schüttelte den Kopf. »Die ist zugemauert. Der einzige Weg . . .« Ihre Worte gingen in einem Hustenanfall unter. Sie hob die Hand vor den Mund. Als sie die wieder senkte, war sie rot. Clary wimmerte leise auf.

Jace nahm ihr Handgelenk und drehte den Arm, sodass Mondlicht auf die blasse Haut der verletzlichen Arminnenseite fiel. Unter der Haut zeichnete sich ein Netz blauer Adern ab, das vergiftetes Blut zu ihrem Hirn und Herzen trug. Clary knickten die Knie weg. Irgendetwas Spitzes leuchtete silbern in Jace' Hand auf. Sie wollte ihre Hand zurückziehen, doch sein Griff war zu stark. Dann fühlte sie einen stechenden Kuss auf ihrer Haut. Als er losließ, erkannte sie ein schwarzes Symbol, ähnlich denen auf seiner Haut, knapp unterhalb ihres Handgelenks. Es sah aus wie eine Reihe einander überschneidender Kreise.

»Was soll das bewirken?«

»Das Mal wird dich unsichtbar machen. Vorübergehend.« Er steckte den Gegenstand, den Clary für ein Messer gehalten hatte, wieder ein. Es war ein länglicher leuchtender Zylinder, dick wie ein Zeigefinger und vorn spitz zulaufend. »Meine Stele«, erklärte er.

Clary fragte nicht nach, was das denn sein könnte. Sie war zu sehr damit beschäftigt, nicht umzukippen. Der Boden schwankte unter ihren Füßen. »Jace . . .«, sagte sie, dann sackte sie in seinen Armen zusammen. Er fing sie auf, als sei es für ihn völlig normal, in Ohnmacht fallende Mädchen aufzufangen. Vielleicht war es ja auch so. Schwungvoll hob er sie hoch und flüsterte ihr etwas ins Ohr, das wie *Bündnis* klang. Clary versuchte, den Kopf zurückzulegen, um ihn anzuschauen, sah aber nur die Sterne am dunklen Himmel über sich kreisen. Dann wurde alles bodenlos und selbst Jace' Arme hielten sie nicht fest genug, um ihren tiefen Fall zu verhindern.

# 5
# Rat und Bündnis

»Glaubst du, sie wacht jemals wieder auf? Das dauert jetzt schon drei Tage.«

»Lass ihr Zeit. Dämonengift hat es in sich und sie ist eine Irdische. Sie hat keine Runen wie wir, die ihr Kraft verleihen.«

»*Mundies* sterben verdammt schnell, was?«

»Isabelle, es bringt Unglück, in Krankenzimmern vom Sterben zu sprechen!«

*Drei Tage*, dachte Clary träge. Ihre Gedanken flossen langsam und zähflüssig dahin wie Blut oder Honig.

*Ich muss aufwachen.*

Doch es wollte ihr nicht gelingen.

Träume umfingen sie und rissen sie in ihrem Bilderstrom mit sich wie Wildwasser ein Blatt. Sie sah ihre Mutter in einem Krankenhausbett, die Augen tief in den Höhlen des bleichen Gesichts. Sie sah Luke, der auf einem Haufen Knochen stand. Jace mit gefiederten Schwingen, Isabelle, die Peitsche wie ein Netz goldener Ringe um den nackten Körper gewunden, und Simon, in dessen Handflächen Kreuze eingebrannt waren. Fallende, brennende Engel, die vom Himmel stürzten.

»Ich hab dir doch gesagt, dass sie das Mädchen aus dem Pandemonium ist.«

»Ich weiß. Sie ist ganz schön klein, was? Jace sagt, sie hätte einen Ravener getötet.«

»Hm. Als wir sie das erste Mal gesehen haben, hab ich sie für eine Elfe gehalten. Aber für eine Elfe ist sie nicht hübsch genug.«

»Na ja, mit Dämonengift in den Adern sieht niemand besonders prickelnd aus. Will Hodge die Bruderschaft einschalten?«

»Hoffentlich nicht. Ich bekomme eine Gänsehaut, wenn ich nur an sie denke. Wer sich selbst so verstümmelt . . .«

»Wir verstümmeln uns doch auch.«

»Ich weiß, Alec, aber das sind keine bleibenden Schäden. Und es tut auch nicht jedes Mal weh . . .«

». . . sofern man alt genug ist. Wo steckt eigentlich Jace? Er hat sie doch gerettet. Man sollte meinen, er würde sich dafür interessieren, ob es ihr besser geht.«

»Hodge sagt, er sei nicht mehr bei ihr gewesen, seit er sie hergebracht hat. Wahrscheinlich ist es ihm egal.«

»Manchmal fragt man sich bei ihm . . . Sieh mal! Sie hat sich bewegt!«

»Ich schätze, dann lebt sie wohl doch noch.« Jemand seufzte. »Ich sag Hodge Bescheid.«

Clarys Augenlider fühlten sich an wie zugenäht. Fast glaubte sie zu fühlen, wie die Haut riss, als sie mühsam die Augen öffnete und das erste Mal seit drei Tagen blinzelte.

Über sich sah sie einen klaren blauen Himmel, weiße Wölkchen und pausbäckige Engel, von deren Handgelenken lange goldene Schleifen herabbaumelten. *Bin ich tot?,* fragte sie sich. *Konnte das der Himmel sein?* Sie kniff kurz die Augen zusammen und schaute dann erneut nach oben. Dieses Mal erkannte sie, dass sie auf eine gewölbte Decke blickte, die mit Wolken und Putten im Rokoko-Stil bemalt war.

Unter Schmerzen setzte sie sich auf. Ihr gesamter Körper tat weh, besonders der Nacken. Sie sah sich um. Sie lag in einem leinenbezogenen Bett, das in einer langen Reihe ähnlicher Betten mit Metallrahmen stand. Neben dem Bett befand sich ein Nachttischchen, auf dem ein weißer Krug und eine Tasse thronten. Die Spitzenvorhänge an den Fenstern waren zugezogen, sodass nur gedämpftes Licht einfiel. Von draußen drang schwach das allgegenwärtige Rauschen des New Yorker Großstadtverkehrs in den Raum.

»Na, endlich aufgewacht?«, fragte eine Stimme. »Das wird Hodge freuen. Wir dachten schon, du wachst gar nicht mehr auf und stirbst.«

Clary drehte sich um. Isabelle saß auf dem Nachbarbett; das lange rabenschwarze Haar war zu zwei dicken Zöpfen geflochten, die ihr bis zur Taille reichten. Statt des weißen Kleides trug sie Jeans und ein enges blaues Trägertop, doch der rote Anhänger baumelte noch an ihrem Hals. Das dunkle, kunstvolle Spirallinienmuster an ihrem Handgelenk war verschwunden, zurückgeblieben war nur die dunkle Voyance-Rune auf ihrem Handrücken.

»Tut mir leid, dich enttäuschen zu müssen.« Clarys Stimme klang rau wie Sandpapier. »Ist das hier das Institut?«

Isabelle verdrehte die Augen. »Gibt's eigentlich irgendwas, das Jace dir noch *nicht* verraten hat?«

Clary hustete. »Dann *ist* das hier also das Institut?«

»Ja. Du bist auf der Krankenstation, aber das hast du ja wahrscheinlich längst mitbekommen.«

Unvermittelt spürte Clary einen stechenden Schmerz. Sie schnappte nach Luft und hielt sich den Bauch.

Isabelle musterte sie besorgt. »Alles in Ordnung?«

Der Schmerz ebbte ab, aber Clary fühlte Säure im Hals und einen seltsamen Schwindel. »Mein Magen.«

»Ach ja, richtig. Das hätte ich fast vergessen: Hodge hat gesagt, ich soll dir das hier geben, wenn du aufwachst.« Isabelle griff nach dem Porzellankrug und goss etwas Flüssigkeit in die Tasse, die sie Clary reichte. Die dunkle, leicht dampfende Brühe war trüb und roch nach Kräutern und einer weiteren, aromatischen Zutat. »Du hast seit drei Tagen nichts gegessen«, erklärte Isabelle, »deshalb fühlst du dich wahrscheinlich so schlecht.«

Clary nippte vorsichtig an der Tasse. Das Elixier schmeckte köstlich, es sättigte und besaß einen sahnigen Nachgeschmack. »Was ist das?«

Isabelle zuckte die Achseln. »Einer von Hodges Kräuteraufgüssen – die wirken immer.« Sie rutschte vom Bett und dehnte katzengleich den Rücken. »Ich heiße übrigens Isabelle Lightwood. Ich wohne hier.«

»Ich weiß und ich bin Clary, Clary Fray. Hat Jace mich hierhergebracht?«

Isabelle nickte. »Ja, sicher. Der ganze Teppich im Eingang war voller Blut und Eiter. Wenn meine Eltern da gewesen wären, hätte Jace sicher Hausarrest bekommen.« Sie musterte Clary interessiert. »Jace behauptet, du hättest diesen Ravener-Dämon ganz allein getötet.«

Das Bild des Skorpionwesens mit dem boshaften, abstoßenden Antlitz schoss Clary durch den Kopf; schaudernd umklammerte sie die Tasse. »Sieht ganz so aus.«

»Aber du bist eine *Mundie*.«

»Ja, verblüffend, was?«, meinte Clary und genoss Isabelles schlecht verhohlene Verwunderung. »Wo ist Jace? Ist er auch hier?«

Isabelle zuckte die Achseln. »Vermutlich ist er nicht weit. Ich sag mal den anderen Bescheid, dass du wach bist. Hodge will bestimmt mit dir reden.«

»Hodge ist Jace' Tutor, richtig?«

»Hodge betreut uns alle.« Sie wies auf eine Tür. »Da ist das Bad; ich hab dir schon ein paar alte Klamotten von mir über die Handtuchstange gehängt, damit du was Sauberes zum Anziehen hast.«

Clary wollte noch einen Schluck aus der Tasse nehmen, stellte jedoch fest, dass sie bereits leer war. Zum Glück fühlte sie sich nicht länger schwindlig oder hungrig. Sie setzte die Tasse ab und zog die Bettdecke bis zur Nasenspitze. »Was ist mit meinen Sachen?«

»Die waren voller Blut und Gift. Jace hat sie verbrannt.«

»Ach, tatsächlich?«, fragte Clary. »Ist er eigentlich immer so unverschämt oder spart er sich das für uns *Mundies* auf?«

»Ach, der ist zu jedem so«, erwiderte Isabelle leichthin. »Das macht ihn ja so verdammt sexy – das und die Tatsache, dass er schon mehr Dämonen getötet hat als jeder andere in seinem Alter.«

Clary sah sie verdutzt an. »Ist er nicht dein Bruder . . .?«

Isabelle lachte amüsiert und setzte sich auf Clarys Bett. »Jace mein Bruder? Nein. Wie kommst du denn darauf?«

»Na, ihr wohnt doch hier zusammen«, erklärte Clary, »oder?«

Isabelle nickte. »Ja, schon, aber . . .«

»Und warum lebt er nicht bei seinen Eltern?«

Für den Bruchteil einer Sekunde schwieg Isabelle betreten. »Weil sie tot sind«, sagte sie schließlich.

Clary öffnete überrascht den Mund. »Sind sie bei einem Unfall gestorben?«

»Nein.« Nervös nestelte Isabelle an ihren dunklen Haaren. »Seine Mutter ist bei der Geburt gestorben. Und sein Vater wurde ermordet, als er zehn war. Jace hat alles mit angesehen.«

»Oh«, flüsterte Clary bestürzt. »Waren das . . . Dämonen?«

Isabelle stand auf. »Ich sollte jetzt wirklich gehen und den anderen Bescheid sagen. Sie haben drei Tage lang darauf gewartet, dass du die Augen aufmachst. Ach, übrigens: Im Bad findest du auch Seife«, fügte sie hinzu. »Vielleicht willst du dich ein bisschen frisch machen – du stinkst nämlich.«

Clary schenkte ihr einen finsteren Blick. »Besten Dank.«

»Keine Ursache.«

Isabelles Kleidung wirkte an Clary einfach lächerlich. Sie musste die Beine der Jeans mehrfach umkrempeln, um nicht darüber zu stolpern, und das tief ausgeschnittene rote Trägertop betonte nur, dass ihr fehlte, was Eric als »Holz vor der Hütte« bezeichnet hätte.

Sie wusch sich in dem kleinen Bad mit einem Stück harter Lavendelseife und trocknete sich mit einem weißen Handtuch ab. Das feuchte Haar hing ihr in duftenden Strähnen ums Gesicht und ein kurzer Blick in den Spiegel zeigte ihr, dass sie eine tiefviolette Beule auf der rechten Wange hatte und ihre Lippen trocken und geschwollen waren.

*Ich muss Luke anrufen,* dachte sie. Sicher gab es hier irgendwo ein Telefon. Vielleicht ließ man sie ja telefonieren, wenn sie mit Hodge gesprochen hatte.

Ihre Skechers hatte jemand fein säuberlich ans Fußende des Krankenbetts gestellt; die Hausschlüssel waren mit dem Schnürsenkel verknotet. Sie zog sie an, holte tief Luft und machte sich auf die Suche nach Isabelle.

Der Korridor vor dem Krankenzimmer war leer. Verblüfft stellte Clary fest, dass er den düsteren, endlosen Fluren ähnelte, durch die sie manchmal in ihren Albträumen rannte. Rosenförmige Glaslampen zierten seine Längsseiten und es roch nach Staub und Bienenwachs.

Entfernt hörte sie leise, zarte Töne, wie von einem Windspiel in der Brise. Vorsichtig setzte sie sich in Bewegung, tastete sich mit einer Hand an der Wand entlang. Die Tapete, wohl noch aus viktorianischen Zeiten, war zu einem blassen Burgunderrot und Hellgrau verblichen. Geschlossene Türen säumten beide Korridorseiten.

Der Klang wurde lauter. Sie erkannte, dass jemand halbherzig, wenn auch sehr talentiert Klavier spielte, konnte die Melodie aber nicht einordnen.

Als sie um die Ecke bog, stieß sie auf eine sperrangelweit geöffnete Tür. Das Zimmer war auf den ersten Blick als Musiksalon zu erkennen. In einer Ecke stand ein Flügel und an der ihm gegenüberliegenden Wand waren Stühle aufgereiht. Mitten im Raum ragte eine verhüllte Harfe auf.

Am Flügel saß Jace, dessen schlanke Hände über die Tasten flogen. Er war barfuß, in Jeans und grauem T-Shirt; das goldbraune Haar stand ihm wirr um den Kopf, als sei er gerade erst aufgestanden. Als Clary beobachtete, wie sicher seine Hände über die Tasten huschten, erinnerte sie sich an das Gefühl, von diesen Händen hochgehoben zu werden, in seinen Armen zu liegen und die Sterne wie einen Silberregen um ihren Kopf wirbeln zu sehen.

Sie musste irgendein Geräusch gemacht haben, denn er drehte sich auf dem Schemel um und blinzelte ins Dunkel. »Alec«, fragte er, »bist du das?«

»Nein, ich bin's, Clary.« Sie ging ein paar Schritte auf ihn zu.

Mehrere Klaviertasten ertönten, als er sich erhob. »Unser Schneewittchen. Und, wer hat dich wach geküsst?«

»Niemand. Ich bin von selbst aufgewacht.«

»War denn irgendwer bei dir?«

»Isabelle, aber sie ist jemanden holen gegangen, ich glaube, Hodge. Sie meinte, ich solle warten, aber ...«

»Ich hätte ihr sagen sollen, dass du nie tust, was man dir sagt.« Jace musterte sie kurz. »Sind das Isabelles Sachen? Du siehst einfach lächerlich darin aus.«

»Darf ich dich darauf aufmerksam machen, dass *du* meine Sachen verbrannt hast?«

»Eine reine Vorsichtsmaßnahme.« Lautlos schloss er den schwarz glänzenden Deckel des Flügels. »Komm, ich bring dich zu Hodge.«

Das Institut war riesig – eine endlose Folge höhlenähnlicher Räume, die eher so aussahen, als seien sie im Laufe der Zeit von Wasserströmen aus Fels herausgewaschen statt plangemäß gebaut worden. Durch halb geöffnete Türen konnte Clary in unzählige identische kleine Zellen schauen, die alle mit einem schlichten Bett, einem Nachttischchen und einem großen, offen stehenden Kleiderschrank ausgestattet waren. Die hohen Decken wurden von hellen Steingewölben getragen, von denen viele mit kunstvollen kleinen Skulpturen verziert waren. Clary stellte fest, dass bestimmte Motive sich wiederholten – Engel, Schwerter, Sonnen und Rosen.

»Warum habt ihr so viele Schlafräume?«, fragte Clary. »Ich dachte, das hier wäre ein Forschungsinstitut.«

»Das ist der Wohntrakt. Wir haben uns verpflichtet, allen Schattenjägern, die es wünschen, eine sichere Zufluchtsstätte zu bieten. Wir können bis zu zweihundert Personen unterbringen.«

»Aber die meisten Zimmer stehen leer.«

»Niemand bleibt lange. Die Leute kommen und gehen und normalerweise sind nur wir hier: Alec, Isabelle, Max, ihre Eltern – und Hodge und ich.«

»Max?«

»Die schöne Isabelle kennst du ja bereits. Alec ist ihr älterer Bruder und Max der jüngere. Allerdings befindet er sich mit seinen Eltern im Ausland.«

»Im Urlaub?«

»Nicht ganz«, erwiderte Jace zögernd, »die Lightwoods sind eine Art Auslandsvertreter, Diplomaten, und dieses Haus hier könnte man mit einer Botschaft vergleichen. Zurzeit sind sie im Heimatland der Schattenjäger, um sehr schwierige Friedensverhandlungen vorzubereiten. Max haben sie mitgenommen, weil er noch so klein ist.«

»Heimatland der Schattenjäger?« Clary fühlte einen leichten Schwindel. »Wie heißt es denn?«

»Idris.«

»Hab ich noch nie gehört.«

»Natürlich nicht.« Da war wieder diese nervige Überheblichkeit in seiner Stimme. »Irdische wissen nichts von Idris. Sämtliche Grenzen sind von einem Wall aus Schutzzaubern umgeben. Wenn du versuchen würdest, die Grenze nach Idris zu passieren, würdest du sofort von einer Landesgrenze zur nächsten teleportiert – ohne es überhaupt zu bemerken.«

»Also findet man es auf keiner Landkarte?«

»Jedenfalls nicht auf *Mundie*-Karten. Aber du kannst es dir als ein kleines Land zwischen Deutschland und Frankreich vorstellen.«

»Aber zwischen Deutschland und Frankreich befindet sich wenn überhaupt die Schweiz.«

»Genau«, meinte Jace.

»Ich nehme an, du warst schon mal da, in Idris?«

»Ja, ich bin dort aufgewachsen.« Jace' Stimme klang zwar neutral, aber irgendetwas an ihrem Ton signalisierte ihr, dass weitere Fragen in diese Richtung unerwünscht waren. »Wie fast alle Schattenjäger. Natürlich gibt es uns auf der ganzen Welt, denn wir müssen schließlich überall sein, da auch die Dämonen überall ihr Unwesen treiben. Aber für einen Schattenjäger bleibt Idris immer die ›Heimat‹.«

»Wie Mekka oder Jerusalem«, meinte Clary nachdenklich. »Die meisten von euch sind also in Idris aufgewachsen. Und was passiert, wenn ihr erwachsen seid?«

»Dann werden wir dahin geschickt, wo man uns braucht«, ergänzte Jace knapp. »Es gibt auch ein paar, wie Isabelle und Alec, die weit von der Heimat entfernt aufwachsen, weil ihre Eltern außerhalb des Landes wohnen. Aber mit all den Mitteln, die dieses Institut bietet, und mit Hodges Unterricht . . .« Er unterbrach sich. »So, da wären wir: Das hier ist die Bibliothek.«

Sie standen vor einer spitzbogigen Doppelflügeltür. Ein blauer Perserkater mit gelben Augen lag zusammengerollt davor. Er hob den Kopf und maunzte. »Hi Church«, begrüßte Jace den Kater und streichelte ihn mit dem nackten Fuß. Genüsslich kniff Church die Augen zu Schlitzen zusammen.

»Warte mal einen Moment«, sagte Clary. »Alec, Isabelle und Max sind also die einzigen dir bekannten Schattenjäger deines Alters – die einzigen, zu denen du Kontakt hast?«

Jace hörte auf, den Kater zu streicheln. »Ja.«

»Fühlt man sich da nicht manchmal ein wenig einsam?«

»Ich habe alles, was ich brauche.« Er stieß die Türflügel auf. Nach kurzem Zögern folgte Clary ihm.

Die Bibliothek war ein kreisförmiger Saal, dessen Decke sich nach oben hin verjüngte, als wäre der Raum innerhalb eines Turms errichtet. Die Wände wurden von hohen Bücherregalen gesäumt; in regelmäßigen Abständen boten lange Leitern auf Laufrollen Zugang zu den obersten Regalböden. Bei den Büchern handelte es sich nicht um herkömmliche Exemplare, sondern um schwere Folianten, in Leder und Samt gebunden und mit robusten Schlössern und Scharnieren aus Messing und Silber versehen. Die Buchrücken waren mit sanft schimmernden Edelsteinen besetzt und trugen illuminierte Goldlettern. Sie wirkten alt und abgegriffen, wie Bücher, die oft und gerne in die Hand genommen wurden.

Der Boden bestand aus poliertem Parkett mit Intarsien aus Glas, Marmor und Halbedelstein. Die Einlegearbeiten bildeten ein Muster, das Clary nicht ganz zu deuten vermochte – möglicherweise handelte es sich um Sternbilder oder eine Weltkarte. Sie hätte in die Spitze des Turms hinaufsteigen müssen, um es richtig zu erkennen.

In der Mitte des Raums stand ein prächtiger Schreibtisch. Er war aus einem einzigen großen Holzblock gefertigt, massives, schweres Eichenholz, dessen matter Glanz sein Alter verriet. Die Platte ruhte auf den Rücken zweier Engel, aus Marmor und mit vergoldeten Flügeln und so leidvollen Gesichtszügen versehen, als laste die Platte schwer auf ihnen. Hinter dem Schreibtisch saß ein dünner Mann mit grau meliertem Haar und langer Adlernase.

»Eine Bücherfreundin, wie ich sehe«, sagte er und lächelte Clary freundlich an. »Davon hast du mir gar nichts erzählt, Jace.«

Jace musste leise lachen. Clary war sich sicher, dass er dicht hinter ihr stand, die Hände in den Taschen und einmal mehr dieses aufreizende Grinsen im Gesicht. »Im Laufe unserer kurzen Bekanntschaft haben wir noch nicht viele Worte gewechselt«, erklärte er. »Ich fürchte, unsere Lesegewohnheiten sind bisher nicht zur Sprache gekommen.«

Clary drehte sich um und funkelte ihn wütend an. Dann wandte sie sich an den Mann am Schreibtisch: »Woran haben Sie das erkannt? Ich meine, dass ich Bücher liebe.«

»Das konnte man deiner Miene ansehen, als du hereinkamst«, erklärte er, stand auf und ging um den Schreibtisch herum auf sie zu. »Irgendwie hatte ich meine Zweifel, dass *mein* Anblick dich derartig beeindruckt hat.«

Als er sich erhob, hätte Clary fast nach Luft geschnappt. Einen Moment lang erschien er ihr seltsam missgestaltet, als sei die linke Schulter bucklig und höher als die andere. Doch als er näher kam, sah sie, dass es sich bei dem »Buckel« um einen Vogel handelte, der ruhig auf seiner linken Schulter thronte – ein schillernd schwarz gefiedertes Geschöpf mit glänzend schwarzen Augen.

»Darf ich dir Hugo vorstellen?«, fragte der Mann und streichelte den Vogel auf seiner Schulter. »Hugo ist ein Rabe und weiß als solcher von vielen Dingen. Und ich bin Hodge Starkweather, Geschichtsprofessor, und weiß als solcher nicht annähernd genug.«

Clary musste unwillkürlich kichern und ergriff seine ausgestreckte Hand. »Clary Fray.«

»Es ist mir eine Ehre, deine Bekanntschaft zu machen«, erwiderte er. »Schließlich gibt es nur ganz wenige, die einen Ravener mit bloßen Händen erwürgen können.«

»Das waren gar nicht meine Hände.« Es erschien ihr immer noch merkwürdig, für das Töten eines Wesens gelobt zu werden. »Es war dieses Ding von Jace – ich weiß nicht mehr, wie es hieß, aber ...«

»Sie meint meinen Sensor«, erklärte Jace. »Sie hat ihn dem Ravener in die Kehle gerammt. Wahrscheinlich ist er an den Runen erstickt. Ich schätze, ich brauche jetzt wohl einen neuen«, fügte er fast nachdenklich hinzu.

»In der Waffenkammer liegen noch ein paar«, versicherte ihm Hodge. Wenn er lächelte, erschienen in seinen Augenwinkeln Tausende kleiner Linien, wie Risse in einem alten Gemälde. »Das war wirklich geistesgegenwärtig. Wie bist darauf gekommen, den Sensor als Waffe zu benutzen?«

Noch ehe sie antworten konnte, lachte jemand im Raum kurz auf. Clary war so fasziniert von den Büchern gewesen, dass sie Alec, der in einem dick gepolsterten roten Lehnsessel am Kamin herumlungerte, übersehen hatte. »Die Geschichte wirst du ihr ja wohl nicht abkaufen, Hodge«, sagte er.

Im ersten Moment drangen seine Worte nicht zu Clary durch. Sie war zu sehr damit beschäftigt, ihn genau zu mustern. Wie viele Einzelkinder war auch Clary von der Ähnlichkeit zwischen Geschwistern fasziniert; nun, bei Tageslicht, konnte sie die große äußerliche Übereinstimmung zwischen Alec und seiner Schwester noch deutlicher erkennen. Sie hatten beide rabenschwarzes Haar, schmale, geschwungene Augenbrauen und dieselbe blasse Haut. Aber während Isabelle eine arrogante Haltung an den Tag legte, hing Alec tief im Sessel, als wolle er von niemandem bemerkt werden. Er hatte lange dunkle Wimpern wie seine Schwester, doch im Gegensatz zu ihren schwarzen Augen leuchteten seine dunkelblau. Sie starrten Clary mit unverhohlener, konzentrierter Feindseligkeit an.

»Was willst du damit sagen, Alec?« Hodge zog skeptisch eine Augenbraue hoch. Clary fragte sich, wie alt er sein mochte; trotz seiner grauen Strähnen hatte er etwas Altersloses an sich. Er trug einen eleganten, tadellos gebügelten grauen Tweedanzug. Ohne die breite Narbe, die sich über seine rechte Gesichtshälfte erstreckte, hätte er sicher wie ein freundlicher Collegeprofessor gewirkt. Sie fragte sich, wie er sie sich wohl zugezogen hatte. »Willst du behaupten, sie hat den Dämon gar nicht getötet?«, hakte Hodge nach.

»Natürlich hat sie das nicht. Man muss sie sich doch nur mal ansehen – sie ist eine *Mundie,* Hodge, und dazu noch eine halbe Portion, ein Kind. Gegen einen Ravener hätte sie gar keine Chance.«

»Ich bin kein Kind«, unterbrach Clary ihn, »sondern fast sechzehn – nächsten Sonntag ist mein Geburtstag.«

»Also genauso alt wie Isabelle«, sinnierte Hodge. »Würdest du Isabelle als Kind bezeichnen, Alec?«

»Isabelle entstammt einer der größten Schattenjägerdynastien aller Zeiten«, konterte Alec, »aber dieses Mädchen hier ist aus New Jersey.«

»Aus Brooklyn«, protestierte Clary wütend. »Na und? Ich habe einen Dämon in meinen eigenen vier Wänden getötet und jetzt kommst du und plusterst dich auf, nur weil ich kein verwöhntes reiches Balg bin wie du und deine Schwester?«

Alec schaute verblüfft. *»Wie* hast du mich genannt?«

Jace lachte. »Clary liegt gar nicht mal so falsch«, sagte er, »gerade bei diesen Vorstadt-Dämonen muss man höllisch aufpassen ...«

»Sehr witzig, Jace!« Alec sprang wütend auf. »Du findest es anscheinend okay, dass sie mich beleidigt?«

»Ja«, erwiderte Jace liebenswürdig. »Das tut dir nämlich gut. Betrachte es einfach als Trainingsmaßnahme.«

»Jace, wir mögen zwar *Parabatai* sein«, stieß Alec zwischen zusammengepressten Lippen hervor, »aber deine leichtfertige Art strapaziert wirklich meine Geduld.«

»Und deine Dickköpfigkeit geht *mir* auf die Nerven. Als ich sie fand, lag sie in einer Blutlache am Boden, mit dem verendenden Dämon halb auf ihr. Ich habe zugesehen, wie er sich aufgelöst hat. Wenn sie ihn nicht umgebracht hat, wer dann?«

»Ravener sind dämlich; vielleicht hat er sich mit dem Stachel in den eigenen Nacken gestochen. Das wäre ja nicht das erste Mal ...«

»Willst du uns jetzt erzählen, er habe Selbstmord begangen?«

»Es ist jedenfalls nicht richtig, dass sie hier ist«, konterte Alec verbissen. *»Mundies* dürfen nicht ins Institut, aus gutem Grund. Wenn jemand davon erfährt, könnte er uns beim Rat anzeigen.«

»Wobei man nicht vergessen darf, dass wir laut Gesetz in bestimmten Fällen auch Irdischen Schutz bieten dürfen«, stellte Hodge richtig. »Ein Ravener hatte bereits Clarys Mutter angefallen – folglich hätte sie die Nächste sein können.«

*Angefallen.* Clary fragte sich, ob das eine wohlwollende Umschreibung für »ermordet« war. Der Rabe auf Hodges Schulter krächzte leise.

»Ravener sind Killermaschinen«, sagte Alec, »sie handeln auf Befehl von Hexenmeistern oder mächtigen Dämonenfürsten. Aber warum sollte sich ein Hexenmeister oder Dämonenfürst für eine stinknormale Irdische interessieren?« Er starrte Clary unverhohlen feindselig an. »Kannst du mir das mal verraten?«

»Vielleicht war es einfach ein Versehen.«

»Dämonen machen keine solchen Fehler. Wenn sie hinter deiner Mutter her waren, muss es dafür einen Grund gegeben haben. Denn wenn sie unschuldig gewesen wäre . . .«

»Was soll das heißen, ›unschuldig‹?«, fragte Clary mit eisiger Stimme.

Alec schaute betroffen. »Ich . . .«

»Er will damit nur sagen«, warf Hodge ein, »dass es sehr ungewöhnlich ist, dass ein mächtiger Dämon, einer, der möglicherweise eine ganze Schar niederer Dämonen befehligt, sich für Angelegenheiten der Menschen interessiert. Kein Irdischer kann einen Dämon gefahrlos heraufbeschwören, dazu fehlt den Menschen die Macht. Aber es hat schon einige gegeben, die verwegen und dumm genug waren, einen Hexenmeister damit zu beauftragen.«

»Meine Mutter kennt weder Hexenmeister, noch glaubt sie an Magie«, erwiderte Clary. Dann fiel ihr etwas ein: »Madame Dorothea aus dem Erdgeschoss ist eine Hexe. Vielleicht hatten es die Dämonen auf sie abgesehen und haben zufällig meine Mutter erwischt?«

Überrascht zog Hodge die Augenbrauen hoch. »Bei euch im Erdgeschoss wohnt eine Hexe?«

»Sie ist wie die meisten Hexen eine Schwindlerin«, sagte Jace. »Ich hab das schon überprüft. Bei ihr gibt's für Hexenmeister nichts zu holen, es sei denn, sie interessieren sich für defekte Kristallkugeln.« Er wandte sich an Clary. »Hexenwesen besitzen von Natur aus magische Kräfte, wohingegen die Menschen, die sich als Hexe oder Hexer bezeichnen, nur glauben, sie könnten zaubern.«

»Womit wir wieder am Anfang stehen.« Hodge streichelte den Vogel auf seiner Schulter. »Es ist wohl das Beste, den Rat zu benachrichtigen.«

»Nein!«, rief Jace. »Wir können nicht . . .«

»Solange wir nicht wussten, ob Clary genesen würde, war es sinnvoll, ihre Anwesenheit geheim zu halten«, erklärte Hodge. »Aber jetzt ist sie gesund und damit die erste Irdische seit über einhundert Jahren, die das Institut betritt. Du weißt ja, was für Irdische gilt, die von Schattenjägern erfahren, Jace. Der Rat muss benachrichtigt werden.«

»Auf jeden Fall«, stimmte Alec zu. »Ich könnte meinem Vater eine Nachricht zukommen lassen . . .«

»Sie ist aber keine Irdische«, sagte Jace leise.

Hodges Augenbrauen schnellten bis zum Haaransatz empor. Alec unterbrach seinen Satz und schnappte verblüfft nach Luft. In der plötzlichen Stille konnte Clary hören, wie Hugo sein Gefieder schüttelte. »Doch, doch, ich bin eine Irdische«, sagte sie schließlich.

»Nein.« Jace wandte sich zu Hodge und Clary beobachtete, wie er schluckte. Seltsamerweise übte dieses kleine Anzeichen von Nervosität eine beruhigende Wirkung auf sie aus. »An jenem Abend tauchten plötzlich Du'sien-Dämonen auf, als Polizisten verkleidet. Wir mussten an ihnen vorbei. Clary war zu schwach, um zu laufen, und verstecken konnten wir uns auch nicht, weil jeder Zeitverlust ihren Tod bedeutet hätte. Also nahm ich meine Stele . . . und brannte ihr eine *Mendelin*-Rune in den Arm. Ich dachte . . .«

»Hast du denn den Verstand verloren?« Hodges Hand schlug so hart auf den Tisch, dass Clary fürchtete, die Platte würde zerbersten. »Du weißt doch, dass das Gesetz es verbietet, Irdische mit einem Mal zu versehen! Gerade du müsstest das wissen!«

»Aber es hat funktioniert«, wandte Jace ein. »Clary, zeig ihnen deinen Arm.«

Clary starrte ihn verblüfft an und streckte dann den Arm aus. Sie erinnerte sich daran, wie verletzlich er ihr erschienen war, als sie ihn in jener Nacht hinter den Rosensträuchern betrachtet hatte. Genau oberhalb des Handgelenks sah sie jetzt drei einander überschneidende Kreise, dünn und verblasst wie eine längst vergessene, uralte Narbe. »Seht ihr, fast schon weg«, stellte Jace fest, »es hat ihr überhaupt nicht geschadet.«

»Darum geht es nicht.« Hodge beherrschte sich nur mit Mühe. »Du hättest sie in eine Forsaken verwandeln können!«

Alecs Wangen glühten rot vor Erregung. »Jace, das glaube ich einfach nicht. Nur Schattenjäger können Male aus dem Grauen Buch tragen – Irdische *sterben* daran . . .«

»Hör mir doch mal richtig zu: Sie ist keine Irdische. Deshalb konnte sie uns auch sehen. Sie hat mit Sicherheit Schattenjägerblut in ihren Adern.«

Clary senkte den Arm; plötzlich fror sie. »Aber das . . . nein, unmöglich.«

»Doch, bestimmt«, sagte Jace, ohne sie anzusehen. »Sonst hätte das Mal, das ich auf deinen Arm . . .«

»Es reicht, Jace«, unterbrach Hodge ihn zornig. »Du brauchst ihr nicht noch mehr Angst einzujagen.«

»Aber ich hatte recht, oder? Das würde auch erklären, was mit ihrer Mutter passiert ist. Wenn sie eine Schattenjägerin im Exil war, hatte sie vielleicht Feinde in der Schattenwelt.«

»Meine Mutter war keine Schattenjägerin!«

»Aber vielleicht dein Vater«, erwiderte Jace. »Was weißt du über ihn?«

Clary erwiderte seinen Blick mit verschlossener Miene. »Er ist gestorben, ehe ich zur Welt kam.«

Jace zuckte fast unmerklich zusammen.

Nun meldete Alec sich wieder zu Wort. »Es wäre möglich«, sinnierte er. »Wenn ihr Vater Schattenjäger war und ihre Mutter weltlich – okay, es verstößt bekanntermaßen gegen das Gesetz, *Mundies* zu heiraten. Aber vielleicht haben sie sich versteckt.«

»Das hätte meine Mutter mir aber gesagt«, entgegnete Clary. Doch dann dachte sie daran, dass es nur ein Foto von ihrem Vater gab und ihre Mutter nie von ihm sprach, und begann, an ihren eigenen Worten zu zweifeln.

»Nicht unbedingt«, meinte Jace, »wir haben alle unsere Geheimnisse.«

»Luke, unser Freund«, fiel Clary ein, »der könnte es wissen.« Beim Gedanken an Luke erschrak sie; ihr schlechtes Gewissen meldete sich siedend heiß. »Das Ganze ist schon drei Tage her – er ist bestimmt verrückt vor Sorge. Kann ich ihn anrufen, habt ihr ein Telefon?« Sie blickte Jace an. »Bitte.«

Jace zögerte und schaute zu Hodge hinüber; der nickte und räumte seinen Platz am Schreibtisch. Hinter ihm stand ein aus Kupfer getriebener Globus, der allerdings nicht ganz so aussah wie die Weltkugeln, die Clary kannte; die Umrisse der Länder und Kontinente waren irgendwie anders. Daneben thronte ein altmodisches schwarzes Telefon mit silberner Wählscheibe. Clary nahm den Hörer in die Hand; das vertraute Freizeichen war für sie wie Balsam.

Nach dem dritten Klingeln nahm Luke ab. »Hallo?«

»Luke!« Sie ließ sich gegen den Schreibtisch sinken. »Ich bin's, Clary.«

»Clary.« Sie hörte Erleichterung aus seiner Stimme heraus, aber noch etwas anderes, das sie nicht einordnen konnte. »Ist alles in Ordnung mit dir, Clary?«

»Es geht mir gut. Tut mir leid, dass ich mich nicht früher gemeldet habe. Luke, meine Mom . . .«

»Ich weiß. Die Polizei war hier.«

»Also hat sie sich nicht bei dir gemeldet.« Damit schwand auch die letzte Hoffnung, ihre Mutter könnte aus der Wohnung entkommen sein und sich irgendwo versteckt halten. Denn dann hätte sie sich auf jeden Fall bei Luke gemeldet. »Was sagt die Polizei?«

»Nur, dass sie vermisst wird.« Schaudernd dachte Clary an die Polizistin mit der Skeletthand. »Wo steckst du?«, fragte Luke.

»In der Stadt«, sagte Clary, »aber ich weiß nicht genau, wo. Bei ein paar Freunden. Mein Portemonnaie ist weg. Falls du noch Geld hast, könnte ich ein Taxi zu dir nehmen . . .«

»Nein«, sagte Luke kurz angebunden.

Der Hörer rutschte ihr aus der verschwitzten Hand; sie fing ihn wieder auf. »Was?«

»Nein«, sagte er, »das ist zu gefährlich. Du kannst nicht hierherkommen.«

»Warum rufen wir nicht . . .«

»Hör zu.« Seine Stimme klang hart. »Ich weiß nicht, in welch dunkle Geschäfte deine Mutter da hineingeraten ist, aber das Ganze hat nichts mit mir zu tun. Du bleibst am besten dort, wo du jetzt bist.«

»Ich will aber nicht hierbleiben.« Sie bemerkte, dass ihre Stimme weinerlich klang wie die eines Kindes. »Ich kenn diese Leute hier gar nicht. Du . . .«

»Clary, ich bin *nicht* dein Vater. Das habe ich dir schon mal gesagt.«

Brennende Tränen stiegen ihr in die Augen. »Tut mir leid. Ich wollte nur . . .«

»Ruf mich nicht noch mal an. Ich hab genug eigene Probleme und kann mich nicht auch noch mit deinen beschäftigen«, erwiderte er und legte auf.

Mutlos starrte sie den Hörer an; das Freizeichen summte an ihrem Ohr wie eine wütende Wespe. Sie wählte Lukes Nummer erneut und wartete. Diesmal sprang der Anrufbeantworter an. Sie knallte den Hörer auf die Gabel; ihre Hände zitterten.

Jace lehnte gegen Alecs Sessel und beobachtete sie. »Ich gehe mal davon aus, dass er über deinen Anruf nicht gerade begeistert war, oder?«

Clary hatte das Gefühl, dass sich ihr Herz bis auf die Größe einer Walnuss zusammenzog, sich zu einem kleinen Stein in ihrer Brust verhärtete. *Ich werde nicht heulen,* dachte sie, *nicht vor diesen Leuten.*

»Ich glaube, ich muss mich mal mit Clary unterhalten«, sagte Hodge. »Unter vier Augen«, fügte er bestimmt hinzu, als er Jace' Gesichtsausdruck bemerkte.

Alec erhob sich. »Okay, wir gehen dann mal.«

»Das ist nicht fair«, protestierte Jace. »Ich war es, der sie gefunden hat. Ich habe ihr das Leben gerettet! Du willst doch, dass ich hierbleibe, oder?«, wandte er sich eindringlich an Clary.

Clary schaute zur Seite; hätte sie auch nur den Mund geöffnet, wäre sie sofort in Tränen ausgebrochen. Wie durch dichten Nebel hörte sie Alec lachen.

»Komm schon, Jace, nicht jeder will dich ständig und überall um sich haben.«

»Mach dich nicht lächerlich«, hörte sie Jace sagen, doch er klang enttäuscht. »Okay. Wir sind in der Waffenkammer.«

Der Klang der Tür, die ins Schloss fiel, hatte etwas Endgültiges. Clarys Augen brannten, wie jedes Mal, wenn sie ihre Tränen zu lange zurückzuhalten versuchte. Verschwommen zeichnete sich Hodges Gestalt turmhoch und grau vor ihr ab. »Komm, setz dich«, sagte er. »Hier, auf das Sofa.«

Erleichtert sank sie in die weichen Kissen. Ihre Wangen waren feucht und sie wischte sich blinzelnd die Tränen ab. »Normalerweise weine ich nicht«, hörte sie sich sagen. »Das hat auch nicht viel zu bedeuten. Ich bin gleich wieder okay.«

»Die wenigsten Menschen weinen, weil sie aufgebracht sind oder Angst haben. Meistens weinen sie aus Enttäuschung. Und deine Enttäuschung ist verständlich. Du hast ziemlich viel durchgemacht – das muss sehr schwer gewesen sein.«

»Schwer?« Clary fuhr sich mit dem Saum von Isabelles T-Shirt über die Augen. »Ja, das kann man wohl sagen.«

Hodge zog den Schreibtischstuhl zum Sofa und setzte sich ihr gegenüber. Sie sah, dass seine Augen so grau waren wie sein Haar und sein Tweedanzug, sie aber freundlich musterten. »Kann ich dir irgendetwas anbieten?«, fragte er. »Etwas zu trinken vielleicht? Einen Tee?«

»Ich will keinen Tee«, sagte Clary mit erstickter Stimme. »Ich will meine Mutter finden. Und danach suche ich denjenigen, der ihr das angetan hat, und bringe ihn um.«

»Bedauerlicherweise haben wir bittere Rache gerade nicht im Angebot. Daher wird es wohl bei Tee oder gar nichts bleiben müssen.«

Clary ließ den Saum des T-Shirts, der inzwischen mit nassen Flecken übersät war, sinken. »Und was soll ich jetzt tun?«

»Zuallererst könntest du mir erzählen, was genau passiert ist.« Hodge kramte in seiner Tasche herum. Er zog ein perfekt gebügeltes Taschentuch hervor und reichte es ihr. Sie nahm es wortlos staunend an sich. Nie zuvor hatte sie jemanden kennengelernt, der Stofftaschentücher bei sich trug. »Dieser Dämon in der Wohnung . . . war er das erste Wesen dieser Art, das du gesehen hast? Und du hattest vorher keine Ahnung, dass so etwas existiert?«, fragte er. Clary verneinte kopfschüttelnd und zögerte dann. »Doch, davor habe ich schon mal einen gesehen, wusste aber nicht, dass er ein Dämon war. Als ich die anderen in dem Club . . .

»Ach richtig, wie konnte ich das vergessen. Im Pandemonium. Das war das erste Mal?«

»Ja.«

»Und deine Mutter hat dir gegenüber nie irgendwelche Andeutungen gemacht – über andere Welten, welche die meisten Menschen nicht sehen können? Oder hat sie sich vielleicht besonders für Mythen interessiert, Märchen, Legenden . . .«

»Nein, das alles hat sie abgelehnt. Sie mochte noch nicht mal Disney-Filme. Und es gefiel ihr auch nicht, dass ich Mangas las, das fand sie kindisch.«

Hodge kratzte sich am Kopf, ohne dass sich sein Haar bewegte. »Sehr merkwürdig«, murmelte er.

»Eigentlich nicht«, meinte Clary, »meine Mutter war nicht merkwürdig, sondern die normalste Frau der Welt.«

»In der Regel werden Wohnungen normaler Menschen nicht von Dämonen durchwühlt«, entgegnete Hodge, nicht einmal unfreundlich.

»Ja, aber wenn es ein Versehen war?«

»Wenn es ein Versehen gewesen wäre und du ein normales Mädchen, hättest du den Dämon, der dich angriff, nicht sehen können – und wenn doch, hätte ihn dein Bewusstsein als etwas völlig anderes eingeordnet, als bösartigen Hund oder brutalen Verbrecher vielleicht. Da du ihn aber gesehen hast und er mit dir gesprochen hat ...«

»Woher wissen Sie, dass er mit mir gesprochen hat?«

»Jace hat mir erzählt, du hättest gesagt, er habe ›gesprochen‹.«

»Das Wesen hat gezischt.« Clary erinnerte sich schaudernd. »Es sagte so etwas wie, dass es mich fressen wolle, obwohl es das, glaube ich, nicht durfte.«

»Ravener werden normalerweise von mächtigeren Dämonen befehligt. Sie selbst sind nicht sehr intelligent«, erklärte Hodge. »Hat er gesagt, wonach sein Gebieter suchte?«

Clary überlegte. »Er hat von einem Valentin gesprochen, aber ...«

Hodge sprang auf – so abrupt, dass Hugo, der es sich auf seiner Schulter bequem gemacht hatte, verärgert krächzend aufflog. *»Valentin?«*

»Ja«, sagte Clary, »den Namen habe ich auch von dem Jungen – ich meine dem Dämon – im Pandemonium gehört.«

»Wir alle kennen diesen Namen«, sagte Hodge kurz und sachlich. Allerdings sah Clary, dass seine Hände zitterten. Hugo, der sich wieder auf seiner Schulter niedergelassen hatte, schüttelte unruhig sein Gefieder.

»Ist er ein Dämon?«

»Nein. Valentin ist – oder war – ein Schattenjäger.«

»Ein Schattenjäger? Warum *war?«*

»Weil er tot ist«, sagte Hodge mit ausdrucksloser Stimme, »und zwar seit fünfzehn Jahren.«

Clary sank in die Couchkissen zurück. Ihr pochte der Schädel. Vielleicht hätte sie doch den Tee annehmen sollen. »Und wenn es jemand anderes war? Jemand mit gleichem Namen?«

Hodge lachte, doch es klang bitter. »Nein. Aber jemand könnte seinen Namen benutzt haben, um eine Botschaft zu übermitteln.« Er stand auf und ging zu seinem Schreibtisch, die Hände hinter dem Rücken verschränkt. »Und jetzt wäre genau der richtige Zeitpunkt dafür.«

»Warum gerade jetzt?«

»Wegen des Abkommens.«

»Wegen der Friedensverhandlungen? Jace hat sie erwähnt, aber Frieden mit wem denn?«

»Mit den Schattenwesen«, murmelte Hodge. Er musterte Clary besorgt. »Entschuldige, das ist sicher verwirrend für dich.«

»Meinen Sie?«

Er lehnte sich gegen den Schreibtisch und streichelte abwesend Hugos Federkleid.

»Die Schattenwesen sind die, mit denen wir uns die Verborgene Welt teilen. Seit Menschengedenken haben wir in einem zweifelhaften Frieden mit ihnen gelebt.«

»Sie meinen Vampire, Werwölfe und . . .«

»Das Lichte Volk«, erläuterte Hodge, »Feenwesen. Und als Halbdämonen zählen auch Liliths Kinder dazu, die Hexenmeister.«

»Und was sind die Schattenjäger?«

»Wir werden manchmal auch Nephilim genannt«, erklärte Hodge. »Der Bibel zufolge entspringen wir der Verbindung von Menschen und Engeln. Angeblich entstanden die Schattenjäger vor vielen Tausend Jahren, als die Menschheit von Dämoneninvasionen aus anderen Welten überrannt wurde. Jonathan Shadowhunter, der erste der Nephilim, beschwor den Erzengel Raziel herauf; dieser vermengte sein eigenes Blut mit dem Blut von Menschen in einem Kelch und ließ die Menschen davon trinken. Diejenigen, die von dem Engelsblut getrunken hatten, wurden zu Schattenjägern, genau wie ihre Kinder und Kindeskinder. Das Gefäß, in dem Raziel das Blut mischte, wurde später als der ›Kelch der Engel‹ bekannt. Die Legende mag vielleicht nicht den Tatsachen entsprechen, aber seither konnten – wenn es an Schattenjägern fehlte – unsere Reihen stets mithilfe des Kelchs wieder geschlossen werden.«

»*Konnten* – und jetzt geht das nicht mehr?«

»Der Kelch existiert nicht länger. Valentin hat ihn kurz vor seinem Tod vernichtet. Er hat sein Haus angezündet und sich und seine Familie verbrannt, seine Frau und sein Kind. Sein Land ist verkohlt. Noch immer will niemand dort wohnen. Es heißt, es sei verflucht.«

»Stimmt das denn?«

»Möglicherweise. Die Kongregation – das beschlussfassende Organ der Nephilim, also diejenigen Schattenjäger, die Grundsatzentscheidungen treffen und Gesetze verabschieden – bestraft Gesetzesübertretungen manchmal mit Verwünschungen. Valentin hat gegen das wichtigste Gebot verstoßen: Er hat das Schwert gegen seine eigenen Brüder, die Schattenjäger, erhoben und sie umgebracht. Er und seine Verbündeten, der Kreis, haben zu der Zeit des letzten Abkommens Dutzende ihrer eigenen Brüder und Hunderte von Schattenwesen getötet. Sie konnten nur knapp besiegt werden.«

»Aber warum hat er die anderen Schattenjäger angegriffen?«

»Er lehnte das Abkommen ab. Er verachtete die Schattenwesen und fand, sie müssten alle abgeschlachtet werden, um die Welt für die Menschen zu reinigen. Obwohl Schattenwesen keine Dämonen oder Invasoren sind, fand er, sie seien vom Ursprung her dämonisch, und das reichte ihm. Der Rat war anderer Meinung – er glaubte, man bräuchte die Hilfe der Schattenwesen, um die Dämonen ein für alle Mal besiegen zu können. Und da das Lichte Volk schon länger auf dieser Welt weilt als wir, kann man auch kaum behaupten, sie gehörten nicht hierher.«

»Ist denn das Abkommen geschlossen worden?«

»Ja, es wurde unterzeichnet. Als die Schattenwesen sahen, wie der Rat sie verteidigte und sich gegen Valentin und seinen Kreis stellte, erkannten sie, dass die Schattenjäger nicht ihre Feinde waren. So hat Valentin durch seine Rebellion ungewollt die Verlängerung des Abkommens erst ermöglicht.« Hodge setzte sich wieder auf den Stuhl. »Entschuldige, das ist für dich wahrscheinlich nur trockener Geschichtsstoff. Tja, so war Valentin. Ein Unruhestifter, ein Visionär, ein Mann mit viel Charme und Charisma. Und ein Killer. Nun bedient sich jemand seines Namens . . .«

»Aber wer?«, fragte Clary. »Und was hat meine Mutter damit zu tun?«

Hodge erhob sich erneut. »Ich weiß es nicht. Aber ich werde alles in meiner Macht Stehende tun, um das herauszufinden. Ich muss gleich eine Nachricht an den Rat und die Bruderschaft schicken. Die Stillen Brüder werden wahrscheinlich mit dir reden wollen.«

Clary fragte nicht, um was für Stille Brüder es sich handelte. Sie war es leid, eine Frage nach der anderen zu stellen, deren Antwort sie nur noch mehr verwirrte. Sie stand auf. »Darf ich denn jetzt nach Hause?«

Hodge schaute besorgt drein. »Nein, ich . . . ich denke, das wäre nicht sehr klug.«

»Aber dort sind all meine Sachen. Dinge, die ich brauche, auch wenn ich hierbleibe. Kleidung . . .«

»Wir können dir Geld geben, um neue zu kaufen.«

»Bitte«, beharrte Clary. »Ich muss sehen, ob . . . ob irgendetwas übrig geblieben ist.«

Hodge zögerte und nickte dann kurz. »Wenn Jace dich begleitet, kannst du hingehen.« Er beugte sich über den Schreibtisch und wühlte in seinen Papieren. Dann schaute er sich um, als bemerke er erst jetzt, dass sie noch im Raum stand. »Er ist in der Waffenkammer.«

»Ich weiß nicht, wo das ist.«

Hodge lächelte verschmitzt. »Church wird dich hinbringen.«

Clary schaute zur Tür, wo der dicke blaue Perserkater sich zu einem kleinen Diwan zusammengerollt hatte. Er erhob sich, als Clary näher kam, sein Fell erzitterte, als durchliefe eine Welle sein Haarkleid. Mit einem gebieterischen Miau lotste er Clary in den Korridor. Als diese sich nach Hodge umsah, schrieb er bereits etwas auf einen Papierbogen. Wohl eine Nachricht an den rätselhaften Rat, dachte sie. Es klang nicht so, als handelte es sich dabei um nette Leute. Clary fragte sich, wie der Rat wohl reagieren würde.

Die rote Tinte wirkte auf dem weißen Papier wie Blut. Stirnrunzelnd rollte Hodge Starkweather den Brief sorgfältig zusammen und pfiff nach Hugo. Der Rabe ließ sich leise krächzend auf seinem Handgelenk nieder. Hodge zuckte zusammen. Vor Jahren, während des Aufstands, war er an der Schulter verwundet worden und selbst ein so geringes Gewicht wie das von Hugo – ebenso wie Wetterwechsel oder plötzliche Armbewegungen – erinnerte ihn an alte Schmerzen und Qualen, die längst vergessen sein sollten.

Manche Erinnerungen verblassten einfach nie. Wie ein Wetterleuchten tauchten die Bilder hinter seinen Lidern auf, wenn er die Augen schloss. Blut, Leichen, zertrampelte Erde, ein weißes Podium, jetzt rot vor Blut. Die Schreie der Sterbenden. Die grünen, hügeligen Weiten von Idris und ihr endlos blauer Himmel, in den sich die Türme der Gläsernen Stadt erhoben. Der Schmerz des Verlusts brandete in ihm hoch wie eine Woge; seine Hand ballte sich zur Faust, sodass Hugo panisch die Flügel schlug. Wütend hackte er nach den Fingern, bis sie bluteten. Hodge öffnete die Hand und gab den Vogel frei, der einmal seinen Kopf umkreiste, dann zum Oberlicht hinaufflog und verschwand.

Seine bösen Vorahnungen abschüttelnd, griff Hodge nach einem neuen Bogen; er merkte nicht einmal, dass er beim Schreiben die tiefroten Tropfen auf dem Papier verschmierte.

# 6
# Forsaken

Die Waffenkammer sah genauso aus, wie Clary sich einen Raum vorstellte, der als »Waffenkammer« bezeichnet wurde. An den Wänden aus poliertem Metall hingen alle erdenklichen Arten von Schwertern, Dolchen, Speeren, Lanzen, Klingenstäben, Bajonetten, Peitschen, Keulen, Sensen und Bogen. Weiche, mit Pfeilen gefüllte Lederköcher baumelten von Haken an der Decke herab und in einer Ecke lagen haufenweise Stiefel, Beinschoner, Armschienen und Panzerhandschuhe. Der ganze Raum roch nach Metall und Leder und Stahlpolitur. Alec und Jace, der inzwischen festes Schuhwerk angezogen hatte, saßen an einem langen Tisch in der Mitte des Saals und beugten die Köpfe über mehrere Gegenstände, die zwischen ihnen lagen. Als die Tür hinter Clary ins Schloss fiel, schaute Jace auf. »Wo ist Hodge?«, fragte er.

»Schreibt einen Brief an die Stillen Brüder.«

Alec unterdrückte ein Schaudern. »Aargh.«

Clary ging langsam auf die beiden zu, wobei sie Alecs feindselige Augen deutlich auf sich spürte. »Was macht ihr da?«

»Wir polieren die hier.« Jace trat beiseite, damit Clary einen Blick auf den Tisch werfen konnte. Vor ihr lagen drei lange, schlanke, röhrenförmige Stäbe aus matt glänzendem Silber, die aber nicht scharf oder besonders gefährlich wirkten. »Angefertigt von den Eisernen Schwestern, die all unsere Waffen schmieden. Das sind Seraphklingen, auch ›Engelsschwerter‹ genannt.«

»Sie sehen gar nicht wie Schwerter aus. Wie habt ihr sie gemacht? Mithilfe von Magie?«

Alec schaute sie so entsetzt an, als hätte sie ihn aufgefordert, ein Ballettröckchen anzuziehen und eine perfekte Pirouette zu drehen.

»Das Merkwürdige an den Irdischen ist, dass sie besessen sind von Magie«, sagte Jace, ohne irgendjemanden direkt anzuschauen. »Und zwar ziemlich besessen für einen Haufen von Leuten, die nicht einmal wissen, was das Wort bedeutet.«

»Ich weiß, was das Wort bedeutet«, fauchte Clary.

»Nein, tust du nicht, du denkst es bloß. Die Magie ist eine dunkle, elementare Naturgewalt, nicht nur ein Haufen funkelnder Zauberstäbe, glitzernder Kristallkugeln oder sprechender Goldfische.«

»Ich habe nie behauptet, dass sprechende Goldfische . . .«

Jace unterbrach sie mit einer abschätzigen Handbewegung. »Wenn man einen Zitteraal als Gummiente bezeichnet, macht ihn das noch lange nicht zur Gummiente. Und möge Gott dem armen Kerl beistehen, der beschließt, so ein Entchen mit in die Wanne zu nehmen.«

»Du redest dummes Zeug«, bemerkte Clary.

»Das tue ich nicht«, erwiderte Jace würdevoll.

»Doch, tust du«, sagte Alec ziemlich unerwartet. »Hör zu, wir betreiben keine Magie, okay?«, fügte er hinzu, ohne Clary anzusehen. »Mehr brauchst du nicht zu wissen.«

Clary hätte ihn am liebsten angefahren, hielt sich aber zurück. Alec schien sie so schon nicht besonders zu mögen; es brachte nichts, ihn zu provozieren und damit seine feindselige Haltung noch zu verstärken. Stattdessen wandte sie sich an Jace: »Hodge sagt, ich könne nach Hause gehen.«

Jace ließ fast die Seraphklinge fallen, die er in der Hand hielt. »Er hat *was* gesagt?«

»Ich könne nach Hause, um die Sachen meiner Mutter durchzuschauen«, erklärte sie. »Falls du mich begleitest.«

»Jace«, stieß Alec hervor, doch Jace ignorierte ihn.

»Wenn du wirklich beweisen willst, dass meine Mutter oder mein Vater Schattenjäger waren, sollten wir die Sachen meiner Mutter durchsehen. Oder zumindest das, was noch davon übrig ist.«

»Ins Kaninchenloch.« Jace grinste schräg. »Gute Idee. Wenn wir uns jetzt gleich auf den Weg machen, haben wir noch drei, vier Stunden Tageslicht.«

»Willst du, dass ich mitkomme?«, fragte Alec, als Clary und Jace zur Tür gingen. Clary drehte sich kurz um. Alec hatte sich halb von seinem Stuhl erhoben; seine Augen glänzten erwartungsvoll.

»Nein«, erwiderte Jace, ohne sich umzusehen. »Ist schon okay. Clary und ich schaffen das alleine.«

Der Blick, den Alec Clary zuwarf, brodelte vor Gift. Sie war froh, als die Tür hinter ihr ins Schloss fiel.

Jace eilte den Korridor entlang; Clary musste beinahe joggen, um mit seinen großen Schritten mitzuhalten. »Hast du deine Hausschlüssel?«, fragte er.

Clary blickte auf ihre Schuhe. »Ja.«

»Gut. Wir könnten zwar mühelos einbrechen, aber die Chance, irgendwelche Wächter auf den Plan zu rufen, ist viel kleiner, wenn wir so ins Haus kommen.«

»Wenn du es sagst.« Der Korridor endete in einem großen Foyer mit Marmorboden. In eine der Wände war ein schwarzes Metallgitter eingelassen. Erst als Jace einen Knopf neben dem Gitter drückte und dieser aufleuchtete, erkannte Clary, dass es sich um einen Aufzug handelte. Das Ding ächzte und stöhnte, während die Kabine zu ihnen hochruckelte.

»Jace?«

»Ja?«

»Woher wusstest du, dass ich Schattenjägerblut in mir hab? Hast du das an irgendetwas erkannt?«

Die Aufzugskabine erschien mit einem letzten, lauten Ächzen. Jace entriegelte das Gitter und schob es beiseite. Das Innere des Aufzugs erinnerte Clary an einen Vogelkäfig – viel schwarzes Metall und ein paar vergoldete Verzierungen. »Ich habe geraten«, sagte er und schloss die Tür hinter ihnen. »Es schien mir die logischste Erklärung zu sein.«

»Du hast geraten? Du musst dir ziemlich sicher gewesen sein, wenn man bedenkt, dass du mich hättest töten können.«

Er drückte auf einen Knopf an der Wand und der Aufzug setzte sich derart ruckelnd in Bewegung, dass Clary die Vibrationen förmlich unter ihren Füßen spüren konnte. »Ich war mir zu neunzig Prozent sicher.«

»Verstehe«, sagte Clary.

Irgendetwas musste in ihrer Stimme mitgeschwungen haben, denn er drehte sich zu ihr um und sah sie an. Ihre Ohrfeige traf ihn mitten ins Gesicht. Eher überrascht als schmerzlich getroffen, führte er eine Hand an seine rote Wange. »Wofür zum Teufel war das jetzt wieder?«

»Für die restlichen zehn Prozent«, sagte sie. Danach legten sie die verbleibenden Meter zum Erdgeschoss schweigend zurück.

Auch während der U-Bahn-Fahrt nach Brooklyn hüllte Jace sich in verärgertes Schweigen. Clary setzte sich trotzdem dicht neben ihn, da sie ein schlechtes Gewissen hatte – vor allem, wenn sie den roten Fleck sah, den ihre Ohrfeige auf seiner Wange hinterlassen hatte.

Doch ansonsten machte ihr die eisige Stille zwischen ihnen nichts aus; auf diese Weise hatte sie Gelegenheit zum Nachdenken. Wieder und wieder rief sie sich das Gespräch mit Luke ins Gedächtnis. Es tat weh, darüber nachzudenken, so als würde sie auf einem morschen Zahn herumkauen. Aber sie konnte einfach nicht damit aufhören.

Am anderen Ende des Zugabteils saßen zwei Mädchen im Teenageralter auf einer orangefarbenen Bank und kicherten – genau die Sorte von Mädchen, die Clary auch an der St. Xavier School nicht ausstehen konnte, mit pinkfarbenen Schühchen und Selbstbräunertönung im Gesicht. Clary fragte sich einen kurzen Moment lang, ob sie vielleicht über sie lachten, erkannte dann aber überrascht, dass sie Jace ansahen.

Sie erinnerte sich an das Mädchen in dem Café, das Simon angestarrt hatte. Mädchen hatten immer diesen seltsamen Ausdruck in den Augen, wenn sie einen Jungen süß fanden. Nach allem, was passiert war, hatte Clary ganz vergessen, dass Jace tatsächlich süß war. Er besaß zwar nicht Alecs feingliedrige Züge, aber sein Gesicht war viel interessanter. Bei Tageslicht schimmerten seine Augen in der Farbe von goldenem Honig und sahen . . . sie direkt an.

Fragend zog er eine Augenbraue hoch. »Kann ich dir irgendwie helfen?«

Clary wurde sofort zur Verräterin an ihrem eigenen Geschlecht. »Die Mädchen da drüben starren dich die ganze Zeit an.«

Jace setzte eine selbstzufriedene Miene auf und lächelte milde. »Natürlich tun sie das«, sagte er. »Schließlich bin ich unglaublich attraktiv.«

»Hat dir schon mal jemand gesagt, dass Bescheidenheit eine attraktive Eigenschaft ist?«

»Ja«, räumte Jace ein, »aber nur hässliche Leute. Die Sanftmütigen mögen die Erde erben, aber in der Zwischenzeit gehört sie den Eitlen. Und damit mir.« Er zwinkerte den beiden Mädchen zu, die daraufhin kicherten und sich hinter ihren Haaren versteckten.

Clary seufzte. »Wie kommt es, dass sie dich sehen können?«

»Die Anwendung von Zauberglanz ist ziemlich anstrengend. Manchmal haben wir einfach keine Lust, uns die Mühe zu machen.«

Der Vorfall mit den Mädchen in der U-Bahn schien seine Laune deutlich gebessert zu haben. Als sie den Bahnhof verließen und den Hügel zu Clarys Haus hinaufmarschierten, zog er eine der Seraphklingen aus seiner Jacke, wirbelte sie wie einen Schlagzeugstock in den Fingern und summte dazu.

»Muss das sein?«, fragte Clary. »Das nervt.«

Jace summte noch lauter, irgendeine seltsame Mischung aus »Happy Birthday« und »Glory, Glory, Hallelujah«.

»Tut mir leid wegen der Ohrfeige«, sagte sie.

Er unterbrach sein Summen. »Sei froh, dass du mich und nicht Alec geohrfeigt hast. Er hätte zurückgeschlagen.«

»Er scheint ganz versessen darauf zu sein«, murmelte Clary und kickte eine leere Coladose aus dem Weg. »Wie hat Alec dich noch mal genannt? *Para*-was?«

»*Parabatai*«, erwiderte Jace. »Dieser Ausdruck bezeichnet zwei Krieger, die gemeinsam kämpfen – und die einander näher stehen als Brüder. Alec ist mehr als nur mein bester Freund. Bereits unsere Väter waren in ihrer Jugend *Parabatai*. Alecs Vater ist mein Patenonkel, deswegen lebe ich bei ihnen. Sie sind quasi meine Adoptivfamilie.«

»Aber dein Nachname ist nicht Lightwood.«

»Nein«, sagte Jace und Clary hätte ihn gerne gefragt, wie sein voller Name lautete. Aber sie näherten sich dem Haus und ihr Herz schlug inzwischen derart laut, dass man es sicher meilenweit hören konnte. In ihren Ohren dröhnte es und ihre Handflächen fühlten sich feucht an. Clary blieb vor der Buchsbaumhecke stehen und schaute langsam nach oben. Sie erwartete gelbes Absperrband vor der Haustür, Glassplitter auf dem Rasen und ein vollkommen zerstörtes Gebäude.

Doch das Haus zeigte keinerlei Anzeichen eines Kampfes: Der braune Sandstein schien in der warmen Nachmittagssonne förmlich zu glühen und Bienen summten träge in den Rosensträuchern unter Madame Dorotheas Fenstern.

»Es sieht völlig unverändert aus«, sagte Clary.

»Von außen.« Jace griff in seine Jeanstasche und holte ein weiteres dieser Geräte aus Metall und Kunststoff hervor, die Clary für ein Mobiltelefon gehalten hatte.

»Ist das ein Sensor? Wie funktioniert er?«, fragte sie.

»Er empfängt Frequenzen, genau wie ein Radio, nur mit dem Unterschied, dass diese Schwingungen dämonischen Ursprungs sind.«

»Dämonenkurzwelle?«

»So was in der Art.« Jace hielt den Sensor mit gestrecktem Arm vor sich, während sie sich der Haustür näherten. Das Gerät tickte leise, als sie die Stufen hinaufstiegen, und verstummte dann. Jace runzelte die Stirn. »Der Sensor registriert Spuren von Aktivität, aber das könnten auch noch die Überbleibsel von vor drei Tagen sein. Die Impulse sind jedenfalls nicht so stark, dass sie auf eine derzeitige Anwesenheit von Dämonen hinweisen.«

Clary stieß einen erleichterten Seufzer aus; ihr war gar nicht aufgefallen, dass sie die Luft angehalten hatte. »Gut.« Sie bückte sich, um ihre Hausschlüssel hervorzuholen. Als sie sich wieder aufrichtete, sah sie die Kratzer an der Haustür. Beim letzten Mal musste es bereits so dunkel gewesen sein, dass sie sie nicht bemerkt hatte. Die Kratzer sahen aus wie von langen Krallen – tiefe, parallele Gräben im Holz.

Jace berührte sie am Arm. »Ich geh vor«, sagte er. Clary wollte ihm sagen, dass sie es nicht nötig habe, sich hinter ihm zu verstecken, brachte aber keinen Ton heraus. Auf einmal schmeckte sie wieder die Angst, die sie beim Anblick des Ravener verspürt hatte – ein scharfer, kupferartiger Geschmack, wie von alten Centstücken.

Jace drückte mit einer Hand die Tür auf und bedeutete Clary mit der anderen, ihm zu folgen. Dann standen sie im Treppenhaus. Clary blinzelte, um ihre Augen an die Dunkelheit zu gewöhnen. Die Flurlampe war noch immer defekt und das Oberlicht viel zu schmutzig, um auch nur einen Sonnenstrahl hereinzulassen. Madame Dorotheas Tür schien fest verschlossen; unter dem Türblatt schimmerte kein Licht hindurch. Clary fragte sich beklommen, ob ihr irgendetwas zugestoßen war.

Jace strich mit der Hand über das Treppengeländer. Als er seine Finger betrachtete, schimmerte etwas feucht und dunkelrot. »Blut.«

»Vielleicht noch von mir.« Ihre Stimme klang dünn. »Von vor drei Tagen.«

»Das müsste längst getrocknet sein«, erwiderte Jace. »Komm.«

Er eilte die Treppe hinauf, Clary immer dicht hinter sich. Auf dem Treppenabsatz vor der Wohnung war es noch dunkler und sie fummelte mit drei verschiedenen Schlüsseln, bis sie endlich den richtigen ins Schloss geschoben hatte. Jace beugte sich über sie und beobachtete sie ungeduldig. »Puste mir nicht in den Nacken«, zischte Clary. Ihre Hand zitterte. Endlich griffen die Arretierstifte des Türzylinders und das Schloss sprang mit einem Klicken auf.

Jace zog sie zurück. »Ich gehe vor.«

Sie zögerte einen Moment, trat dann aber beiseite, um ihn durchzulassen. Ihre Handflächen fühlten sich feucht an, allerdings nicht von der Hitze. Tatsächlich war es recht kühl in der Wohnung, fast schon kalt – eisige Luft zog vom Treppenhaus herein, prickelte auf ihrer Haut. Sie spürte, wie sie eine Gänsehaut bekam, als sie Jace durch den kurzen Flur ins Wohnzimmer folgte.

Es war leer. Vollkommen leer, so wie bei ihrem Einzug – mit nackten Wänden und Böden, ohne irgendwelche Möbel, selbst die Vorhänge waren aus den Schienen gerissen. Lediglich an den etwas helleren Flecken an den Wänden konnte man noch erkennen, wo die Bilder ihrer Mutter gehangen hatten. Wie in Trance machte Clary auf dem Absatz kehrt und ging in die Küche, Jace war dicht hinter ihr. Seine hellen Augen hatte er zu Schlitzen zusammengekniffen.

Auch in der Küche herrschte gähnende Leere. Stühle, Tische, alles weg – selbst der Kühlschrank war verschwunden. Sämtliche Türen der Einbauschränke standen offen und gaben den Blick auf nackte Regalböden frei. Clary räusperte sich. »Was wollen Dämonen denn mit unserer Mikrowelle anfangen?«, fragte sie verwundert.

Jace schüttelte den Kopf, aber seine Mundwinkel zuckten amüsiert. »Keine Ahnung. Momentan zeigt der Sensor jedenfalls keine Dämonen in der näheren Umgebung an. Ich denke, sie sind schon lange weg.«

Clary sah sich weiter um. Irgendjemand hatte sogar die verschüttete Tabascosoße weggewischt, bemerkte sie seltsam unbeteiligt.

»Bist du fertig?«, fragte Jace. »Hier ist nichts mehr zu finden.«

Sie schüttelte den Kopf. »Ich möchte noch kurz in mein Zimmer.«

Er warf ihr einen Blick zu und schien etwas erwidern zu wollen, besann sich dann aber eines Besseren. »Von mir aus«, sagte er und steckte die Seraphklinge in die Tasche.

Die Lampe im Flur war defekt, aber Clary brauchte nicht viel Licht, um sich in der Wohnung zurechtzufinden. Mit Jace im Schlepptau steuerte sie auf ihr Zimmer zu und griff nach dem Türknauf. Er fühlte sich kalt an in ihrer Hand – so kalt, dass es fast schmerzte, als würde sie einen Eiszapfen mit bloßen Fingern berühren. Sie sah, dass Jace ihr einen raschen Blick zuwarf, aber sie drehte bereits den Türknauf, versuchte es zumindest. Er ließ sich nur schwer bewegen, so als wäre er auf der anderen Seite in eine dickflüssige, klebrige Masse eingebettet . . .

Plötzlich flog die Tür mit einem Ruck auf und traf Clary mit voller Wucht. Sie schlitterte durch den Wohnungsflur, prallte gegen die Wand und blieb auf dem Bauch liegen. In ihren Ohren dröhnte ein dumpfes Gebrüll, während sie auf die Knie zu kommen versuchte.

Jace presste sich flach gegen die Wand und griff hastig in seine Jackentasche; sein Gesicht war ein einziges überraschtes Fragezeichen. Wie ein Riese aus einem Märchen ragte über ihm ein hünenhafter Mann auf, mit Beinen wie Baumstämme, und schwang drohend eine Breitaxt. Dreckige Lumpen hingen von seinem Körper herab und seine langen Haare waren zu einer dreckstarrenden Matte verfilzt. Er stank nach giftig saurem Schweiß und fauligem Fleisch. Clary war froh, dass sie sein Gesicht nicht sehen konnte – der Anblick seiner Rückseite genügte ihr völlig.

Jace hatte plötzlich den Seraphstab in der Hand, streckte den Arm aus und rief: »Sansavi!«

Wie von Zauberhand schoss eine Klinge aus dem Stab hervor. Clary musste an alte Spielfilme denken, wo Bajonette im Inneren von Spazierstöcken versteckt waren und auf Knopfdruck zum Vorschein kamen. Aber eine derartige Klinge hatte sie noch nie gesehen: klar wie Glas, mit einem leuchtenden Heft, ungemein scharf und fast so lang wie Jace' Unterarm. Jace stieß zu und schlitzte den Riesen auf, der mit einem Brüllen zurücktaumelte.

Jace wirbelte herum und rannte auf Clary zu. Er packte sie am Arm, zog sie auf die Füße und schob sie vor sich den Flur entlang. Sie konnte den Koloss hinter sich hören; er folgte ihnen. Seine Schritte klangen, als würden schwere Bleigewichte auf den Boden fallen, und er holte rasch auf.

Sie rasten durch die Wohnungstür, hinaus ins Treppenhaus. Jace wirbelte herum, um die Tür hinter sich zuzuschlagen. Clary hörte das Klicken des automatischen Sicherheitsschlosses und hielt den Atem an. Die Tür erzitterte in den Scharnieren, als ein gewaltiger Axthieb aus dem Inneren der Wohnung dagegendonnerte. Clary rannte zur Treppe. Jace warf ihr einen Blick zu. Seine Augen funkelten vor fieberhafter Begeisterung. »Lauf nach unten! Bring dich in Sicherheit . . .!«

Ein weiterer Schlag traf das Türblatt und dieses Mal gaben die Scharniere nach und die Tür flog aus dem Rahmen. Sie hätte Jace mit voller Wucht getroffen, wenn er nicht blitzschnell zur Seite gesprungen wäre – so schnell, dass Clary es kaum mitbekam. Plötzlich stand er auf der obersten Stufe; die Klinge in seiner Hand strahlte hell wie ein Komet. Clary sah, dass Jace ihr etwas zurief, konnte ihn aber wegen des Gebrülls des Kolosses nicht verstehen, der nun durch die zertrümmerte Tür brach und sich auf Jace stürzte. Sie presste sich flach gegen die Wand, als die Kreatur in einer Woge aus Hitze und Gestank an ihr vorbeistampfte. Im nächsten Moment flog die mächtige Breitaxt wie von einem Katapult abgefeuert durch die Luft auf Jace' Kopf zu. Er duckte sich und die Schneide der Axt grub sich in das Treppengeländer, drang tief in das Holz ein.

Jace lachte. Das Gelächter schien den Koloss in noch größere Wut zu versetzen; er ließ die Axt stecken und torkelte mit erhobenen Fäusten auf Jace zu. Jace parierte den Angriff mit einer fließenden Bewegung und bohrte der Kreatur die Seraphklinge bis zum Heft in die Schulter. Einen Moment lang stand der Riese schwankend da. Dann taumelte er nach vorne, mit ausgestreckten Händen, die nach Jace griffen. Hastig sprang Jace zur Seite, doch er war nicht schnell genug: Die gewaltigen Fäuste bekamen ihn in dem Augenblick zu fassen, als der Koloss wankte und die Treppe hinunterstürzte. Er riss Jace mit sich. Jace schrie auf; dann ertönte ein ohrenbetäubendes Krachen und Splittern, gefolgt von Totenstille.

Clary rappelte sich auf und rannte die Stufen hinunter. Jace lag ausgestreckt am Fuß der Treppe; sein linker Arm ragte in einem unnatürlichen Winkel unter ihm hervor. Seine Beine waren unter dem Riesen eingeklemmt, in dessen Schulter die Seraphklinge bis zum Heft eingedrungen war. Der Koloss lebte zwar, zuckte aber nur noch schwach; blutiger Schaum lief ihm aus dem Mundwinkel. Clary konnte sein Gesicht nun deutlicher sehen: die totenbleiche, papierdünne Haut war mit einem schwarzen Gitterwerk schrecklicher Narben überzogen, das seine Züge fast vollkommen entstellte. Seine Augenhöhlen waren rot und vereitert. Clary unterdrückte das Gefühl aufsteigender Übelkeit. Sie stolperte die letzten Stufen hinunter, stieg über den zuckenden Koloss und kniete sich neben Jace auf den Boden. Er war so still. Sie legte ihm eine Hand auf die Schulter, fühlte sein blutdurchtränktes, feuchtklebriges Hemd – ob es sein Blut war oder das des Riesen, konnte sie nicht sagen.

»Jace?«

Er schlug die Augen auf. »Ist er tot?«

»Fast«, sagte Clary grimmig.

»Verdammt.« Er zuckte zusammen. »Meine Beine . . .«

»Halt still.« Clary krabbelte hinter seinen Kopf, schob ihre Hände unter seine Achseln und zog. Er stöhnte vor Schmerz, als seine Beine unter dem krampfartig zuckenden Körper des Riesen zum Vorschein kamen. Clary ließ ihn los und er rappelte sich mühsam auf, den linken Arm vor die Brust geklemmt. Sie richtete sich ebenfalls auf. »Ist mit deinem Arm alles in Ordnung?«

»Nein. Ist gebrochen«, sagte er. »Kannst du mal bitte in meine Tasche greifen?«

Sie zögerte eine Sekunde, nickte dann aber. »In welche?«

»Innere Jackentasche, rechte Seite. Hol eine der Seraphklingen heraus und gib sie mir.« Er verharrte regungslos, während sie nervös ihre Finger in seine Tasche schob. Sie stand nun so dicht vor ihm, dass sie seinen Geruch wahrnehmen konnte – eine Mischung aus Schweiß, Seife und Blut. Sein Atem streifte ihren Nacken. Ihre Finger schlossen sich um einen röhrenförmigen Stab und sie zog ihn hervor, ohne Jace anzusehen.

»Danke«, sagte er. Seine Finger strichen kurz über den Stab, dann sprach er den Namen der Waffe aus: »Sanvi.« Genau wie ihr Vorgänger verwandelte sich auch diese Röhre in eine gefährliche Klinge, deren Licht Jace' Gesicht beleuchtete. »Guck nicht hin«, sagte er und postierte sich über dem Körper der narbenübersäten Kreatur. Er hob die Klinge über den Kopf und stieß dann zu. Blut schoss aus der Kehle des Riesen und spritzte über Jace' Stiefel.

Clary hatte erwartet, dass der Koloss sich in Luft auflösen würde, so wie der Junge im Pandemonium in sich zusammengefallen und dann verschwunden war. Doch das geschah nicht. Die Luft war schwer vom Geruch des Blutes, süß und metallisch. Jace stieß einen kehligen Laut aus. Er war kreidebleich, aber sie konnte nicht sagen, ob vor Schmerz oder Ekel. »Ich hab dir doch gesagt, du sollst nicht hingucken«, knurrte er.

»Ich dachte, er würde verschwinden«, murmelte sie. »In seine eigene Dimension zurückkehren, so wie du es gesagt hast.«

»Ich hab gesagt, das passiert mit Dämonen, wenn sie sterben.« Er stöhnte vor Schmerz, während er seine Jacke von den Schultern streifte und den linken Oberarm freilegte. »Aber das war kein Dämon.« Mit der rechten Hand zog er etwas aus seinem Gürtel. Es war der glatte, stabförmige Gegenstand, mit dem er die einander überschneidenden Kreise in Clarys Haut geritzt hatte. Beim bloßen Anblick des Stabs spürte Clary bereits, wie ihr Unterarm zu brennen begann.

Jace fing ihren Blick auf und grinste leicht. »Das«, sagte er, »ist eine Stele.« Er hielt sie wie einen Stift, setzte sie auf seiner Haut an und begann zu zeichnen. Dicke schwarze Linien wirbelten aus der

Spitze und hinterließen ein tatooartiges Mal. »Und das«, fuhr er fort, »passiert, wenn ein Schattenjäger verwundet ist.« Als er die Hand sinken ließ, versank das Mal in der Haut wie ein beschwerter Gegenstand im Wasser. Zurück blieb nur ein gespenstisches Andenken: eine helle, dünne, fast unsichtbare Narbe.

Ein Bild tauchte vor Clarys innerem Auge auf. Der Rücken ihrer Mutter, nicht vollständig durch den Badeanzug bedeckt; ihre Schulterblätter und die Wölbung der Wirbelsäule, von dünnen weißen Malen überzogen. Es schien ihr, als hätte sie das in einem Traum gesehen – der Rücken ihrer Mutter war schließlich makellos. Das wusste sie ganz genau. Doch das Bild ließ sie nicht mehr los.

Jace stieß einen Seufzer aus; sein schmerzverzerrtes Gesicht entspannte sich. Er bewegte den Arm, zunächst nur vorsichtig, doch dann müheloser. Schließlich hob und senkte er ihn, ballte die Hand zu einer Faust. Der Knochen war ganz eindeutig nicht länger gebrochen.

»Das ist ja toll«, sagte Clary. »Wie hast du das gemacht?«

»Mit einer *Iratze* – einer Heilrune«, erklärte Jace. »Wenn man die Rune mit der Stele vervollständigt, wird sie aktiviert.« Er schob den schlanken Stab in seinen Gürtel und zog die Jacke wieder über die Schultern. Dann stieß er mit der Stiefelspitze gegen den Leichnam des Riesen. »Wir müssen Hodge darüber informieren«, sagte er. »Der wird ausflippen«, fügte er hinzu, als erfülle ihn der Gedanke an Hodges Reaktion mit Genugtuung. Jace gehörte zu der Sorte von Leuten, denen es gefiel, wenn etwas *passierte,* dachte Clary – auch wenn das, was passierte, ziemlich übel war.

»Warum sollte er ausflippen?«, fragte Clary. »Und wenn ich es richtig verstehe, dann war das da kein Dämon. Deswegen hat der Sensor ihn auch nicht registriert, richtig?«

Jace nickte. »Siehst du die vielen Narben auf seinem Gesicht?«

»Ja.«

»Die wurden von einer Stele hervorgerufen, genau der gleichen Sorte wie dieser hier.« Er klopfte auf den Stab an seinem Gürtel. »Du hast mich doch gefragt, was passiert, wenn man jemanden, der kein Schattenjägerblut in sich trägt, mit einem Mal versieht. Eine einzige dieser Runen könnte die Haut desjenigen verbrennen, ihn vielleicht töten, aber viele mächtige Male ... in das Fleisch eines ganz normalen Menschen geritzt, der nicht eine Spur von Schattenjägervorfahren besitzt ... dann erhältst du so was.« Er deutete mit dem Kinn auf den Riesen. »Die Runen sind qualvoll. Und die Gezeichneten verlieren den Verstand – die Schmerzen treiben sie förmlich in den Wahnsinn. Sie verwandeln sich dann in grimmige, hirnlose Tötungsmaschinen, die weder essen noch schlafen, sofern man sie nicht dazu zwingt. Normalerweise sterben sie recht bald. Runen besitzen eine große Macht und können für sehr gute Zwecke eingesetzt werden – aber sie können auch dem Bösen dienen. Und die Forsaken sind böse.«

Clary starrte ihn entsetzt an. »Aber warum sollte sich jemand so etwas antun wollen?«

»Niemand würde das freiwillig auf sich nehmen – es wird ihnen von Dritten zugefügt. Die Forsaken sind demjenigen treu, der sie mit einem Mal gezeichnet hat. Außerdem sind sie wie gesagt rücksichtslose Killer und können einfache Befehle ausführen. Im Grunde ist das so, als hätte man eine Armee von Sklaven zur Verfügung.« Jace stieg über den toten Forsaken und warf Clary einen Blick zu. »Ich geh noch mal rauf.«

»Aber die Wohnung ist doch leer.«

»Vielleicht lungern da oben ja noch weitere Untote herum«, erwiderte er, so als freue er sich fast schon darauf. »Du bleibst besser hier.« Damit stieg er die Stufen hinauf.

»Das würde ich nicht machen, wenn ich du wäre«, sagte eine schrille, vertraute Stimme wie aus dem Nichts. »Da, wo der erste herkam, warten noch weitere.«

Jace, der fast schon den oberen Treppenabsatz erreicht hatte, wirbelte herum und starrte in die Dunkelheit. Auch Clary wandte sich in die Richtung, aus der die Stimme gekommen war; allerdings wusste sie sofort, wem sie gehörte. Der schwere Akzent war nicht zu verkennen.

»Madame Dorothea?«

Die alte Frau nickte huldvoll. Sie stand im Türrahmen ihrer Wohnung, in ein zeltartiges Gewand aus roher purpurroter Seide gehüllt. Goldketten glitzerten an ihren Handgelenken und um ihren Hals. Mehrere Strähnen hatten sich aus dem Knoten gelöst, zu dem sie ihr langes silbergrau meliertes Haar hochgesteckt hatte.

Jace starrte sie unverwandt an. »Aber . . .«

»Warten noch weitere *was?«,* fragte Clary.

»Weitere Forsaken«, erwiderte Madame Dorothea mit einer Heiterkeit in der Stimme, die nach Clarys Gefühl nicht zu den Umständen passte. Die alte Frau sah an ihr vorbei in den Flur. »Da habt ihr ja eine schöne Sauerei veranstaltet. Ich wette, keiner von euch beiden denkt auch nur im Traum daran, das wieder sauber zu machen. Typisch.«

»Aber Sie sind eine *Irdische«,* brachte Jace schließlich hervor.

»Messerscharf beobachtet«, bestätigte Madame Dorothea mit glänzenden Augen. »Mit dir hat der Rat ja wirklich einen Volltreffer gelandet.«

Jace' Verwirrung wich einem Ausdruck wachsender Wut. »Sie wissen also vom Rat?«, fragte er herausfordernd. »Sie kennen den Rat, Sie wussten, dass sich Forsaken in diesem Haus aufhielten, und haben den Rat nicht informiert? Die bloße Existenz von Forsaken ist bereits ein Verstoß gegen das Bündnis . . .«

»Weder der Rat noch das Bündnis haben jemals etwas für mich getan«, entgegnete Madame Dorothea aufgebracht und ihre Augen funkelten wütend. »Ich schulde denen gar nichts.« Einen kurzen Moment lang wurde ihr schwerer New Yorker Akzent von einem heiseren, tieferen Tonfall verdrängt, den Clary nicht einordnen konnte.

»Jace, hör auf«, sagte Clary und wandte sich wieder an Madame Dorothea. »Wenn Sie vom Rat wissen und den Forsaken, wissen Sie dann vielleicht auch, was mit meiner Mutter passiert ist?«

Die alte Frau schüttelte den Kopf und ihre Ohrringe klimperten. Ein Hauch von Bedauern breitete sich auf ihrem Gesicht aus. »Wenn du meinen Rat hören willst: Ich würde dir empfehlen, deine Mutter zu vergessen«, sagte sie. »Sie ist fort.«

Der Boden schien unter Clarys Füßen zu schwanken. »Sie meinen, sie ist tot?«

»Nein«, erwiderte Dorothea gedehnt, fast zögerlich. »Ich bin mir sicher, sie ist noch am Leben. Noch.«

»Dann muss ich sie finden«, rief Clary. Die Welt drehte sich nicht länger. Jace stand dicht hinter ihr, eine Hand unter ihrem Ellbogen, als wolle er sie stützen. Doch Clary spürte es kaum. »Verstehen Sie? Ich muss sie finden, ehe . . .«

Madame Dorothea hielt eine Hand hoch. »Ich möchte nichts mit Schattenjägern zu tun haben.«

»Aber Sie haben meine Mutter gekannt. Sie war Ihre Nachbarin . . .«

»Dies ist eine offizielle Untersuchung des Rats«, unterbrach Jace sie. »Ich kann auch mit den Stillen Brüdern wiederkommen, wenn Ihnen das lieber ist.«

»Um Himmels willen, bloß nicht . . .« Madame Dorothea warf einen Blick auf ihre Tür und sah dann wieder zu Jace und Clary. »Na, meinetwegen kommt rein«, murmelte sie schließlich, »ich erzähle euch, was ich weiß.« Sie drehte sich um und ging ein paar Schritte in Richtung ihrer Wohnung, blieb dann aber abrupt stehen. »Wenn du irgendjemandem erzählst, dass ich dir geholfen habe, Schattenjäger«, zischte sie und funkelte Jace an, »dann wachst du morgen mit Schlangen statt Haaren auf und einem weiteren Paar Arme.«

»Könnte ganz nützlich sein, so ein weiteres Paar Arme«, sinnierte Jace, »vor allem im Kampf.«

»Nicht, wenn sie dir aus dem . . .« Madame Dorothea schwieg eine Sekunde und fügte dann mit einem maliziösen Lächeln hinzu: ». . . Hals wachsen.«

*»Igitt«,* erwiderte Jace leichthin.

»Igitt ist richtig, Jace Wayland.« Sie marschierte in ihre Wohnung; das purpurrote Zelt flatterte wie eine bunte Fahne hinter ihr her.

Clary sah Jace an. »Wayland?«

»Das ist mein Nachname.« Jace wirkte bestürzt. »Ich kann nicht behaupten, dass es mir gefällt, dass sie meinen Namen kennt.«

Clary sah Madame Dorothea hinterher. In ihrer Wohnung brannten mehrere Lampen und der schwere Duft von Weihrauch wehte durch den Hauseingang und vermischte sich auf unangenehme Weise mit dem Gestank des Blutes.

»Trotzdem sollten wir versuchen, mit ihr zu reden. Was haben wir schon zu verlieren?«

»Wenn du erst einmal etwas Zeit in unserer Welt verbracht hast«, entgegnete Jace, »wirst du mich das nicht mehr fragen.«

# 7
# Die fünfdimensionale Tür

Madame Dorotheas Apartment hatte in etwa den gleichen Grundriss wie die Wohnung von Clary und ihrer Mutter, doch ihre Räume waren völlig anders eingerichtet. In der Diele duftete es nach Weihrauch und überall hingen Perlenvorhänge und Astrologie-Poster. Eines davon zeigte die Sternbilder der Tierkreiszeichen, ein anderes erklärte die chinesischen Magiesymbole und auf einem dritten war eine Hand mit ausgestreckten Fingern abgebildet, mit genauen Erläuterungen zu jeder Linie der Handfläche. Darüber standen die lateinischen Worte »In Manibus Fortuna«. Auf einem schmalen Regal entlang der Wand neben der Tür stapelten sich unzählige Bücher.

Einer der Vorhänge rasselte leise, dann tauchte Madame Dorotheas Kopf zwischen den Perlen auf. »Interesse an Chiromantie?«, fragte sie, als sie Clarys Blick bemerkte. »Oder einfach nur neugierig?«

»Keins von beiden«, erwiderte Clary. »Können Sie wirklich wahrsagen?«

»Meine Mutter hatte eine große Gabe. Sie konnte die Zukunft eines Menschen in seiner Hand lesen oder in den Blättern auf dem Boden seiner Teetasse. Einige ihrer Tricks hat sie mir beigebracht.« Dann wandte sie sich Jace zu und musterte ihn eingehend. »Wo wir gerade von Tee sprechen, junger Mann – Lust auf eine Tasse?«

»Was?«, fragte Jace verwirrt.

»Tee. Ich habe festgestellt, dass er nicht nur den Magen beruhigt, sondern auch den Geist schärft. Ein wunderbares Getränk.«

»Ich hätte gern eine Tasse«, sagte Clary, der plötzlich bewusst wurde, wie lange sie nichts mehr gegessen oder getrunken hatte.

Sie fühlte sich, als sei seit dem Aufstehen pures Adrenalin durch ihre Adern pulsiert.

Jace gab nach. »Okay. Solange es kein Earl Grey ist«, meinte er und rümpfte seine schlanke Nase. »Ich hasse Bergamotte.«

Madame Dorothea lachte gackernd und verschwand wieder hinter dem Perlenvorhang, der sich durch ihre Berührung sanft bewegte.

Clary sah Jace an und zog eine Augenbraue hoch. »Du hasst Bergamotte?«

Jace stand inzwischen vor dem Bücherregal und sah sich die Titel an. »Hast du damit ein Problem?«

»Ich glaube, du bist der einzige Junge in meinem Alter, der überhaupt weiß, was Bergamotte ist – ganz zu schweigen davon, dass man Earl-Grey-Tee damit aromatisiert.«

»Tja«, meinte Jace gönnerhaft, »ich bin auch nicht wie andere Jungs in meinem Alter. Abgesehen davon«, fügte er hinzu, während er sich ein Buch aus dem Regal nahm, »besuchen wir im Institut Kurse über die wichtigsten Anwendungszwecke von Heilpflanzen. Die Teilnahme ist obligatorisch.«

»Und ich dachte immer, ihr hättet nur solche Kurse wie Abschlachten für Anfänger oder Einführung ins Enthaupten.«

Jace blätterte eine Seite um. »Sehr witzig, Fray.«

Clary, die bis dahin das Handleseposter betrachtet hatte, wirbelte herum. »Nenn mich nicht so.«

Überrascht schaute er auf. »Warum nicht? Das ist doch dein Nachname, oder?«

Simons Bild erschien vor ihrem inneren Auge. Simon – das letzte Mal hatte sie ihn gesehen, wie er ihr nachstarrte, während sie fluchtartig das Java Jones verließ. Sie wandte sich wieder dem Poster zu und schloss kurz die Augen. »Nur so.«

»Verstehe«, meinte Jace und seiner Stimme konnte sie entnehmen, dass er sie besser verstand, als ihr lieb war. Dann hörte sie, wie er das Buch zurück ins Regal stellte. »Das hier muss der Mist sein, mit dem sie *Mundies* beeindruckt«, sagte er angewidert. »Kein einziges ernst zu nehmendes Buch dabei.«

»Nur weil das nicht deine Art von Magie ist . . .«, setzte Clary aufgebracht an.

Wütend unterbrach er sie: »Ich betreibe keine Magie! Schreib dir das hinter die Ohren: Menschliche Wesen sind keine Magienutzer. Das ist Teil ihrer menschlichen Existenz. Hexenwesen können nur deshalb Magie bewirken, weil sie Dämonenblut in sich haben.«

Clary brauchte einen Moment, um diese Information zu verarbeiten. »Aber ich habe doch gesehen, wie du Magie benutzt hast. Du trägst verzauberte Waffen . . .«

»Ich verwende magische Gegenstände – doch um dazu in der Lage zu sein, muss ich regelmäßig hart trainieren. Außerdem schützen mich die Runenmale auf meiner Haut. Wenn du zum Beispiel versuchen wolltest, eine meiner Seraphklingen zu benutzen, würde sie deine Haut verbrennen oder dich möglicherweise sogar töten.«

»Und was, wenn ich auch solche Male tragen würde?«, fragte Clary. »Könnte ich sie dann benutzen?«

»Nein«, sagte Jace knapp. »Die Male sind nur ein Teil des Ganzen. Dazu kommen Tests, schwere Prüfungen, Training aller Art . . . vergiss es einfach, okay? Lass meine Klingen in Ruhe. Am besten fasst du ohne meine Erlaubnis überhaupt keine meiner Waffen an.«

»Tja, so viel zu meinem Plan, sie alle bei eBay zu verkaufen«, murmelte Clary.

»Sie *wo* zu verkaufen?«

Clary schenkte ihm ein mildes Lächeln. »Ein mythischer Ort von großer magischer Kraft.«

Jace schaute verwirrt, zuckte dann aber die Achseln. »Die meisten Mythen sind wahr, zumindest im Kern.«

»Das wird mir langsam auch klar.«

Der Perlenvorhang rasselte wieder und Madame Dorotheas Kopf tauchte zwischen den Schnüren auf. »Der Tee steht auf dem Tisch«, sagte sie. »Ihr beiden braucht hier nicht herumzustehen wie zwei Esel. Kommt in den Salon.«

»Sie haben einen Salon?«, fragte Clary.

»Natürlich«, sagte Madame Dorothea. »Wo sollte ich sonst meine Gäste bewirten?«

»Ich gebe nur eben dem Lakaien meinen Hut«, meinte Jace.

Madame Dorothea warf ihm einen finsteren Blick zu. »Wenn du nur halb so witzig wärst, wie du glaubst, wärst du doppelt so witzig, wie du bist, mein Junge.« Sie verschwand wieder hinter dem Vorhang, wobei ihr lautes »Pff!« beinahe das Rasseln der Perlen übertönte.

Jace runzelte die Stirn. »Ich bin mir nicht sicher, was sie damit sagen wollte.«

»Ach nein?«, fragte Clary. »Also für mich war das völlig einleuchtend.« Ehe er antworten konnte, war sie schon durch den Perlenvorhang geschlüpft.

Im Salon war es so dunkel, dass Clary mehrmals blinzeln musste, um ihre Augen an das Dämmerlicht zu gewöhnen. Schwaches Licht fiel auf zugezogene schwarze Samtvorhänge, welche die gesamte linke Wand bedeckten; ausgestopfte Vögel und Fledermäuse baumelten an dünnen Fäden von der Decke, glänzende schwarze Perlen saßen an den Stellen, wo einst ihre Augen gewesen waren. Auf dem Boden lagen fadenscheinige Perserteppiche, aus denen bei jedem Schritt eine Staubwolke stieg. Eine Gruppe wuchtiger rosafarbener Sessel umringte einen niedrigen Tisch, an dessen einem Ende Clary einen Stapel Tarotkarten erkannte, zusammengehalten von einem Seidenband. Auf der anderen Tischseite thronte eine Kristallkugel auf einem goldenen Ständer und in der Tischmitte stand ein silbernes Teeservice, das die Gäste zu erwarten schien: Auf einem hübschen Tablett stapelten sich Sandwichs, aus einer blauen Teekanne stieg langsam weißer Dampf auf und zwei Teetassen mit passenden Untertassen waren sorgfältig vor zwei der Sessel platziert worden.

»Wow«, sagte Clary matt. »Das sieht toll aus.« Sie ließ sich in einen der Sessel sinken. Es tat gut, endlich wieder einmal zu sitzen.

Dorothea lächelte und in ihren Augen glitzerte hintergründiger Humor. »Wer möchte Tee?«, fragte sie und hob die Kanne an. »Milch? Zucker?«

Clary schaute hinüber zu Jace, der neben ihr saß. Er hatte sich das Tablett mit den Sandwichs genommen und betrachtete es eingehend. »Zucker«, sagte sie.

Jace zuckte die Achseln, nahm sich ein Sandwich und stellte das Tablett wieder ab. Clary beobachtete ihn misstrauisch, während er hineinbiss. Er zuckte erneut die Achseln. »Gurke«, sagte er und erwiderte ihren Blick.

»Ich war immer schon der Meinung, dass Gurkensandwichs das einzig Wahre zum Tee sind«, sagte Madame Dorothea.

»Ich hasse Gurken«, erwiderte Jace und reichte Clary den Rest seines Sandwichs. Sie biss hinein – es war perfekt, mit genau der richtigen Menge Mayonnaise und Pfeffer.

Ihr Magen gab ein dankbares Knurren von sich und machte sich gierig über die erste feste Nahrung her, die er seit den Nachos mit Simon geboten bekam.

»Gurken und Bergamotte«, sagte Clary. »Was hasst du sonst noch, von dem ich unbedingt wissen sollte?«

Jace schaute über den Rand seiner Teetasse hinweg Madame Dorothea an. »Lügen«, sagte er.

Ruhig stellte die alte Dame ihre Teekanne ab. »Du kannst mich ruhig eine Lügnerin nennen. Es stimmt, ich bin keine echte Hexe. Aber meine Mutter war eine.«

Jace verschluckte sich fast an seinem Tee. »Das ist unmöglich.«

»Warum unmöglich?«, fragte Clary neugierig und nahm einen Schluck Tee. Er war bitter und stark aromatisiert und hatte einen rauchigen Nachgeschmack.

Jace seufzte. »Weil Hexenwesen halb Mensch, halb Dämon sind. Alle Hexen und Hexenmeister sind Mischlinge. Und weil sie Mischlinge sind, können sie keine Kinder bekommen. Sie sind unfruchtbar.«

»Wie Maultiere«, meinte Clary nachdenklich, da sie sich an etwas erinnerte, das sie im Biologieunterricht gehört hatte. »Mulis sind unfruchtbare Mischlinge.«

»Deine Kenntnisse über Nutzvieh sind erstaunlich«, sagte Jace. »Alle Schattenwesen tragen einen Teil Dämonenblut in sich, aber nur Hexenmeister sind direkte Nachfahren von Dämoneneltern. Darum verfügen sie auch über die stärksten Kräfte.«

»Und Vampire und Werwölfe – sind die auch zum Teil Dämonen? Und was ist mit Elben?«

»Vampire und Werwölfe sind das Resultat von Krankheiten, die Dämonen aus ihren Heimatwelten eingeschleppt haben. Die meisten Dämonenkrankheiten sind für Menschen tödlich, doch in manchen Fällen verändern sie die Erkrankten auf seltsame Weise, ohne sie zu töten. Und Elben . . .«

»Elben sind gefallene Engel«, sagte Madame Dorothea, »die aus dem Himmel verbannt wurden, weil sie zu stolz waren.«

»So sagt die Legende«, meinte Jace. »Andere behaupten, dass es sich bei ihnen um die Nachkommen von Dämonen und Engeln handelt, was ich für wahrscheinlicher halte. Gut und Böse, miteinander vermischt. Elben sind so wunderschön, wie Engel es angeblich sind, doch sie tragen viel Mutwillen und Grausamkeit in sich.«

»Wie Engel es angeblich sind?«, wiederholte Clary. »Willst du damit sagen, dass Engel . . .«

»Genug über Engel«, sagte Madame Dorothea plötzlich grob. »Es stimmt, dass Hexenwesen keine Kinder bekommen können. Meine Mutter hat mich adoptiert, weil sie sicherstellen wollte, dass sich jemand nach ihrem Tod um diesen Ort hier kümmert. Ich selbst muss keine magischen Künste beherrschen; meine Aufgabe ist es, zu beobachten und zu hüten.«

»Hüten? Was denn?«, fragte Clary.

»Tja, was eigentlich?« Die alte Dame griff nach dem Tablett, um sich ein Sandwich zu nehmen, doch es war leer – Clary hatte alles aufgegessen. Madame Dorothea lachte leise. »Es tut gut, eine junge

Frau zu sehen, die sich mal ordentlich satt isst. Zu meiner Zeit waren alle Mädchen robuste, stämmige Wesen und nicht solche Bohnenstangen wie heute.«

»Vielen Dank«, sagte Clary. Sie musste an Isabelles schmale Taille denken und kam sich plötzlich unförmig vor. Etwas zu heftig stellte sie die Teetasse ab.

Wie ein Raubvogel stürzte Madame Dorothea sich auf die Tasse und starrte aufmerksam hinein. Zwischen ihren bleistiftdünnen Augenbrauen erschien eine tiefe Falte.

»Was ist?«, fragte Clary nervös. »Habe ich die Tasse zerbrochen oder so was?«

»Sie liest deine Teeblätter«, sagte Jace. Es klang gelangweilt, doch auch er beugte sich zusammen mit Clary vor, während Madame Dorothea die Tasse zwischen ihren dicken Fingern hielt und mit finsterer Miene hin und her drehte.

»Ist es etwas Schlechtes?«, fragte Clary.

»Es ist weder gut noch schlecht. Es ist verwirrend.« Madame Dorothea schaute Jace an. »Gib mir deine Tasse«, befahl sie.

Jace wirkte beleidigt. »Aber ich bin noch nicht fertig mit . . .«

Die alte Dame pflückte ihm die Tasse aus der Hand und goss den überschüssigen Tee in die Kanne zurück. Dann starrte sie mit gerunzelter Stirn auf den Bodensatz. »Ich sehe Gewalt in deiner Zukunft; viel Blut wird vergossen werden, durch dich und andere. Du verliebst dich in die falsche Person. Und außerdem hast du einen Feind.«

»Nur einen? Das ist mal eine gute Nachricht.« Jace lehnte sich im Sessel zurück, während Madame Dorothea seine Teetasse abstellte und erneut nach Clarys Tasse griff. Sie schüttelte den Kopf.

»Ich kann darin nichts erkennen. Die Bilder sind durcheinandergewürfelt, bedeutungslos.« Sie sah Clary an. »Hat man deinen Geist mit einer Blockade versehen?«

Clary war verwirrt. »Mit einer was?«

»Einer Blockade – einem Zauber, der eine deiner Erinnerungen verbirgt oder der dein Zweites Gesicht blockiert haben könnte.«

Clary schüttelte den Kopf. »Nein, natürlich nicht.«

Plötzlich hellhörig geworden, lehnte Jace sich vor. »Nicht so hastig«, sagte er. »Es stimmt – sie hat behauptet, dass sie sich nicht daran erinnern könnte, bis vor ein paar Tagen jemals das Zweite Gesicht gehabt zu haben. Vielleicht . . .«

»Vielleicht bin ich einfach nur ein Spätentwickler«, fauchte Clary. »Und hör auf, so anzüglich zu grinsen, nur weil ich das gesagt habe.«

Jace gab sich unschuldig. »War nicht meine Absicht.«

»Ich hab's aber deutlich gesehen.«

»Mag sein«, gab Jace zu, »aber das bedeutet nicht, dass ich unrecht habe. Irgendwas blockiert deine Erinnerungen, da bin ich mir ziemlich sicher.«

»Also gut, lasst uns etwas anderes versuchen.« Madame Dorothea stellte die Tasse ab und griff nach den mit dem Seidenband umwickelten Tarotkarten. Sie fächerte die Karten auf und hielt sie Clary hin. »Lass deine Hand langsam darübergleiten, bis du eine Karte berührst, die sich heiß oder kalt anfühlt oder die an deinen Fingern zu kleben scheint. Dann zieh sie heraus und zeig sie mir.«

Gehorsam fuhr Clary mit der ausgestreckten Hand über die Karten. Sie fühlten sich kühl an und ein wenig glatt, aber keine von ihnen kam ihr besonders heiß oder kalt vor und keine blieb an ihren Fingern kleben. Schließlich pickte sie aufs Geratewohl eine heraus und hielt sie hoch.

»Das Ass der Kelche«, sagte Madame Dorothea. Sie klang verwirrt. »Die Karte der Liebe.«

Clary drehte die Karte um und betrachtete sie. Sie lag schwer in ihrer Hand, denn das Bild auf der Vorderseite war mit echter Ölfarbe gemalt worden. Es zeigte eine Hand, die einen Kelch in die Höhe hielt; im Hintergrund erkannte man eine strahlenförmige Sonne, in Goldfarbe gemalt. Auch der Kelch leuchtete golden; er war mit einem Muster aus kleineren Sonnen verziert und mit Rubinen besetzt. Der Malstil des Bildes war ihr so vertraut wie ihr eigener Atem. »Das ist eine gute Karte, richtig?«

»Nicht unbedingt. Die schrecklichsten Dinge, zu denen Menschen fähig sind, tun sie im Namen der Liebe«, sagte Madame Dorothea mit leuchtenden Augen. »Aber es ist eine sehr mächtige Karte. Was sagt sie dir?«

»Dass meine Mutter sie gemalt hat«, erwiderte Clary und legte die Karte auf den Tisch. »Das stimmt doch, oder?«

Madame Dorothea nickte zufrieden. »Sie hat das ganze Spiel gemalt. Ein Geschenk für mich.«

»Das behaupten Sie.« Mit kaltem Blick stand Jace auf. »Wie gut kannten Sie Clarys Mutter?«

Clary verdrehte ihren Hals, um zu ihm aufschauen zu können. »Jace, du musst nicht . . .«

Dorothea lehnte sich in ihrem Sessel zurück und ließ die Karten ausgebreitet auf ihrer Brust ruhen. »Jocelyn wusste, was ich bin, und ich wusste, was sie war. Wir haben nicht viel darüber gesprochen. Manchmal hat sie mir einen Gefallen getan – zum Beispiel dieses Kartenspiel für mich gemalt – und im Gegenzug habe ich sie mit dem neuesten Klatsch aus der Schattenwelt beliefert. Es gab da einen Namen, nach dem ich mich für sie umhören sollte, und das habe ich auch getan.«

Jace' Gesicht blieb ausdruckslos. »Und welcher Name war das?«

»Valentin.«

Clary setzte sich ruckartig in ihrem Sessel auf. »Aber das . . .«

»Sie sagen, Sie wussten, was Jocelyn war – aber was meinen Sie damit? Was war sie?«, fragte Jace.

»Jocelyn war, was sie war«, antwortete Madame Dorothea. »Aber in ihrer Vergangenheit war sie so wie du. Eine Schattenjägerin. Ein Mitglied des Rats.«

»Nein«, flüsterte Clary.

Madame Dorothea betrachtete sie mit traurigen, fast schon gütigen Augen. »Aber es ist die Wahrheit. Sie entschloss sich ganz bewusst, in diesem Haus zu leben, weil . . .«

»Weil es eine Zufluchtsstätte ist«, sagte Jace zu Madame Dorothea. »Nicht wahr? Ihre Mutter war eine Hexe. Sie schuf diesen Raum, versteckt, geschützt, wahrscheinlich von Wachen umgeben – ein perfekter Platz für Schattenwesen auf der Flucht, die sich verbergen müssen. Und genau das tun Sie auch, richtig? Sie verstecken Verbrecher hier.«

»So würdest *du* sie nennen«, sagte Madame Dorothea. »Du kennst das Motto des Bündnisses?«

*»Dura lex sed lex«,* erwiderte Jace automatisch. »Das Gesetz ist hart, aber es ist das Gesetz.«

»Manchmal ist das Gesetz zu hart. Ich weiß, dass der Rat mich meiner Mutter weggenommen hätte, wenn es ihm möglich gewesen wäre. Deiner Meinung nach soll ich also zulassen, dass sie das auch anderen antun?«

»Oh, eine Philantropin.« Jace verzog verächtlich das Gesicht. »Und wahrscheinlich soll ich Ihnen jetzt auch noch glauben, dass Sie Schattenwesen hier Zuflucht gewähren, ohne sich dafür fürstlich bezahlen zu lassen?«

Madame Dorothea grinste so breit, dass ihre goldenen Backenzähne aufblitzten. »Nicht jeder kann so wie du auf sein blendendes Aussehen vertrauen.«

Jace schien die Schmeichelei kaltzulassen. »Ich sollte dem Rat erzählen, dass Sie ...«

»Das darfst du nicht!« Clary war aufgesprungen. »Du hast es versprochen.«

»Ich habe nie irgendetwas versprochen«, erwiderte Jace aufsässig. Er erhob sich, schlenderte hinüber zur Wand und zog einen der Samtvorhänge beiseite. »Können Sie mir sagen, was das ist?«, fragte er gebieterisch.

»Das ist eine Tür, Jace«, sagte Clary. Es war tatsächlich eine Tür, seltsamerweise genau in der Wand zwischen den beiden Erkerfenstern. Ganz offensichtlich führte diese Tür nirgendwohin, sonst hätte sie von der Außenseite des Hauses aus zu sehen sein müssen. Anscheinend bestand sie aus einem matt schimmernden Metall, weicher als Messing, aber so schwer wie Eisen. Der Türknauf hatte die Form eines Auges.

»Sei still«, sagte Jace wütend. »Das ist ein Portal. Oder etwa nicht?«

»Es ist eine fünfdimensionale Tür«, erwiderte Madame Dorothea und legte die Tarotkarten zurück auf den Tisch. »Wie du vielleicht weißt, verlaufen Dimensionen nicht immer in einer geraden Linie«, fügte sie hinzu, als sie Clarys verständnislosen Blick bemerkte. »Es gibt überall versteckte Senken und Falten und Winkel und Ecken. Wenn man sich nie mit Dimensionstheorie beschäftigt hat, ist das Ganze nur schwer zu verstehen, aber im Grunde läuft es darauf hinaus, dass diese Tür dich in dieser Dimension an jeden Ort bringen kann, wohin du willst. Es ist . . .«

»Ein Schlupfloch«, sagte Jace. »Darum wollte deine Mom auch unbedingt hier leben. Auf diese Weise hatte sie immer eine schnelle Fluchtmöglichkeit.«

»Warum ist sie dann nicht . . .«, setzte Clary an und unterbrach sich, plötzlich entsetzt. »Meinetwegen«, fuhr sie fort. »Sie wollte in jener Nacht nicht ohne mich fliehen. Also ist sie geblieben.«

Jace schüttelte den Kopf. »Das ist nicht deine Schuld.«

Während ihr die Tränen in die Augen stiegen, drängte Clary sich an Jace vorbei in Richtung der Tür. »Ich will sehen, wohin sie hätte gehen können«, sagte sie und umfasste den Türknauf. »Ich will sehen, wohin sie fliehen wollte . . .«

»Clary, nicht!« Jace griff nach ihr, doch ihre Finger hatten sich bereits fest um den Knauf geschlossen. Er drehte sich plötzlich unter ihrer Hand und die Tür flog auf, als ob sie sie aufgestoßen hätte. Mit einem Schrei schnellte Madame Dorothea aus dem Sessel, doch es war bereits zu spät. Noch ehe sie ihren Satz beenden konnte, spürte Clary, wie sie nach vorn geschleudert wurde, hinein in einen endlosen, leeren Raum.

# 8
# Die Waffe seines Vertrauens

Sie war zu überrascht, um zu schreien. Am schlimmsten war das Gefühl, ins Nichts zu stürzen; das Herz schoss ihr hinauf in die Kehle und ihr Magen begann, sich aufzulösen. Sie streckte die Hände aus und versuchte, sich an irgendetwas festzuhalten, was ihren Fall verlangsamen würde.

Ihre Finger schlossen sich um Äste und rissen dabei Blätter ab. Dann traf sie so hart auf dem Boden auf, dass sie mit Hüfte und Schulter über die Erde schrammte. Sie rollte zur Seite und schnappte atemlos nach Luft. Gerade als sie sich aufsetzen wollte, landete jemand auf ihr.

Sie wurde auf den Rücken zurückgeworfen. Eine Stirn knallte gegen ihre und ihre Knie berührten die von jemand anderem. Verstrickt in Arme und Beine, spuckte Clary ein paar wildfremde Haare aus und versuchte, sich von dem Gewicht zu befreien, das sie flach auf den Boden drückte.

»Autsch!«, sagte Jace dicht an ihrem Ohr und mit indignierter Stimme. »Du hast mir den Ellbogen in die Seite gerammt.«

»Du bist ja auch auf mir gelandet.«

Er drückte sich mit den Armen hoch und schaute gelassen auf sie hinab. Clary konnte den blauen Himmel über seinem Kopf sehen, ein Stück von einem Ast und ein Hausdach mit grauen Schindeln. »Du hast mir kaum eine Wahl gelassen, oder? Nicht, nachdem du beschlossen hattest, fröhlich durch das Portal zu hüpfen, als würdest du in die nächste U-Bahn springen. Du kannst von Glück reden, dass es uns nicht in den East River verschlagen hat.«

»Du hättest mir ja nicht zu folgen brauchen.«

»Doch, das musste ich«, entgegnete er. »Du bist viel zu unerfahren, um dich alleine in so einer gefährlichen Situation zu behaupten.«

»Das ist süß. Vielleicht verzeihe ich dir.«

»Mir verzeihen? Was verzeihen?«

»Dass du gesagt hast, ich solle still sein.«

Er kniff die Augen zusammen. »Das hab ich doch gar nicht ... Okay, ich hab's gesagt, aber du warst ...«

»Vergiss es.« Der Arm, auf dem sie lag, schlief langsam ein. Als sie sich auf die Seite rollte, um ihn zu befreien, sah sie das braune Gras eines von der Sonne verbrannten Rasens, einen Maschendrahtzaun und ein größeres Stück des Schindelhauses, das ihr plötzlich erschreckend vertraut vorkam. Sie erstarrte. »Ich weiß, wo wir sind.«

Jace hörte auf herumzustottern. »Was?«

»Das ist Lukes Haus.« Sie setzte sich auf und schubste Jace zur Seite. Er rollte elegant auf die Füße und streckte eine Hand aus, um ihr aufzuhelfen. Aber sie ignorierte ihn, rappelte sich allein auf und schüttelte ihren tauben Arm.

Sie standen vor einem kleinen grauen Reihenhaus inmitten anderer Reihenhäuser, die das Ufer in Williamsburg säumten. Vom East River wehte eine Brise heran und brachte das kleine Schild zum Schwingen, das über der Backsteintreppe vor dem Haus angebracht war. Clary beobachtete Jace, als er die in Blockbuchstaben geschriebenen Worte vorlas. »Garroway Books. Erstklassige gebrauchte, neue und vergriffene Bücher. Samstags geschlossen.« Er schaute zu der dunklen Haustür, um deren Knauf ein schweres Vorhängeschloss gewickelt war. Die Post von ein paar Tagen lag auf der Fußmatte. Jace sah Clary an. »Luke wohnt in einer Buchhandlung?«

»Er wohnt hinter dem Laden.« Clary schaute die leere Straße auf und ab, die an einem Ende von der bogenförmigen Williamsburg Bridge und am anderen von einer verlassenen Zuckerfabrik begrenzt wurde. Am gegenüberliegenden Ufer des langsam dahinfließenden Stroms ging die Sonne hinter den Wolkenkratzern von Manhattan unter und ließ ihre Umrisse golden hervortreten. »Jace, wie sind wir hierhergekommen?«

»Durch das Portal«, erwiderte er und untersuchte das Vorhängeschloss. »Es bringt dich immer an den Ort, an den du gerade denkst.«

»Aber ich habe nicht an dieses Haus hier gedacht«, warf Clary ein. »Ich habe an gar keinen bestimmten Ort gedacht.«

»Das musst du aber.« Er ließ das Thema fallen, da es ihn scheinbar nicht interessierte. »Aber wo wir schon mal hier sind . . .«

»Ja?«

»Was hast du jetzt vor?«

»Wieder gehen, denke ich«, sagte Clary verbittert. »Luke sagte mir, ich solle nicht herkommen.«

Jace schüttelte den Kopf. »Und das nimmst du einfach so hin?«

Clary schlang die Arme um ihren Körper. Obwohl der Abend noch sehr warm war, fröstelte sie plötzlich. »Habe ich denn eine Wahl?«

»Wir haben immer eine Wahl«, sagte Jace. »An deiner Stelle wäre ich ganz schön neugierig, was Luke betrifft. Hast du einen Schlüssel für das Haus?«

Clary schüttelte den Kopf. »Nein, aber manchmal schließt er die Hintertür nicht ab.« Sie zeigte auf die schmale Gasse zwischen Lukes Reihenhaus und dem nächsten. Plastikmülleimer standen in einer ordentlichen Reihe neben Stapeln gefalteter Zeitungen und einer Wanne mit leeren Getränkeflaschen. Zumindest trennte Luke immer noch verantwortungsbewusst den Müll.

»Bist du sicher, dass er nicht zu Hause ist?«, fragte Jace.

Sie schaute auf den leeren Gehweg. »Sein Wagen ist jedenfalls nicht da, der Laden ist geschlossen und es brennt kein Licht. Ich würde sagen, er ist mit großer Wahrscheinlichkeit nicht im Haus.«

»Dann geh vor.«

Die schmale Gasse zwischen den Reihenhäusern endete an einem hohen Maschendrahtzaun. Er umschloss Lukes kleinen Garten hinter dem Haus, in dem außer dem Unkraut, das durch die Bodenplatten gewachsen war und sie in krümelige Scherben verwandelt hatte, nicht viel zu gedeihen schien.

»Drauf und drüber«, sagte Jace und rammte die Spitze seines Stiefels in ein Zaunloch. Der Maschendraht rasselte so laut, dass Clary sich nervös umschaute, aber in den Häusern der Nachbarn brannte kein Licht. Jace schwang sich über die Zaunkrone und sprang auf der anderen Seite wieder hinunter, wo er, gefolgt von einem lauten Jaulen, in den Büschen landete.

Einen Moment lang dachte Clary, er sei auf eine streunende Katze gesprungen. Sie hörte, wie Jace überrascht aufschrie, als er zurückfiel. Ein dunkler Schatten – viel zu groß für eine Katze – schoss aus dem Gebüsch und sauste gebückt über den Hof. Jace sprang auf die Füße und rannte ihm entschlossen hinterher.

Clary begann zu klettern. Als sie ein Bein über den Zaun schwang, verfing sich Isabelles Jeans in einem Stück Draht und riss an der Seite auf. Sie sprang auf den Boden und rutschte mit den Schuhen über die weiche Erde, als Jace triumphierend ausrief: »Ich hab ihn!« Clary drehte sich um und sah Jace rittlings auf dem Eindringling sitzen, der mit über den Kopf gestreckten Armen auf dem Boden lag. Jace hielt ihn an den Handgelenken fest. »Na los, wir wollen dein Gesicht sehen . . .«

»Geh von mir runter, du dämliches Arschloch«, knurrte der Eindringling, stemmte sich gegen Jace und kämpfte sich in eine halb sitzende Position, die ramponierte Brille schief auf der Nase.

Clary blieb verblüfft stehen. *»Simon?«*

»Oh Gott«, murmelte Jace resigniert. »Und ich hatte gehofft, hier auf etwas wirklich Interessantes zu stoßen.«

»Aber warum hast du dich in Lukes Büschen versteckt?«, fragte Clary und pflückte Blätter aus Simons Haaren. Er ertrug es mit unverhohlenem Widerwillen. Als sie sich in ihrer Fantasie das Wiedersehen mit Simon ausgemalt hatte – zu einem Zeitpunkt, an dem all das hinter ihnen gelegen hätte –, war er irgendwie besserer Laune gewesen. »Das versteh ich einfach nicht.«

»Okay, das reicht. Ich kann meine Haare selbst in Ordnung bringen, Fray«, sagte Simon und wich ihrer Berührung ruckartig aus. Sie saßen hinter dem Haus auf den Stufen von Lukes Veranda. Jace hatte sich auf das Geländer geschwungen und war eifrig bemüht, so zu tun, als ignoriere er die beiden, während er sich mit seiner Stele die Fingernägel feilte. Clary fragte sich, ob dieses Verhalten wohl die Zustimmung des Rats finden würde.

»Ich meine, weiß Luke, dass du hier bist?«, fragte sie.

»Natürlich nicht«, erwiderte Simon gereizt. »Ich habe ihn zwar nicht danach gefragt, aber ich bin mir sicher, dass er es nur bedingt begrüßen würde, wenn irgendwelche Teenager in seinen Büschen rumlungerten.«

»Du bist nicht irgendwer; er kennt dich.« Sie wollte die Hand ausstrecken und seine Wange berühren, die an der Stelle, wo ein Zweig sie gestreift hatte, noch immer leicht blutete. »Aber die Hauptsache ist, dass dir nichts fehlt.«

»Dass *mir* nichts fehlt?« Simon lachte und es klang nicht erfreut. »Clary, hast du überhaupt eine Ahnung, was ich in den letzten Tagen durchgemacht habe? Das letzte Mal, als ich dich sah, bist du wie von der Tarantel gestochen aus dem Java Jones gerannt und dann bist du einfach . . . verschwunden. Du bist die ganze Zeit nicht an dein Handy gegangen . . . dann war dein Telefon zu Hause abgestellt . . . und dann erzählt mir Luke, du seist bei Verwandten im Norden. Aber ich *weiß* schließlich, dass du keine Verwandten hast. Ich dachte, ich hätte dich durch irgendwas verärgert.«

»Was hätte das denn sein sollen?« Clary wollte seine Hand nehmen, aber er zog sie weg, ohne sie anzusehen.

»Ich weiß nicht«, sagte er. »Irgendwas.«

Jace, der noch immer mit seiner Stele beschäftigt war, lachte leise in sich hinein.

»Du bist mein bester Freund. Ich war nicht sauer auf dich.«

»Na prima, aber du hast es auch nicht für nötig gehalten, mich anzurufen und mir zu sagen, dass du jetzt mit einem blond gefärbten Möchtegern-Grufti rumhängst, den du wahrscheinlich im Pandemonium kennengelernt hast«, entgegnete Simon wütend. »Und das, nachdem ich mich die letzten drei Tage gefragt habe, ob du überhaupt noch am Leben bist.«

»Ich hänge mit niemand rum«, protestierte Clary und war froh über die Dunkelheit, da sie rot anlief.

»Und ich bin naturblond«, sagte Jace, »nur um das mal festzuhalten.«

»Was hast du denn dann die letzten drei Tage gemacht?« Simon musterte Clary argwöhnisch. »Hast du wirklich eine Großtante Matilda mit Vogelgrippe, die du gesund pflegen musst?«

»Das hat Luke dir erzählt?«

»Nein. Er sagte nur, dass du eine kranke Verwandte besuchst und dein Telefon auf dem Land wahrscheinlich keinen Empfang hat. Nicht dass ich ihm geglaubt hätte. Nachdem er mich von seiner Vordertür verscheucht hatte, bin ich um das Haus herumgegangen und hab hinten durchs Fenster geschaut. Dabei konnte ich beobachten, wie er eine grüne Reisetasche packte, als würde er übers Wochenende verreisen. In dem Moment beschloss ich, in der Nähe zu bleiben und zu sehen, was passiert.«

»Warum? Weil er eine Tasche gepackt hat?«

»Er hat sie mit Waffen vollgestopft«, sagte Simon und rieb sich mit dem Ärmel seines T-Shirts das Blut von der Wange. »Messer, ein paar Dolche, sogar ein Schwert. Das Merkwürdige ist, einige der Waffen sahen aus, als würden sie leuchten.« Er schaute von Clary zu Jace und wieder zurück. Sein Ton war so scharf wie die Klinge von Lukes Messern. »Willst du mir jetzt sagen, dass ich mir das nur eingebildet habe?«

»Nein«, murmelte Clary, »das hab ich nicht vor.« Sie warf Jace einen Blick zu. Das letzte Licht des Sonnenuntergangs ließ seine Augen golden funkeln. »Ich werde ihm die Wahrheit sagen.«

»Ich weiß.«

»Wirst du versuchen, mich davon abzuhalten?«

Er schaute auf die Stele in seiner Hand. »Ich bin durch den Eid gebunden, den ich dem Bündnis geleistet habe«, sagte er. »Aber das gilt nicht für dich.«

Sie wandte sich wieder an Simon und holte tief Luft. »Also gut. Ich werde dir sagen, was du wissen musst.«

Als Clary geendet hatte, war die Sonne vollständig hinter dem Horizont verschwunden und die Veranda lag im Dunkeln. Simon hatte ihren ausführlichen Erklärungen mit einem fast teilnahmslosen Gesichtsausdruck zugehört und war nur leicht zusammengezuckt, als sie von dem Ravener erzählt hatte. Sie räusperte sich; ihr Mund war so trocken, dass sie für ein Glas Wasser gestorben wäre. »Und? Noch irgendwelche Fragen?«, sagte sie.

Simon hob eine Hand. »Oh ja, ich habe so einige Fragen.«

Clary seufzte resigniert. »Okay. Schieß los.«

Ihr Freund zeigte auf Jace. »Also er ist ein . . . wie nennst du Leute wie ihn noch gleich?«

»Er ist ein Schattenjäger«, antwortete Clary.

»Ein Damönenjäger«, präzisierte Jace. »Ich töte Dämonen. Eigentlich ist es gar nicht so kompliziert.«

Simon schaute wieder zu Clary. »Im Ernst?« Seine Augen waren zusammengekniffen, als erwarte er, sie würde ihm gleich sagen, dass nichts von alldem stimme und Jace in Wahrheit ein gefährlicher entlaufener Irrer sei, dem sie aus humanitären Gründen helfen wollte.

»Im Ernst.«

Simon musterte Clary mit einem forschenden Blick. »Und es gibt auch Vampire? Werwölfe, Hexenmeister und all das Zeug?«

Clary kaute auf ihrer Unterlippe. »Soweit ich weiß, ja.«

»Und du tötest sie?«, wandte Simon sich an Jace, der die Stele wieder in die Tasche gesteckt hatte und nun seine makellosen Fingernägel betrachtete.

»Nur, wenn sie ungezogen sind.«

Einen Moment saß Simon einfach nur da und starrte auf seine Füße. Clary fragte sich, ob es richtig gewesen war, ihn mit diesen Informationen zu belasten. Er war nüchterner als fast jeder andere, den sie kannte; vielleicht würde es ihm nicht gefallen, etwas zu wissen, für das es keine logische Erklärung gab. Als Simon den Kopf hob, beugte sie sich besorgt nach vorne. »Das ist so cool«, sagte er.

Jace schaute genauso verwirrt wie Clary. »Cool?«

Simon nickte begeistert und seine dunklen Locken hüpften auf und ab. »Total. Es ist wie in ›Dungeons and Dragons‹, nur *echt.«*

Jace musterte Simon, als sei er irgendeine bizarre Insektenart. »Es ist wie in *was?«*

»Das ist ein Spiel«, erklärte Clary. Es war ihr ein bisschen peinlich. »Die Leute tun so, als seien sie Zauberer und Elfen, und sie töten Monster und so.«

Jace starrte sie völlig verblüfft an.

Simon grinste. »Du hast noch nie von ›Dungeons and Dragons‹ gehört?«

»Ich hab schon mal von Donjons gehört, dem befestigten Teil einer Burganlage«, sagte Jace. »Und auch von Drachen. Aber die meisten sind ausgestorben.«

Simon schaute enttäuscht. »Du hast noch nie einen Drachen getötet?«

»Und er ist wahrscheinlich auch noch nie einer ein Meter achtzig großen, heißen Koboldfrau im Fellbikini begegnet«, sagte Clary gereizt. »Lass gut sein, Simon.«

»Echte Kobolde sind ungefähr zwanzig Zentimeter groß«, bemerkte Jace. »Und sie beißen.«

»Aber Vampire sind heiß, oder?«, hakte Simon nach. »Ich meine, einige von ihnen sehen echt scharf aus.«

Clary befürchtete einen Moment, Jace könne auf Simon losgehen und ihn bis zur Bewusstlosigkeit würgen. Stattdessen dachte er jedoch über die Frage nach. »Manche schon.«

»Cool!«, stieß Simon hervor.

Clary kam zu dem Schluss, dass es ihr besser gefiel, wenn die beiden sich stritten.

Jace rutschte vom Geländer der Veranda herunter. »Also durchsuchen wir jetzt das Haus, oder nicht?«

Simon stand auf. »Ich bin dabei. Wonach suchen wir?«

*»Wir?«*, fragte Jace mit drohendem Unterton. »Ich kann mich nicht erinnern, dich eingeladen zu haben.«

»Jace«, sagte Clary wütend.

Verächtlich zog er den linken Mundwinkel hoch. »Sollte ein Scherz sein.« Er trat zur Seite, um ihr den Weg zur Tür frei zu machen. »Wollen wir?«

Clary tastete in der Dunkelheit nach dem Türknauf. Als sie die Tür öffnete, ging das Licht auf der Veranda an und beleuchtete den dahinterliegenden Flur. Die Tür, die an seinem anderen Ende in den Buchladen führte, war fest verschlossen; Clary rüttelte an ihrem Knauf. »Sie ist abgeschlossen.«

»Darf ich mal, Irdische?«, sagte Jace und schob sie sanft beiseite. Er nahm seine Stele aus der Tasche und steckte sie in die Tür. Simon schaute mürrisch zu. Nicht für alle Vampirluder der Welt würde er Jace je mögen, dachte Clary.

»Er ist ein echt schräger Typ«, murmelte Simon. »Wie hältst du es bloß mit ihm aus?«

»Er hat mir das Leben gerettet.«

Simon schaute sie an. »Wie . . .«

Die Tür schwang mit einem Klicken auf. »Bitte sehr«, sagte Jace und ließ die Stele wieder in seine Tasche gleiten.

Clary sah, wie das Mal auf der Tür – direkt oberhalb von Jace' Kopf – verblasste, als sie hindurchgingen. Die Hintertür führte in einen kleinen Lagerraum, von dessen nackten Wänden die Farbe blätterte. Überall waren Pappkartons gestapelt, auf denen mit Filzstift stand, was sie enthielten: »Romane«, »Gedichte«, »Kochbücher«, »Heimatkunde«, »Liebesromane«.

»Die Wohnung ist da drüben.« Clary ging auf die Tür am anderen Ende des Raums zu, aber Jace packte sie am Arm. »Warte.«

Sie schaute ihn nervös an. »Stimmt was nicht?«

»Ich weiß nicht.« Er zwängte sich zwischen zwei Stapel Pappkartons hindurch und pfiff. »Clary, komm mal her und sieh dir das an.«

Sie schaute sich um. Es war schummrig in dem Lagerraum; nur das Licht der Verandalampe fiel durch das Fenster. »Es ist so dunkel . . .«

Plötzlich flackerte Licht auf und tauchte den Raum in einen blendenden Schein. Simon wandte den Kopf ab. »Autsch.«

Jace lachte in sich hinein. Er stand mit erhobener Hand auf einem zugeklebten Karton. Etwas leuchtete in seiner Hand und das Licht strahlte durch seine angewinkelten Finger. »Elbenlicht«, sagte er.

Simon murmelte etwas in sich hinein, während Clary bereits über die Kartons kletterte und sich einen Weg zu Jace bahnte. Er stand hinter einem wackligen Stapel von Krimis; das Elbenlicht warf einen unheimlichen Schein auf sein Gesicht. »Sieh dir das mal an«, sagte er und zeigte auf eine Stelle hoch oben an der Wand. Zuerst dachte sie, er deute auf etwas, das aussah wie ein verzierter Wandleuchter. Aber als sie genauer hinschaute, erkannte sie, dass es sich um Metallschlaufen handelte, die an kurzen, in der Wand verankerten Ketten befestigt waren. »Sind das . . .«

»Handfesseln«, sagte Simon, der ihr gefolgt war. »Das ist, äh . . .«

»Sag jetzt nicht ›pervers‹.« Clary warf ihm einen warnenden Blick zu. »Wir sprechen hier über Luke.«

Jace fuhr mit der Hand über die Innenseite einer der Metallschlaufen. Als er seine Finger betrachtete, schimmerten sie rotbraun. »Getrocknetes Blut. Und hier, sieh mal.« Er zeigte auf die Stelle an der Wand, wo die Ketten verankert waren; der Putz schien sich nach außen zu wölben. »Jemand hat versucht, diese Dinger aus der Wand zu reißen. Mit ziemlich großer Kraft, wie es aussieht.«

Clarys Herz schlug schneller. »Glaubst du, mit Luke ist alles in Ordnung?«

Jace senkte das Elbenlicht. »Ich denke, das sollten wir besser herausfinden.«

Die Tür zur Wohnung war nicht verschlossen. Sie führte in Lukes Wohnzimmer. Trotz der unzähligen Bücher im Laden- und Lagerbereich befanden sich hier noch Hunderte weitere Bände. In den Bücherregalen, die bis zur Decke reichten, standen die Bücher in Zweierreihen hintereinander. Das Meiste waren Gedichtbände und Romane, dazwischen etliche Fantasybände und Krimis. Clary erinnerte sich, wie sie hier tagelang auf dem Polster der breiten Fensterbank gesessen und sich durch die gesammelten *Chroniken von Prydain* gelesen hatte, bis die Sonne über dem East River untergegangen war.

»Ich glaube, er ist nur kurz weg«, rief Simon, der in der Tür zu Lukes kleiner Küche stand. »Die Kaffeemaschine ist eingeschaltet und der Kaffee in der Kanne fühlt sich noch heiß an.«

Clary schaute in die Küche. In der Spüle stapelte sich schmutziges Geschirr. Lukes Jacken hingen ordentlich an ihren Haken im Wandschrank. Sie ging den Flur entlang und öffnete die Tür zu dem kleinen Schlafzimmer. Alles sah so aus wie immer; das Bett mit der grauen Tagesdecke und den flachen Kissen war nicht gemacht und auf der Kommode lag Kleingeld. Sie wandte sich ab. Als sie das Haus betreten hatten, war sie sich tief in ihrem Inneren sicher gewesen, dass sie die Wohnung vollkommen verwüstet vorfinden würden und Luke gefesselt, verletzt oder noch schlimmer zugerichtet sein würde. Doch jetzt wusste sie nicht mehr, was sie denken sollte.

Benommen ging sie über den Flur in das kleine Gästezimmer, in dem sie so oft geschlafen hatte, wenn ihre Mutter beruflich unterwegs gewesen war. Sie und Luke waren lange aufgeblieben und hatten alte Horrorfilme in dem flimmernden Schwarz-Weiß-Fernseher geschaut. Sie hatte sogar einen Rucksack mit Kleidung hier, damit sie ihre Sachen nicht immer hin- und hertragen musste.

Sie kniete sich auf den Boden und zog ihn an seinem olivgrünen Träger unter dem Bett hervor. Er war mit Buttons übersät, die Simon ihr geschenkt hatte: »Gamers do it better«, »Otaku Wench«,

»Still not King«. In dem Rucksack befanden sich zusammengefaltete Kleidungsstücke, ein paar Ersatzslips, eine Haarbürste und sogar Shampoo. *Gott sei Dank,* dachte sie und warf die Tür hinter sich zu. Rasch zog sie Isabelles zu große, inzwischen mit Grasflecken bedeckte und verschwitzte Sachen aus, schlüpfte in ihre eigene sandgestrahlte Cordhose, die so weich war wie abgegriffenes Papier, und streifte sich ein blaues Trägertop über, auf dem vorne chinesische Schriftzeichen zu sehen waren. Dann stopfte sie Isabelles Sachen in ihren Rucksack, zog die Kordel zu und verließ das Gästezimmer, wobei der Rucksack an seiner vertrauten Stelle zwischen ihren Schulterblättern baumelte. Es war schön, wieder eigene Kleidung zu tragen.

Sie fand Jace in Lukes mit Büchern vollgestopftem Büro, wo er eine grüne Reisetasche untersuchte, die geöffnet auf dem Schreibtisch lag. Wie Simon gesagt hatte, war sie bis zum Rand mit Waffen gefüllt – Messer in Scheiden, eine zusammengerollte Peitsche und etwas, das aussah wie ein Metallring mit rasiermesserscharfer Kante.

»Das ist ein Chakram«, sagte Jace und schaute auf, als Clary ins Zimmer kam. »Eine Waffe der Sikhs. Man wirbelt sie um den Zeigefinger, ehe man sie loslässt. Chakrams sind selten und schwer zu benutzen. Seltsam, dass Luke eins hat. Hodge hat damals damit gekämpft – das Chakram war die Waffe seines Vertrauens. Das hat er mir jedenfalls erzählt.«

»Luke sammelt alle möglichen Sachen, Kunstobjekte und so«, meinte Clary und zeigte auf das Regal hinter dem Schreibtisch, in dem indische Bronzestatuen und russische Ikonen standen. Ihr Lieblingsstück war eine kleine Statue von Kali, der indischen Göttin der Zerstörung, die ein Schwert und ein abgetrenntes Haupt schwang, während sie mit zurückgeworfenem Kopf und geschlossenen Augen tanzte. Neben dem Schreibtisch stand ein antiker geschnitzter chinesischer Wandschirm aus glänzendem Rosenholz. »Schöne Dinge.«

Jace legte das Chakram vorsichtig beiseite. Eine Handvoll Kleidungsstücke hing aus Lukes Reisetasche heraus, als seien sie nachträglich hineingeworfen worden. »Gehört das dir?« Er zog etwas Rechteckiges hervor, das zwischen den Sachen versteckt war: eine Fotografie in einem Holzrahmen mit einem langen, senkrechten Riss im Glas. Der Riss zog ein Netz aus dünnen Linien über die lächelnden Gesichter von Luke, Clary und ihrer Mutter.

»Das gehört tatsächlich mir«, sagte Clary und nahm es ihm aus der Hand.

»Das Glas ist zerbrochen«, bemerkte Jace.

»Ich weiß. Das war ich – ich habe es kaputt gemacht, als ich damit nach dem Ravener geworfen habe.« Sie schaute ihm ins Gesicht und sah, dass ihm etwas dämmerte. »Das bedeutet, dass Luke nach dem Angriff noch einmal in der Wohnung gewesen sein muss. Vielleicht sogar heute . . .«

»Er muss der Letzte gewesen sein, der das Portal benutzt hat«, sagte Jace. »Deshalb hat es uns hierher teleportiert. Du hast an gar nichts gedacht, also wurden wir an den zuletzt aufgerufenen Ort gebracht.«

»Nett von Madame Dorothea, uns zu erzählen, dass Luke bei ihr war«, sagte Clary sarkastisch.

»Wahrscheinlich hat er sie dafür bezahlt, nichts zu sagen. Entweder das oder sie vertraut ihm mehr als uns. Was bedeutet, dass er vielleicht nicht . . .«

»Achtung!« Simon kam panisch ins Büro gerannt. »Wir kriegen Besuch.«

Clary ließ das Foto sinken. »Luke?«

Simon schaute über die Schulter in den Flur und nickte. »Ja. Aber er ist nicht allein – zwei Männer sind bei ihm.«

»Männer?« Jace durchmaß mit wenigen großen Schritten den Raum, blickte durch die Tür und fluchte leise. »Hexenmeister.«

Clary starrte ihn entsetzt an. »Hexenmeister? Aber . . .«

Jace legte einen Finger gegen die Lippen und zog sich von der Tür zurück. »Sch. Gibt es hier noch einen anderen Ausgang?«, fragte er leise.

Clary schüttelte den Kopf. Als vom Eingang her Schritte zu hören waren, wurde sie von einer Welle der Angst gepackt.

Jace schaute sich hektisch um, bis seine Augen an dem Wandschirm aus Rosenholz hängen blieben. »Versteckt euch dahinter«, flüsterte er. »Na los.«

Clary warf die zerbrochene Fotografie auf den Schreibtisch, sprintete hinter den Wandschirm und zog Simon mit sich. Jace war dicht hinter ihnen, die Stele in der Hand. Er hatte sich kaum versteckt, als auch schon die Tür aufflog, Leute in Lukes Büro kamen und die Stimmen von drei Männern zu hören waren. Clary schaute nervös zu Simon, der sehr blass war, und dann zu Jace, der die Stele in der Hand hielt und mit der Spitze ein Quadrat auf die Rückseite des Wandschirms zeichnete. Clary starrte verblüfft, als das Quadrat durchsichtig wurde wie eine Glasscheibe. Sie hörte, dass Simon scharf die Luft einzog – ein kaum wahrnehmbares Geräusch. Jace schaute sie beide an, schüttelte den Kopf und formte unhörbar mit den Lippen: *Sie können uns nicht sehen, aber wir sie.*

Clary biss sich auf die Lippe, beugte sich zu dem Quadrat vor und schaute hindurch, wobei sie Simons Atem im Nacken spürte. Sie konnte das Zimmer genau erkennen: die Bücherregale, den Schreibtisch mit der Reisetasche darauf und Luke, der mitgenommen aussah und leicht gebückt bei der Tür stand, die Brille auf die Stirn geschoben. Es war beängstigend, auch wenn sie wusste, dass er sie nicht sehen konnte – das Fenster, das Jace geschaffen hatte, war wie eine dieser Glasscheiben in einem Polizeiverhörzimmer, durch die man nur von einer Seite hindurchsehen konnte.

Luke drehte sich um und schaute zur Tür. »Ja, seht euch nur in Ruhe um«, sagte er mit deutlichem Sarkasmus in der Stimme. »Wirklich nett von euch, dass ihr euch so für mich interessiert.«

Ein leises Lachen ertönte aus der Ecke des Büros. Mit einer raschen Drehung des Handgelenks berührte Jace den Rahmen seines

»Fensters«, das sich daraufhin weiter öffnete und einen größeren Ausschnitt des Zimmers zeigte. Zwei Männer standen bei Luke, beide in lange rote Roben gekleidet, die Kapuzen zurückgeschoben. Der eine war dünn und trug einen eleganten grauen Schnurrbart und ein spitzes Bärtchen. Wenn er lächelte, zeigte er blendend weiße Zähne. Der andere war kräftig und untersetzt wie ein Ringer und hatte kurz geschorene rote Haare.

»Das sind Hexenmeister?«, fragte Clary ganz leise.

Jace stand stocksteif da, wie eine Eisenstange. *Wahrscheinlich fürchtet er, ich könnte losrennen und versuchen, zu Luke zu gelangen,* dachte Clary. Sie wünschte, sie hätte ihm versichern können, dass sie das nicht vorhatte. Etwas an diesen Männern, in ihren dicken Gewändern von der Farbe hellroten Bluts, jagte ihr Angstschauer über den Rücken.

»Nein«, flüsterte er. Er sah aus, als ob er einen Geist gesehen hätte. »Schattenjäger. In den Roben von Hexenmeistern.«

»Betrachte es als einen freundschaftlichen Kontrollbesuch, Graymark«, sagte der Mann mit dem grauen Schnurrbart.

»Uns verbindet keine Freundschaft, Pangborn.« Luke setzte sich so auf die Schreibtischkante, dass er dem Mann die Sicht auf die Reisetasche und deren Inhalt versperrte. Jetzt, da er näher gekommen war, konnte Clary sehen, dass sein Gesicht und seine Hände schwer verletzt waren, seine Finger aufgekratzt und blutig. Ein langer Schnitt am Hals erstreckte sich bis unter seinen Kragen. *Was um alles in der Welt war mit ihm passiert?,* fragte sie sich.

»Blackwell, fass das nicht an – es ist wertvoll«, sagte Luke streng.

Der korpulente rothaarige Mann, der die Kali-Statue vom Regal genommen hatte, fuhr nachdenklich mit seinen Wurstfingern darüber. »Hübsch«, knurrte er.

»Ah«, sagte Pangborn und nahm seinem Gefährten die Statue aus der Hand. »Sie, die geschaffen wurde, einen Dämonen zu bekämpfen, den kein anderer Gott und kein Mensch töten konnte. ›Oh Kali, meine Mutter voller Glückseligkeit, die du den Schiwa bezaubert hast. In deiner rasenden Freude tanzest du und klatschst in die Hände. Du bist die Triebkraft all dessen, das sich bewegt, und wir sind nur deine wehrlosen Spielzeuge.‹«

»Sehr schön«, sagte Luke. »Ich wusste nicht, dass du die indischen Mythen studierst.«

»Alle Geschichten sind wahr«, sagte Pangborn und Clary lief ein kalter Schauer über den Rücken. »Oder hast du selbst *das* vergessen?«

»Ich habe nichts vergessen«, erwiderte Luke. Er sah zwar gelassen aus, aber an seinen Schultern und an den Linien um seinen Mund konnte Clary die Anspannung erkennen. »Ich nehme an, Valentin hat euch geschickt?«

»Ja«, sagte Pangborn. »Er dachte, du hättest vielleicht deine Meinung geändert.«

»Ich wüsste nicht, warum ich meine Meinung ändern sollte. Außerdem habe ich euch bereits gesagt, dass ich nichts weiß. Hübsche Roben übrigens.«

»Danke«, sagte Blackwell mit einem verschlagenen Grinsen. »Wir haben sie zwei toten Hexenmeistern abgeknöpft.«

»Es sind die offiziellen Roben des Abkommens, nicht wahr?«, fragte Luke. »Stammen sie vom Aufstand?«

Pangborn lachte leise in sich hinein. »Kriegsbeute.«

»Habt ihr keine Angst, jemand könnte euch für echt halten?«

»Nur, bis sie nah genug an uns herankommen«, erwiderte Blackwell.

Pangborn streichelte über den Ärmel seiner Robe. »Erinnerst du dich an den Aufstand, Lucian?«, fragte er leise. »Das war ein großer und ein schrecklicher Tag. Erinnerst du dich, wie wir zusammen für die Schlacht trainiert haben?«

Luke verzog das Gesicht. »Das ist Vergangenheit. Ich weiß nicht, was ich euch sagen soll, Gentlemen. Ich kann euch nicht helfen. Ich weiß nichts.«

»›Nichts‹ ist so ein allgemeines Wort, so ungenau«, sagte Pangborn mit melancholischer Stimme. »Jemand, der so viele Bücher besitzt, muss doch *etwas* wissen.«

»Wenn ihr wissen wollt, wo man eine Kurzzehenschwalbe im Frühling findet, kann ich euch das entsprechende Nachschlagewerk nennen. Aber wenn ihr wissen wollt, wohin der Kelch der Engel verschwunden ist . . .«

»Verschwunden ist vielleicht nicht ganz das richtige Wort«, schnurrte Pangborn. »Ich würde eher ›versteckt‹ sagen. Versteckt von Jocelyn.«

»Das kann sein«, räumte Luke ein. »Sie hat euch also noch nicht gesagt, wo er ist?«

»Sie hat noch nicht das Bewusstsein wiedererlangt«, entgegnete Pangborn und zerschnitt mit einer langfingrigen Hand die Luft. »Valentin ist enttäuscht. Er hatte sich so sehr auf ihre Wiedervereinigung gefreut.«

»Ich bin sicher, dass sie dieses Gefühl nicht teilt«, murmelte Luke.

Pangborn gackerte. »Eifersüchtig, Graymark? Oder empfindest du nicht mehr dasselbe für sie wie früher?«

Clarys Finger hatten so stark zu zittern begonnen, dass sie ihre Hände fest miteinander verschränkte, um das Beben zu unterdrücken. Jocelyn? Konnte es sein, dass sie von ihrer Mutter sprachen?

»Ich habe nie etwas Besonderes für sie empfunden«, sagte Luke. »Zwei Schattenjäger, von ihrer eigenen Art verbannt – es ist klar, warum wir uns zusammengetan haben. Aber ich werde mich nicht in das einmischen, was Valentin mit ihr vorhat, falls er sich deswegen Sorgen machen sollte.«

»Ich würde nicht sagen, dass er besorgt ist«, meinte Pangborn. »Eher neugierig. Wir haben uns alle gefragt, ob du noch am Leben bist. Noch immer als Mensch zu erkennen.«

Luke zog die Augenbrauen hoch. »Und?«

»Du siehst ganz passabel aus«, erwiderte Pangborn missmutig. Er stellte die Kali-Statue ins Regal zurück. »Da war doch noch ein Kind, nicht wahr? Ein Mädchen.«

Luke schaute verblüfft. »Was?«

»Stell dich nicht dumm«, knurrte Blackwell. »Wir wissen, dass das Miststück eine Tochter hatte. Wir haben Fotos in der Wohnung gefunden, ein Mädchenzimmer . . .«

»Ich dachte, du fragst nach meinen Kindern«, unterbrach Luke ihn. »Ja, Jocelyn hat eine Tochter. Clarissa. Ich nehme an, sie ist abgehauen. Hat Valentin euch geschickt, um nach ihr zu suchen?«

»Nicht uns«, antwortete Pangborn. »Aber er sucht nach ihr.«

»Wir könnten deine Wohnung durchsuchen«, meinte Blackwell.

»Das würde ich euch nicht empfehlen«, erwiderte Luke und rutschte von seinem Schreibtisch herunter. Sein Blick hatte etwas Kaltes und Bedrohliches, als er die beiden Männer musterte, auch wenn sein Gesichtsausdruck sich nicht verändert hatte. »Wieso glaubt ihr überhaupt, dass sie noch lebt? Ich dachte, Valentin hätte mehrere Ravener geschickt, um ihre Wohnung zu durchforsten. Eine ausreichende Menge Ravener-Gift und die meisten Leute zerfallen zu Asche, ohne eine Spur zu hinterlassen.«

»Ein Ravener wurde getötet«, sagte Pangborn. »Das hat Valentin misstrauisch gemacht.«

»Valentin macht alles misstrauisch«, meinte Luke. »Vielleicht hat Jocelyn ihn getötet. Sie wäre auf jeden Fall dazu in der Lage gewesen.«

»Vielleicht«, grunzte Blackwell.

Luke zuckte die Achseln. »Hört zu, ich habe keine Ahnung, wo das Mädchen ist, aber wenn ihr mich fragt, ist sie wahrscheinlich tot. Sonst wäre sie inzwischen längst wieder aufgetaucht. Sie stellt ohnehin keine große Gefahr dar. Sie ist fünfzehn Jahre alt, sie hat noch nie von Valentin gehört und sie glaubt nicht an Dämonen.«

Pangborn lachte. »Ein glückliches Kind.«

»Nicht mehr«, sagte Luke.

Blackwell zog die Augenbrauen hoch. »Du klingst wütend, Lucian.«

»Ich bin nicht wütend, ich bin genervt. Ich habe nicht vor, mich in Valentins Pläne einzumischen, kapiert ihr das? Ich bin kein Narr.«

»Wirklich?«, fragte Blackwell. »Wie schön, dass du im Laufe der Jahre einen gesunden Respekt gegenüber deiner eigenen Haut entwickelt hast, Lucian. Du warst nicht immer so pragmatisch.«

»Du weißt doch«, sagte Pangborn im Plauderton, »dass wir Jocelyn gegen den Kelch eintauschen würden? Sie sicher abliefern, direkt vor deiner Tür. Das ist ein Versprechen von Valentin persönlich.«

»Ich weiß«, entgegnete Luke, »aber ich bin nicht interessiert. Ich habe keine Ahnung, wo euer kostbarer Kelch ist, und ich will mit euren Machenschaften nichts zu tun haben. Ich hasse Valentin«, fügte er hinzu, »aber ich respektiere ihn. Ich weiß, dass er jeden vernichten wird, der sich ihm in den Weg stellt. Und ich habe nicht vor, noch da zu sein, wenn es dazu kommt. Er ist ein Monster – eine Tötungsmaschine.«

»Das sagt genau der Richtige«, knurrte Blackwell.

»Ich nehme an, das sind deine Vorbereitungen, um Valentin aus dem Weg zu gehen?«, sagte Pangborn und zeigte mit einem seiner langen Finger auf die halb verdeckte Reisetasche auf dem Schreibtisch. »Du verlässt die Stadt, Lucian?«

Luke nickte langsam. »Ich fahre aufs Land. Ich habe vor, eine Weile unterzutauchen.«

»Wir könnten dich aufhalten, dafür sorgen, dass du bleibst«, sagte Blackwell.

Luke lächelte und das Lächeln veränderte sein Gesicht. Plötzlich war er nicht mehr der nette, gebildete Mann, der Clary auf der Schaukel im Park angeschubst und ihr beigebracht hatte, mit einem Dreirad zu fahren. Plötzlich war etwas Wildes in seinen Augen, etwas Böses und Kaltes. »Ihr könnt es ja versuchen.«

Pangborn schaute zu Blackwell, der langsam den Kopf schüttelte. Dann wandte er sich wieder an Luke. »Du lässt es uns wissen, wenn dein Gedächtnis plötzlich wieder funktioniert, okay?«

Luke lächelte immer noch. »Ihr seid die Ersten auf meiner Liste, die ich anrufen werde.«

Pangborn nickte kurz. »Ich denke, wir verabschieden uns jetzt. Möge der Erzengel dich schützen, Lucian.«

»Der Erzengel schützt solche wie mich nicht«, erwiderte Luke. Er nahm die Reisetasche vom Schreibtisch und verschloss sie. »Wollen wir dann mal, Gentlemen?«

Die beiden Männer zogen sich die Kapuzen über den Kopf, um ihre Gesichter zu verbergen, und verließen den Raum; Luke folgte ihnen einen Augenblick später. Er blieb kurz an der Tür stehen und schaute sich um, als fragte er sich, ob er etwas vergessen hatte. Dann zog er die Tür hinter sich zu.

Clary blieb wie erstarrt hinter dem Wandschirm stehen. Sie hörte, wie die Haustür zugeschlagen wurde und eine Kette rasselte, als Luke das Vorhängeschloss wieder befestigte. Und sie erinnerte sich an den Ausdruck auf seinem Gesicht, als er gemeint hatte, es interessiere ihn nicht, was mit ihrer Mutter passierte.

Sie spürte eine Hand auf ihrer Schulter. »Clary?« Es war Simon, der sie zögerlich, fast sanft ansprach. »Alles in Ordnung?«

Stumm schüttelte sie den Kopf. Sie fühlte sich alles andere als in Ordnung, im Gegenteil, eher so, als würde nie wieder etwas in Ordnung sein.

»Natürlich nicht«, sagte Jace mit einer Stimme, die so scharf und kalt wie zerborstenes Eis klang. Energisch schob er den Wandschirm beiseite. »Zumindest wissen wir jetzt, wer deiner Mutter einen Dämon auf den Hals gehetzt hat. Diese Männer glauben, dass sie den Kelch der Engel hat.«

Clary presste die Lippen zu einer dünnen, geraden Linie zusammen. »Das ist lächerlich und vollkommen unmöglich«, stieß sie hervor.

»Vielleicht«, sagte Jace und lehnte sich an Lukes Schreibtisch. Er fixierte sie mit Augen, die so undurchsichtig waren wie getöntes Glas. »Hast du diese Männer schon einmal gesehen?«

»Nein.« Sie schüttelte den Kopf. »Noch nie.«

»Lucian schien sie zu kennen. Er schien mit ihnen befreundet zu sein.«

»Befreundet würde ich nicht gerade sagen«, meinte Simon. »Mir kam es eher so vor, als würden sie ihre Feindseligkeit nur mühsam unterdrücken.«

»Sie haben ihn jedenfalls nicht sofort umgebracht«, entgegnete Jace. »Sie glauben, dass er mehr weiß, als er ihnen sagt.«

»Vielleicht«, räumte Clary ein, »oder vielleicht schrecken sie auch davor zurück, einen anderen Schattenjäger zu töten.«

Jace lachte – ein raues, fast bösartiges Lachen, bei dem Clary eine Gänsehaut bekam. »Das bezweifle ich.«

Sie schaute ihn eindringlich an. »Was macht dich so sicher? Kennst du sie etwa?«

Das Lachen war vollkommen aus seiner Stimme verschwunden, als er antwortete: »Ob ich sie kenne? Das könnte man so sagen. Es sind die Männer, die meinen Vater umgebracht haben.«

# 9
# Der Kreis und die Bruderschaft

Clary machte einen Schritt nach vorne, um Jace' Arm zu berühren und etwas zu sagen, irgendetwas – aber was sagte man jemandem, der gerade die Mörder seines Vaters wiedererkannt hatte? Allerdings zeigte sich sofort, dass ihr Zögern nicht von Bedeutung war; Jace schüttelte ihre Berührung ab, als verursache sie ihm einen stechenden Schmerz. »Wir sollten gehen«, sagte er und stolzierte vom Büro ins Wohnzimmer. Clary und Simon liefen ihm hinterher. »Luke könnte jeden Augenblick zurückkommen.«

Sie verließen das Haus durch den Hintereingang. Jace benutzte seine Stele, um hinter ihnen abzuschließen; dann machten sie sich auf den Weg zur Straße, die vollkommen still dalag. Der Mond hing wie ein Medaillon über der Stadt und spiegelte sich schillernd im Wasser des East River. Das entfernte Dröhnen der Autos, die über die Williamsburg Bridge fuhren, erfüllte die schwüle Luft mit einem Geräusch wie von schlagenden Flügeln.

»Würde mir vielleicht mal jemand sagen, wo wir hingehen?«, fragte Simon.

»Zur U-Bahn«, erwiderte Jace gelassen.

»Das soll wohl ein Witz sein«, meinte Simon blinzelnd. »Dämonenjäger nehmen die U-Bahn?«

»Es geht schneller als mit dem Auto.«

»Ich dachte, du hättest ein cooleres Transportmittel, etwa einen Lieferwagen mit der Aufschrift ›Tod den Dämonen‹ oder . . .«

Jace machte sich gar nicht erst die Mühe, ihn zu unterbrechen. Clary musterte Jace von der Seite. Manchmal, wenn Jocelyn wegen etwas wirklich sauer war oder mal wieder eine ihrer Launen hatte, wurde sie »beängstigend ruhig«, wie Clary es nannte. Diese Ruhe ließ Clary an den trügerischen Glanz von Eis denken, kurz bevor es unter den Füßen bricht. Jace war beängstigend ruhig. Sein Gesicht schien ausdruckslos, aber in seinen goldbraunen Augen funkelte etwas.

»Simon«, sagte sie. »Es reicht.«

Simon warf ihr einen Blick zu, als wolle er sagen: *Auf wessen Seite stehst du eigentlich?* Aber Clary ignorierte ihn. Ihre Augen waren noch immer auf Jace gerichtet, als sie in die Kent Avenue einbogen. Die Lichter der Brücke hinter ihnen fielen auf seine Haare und verliehen ihnen einen unwirklichen Heiligenschein. Sie fragte sich, ob es falsch war, sich darüber zu freuen, dass die Männer, die ihre Mutter verschleppt hatten, dieselben waren, die Jace' Vater vor all den Jahren getötet hatten. Zumindest für den Augenblick musste Jace ihr helfen, Jocelyn zu finden, ob er wollte oder nicht. Zumindest für den Augenblick konnte er sie nicht allein lassen.

»*Hier* wohnst du?« Simon schaute an der alten Kathedrale empor, deren Fenster zerbrochen und deren Türen mit gelbem Absperrband versiegelt waren. »Aber das ist doch eine Kirche.«

Jace griff unter sein T-Shirt und holte einen Messingschlüssel an einer Kette hervor, der aussah wie einer dieser Schlüssel, mit denen man eine alte Truhe auf dem Dachboden aufschließen würde. Clary schaute verwundert – Jace hatte die Tür nicht abgeschlossen, sondern lediglich zugezogen, als sie das Institut verlassen hatten. »Für uns ist es praktisch, auf geweihtem Boden zu wohnen.«

»Okay, das versteh ich ja. Aber das hier ist, bei allem Respekt, eine Müllhalde«, erwiderte Simon und schaute zweifelnd auf den verbogenen Eisenzaun, der das alte Gebäude umgab, und auf den Müll, der sich neben der Treppe türmte.

Clary entspannte sich. Sie stellte sich vor, wie sie einen der Terpentinlappen ihrer Mutter nahm und damit das Bild, das sich ihr bot, abtupfte, um den Zauberglanz wegzuwischen wie alte Farbe.

Da war er, der wirkliche Anblick, der durch den falschen Glanz hindurchschimmerte wie Licht durch dunkles Glas. Sie sah die aufragenden Türme der Kathedrale, den matten Schimmer der bleiverglasten Fenster und die Messingplatte an der Steinmauer neben der Tür, in die der Name des Instituts eingraviert war. Sie bewahrte diesen Anblick einen Moment lang, ehe sie ihn fast mit einem Seufzen losließ.

»Das kommt durch den Zauberglanz – eine Art Schleier, Simon«, sagte sie. »Das Gebäude sieht nicht wirklich so aus.«

»Wenn das deine Vorstellung von Glanz ist, dann überlege ich es mir lieber noch mal, ob ich mich von dir neu stylen lassen würde.«

Jace steckte den Schlüssel ins Schloss und schaute über die Schulter zu Simon. »Ich glaube, du weißt gar nicht, was für eine Ehre das ist«, sagte er. »Du bist einer der wenigen Irdischen, die das Institut seit über einhundert Jahren betreten haben.«

»Wahrscheinlich hält der Geruch die anderen davon ab.«

»Ignorier ihn einfach«, wandte Clary sich an Jace und versetzte Simon mit dem Ellbogen einen Stoß in die Rippen. »Er sagt immer das, was ihm gerade einfällt. Vollkommen ungefiltert.«

»Filter sind für Zigaretten und Kaffee da«, murmelte Simon, als sie das Gebäude betraten. »Zwei Dinge, die ich zufälligerweise gerade sehr gut vertragen könnte.«

Clary dachte ebenfalls sehnsüchtig an Kaffee, während sie die gewundene Steintreppe hinaufstiegen, deren Stufen mit eingemeißelten Zeichen versehen waren. Nach und nach erkannte sie einige davon – sie zogen ihre Augen magisch an, so wie schwach wahrgenommene Worte in einer fremden Sprache manchmal ihre Ohren fesselten, als könne sie ihnen eine Bedeutung entlocken, wenn sie sich nur stark genug auf sie konzentrierte.

Nachdem sie den Aufzug erreicht hatten, fuhren sie schweigend nach oben. Clary dachte noch immer an Kaffee, große Becher, die zur Hälfte mit Kaffee und zur Hälfte mit Milch gefüllt waren, so wie ihre Mutter ihn morgens zubereitete. Manchmal brachte Luke eine

Tüte mit süßen Brötchen aus der Golden Carriage Bakery in Chinatown mit. Bei dem Gedanken an Luke krampfte sich Clarys Magen zusammen und ihr Appetit verschwand.

Der Aufzug kam mit einem Zischen zum Stehen und sie befanden sich wieder in dem Foyer, von dem aus sie aufgebrochen waren. Jace zog seine Jacke aus, warf sie über die Rückenlehne eines Stuhls, der in der Nähe stand, und pfiff durch die Zähne. Nach ein paar Sekunden tauchte Church auf. Er schlich dicht über den Boden und seine gelben Augen funkelten in der staubigen Luft. »Church«, sagte Jace und kniete sich hin, um den blauen Kopf des Katers zu streicheln. »Wo ist Alec, Church? Wo ist Hodge?«

Church machte einen Buckel und miaute. Jace rümpfte die Nase, was Clary unter anderen Umständen vielleicht süß gefunden hätte. »Sind sie in der Bibliothek?« Er stand auf und Church schüttelte sich, trottete ein Stück den Korridor entlang und schaute dann über die Schulter zurück. Jace ging dem Kater nach, als sei es das Natürlichste der Welt, und bedeutete Clary und Simon mit der Hand, ihm zu folgen.

»Ich mag keine Katzen«, sagte Simon und stieß gegen Clarys Schulter, als sie sich ihren Weg durch den engen Korridor bahnten.

»Wie ich Church kenne«, meinte Jace, »mag er dich höchstwahrscheinlich auch nicht.«

Sie befanden sich in einem der Flure, von denen die Gästezimmer abgingen. Simon zog die Augenbrauen hoch. »Wie viele Leute wohnen hier eigentlich?«

»Es ist ein Institut«, entgegnete Clary. »Ein Ort, an dem Schattenjäger wohnen können, wenn sie in der Stadt sind. Eine Art Kombination aus Zufluchtsort und Forschungseinrichtung.«

»Ich dachte, es sei eine Kirche.«

»Es ist *in* einer Kirche.«

»Klar, das ist ja auch überhaupt nicht verwirrend.« Trotz Simons lässigen Tonfalls konnte sie hören, wie angespannt er war. Statt ihn zum Schweigen zu bringen, griff sie nach seiner Hand und verschränkte ihre Finger mit seinen, die sich kalt und feucht anfühlten. Er erwiderte die Geste, indem er ihre Hand dankbar drückte.

»Ich weiß, dass es seltsam klingt«, sagte sie leise, »aber du musst dich einfach darauf einlassen. Vertrau mir.«

Simons dunkle Augen schauten ernst. »Dir vertraue ich ja«, sagte er, »aber ich vertraue *ihm* nicht.« Er blickte zu Jace, der ein paar Meter vor den beiden ging und sich offenbar mit dem Kater unterhielt. Clary fragte sich, worüber sie wohl sprachen. Über Politik? Die Oper? Die hohen Thunfischpreise?

»Versuch es bitte«, sagte sie. »Er ist im Augenblick meine einzige Chance, Mom zu finden.«

Ein kalter Schauer lief Simon über den Rücken. »Dieser Ort ist mir unheimlich«, flüsterte er.

Clary erinnerte sich, wie sie sich gefühlt hatte, als sie an diesem Morgen hier entlanggegangen war – als sei alles gleichzeitig fremd und vertraut. Simon empfand natürlich nichts von dieser Vertrautheit, nur das Seltsame, Fremde und Feindselige. »Du brauchst nicht bei mir zu bleiben«, sagte sie, obwohl sie während der U-Bahn-Fahrt bei Jace durchgesetzt hatte, dass Simon mitkommen konnte. Sie hatte Jace darauf hingewiesen, dass Simon Luke schließlich drei Tage lang beobachtet hatte und vielleicht etwas wusste, das ihnen weiterhelfen könnte.

»Doch«, sagte Simon, »das muss ich.« Er ließ ihre Hand los, als sie durch eine Tür gingen und plötzlich in einer Küche standen. Es war eine riesige Küche und im Gegensatz zum Rest des Instituts sehr modern, mit Anrichten aus Stahl und verglasten Regalen, in denen sich jede Menge Geschirr befand. Vor einem roten, gusseisernen Herd stand Isabelle, in der Hand einen Kochlöffel, das dunkle Haar auf dem Kopf zusammengesteckt. Aus dem Topf stieg Dampf auf und überall lagen Zutaten herum – Tomaten, gehackter Knoblauch und Zwiebeln, dunkelgrüne Kräuterstängel, geriebener Käse, ein paar geschälte Erdnüsse, eine Handvoll Oliven und ein ganzer Fisch, dessen glasige Augen an die Decke starrten.

»Ich mache Suppe«, sagte Isabelle und winkte mit dem Kochlöffel. »Hast du Hunger?« Sie schaute an Jace vorbei und entdeckte Simon und Clary. »Oh mein Gott«, sagte sie gedehnt und verzog das Gesicht. »Du hast noch einen Irdischen mitgebracht? Hodge wird dich umbringen.«

Simon räusperte sich. »Ich bin Simon.«

Isabelle ignorierte ihn. *»Jace Wayland!* Ich verlange eine Erklärung.«

Zornig musterte Jace den Kater. »Ich habe dir gesagt, du sollst mich zu Alec bringen! Hinterhältiger Judas.«

»Du brauchst nicht Church die Schuld zu geben«, meinte Isabelle. »Er kann nichts dafür, wenn Hodge dich umbringt.« Sie steckte den Löffel in den Topf und rührte wütend darin herum. Clary fragte sich, wie Erdnuss-Fisch-Oliven-Tomaten-Suppe wohl schmecken mochte.

»Ich musste ihn mitnehmen«, entgegnete Jace. »Isabelle, ich habe heute zwei der Männer gesehen, die meinen Vater getötet haben.«

Isabelles Schultern strafften sich, aber als sie sich umdrehte, schaute sie eher bestürzt als überrascht. »Ich nehme nicht an, dass er einer von ihnen ist«, sagte sie und zeigte mit dem Kochlöffel auf Simon.

Zu Clarys Überraschung sagte Simon nichts. Er war zu sehr damit beschäftigt, Isabelle verzückt und mit offenem Mund anzustarren. Natürlich, ich hätte es wissen müssen, dachte Clary plötzlich verärgert. Isabelle war genau Simons Typ – groß, glamourös und wunderschön. Aber wenn man darüber nachdachte, war das vielleicht jedermanns Frauentyp. Clary wunderte sich nicht länger über die Erdnuss-Fisch-Oliven-Tomaten-Suppe, sondern fragte sich, was wohl passieren würde, wenn sie den Inhalt des Topfs Isabelle über den Kopf goss.

»Natürlich nicht«, erwiderte Jace. »Oder glaubst du, er wäre sonst noch am Leben?«

Isabelle warf Simon einen gleichgültigen Blick zu. »Vermutlich nicht«, meinte sie und ließ geistesabwesend ein Stück Fisch auf den Boden fallen. Church stürzte sich sofort gierig darauf.

»Kein Wunder, dass er uns hierher geführt hat«, knurrte Jace angewidert. »Ich kann nicht glauben, dass du ihn schon wieder mit Fisch vollstopfst. Er sieht ganz schön pummelig aus.«

»Er sieht überhaupt nicht pummelig aus. Außerdem isst von euch ja nie einer was. Ich hab das Rezept von einem Wassergeist vom Chelsea Market. Er sagte, es sei köstlich . . .«

»Wenn du kochen könntest, dann würde ich vielleicht *tatsächlich* etwas essen«, brummelte Jace.

Isabelle erstarrte und hob drohend den Kochlöffel. *»Was* hast du gesagt?«

Jace eilte zum Kühlschrank. »Ich habe gesagt, ich hole mir etwas zu essen.«

»Dann hab ich dich wohl doch richtig verstanden.« Isabelle wandte sich wieder der Suppe zu. Simon starrte Isabelle noch immer an. Von einer plötzlichen, unerklärlichen Wut erfasst, ließ Clary ihren Rucksack auf den Boden fallen und folgte Jace zum Kühlschrank.

»Ich kann nicht glauben, dass du jetzt etwas essen willst«, zischte sie.

»Was sollte ich sonst tun?«, fragte er mit aufreizender Gelassenheit. Der Kühlschrank war mit Milchtüten gefüllt, deren Haltbarkeitsdatum schon seit mehreren Wochen überschritten war. Außerdem sah Clary viele Frischhaltedosen, auf denen mit roter Tinte beschriftetes Krepppapier klebte: *Hodge. Nicht essen.*

»Wow, der verhält sich ja wie ein durchgeknallter WG-Bewohner«, bemerkte sie, einen Moment lang abgelenkt.

»Wer? Hodge? Er mag es einfach, wenn Ordnung herrscht.« Jace nahm eine der Dosen heraus und öffnete sie. »Mmmh. Spaghetti.«

»Verdirb dir nicht den Appetit«, rief Isabelle.

»Genau das«, sagte Jace, trat die Kühlschranktür zu und nahm sich eine Gabel aus der Schublade, »habe ich vor.« Er schaute zu Clary. »Möchtest du auch was?«

Sie schüttelte den Kopf.

»Natürlich nicht«, sagte er mit vollem Mund. »Du hast ja die ganzen Sandwichs gegessen.«

»So viele waren es nun auch wieder nicht.« Sie sah zu Simon hinüber, dem es offenbar gelungen war, Isabelle in ein Gespräch zu verwickeln. »Können wir jetzt Hodge suchen?«

»Du scheinst es ja ziemlich eilig zu haben, von hier fortzukommen.«

»Willst du ihm denn nicht erzählen, was wir gesehen haben?«

»Das weiß ich noch nicht.« Jace stellte die Dose ab und leckte gedankenverloren Spaghettisoße von seinen Fingern. »Aber wenn du unbedingt gehen willst . . .«

»Ja.«

»Gut.« Er wirkte furchtbar ruhig, dachte sie, nicht beängstigend ruhig wie zuvor, sondern gefasster, als er hätte sein sollen. Sie fragte sich, wie oft er anderen einen Blick auf sein wahres Selbst durch die Fassade gewährte, die so hart und glänzend war wie die Lackschicht der japanischen Schmuckkästchen ihrer Mutter.

»Wo gehst du hin?« Simon blickte auf. Fransige dunkle Haarsträhnen fielen ihm in die Augen. *Er schaut dümmlich und benommen drein,* dachte Clary unfreundlich, *so als habe ihm jemand mit einem Stück Holz auf den Hinterkopf geschlagen.*

»Hodge suchen«, sagte sie. »Ich muss ihm erzählen, was in Lukes Haus passiert ist.«

Isabelle blickte auf. »Wirst du ihm sagen, dass du diese Männer gesehen hast, Jace? Diejenigen, die . . .«

»Ich weiß es nicht«, unterbrach er sie. »Also behalte es vorerst für dich.«

Sie zuckte die Achseln. »Okay. Kommst du nachher noch mal her? Möchtest du etwas Suppe?«

»Nein«, sagte Jace.

»Glaubst du, Hodge will etwas Suppe?«

»Niemand will Suppe.«

»Doch, *ich* will Suppe«, sagte Simon.

»Nein, willst du nicht«, erwiderte Jace. »Du willst nur mit Isabelle schlafen.«

Simon war entsetzt. »Das ist nicht wahr!«

»Wie schmeichelhaft«, murmelte Isabelle in ihre Suppe, grinste aber süffisant.

»Oh doch, das ist es«, sagte Jace. »Na los, frag sie – dann kann sie dir einen Korb geben und wir anderen können unser Leben weiterleben, während du dir gedemütigt und unglücklich die Wunden leckst.« Er schnippte mit den Fingern. »Beeil dich, Irdischer, wir haben zu arbeiten.«

Simon wandte das vor Scham gerötete Gesicht ab. Clary, die sich kurz zuvor noch diebisch gefreut hätte, war plötzlich wütend auf Jace. »Lass ihn in Ruhe«, fauchte sie. »Es gibt keinen Grund, so sadistisch zu sein, nur weil er nicht einer von *euch* ist.«

»Einer von *uns*«, sagte Jace, aber der unbarmherzige Ausdruck war aus seinen Augen verschwunden. »Ich werde jetzt Hodge suchen. Entweder kommst du mit oder du lässt es bleiben. Es ist deine Entscheidung.« Die Küchentür fiel hinter ihm zu und Clary war mit Simon und Isabelle allein.

Isabelle schöpfte etwas Suppe in eine Schale und schob sie Simon über die Anrichte zu, ohne ihn dabei anzusehen. Allerdings grinste sie noch immer, das konnte Clary spüren. In der dunkelgrünen Suppe schwammen seltsame braune Stücke.

»Ich werde Jace begleiten«, sagte Clary. »Simon . . .?«

»Schbleibhier«, murmelte er und schaute auf seine Füße.

»Was?«

»Ich bleibe hier.« Simon pflanzte sich auf einen Hocker. »Ich habe Hunger.«

»Auch gut.« Clarys Kehle war wie zugeschnürt, als habe sie etwas sehr Heißes oder sehr Kaltes hinuntergeschluckt. Während sie aus der Küche stapfte, schlich Church wie ein düsterer grauer Schatten neben ihren Füßen her.

Draußen auf dem Korridor wirbelte Jace eine der Seraphklingen zwischen den Fingern. Als er Clary sah, steckte er sie in die Tasche. »Nett von dir, die Turteltäubchen allein zu lassen.«

Clary musterte ihn missmutig. »Warum bist du bloß immer so ein Widerling?«

»Ein Widerling?« Jace sah aus, als würde er jeden Moment loslachen.

»Was du da eben zu Simon gesagt hast . . .«

»Ich habe nur versucht, ihm Leid zu ersparen. Isabelle wird ihm das Herz herausreißen und mit hochhackigen Stiefeln darauf herumtrampeln. Das macht sie mit allen Jungs wie ihm.«

»Hat sie es auch mit dir gemacht?«, fragte Clary, aber Jace schüttelte nur den Kopf und wandte sich an Church.

»Hodge«, sagte er. »Und dieses Mal *wirklich* zu Hodge. Wenn du uns woandershin bringst, mache ich einen Tennisschläger aus dir.«

Der Kater schnaubte und schlich vor ihnen den Korridor entlang. Clary, die in einigem Abstand hinter Jace hertrottete, erkannte an seiner Schulterhaltung die Anspannung und Erschöpfung. Sie fragte sich, ob diese Anspannung ihn je verließ. »Jace.«

Er schaute sie an. »Was ist?«

»Es tut mir leid, dass ich dich so angefahren habe.«

Er lachte in sich hinein. »Welches Mal meinst du?«

»Du bist auch nicht viel besser, weißt du.«

»Ich weiß«, sagte er zu ihrer Überraschung. »Du hast etwas an dir, so etwas . . .«

». . . Irritierendes?«

»Verwirrendes.«

Sie hätte ihn gerne gefragt, ob das gut oder schlecht sei, schwieg aber, weil sie fürchtete, er würde sich wieder über sie lustig machen. Stattdessen wechselte sie das Thema: »Kocht Isabelle immer für euch?«

»Nein, Gott sei Dank nicht. Die meiste Zeit sind die Lightwoods hier und dann kocht Isabelles Mutter Maryse für uns. Sie ist eine tolle Köchin.« Er schaute verträumt, genauso wie Simon Isabelle über seine Suppenschale hinweg angesehen hatte.

»Wieso hat sie es Isabelle dann nie beigebracht?« Inzwischen standen sie vor dem Musikzimmer, wo Jace an diesem Morgen auf dem Flügel gespielt hatte. In den Ecken hatten sich dunkle Schatten gebildet.

»Isabelle wollte es niemals lernen. Sie wollte schon immer eine Kriegerin werden. Sie entstammt einer langen Reihe von Kriegerinnen«, sagte er und in seiner Stimme schwang Stolz mit. »Sie ist eine der besten Schattenjägerinnen, die ich kenne.«

»Besser als Alec?«

Church, der lautlos vor ihnen durch den düsteren Raum schlich, blieb plötzlich stehen und miaute. Er hockte am Fuß einer eisernen Wendeltreppe, die sich in ein diesiges Zwielicht hinaufwand. »Er ist also im Gewächshaus«, sagte Jace. Clary brauchte einen Moment, bis sie begriff, dass er mit dem Kater sprach. »Das überrascht mich nicht.«

»Das Gewächshaus?«, fragte Clary.

Jace nahm schwungvoll die erste Stufe. »Hodge ist gerne da oben. Er züchtet Heilpflanzen, Kräuter, die wir gebrauchen können. Die meisten von ihnen wachsen nur in Idris. Ich glaube, es erinnert ihn an zu Hause.«

Clary folgte ihm. Ihre Schuhe klapperten auf den Metallstufen, während Jace sich vollkommen geräuschlos bewegte. »Ist er besser als Isabelle?«, fragte sie wieder. »Alec, meine ich.«

Jace hielt inne und schaute zu ihr hinab, wobei er sich so über die Stufen beugte, dass der Eindruck entstand, als könne er jeden Moment hinunterfallen. Sie erinnerte sich an ihren Traum: *fallende, brennende Engel*. »Besser? Im Töten von Dämonen? Nein, eigentlich nicht. Er hat noch nie einen Dämon umgebracht.«

»Tatsächlich?«

»Ich weiß nicht, warum. Vielleicht, weil er Izzy und mich immer beschützt.« Sie hatten das Ende der Treppe erreicht und standen vor einer Doppeltür, die mit geschnitzten Blättern und Ranken verziert war. Jace stieß sie mit der Schulter auf.

In dem Moment, als sie durch die Tür traten, stieg Clary der Geruch in die Nase: ein frischer, herber Duft nach lebenden und gedeihenden Dingen, nach Erde und den Wurzeln, die in ihr wachsen. Sie hatte ein viel kleineres Gewächshaus erwartet, etwas in der Größe des winzigen Glashauses hinter der St. Xavier School, wo die Schüler des Biologiekurses Erbsen klonten oder was immer sie dort trieben. Doch dies war eine große Anlage, von Glaswänden umgeben und von Bäumen umsäumt, deren dicht belaubte Äste kühle, frisch duftende Luft verströmten. An den zahlreichen Sträuchern hingen leuchtend rote, violette und schwarze Beeren und mehrere kleine Bäume trugen seltsam geformte Früchte, die sie noch nie gesehen hatte.

Clary atmete aus. »Es riecht wie . . .« *Frühling,* dachte sie, *ehe die Hitze kommt und die Blätter herunterhängen und die Blüten verwelken lässt.*

»Für mich riecht es wie zu Hause«, meinte Jace. Er schob einen herabhängenden Farnwedel beiseite und ging gebückt darunter hindurch. Clary folgte ihm.

Das Gewächshaus war für Clarys ungeübtes Auge nach keinem bestimmten Muster angelegt. Aber wohin sie auch schaute, sah sie eine Explosion von Farben: blauviolette Blüten, die sich über die Seite einer leuchtend grünen Hecke ergossen, eine Rankpflanze, übersät mit orangeroten Knospen, die wie Juwelen funkelten. Schließlich erreichten sie einen offenen Bereich, wo eine Bank aus Granit vor einem Baum mit herabhängenden silbergrünen Zweigen stand. In einem Teich, der von Steinen eingefasst war, schimmerte dunkles Wasser. Auf der Bank saß Hodge; der schwarze Vogel thronte auf seiner Schulter. Er hatte gedankenverloren ins Wasser gestarrt, doch als sie näher kamen, sah er zum Himmel hinauf. Clary folgte seinem Blick und entdeckte, dass das Glasdach des Gewächshauses über ihnen glitzerte wie ein Spiegelbild des Sees.

»Du siehst aus, als würdest du auf etwas warten«, bemerkte Jace, während er ein Blatt von einem Zweig abbrach und es langsam zwischen den Fingern drehte. Für jemanden, der so beherrscht wirkte, hatte er eine ganze Menge nervöse Angewohnheiten, dachte Clary. Aber vielleicht gefiel es ihm einfach nur, ständig in Bewegung zu sein.

»Ich war in Gedanken versunken.« Hodge erhob sich von der Bank und streckte den Arm für Hugo aus. Das Lächeln verschwand aus seinem Gesicht, als er die beiden ansah. »Was ist passiert? Ihr seht aus, als ...«

»Wir wurden angegriffen«, sagte Jace knapp. »Forsaken.«

»Forsaken-Krieger? Hier?«

»Nur einer«, erwiderte Jace. »Jedenfalls haben wir nur einen gesehen.«

»Aber Madame Dorothea hat gesagt, es seien mehrere«, fügte Clary hinzu.

»Madame Dorothea?« Hodge hob die Hand. »Vielleicht wäre es sinnvoller, wenn ihr der Reihe nach erzählt.«

»Stimmt.« Jace warf Clary einen eindringlichen Blick zu, der sie verstummen ließ. Dann berichtete er von den Ereignissen des Nachmittags, wobei er nur ein Detail verschwieg – dass die Männer in Lukes Wohnung dieselben gewesen waren, die vor sieben Jahren seinen Vater getötet hatten. »Der Freund von Clarys Mutter, oder was immer er tatsächlich ist, nennt sich Luke Garroway«, schloss Jace. »Aber als wir bei ihm in der Wohnung waren, nannten ihn die beiden Männer, die sich als Abgesandte Valentins ausgaben, Lucian Graymark.«

»Und ihre Namen lauteten ...«

»Pangborn und Blackwell«, sagte Jace.

Hodge war blass geworden. Die lange, deutlich hervortretende Narbe auf seiner grauen Wange erinnerte an einen gezackten roten Draht. »Wie ich es befürchtet hatte«, sagte er halb zu sich selbst. »Der Kreis erneuert sich.«

Clary schaute Jace fragend an, aber dieser schien ebenso verwirrt wie sie selbst. »Der Kreis?«, fragte er.

Hodge schüttelte den Kopf, als wolle er sein Hirn von Spinnweben befreien. »Kommt mit. Es ist an der Zeit, dass ich euch etwas zeige.«

Die Gaslampen in der Bibliothek brannten und die polierten Oberflächen der Eichenmöbel schimmerten wie dunkle Edelsteine. Die starren Gesichter der Engel, die den riesigen Schreibtisch stützten, wirkten im Halbschatten noch schmerzverzerrter. Clary setzte sich auf das rote Sofa und zog die Beine an, während Jace sich gegen die Armlehne auf ihrer Seite lehnte. »Hodge, wenn du Hilfe brauchst . . .«

»Nein, nein.« Hodge tauchte wieder hinter seinem Schreibtisch auf und wischte sich den Staub von den Knien. »Ich habe es schon gefunden.«

Er hielt ein großes Buch in einem braunen Ledereinband in den Händen, blätterte eifrig die Seiten um und blinzelte wie eine Eule hinter seiner Brille. »Wo . . . wo ist es bloß . . . ah, hier ist es ja!« Er räusperte sich und las dann laut vor: *»Hiermit gelobe ich dem Kreis und seinen Statuten bedingungslosen Gehorsam . . . Ich bin bereit, jederzeit mein Leben für den Kreis zu opfern, um die Reinheit der Abstammungslinie von Idris zu bewahren und die Welt der Irdischen zu beschützen, mit deren Sicherheit wir betraut sind.«*

Jace verzog das Gesicht. »Was ist das?«

»Der Treueschwur, den der Kreis von Raziel vor zwanzig Jahren leistete«, erwiderte Hodge mit seltsam müder Stimme.

»Klingt unheimlich«, sagte Clary. »Wie eine faschistische Organisation oder so etwas.«

Hodge legte das Buch auf den Tisch. Er wirkte so ernst und gequält wie die Engelsstatuen unter der Tischplatte. »Der Kreis war eine Gruppe von Schattenjägern«, erklärte er langsam, »angeführt von Valentin, die alle Bewohner der Schattenwelt vernichten und die

Welt wieder zu einem ›reineren‹ Ort machen wollten. Sie wollten warten, bis die Schattenwesen zur Unterzeichnung des Abkommens in Idris eintreffen würden. Das Abkommen muss alle fünfzehn Jahre erneut unterzeichnet werden, damit seine magische Kraft erhalten bleibt«, fügte er zum besseren Verständnis für Clary hinzu. »Dann wollten sie all die Unbewaffneten und Wehrlosen abschlachten. Sie glaubten, durch diese schreckliche Tat würde ein Krieg zwischen Menschen und Schattenwesen ausbrechen – den sie gewinnen wollten.«

»Der Aufstand!«, sagte Jace, als er in Hodges Geschichte endlich etwas erkannte, das ihm bereits vertraut war. »Ich wusste nicht, dass Valentin und seine Anhänger überhaupt einen Namen hatten.«

»Der Name fällt heute nicht mehr oft«, erläuterte Hodge. »Die Existenz dieser Gruppe ist für den Rat noch immer beschämend und die meisten Dokumente, die den Kreis betreffen, wurden inzwischen vernichtet.«

»Warum besitzt du dann eine Abschrift des Treueschwurs?«, fragte Jace.

Hodge zögerte – nur einen kurzen Moment, aber Clary sah es und wurde von einer unerklärlichen dunklen Vorahnung ergriffen. »Weil ich daran mitgearbeitet habe, diesen Schwur zu verfassen«, erklärte er schließlich.

Jace schaute auf. »Du hast dem Kreis angehört?«

»Ja. Viele von uns haben dem Kreis angehört.« Hodge blickte starr geradeaus. »Clarys Mutter auch.«

Clary wich zurück, als habe er ihr eine Ohrfeige verpasst. *»Was?«*

»Ich sagte . . .«

»Ich weiß, was Sie gesagt haben! Meine Mutter hätte so einem Kreis niemals angehört. So einer . . . einer Hassgruppierung.«

»Es war keine . . .«, setzte Jace an, doch Hodge unterbrach ihn.

»Ich bezweifle«, sagte er leise, als schmerzten ihn die Worte, »dass sie eine Wahl hatte.«

Clary sprang auf. »Wovon reden Sie? Warum sollte sie die nicht gehabt haben?«

»Sie hatte keine Wahl, weil sie Valentins Frau war.«

Teil zwei

# Leicht ist der Abstieg

*Facilis descensus Averni:*
*Noctes atque dies patet atri ianua Ditis.*
*Sed gradium revocare superasque evadere ad auras;*
*Hoc opus, hic labor, est.*

*Der Abstieg zur Hölle ist leicht:*
*Tag und Nacht steht offen das Tor zum finsteren Pluto.*
*Aber den Schritt zurück zu den himmlischen Lüften zu wenden,*
*Das ist die schwierigste Kunst.*

Vergil, *Aeneis*

# 10
# City of Bones

Einen Moment herrschte ungläubiges Schweigen, dann begannen Clary und Jace durcheinanderzureden.

»Valentin hatte eine Frau? Er war verheiratet? Ich dachte . . .«

»Das ist unmöglich! Meine Mutter würde nie . . . Sie war nur ein einziges Mal verheiratet, und zwar mit meinem Vater. Sie hatte keinen Exmann!«

Hodge hob abwehrend die Hände. »Kinder . . .«

»Ich bin kein Kind.« Clary wandte sich vom Tisch ab. »Und ich will nichts mehr hören.«

»Clary«, sagte Hodge. Die Freundlichkeit in seiner Stimme schmerzte sie. Langsam drehte sie sich um und schaute ihn an. Wie seltsam es doch war, dachte sie, dass er mit seinen grauen Haaren und seinem vernarbten Gesicht so viel älter wirkte als ihre Mutter. Und doch waren sie damals beide »junge Leute« gewesen, waren gemeinsam dem Kreis beigetreten und hatten beide Valentin gekannt. »Meine Mutter hätte niemals . . .«, setzte sie an, verstummte dann aber. Sie war sich nicht mehr sicher, wie gut sie Jocelyn wirklich kannte. Ihre Mutter war für sie zu einer Fremden geworden, einer Lügnerin, die Geheimnisse vor ihr verborgen hatte. *Was hätte sie* niemals *getan?*, fragte Clary sich.

»Deine Mutter hat den Kreis verlassen«, sagte Hodge. Er trat nicht auf sie zu, sondern beobachtete sie ruhig mit den wachen Augen eines Vogels von der anderen Seite des Raums aus. »Als wir erkannten, welch extreme Ansichten Valentin entwickelt hatte, als wir begriffen, wozu er bereit war, traten viele von uns aus. Lucian war der

Erste. Das war ein schwerer Schlag für Valentin, denn die beiden standen sich sehr nahe.« Hodge schüttelte den Kopf. »Dann ging Michael Wayland. Dein Vater, Jace.«

Jace zog die Augenbrauen hoch, sagte aber nichts.

»Und dann gab es noch diejenigen, die loyal blieben. Pangborn. Blackwell. Die Lightwoods . . .«

»Die Lightwoods? Du meinst Robert und Maryse?« Jace sah aus, als hätte ihn der Blitz getroffen. »Was ist mit dir? Wann bist du ausgetreten?«

»Gar nicht«, antwortete Hodge leise. »Ebenso wenig wie Robert und Maryse. Wir hatten Angst . . . Angst vor dem, was Valentin vielleicht tun würde. Nach dem Aufstand flohen die Loyalisten, wie Blackwell und Pangborn. Wir blieben und kooperierten mit dem Rat. Wir gaben ihnen Namen und halfen, diejenigen aufzuspüren, die geflohen waren. Dafür wurde uns eine mildere Strafe zuteil.«

»Milder?« Nur für einen Bruchteil blitzte in Jace' Blick etwas auf, doch Hodge bemerkte es.

»Du denkst an den Fluch, der mich hier festhält, nicht wahr? Du hast immer geglaubt, es sei der Rachebann eines wütenden Dämons oder Hexenmeisters. Ich ließ dich in dem Glauben. Aber die Wahrheit sieht anders aus. Der Fluch, der mich bindet, wurde vom Rat ausgesprochen.«

»Dafür, dass du dem Kreis angehört hast?«, fragte Jace, die Augen vor Verblüffung weit aufgerissen.

»Dafür, dass ich ihn nicht vor dem Aufstand verlassen habe.«

»Aber die Lightwoods wurden nicht bestraft«, warf Clary ein. »Warum nicht? Sie haben schließlich das Gleiche getan wie Sie.«

»In ihrem Fall gab es mildernde Umstände: Sie waren verheiratet und hatten ein Kind. Aber es ist keineswegs so, dass sie aus freien Stücken an diesem abgelegenen Ort, fern der Heimat wohnen. Wir wurden hierher verbannt, wir drei – wir vier, sollte ich wohl sagen: Alec war noch ein Säugling, als wir die Gläserne Stadt verließen. Die Lightwoods dürfen ausschließlich in offiziellen Angelegenheiten nach Idris zurückkehren und auch das nur für kurze Zeit. Ich dagegen bin auf immer verbannt. Ich werde die Gläserne Stadt nie wiedersehen.«

Jace starrte seinen Lehrer an, als sähe er ihn mit neuen Augen, dachte Clary – doch es war nicht Jace, der sich verändert hatte. »Das Gesetz ist hart, aber es ist das Gesetz«, sagte er schließlich.

»Das habe ich dir beigebracht«, entgegnete Hodge versonnen. »Und jetzt erinnerst du mich an meine eigenen Lektionen. Recht so.« Er sah aus, als wolle er sich auf einen Stuhl sinken lassen, der in der Nähe stand, hielt sich aber aufrecht. Seine starre Haltung ließ etwas von dem Krieger erkennen, der er einst gewesen sein musste, dachte Clary.

»Warum haben Sie mir das nicht vorher gesagt?«, fragte sie. »Dass meine Mutter mit Valentin verheiratet war. Sie kannten ihren Namen . . .«

»Ich kannte sie als Jocelyn Fairchild, nicht als Jocelyn Fray«, erklärte Hodge. »Und da du so darauf beharrt hast, dass sie nichts von der Verborgenen Welt gewusst haben kann, war ich überzeugt, es könne nicht die Jocelyn sein, die ich kannte – und vielleicht wollte ich es auch nicht glauben. Niemand wünscht sich, dass Valentin zurückkehrt.« Erneut schüttelte er den Kopf. »Als ich heute Morgen nach den Stillen Brüdern in der Stadt der Gebeine schickte, hatte ich keine Ahnung, welche Nachrichten wir für sie haben würden. Wenn der Rat herausfindet, dass Valentin möglicherweise zurückgekehrt ist und dass er den Kelch sucht, dann wird es einen Aufruhr geben. Ich kann nur hoffen, dass das Abkommen dadurch nicht beeinträchtigt wird.«

»Ich wette, das würde Valentin gefallen«, sagte Jace. »Aber warum will er den Kelch unbedingt haben?«

Hodges Gesicht war grau. »Ist das denn nicht offensichtlich? Damit er eine eigene Armee aufstellen kann.«

Jace schaute verblüfft. »Aber das würde nie . . .«

»Abendessen!« Isabelle stand in der Tür zur Bibliothek. Sie hielt noch immer den Kochlöffel in der Hand, aber ihre Haare hatten sich aus dem Knoten gelöst und fielen ihr über Schultern und Rücken. »Entschuldigt, wenn ich euch unterbrochen habe«, sagte sie nachträglich.

»Gütiger Gott«, sagte Jace, »die Stunde der Prüfungen naht.«

Hodge schaute erschrocken. »Ich . . . ich hatte ein sehr reichhaltiges Frühstück«, stammelte er. »Ich meine Mittagessen. Ein reichhaltiges Mittagessen. Ich kann unmöglich etwas essen . . .«

»Ich habe die Suppe weggeschüttet und beim Chinesen in der Stadt etwas bestellt.«

Jace stand vom Schreibtisch auf und streckte sich. »Toll. Ich bin am Verhungern.«

»Ein bisschen könnte ich vielleicht auch noch essen«, gab Hodge kleinlaut zu.

»Ihr beide seid schreckliche Lügner«, erwiderte Isabelle finster. »Hört zu, ich weiß, dass ihr mein Essen nicht mögt . . .«

»Dann koch doch einfach nicht mehr«, riet Jace ihr. »Hast du Schweinefleisch Mu Shu bestellt? Ich liebe Schweinefleisch Mu Shu.«

Isabelle schaute genervt zur Decke. »Na klar. Steht alles in der Küche.«

»Super.« Jace schob sich an ihr vorbei und zerzauste ihr liebevoll die Haare. Hodge folgte ihm und blieb nur kurz stehen, um Isabelle die Schulter zu tätscheln, dann verschwand er, den Kopf auf komische Art entschuldigend eingezogen. War es wirklich möglich, dass Clary noch vor ein paar Minuten den Geist des Kriegers in ihm gesehen hatte, der er einmal gewesen war?

Isabelle schaute Jace und Hodge hinterher und drehte den Kochlöffel zwischen ihren vernarbten blassen Fingern.

»Ist er das wirklich?«, fragte Clary.

Isabelle sah sie nicht an. »Ist wer wirklich was?«

»Jace. Ist er wirklich ein schrecklicher Lügner?«

Jetzt richtete Isabelle ihre Augen auf Clary – große dunkle und überraschend nachdenkliche Augen. »Er ist kein Lügner. Nicht wenn es um wichtige Dinge geht. Er haut dir die schrecklichsten Wahrheiten um die Ohren, aber er lügt nicht.« Sie hielt einen Moment inne und fügte dann hinzu: »Deshalb empfiehlt es sich auch, ihn besser nicht zu fragen, wenn man nicht weiß, ob man die Antwort verkraften kann.«

Die Küche war warm, hell erleuchtet und erfüllt vom salzig-süßen Duft des chinesischen Essens. Der Duft erinnerte Clary an zu Hause. Sie setzte sich und schaute auf den Teller mit den glänzenden, dampfenden Nudeln, spielte mit ihrer Gabel und versuchte, nicht rüber zu Simon zu gucken, der Isabelle mit glasigen Augen anstarrte.

»Irgendwie ist es romantisch«, meinte Isabelle und saugte Perltapioka durch einen gigantischen rosa Strohhalm.

»Was?«, fragte Simon, sofort hellwach.

»Die ganze Geschichte, dass Clarys Mutter mit Valentin verheiratet war«, erwiderte Isabelle. Jace und Hodge hatten ihr alles erzählt, bis auf die Tatsache, dass die Lightwoods dem Kreis angehört hatten. Und auch der Bann durch den Rat blieb unerwähnt, wie Clary bemerkte. »Jetzt ist er also von den Toten auferstanden und gekommen, um nach ihr zu suchen. Vielleicht will er wieder mit ihr zusammen sein«, fuhr Isabelle fort.

»Ich bezweifle allerdings, dass er einen Ravener zu ihr nach Hause geschickt hat, weil er ›wieder mit ihr zusammen sein will‹«, sagte Alec, der aufgetaucht war, als das Essen serviert wurde. Niemand hatte ihn gefragt, wo er gewesen war, und von sich aus hatte er nichts dazu gesagt. Er setzte sich neben Jace – genau gegenüber von Clary, vermied es aber, sie anzusehen.

»Das wäre auch nicht meine Vorgehensweise«, stimmte Jace ihm zu. »Zuerst die Pralinen und die Blumen, danach die zerknirschten Briefe und *dann* die Horden gefräßiger Dämonen. Das wäre meine Reihenfolge.«

»Vielleicht hat er ihr ja Pralinen und Blumen geschickt«, sagte Isabelle. »Und wir wissen es nur nicht.«

»Isabelle«, sagte Hodge geduldig, »es handelt sich hier um den Mann, der eine nie da gewesene Welle der Zerstörung über Idris brachte, der Schattenjäger und Schattenwesen gegeneinander aufbrachte und dafür verantwortlich ist, dass überall in den Straßen der Gläsernen Stadt Blut floss.«

»Irgendwie hat das was«, widersprach Isabelle, »dieses Böse.«

Simon versuchte, gefährlich dreinzuschauen, gab es aber auf, als er sah, dass Clary ihn anstarrte. »Warum will Valentin unbedingt diesen Kelch in die Finger bekommen und warum glaubt er, dass Clarys Mutter ihn hat?«, fragte er.

»Sie meinten vorhin, er könne damit eine Armee aufstellen«, wandte Clary sich an Hodge. »Soll das heißen, er will den Kelch dazu verwenden, Schattenjäger zu schaffen?«

»Ja.«

»Valentin könnte also aus jedem x-beliebigen Typ auf der Straße einen Schattenjäger machen? Nur mithilfe des Kelchs?« Simon beugte sich nach vorne. »Würde das auch bei mir funktionieren?«

Hodge musterte ihn lange und eingehend. »Möglicherweise«, sagte er. »Aber es werden nur deshalb so wenige Menschen für eine Aszension ausgewählt und in Nephilim verwandelt, weil die meisten diese Verwandlung nicht überleben würden. Es bedarf einer besonderen Stärke und Widerstandskraft. Ehe sie verwandelt werden können, müssen die Betreffenden intensiv ausgebildet und eingehend geprüft werden. Aber Valentin würde sich damit nicht aufhalten: Er würde den Kelch bei jedem Menschen anwenden, den er in die Finger bekommt, und aus den zwanzig Prozent, die überleben, seine Armee zusammenstellen. Eine Armee, die er dazu einsetzen könnte, den Rat anzugreifen.«

Alec schaute Hodge entsetzt an. »Woher weißt du, dass er das tun würde?«

»Als er dem Kreis angehörte, war genau das sein Plan. Er sagte, es sei die einzige Möglichkeit, die Streitmacht zu errichten, die zur Verteidigung unserer Welt nötig sei.«

»Aber das ist Mord«, protestierte Isabelle, die ein wenig grün um die Nase aussah.

»Valentin meinte, wir hätten Tausende Jahre dafür gesorgt, dass die Welt für die Menschen sicher ist, und jetzt sei es an der Zeit, dass sie uns entlohnen, indem sie uns ein Opfer bringen«, erklärte Hodge.

»Ihr *Leben?«,* fragte Jace mit geröteten Wangen. »Das widerspricht allem, wofür wir einstehen. Die Hilflosen beschützen, die Menschheit vor Schaden bewahren . . .«

Hodge schob seinen Teller beiseite. »Valentin war verrückt. Brillant, aber verrückt. Er interessierte sich für nichts anderes, als Dämonen und Schattenwesen zu töten, die Welt zu säubern. Dafür hätte er seinen eigenen Sohn geopfert und er konnte nicht verstehen, wieso nicht jeder dazu bereit war.«

»Er hatte einen Sohn?«, fragte Alec.

»Das habe ich bildlich gemeint«, sagte Hodge, holte sein Taschentuch hervor, wischte sich damit die Stirn ab und steckte es dann wieder weg. Clary sah, dass seine Hand dabei leicht zitterte. »Als Valentins Land brannte, als sein Haus zerstört wurde, nahm man an, er habe sich selbst und den Kelch darin verbrannt, statt sich dem Rat zu ergeben. Man fand seine Knochen zusammen mit denen seiner Frau in der Asche.«

»Aber meine Mutter lebt«, wandte Clary ein. »Sie ist bei diesem Brand nicht umgekommen.«

»Und Valentin allem Anschein nach auch nicht«, sagte Hodge. »Der Rat wird nicht erfreut sein, dass er an der Nase herumgeführt worden ist. Er wird den Kelch an sich bringen wollen. Aber was noch viel wichtiger ist: Er wird dafür sorgen wollen, dass Valentin ihn nicht bekommt.«

»Ich denke, wir sollten zuerst Clarys Mutter finden«, sagte Jace. »Sie und den Kelch, ehe Valentin ihn findet.«

Für Clary klang das nach einem guten Plan, aber Hodge schaute Jace an, als habe er vorgeschlagen, mit Nitroglyzerin zu jonglieren. »Auf gar keinen Fall.«

»Und was sollen wir dann tun?«

»Gar nichts«, erwiderte Hodge. »Am besten überlassen wir die ganze Angelegenheit qualifizierten und erfahrenen Schattenjägern.«

»Ich bin qualifiziert«, protestierte Jace und machte eine ausladende Geste mit der Hand. Ein silberner Ring glitzerte an seinen schlanken Fingern, der Clary zuvor noch nie aufgefallen war. »Und ich bin erfahren.«

Hodges Ton war bestimmt, beinahe väterlich. »Ich weiß, aber du bist fast noch ein Kind.«

Jace musterte Hodge mit zusammengekniffenen Augen. Seine langen Wimpern warfen Schatten auf seine hervorstehenden Wangenknochen. Bei jedem anderen hätte es wie ein scheuer, fast entschuldigender Blick ausgesehen, aber bei Jace wirkte es aufgebracht und bedrohlich. »Ich bin kein Kind!«

»Hodge hat recht«, sagte Alec. Er schaute Jace an und Clary dachte, er müsse zu den wenigen Menschen auf der Welt gehören, die Jace nicht ansahen, als hätten sie Angst *vor* ihm, sondern Angst *um* ihn. »Valentin ist gefährlich. Ich weiß, dass du ein guter Schattenjäger bist, wahrscheinlich der beste unserer Altersklasse. Aber Valentin ist einer der besten, die es je gab. Es bedurfte einer gewaltigen Schlacht, um ihn zu Fall zu bringen.«

»Und wie es scheint, ist er nach dem Fall nicht am Boden geblieben«, sagte Isabelle und betrachtete die Zinken ihrer Gabel.

»Aber wir sind hier vor Ort«, sagte Jace. »Und wegen des Abkommens sind so gut wie keine anderen Schattenjäger in der Stadt. Wenn wir nichts unternehmen . . .«

»Wir werden etwas unternehmen«, entgegnete Hodge. »Ich werde dem Rat heute Abend eine Botschaft senden. Wenn die Mitglieder des Rats wollen, könnten sie bis morgen eine Armee von Nephilim hierher schicken. Sie werden sich um diese Angelegenheit kümmern. Du hast mehr als genug getan.«

Jace schwieg, aber seine Augen funkelten noch immer. »Das gefällt mir nicht.«

»Es braucht dir auch nicht zu gefallen«, meinte Alec. »Du musst einfach nur den Mund halten und keine Dummheiten machen.«

»Aber was ist mit meiner Mutter?«, fragte Clary. »Sie kann nicht warten, bis ein Abgesandter des Rats auftaucht. Valentin hat sie in seiner Gewalt, zumindest haben Pangborn und Blackwell das gesagt. Und er könnte sie ...« Sie brachte es nicht fertig, das Wort *foltern* auszusprechen, aber sie wusste, dass sie nicht die Einzige war, die daran dachte. Plötzlich konnte ihr niemand am Tisch mehr in die Augen sehen.

Außer Simon. »Sie verletzen«, beendete er ihren Satz. »Aber, Clary, die beiden haben auch gesagt, deine Mutter sei bewusstlos und dass Valentin darüber nicht glücklich ist. Er scheint darauf zu warten, dass sie aufwacht.«

»Wenn ich sie wäre, würde ich bewusstlos bleiben«, murmelte Isabelle.

»Aber es könnte jederzeit passieren, sie könnte jeden Moment aus dem Koma erwachen«, sagte Clary und ignorierte Isabelles Bemerkung. »Ich dachte, der Rat sei verpflichtet, Menschen zu beschützen. Müssten nicht schon jetzt Schattenjäger eingesetzt werden? Sollten sie nicht bereits in diesem Moment nach ihr suchen?«

»Es wäre einfacher, wenn wir eine Ahnung hätten, wo wir überhaupt mit der Suche anfangen sollen«, fauchte Alec.

»Aber das wissen wir doch«, sagte Jace.

»Wirklich?« Clary sah ihn verblüfft und aufgeregt an. »Und wo?«

»Hier.« Jace beugte sich vor und legte einen Finger an ihre Schläfe, so sanft, dass sie errötete. »Alles, was wir wissen müssen, ist in deinem Kopf eingeschlossen, unter diesen hübschen roten Locken.«

Clary griff sich ins Haar, als wolle sie es schützen. »Ich glaube nicht ...«

»Und was habt ihr jetzt vor?«, fragte Simon scharf. »Ihr den Kopf aufschneiden, um es herauszufinden?«

Jace' Augen funkelten, aber er blieb ruhig. »Keineswegs. Die Stillen Brüder könnten ihr helfen, ihre Erinnerungen zurückzugewinnen.«

»Du *hasst* die Bruderschaft«, protestierte Isabelle.

»Ich hasse sie nicht«, sagte Jace offen. »Ich habe Angst vor ihnen. Das ist nicht dasselbe.«

»Hattest du nicht gesagt, sie seien Bibliothekare?«, fragte Clary.

»Ja, das sind sie auch.«

Simon pfiff durch die Zähne. »Die müssen ja mörderische Leihgebühren kassieren.«

»Die Stillen Brüder sind Archivare, aber das ist noch nicht alles«, warf Hodge ein. Er klang, als verlöre er allmählich die Geduld. »Um ihren Geist zu stärken, haben sie sich einige der mächtigsten Runen zu eigen gemacht, die je geschaffen wurden. Die Macht dieser Runen ist so groß, dass ihr Gebrauch . . .« Er sprach nicht weiter und Clary erinnerte sich an Alecs Worte: *Sie verstümmeln sich selbst.* »Na, jedenfalls wird ihr Körper dadurch verändert. Die Stillen Brüder sind keine Krieger wie andere Schattenjäger. Ihre Kräfte sind die des Geistes, nicht die des Körpers.«

»Sie können Gedanken lesen?«, fragte Clary mit dünner Stimme.

»Unter anderem. Sie gehören zu den am meisten gefürchteten Dämonenjägern.«

»Ich weiß nicht recht«, meinte Simon. »Für mich hört sich das gar nicht so schlecht an. Mir wäre es lieber, wenn mir jemand im Kopf herumfuhrwerkt, statt ihn mir abzuschlagen.«

»Dann bist du noch dümmer, als du aussiehst«, sagte Jace und warf ihm einen verächtlichen Blick zu.

»Jace hat recht«, sagte Isabelle, ohne Simon zu beachten. »Die Stillen Brüder sind wirklich Furcht einflößend.«

Hodge hatte seine Hand auf dem Tisch zur Faust geballt. »Sie sind sehr mächtig«, sagte er. »Sie leben in der Dunkelheit und sprechen nicht, aber sie können den Geist eines Menschen brechen, wie man eine Walnuss knackt – und ihn schreiend allein in der Dunkelheit zurücklassen, wenn sie es wollen.«

Clary sah Jace entsetzt an. »Und *denen* willst du mich überlassen?«

»Ich will dir *helfen.«* Jace beugte sich über den Tisch so dicht zu ihr vor, dass sie die dunkleren bernsteinfarbenen Flecken in seinen Augen erkennen konnte. »Vielleicht müssen wir nicht nach dem Kelch suchen«, sagte er sanft. »Vielleicht wird der Rat das übernehmen. Aber was in deinem Kopf steckt, gehört dir. Jemand hat dort Geheimnisse verborgen, Geheimnisse, die du nicht ergründen kannst. Möchtest du nicht die Wahrheit über dein Leben erfahren?«

»Ich möchte nicht, dass irgendjemand in meinem Kopf herumfuhrwerkt«, protestierte sie schwach. Sie wusste zwar, dass Jace recht hatte, aber die Vorstellung, sich in die Hände von Wesen zu begeben, die selbst einem Schattenjäger unheimlich waren, ließ ihr das Blut in den Adern gefrieren.

»Ich werde dich begleiten«, sagte Jace. »Ich werde bei dir bleiben, bis es vorbei ist.«

»Das reicht.« Simon war vom Tisch aufgesprungen, das Gesicht rot vor Zorn. »Lass sie in Ruhe.«

Alec schaute Simon an, als habe er ihn gerade erst bemerkt, dann schob er sich sein zerzaustes schwarzes Haar aus den Augen und blitzte ihn an. »Was machst du eigentlich noch hier, *Mundie?«*

Simon ignorierte ihn. »Ich habe gesagt, du sollst sie in Ruhe lassen.«

Jace warf ihm einen langen, maliziösen Blick zu. »Alec hat recht«, sagte er. »Das Institut ist verpflichtet, Schattenjäger zu beschützen und nicht deren irdische Freunde. Insbesondere dann, wenn sie die Gastfreundschaft des Instituts bereits überstrapaziert haben.«

Isabelle stand auf und nahm Simons Arm. »Ich bringe ihn zur Tür.«

Einen Moment sah es so aus, als würde Simon sich ihr widersetzen, doch dann fing er Clarys Blick auf, die am anderen Ende des Tisches saß und schweigend den Kopf schüttelte. Er gab nach und ließ sich erhobenen Hauptes von Isabelle aus der Küche führen.

Clary stand auf. »Ich bin müde. Ich möchte schlafen gehen.«

»Du hast doch fast gar nichts gegessen ...«, protestierte Jace.

Sie schob seine ausgestreckte Hand fort. »Ich habe keinen Hunger.«

Auf dem Korridor war es kühler als in der Küche. Clary lehnte sich an die Wand und zog an ihrem T-Shirt, das von kaltem Schweiß benetzt an ihrer Brust klebte. Am Ende des Flurs erkannte sie Isabelle und Simon, die im Halbdunkel verschwanden. Als sie den beiden hinterhersah, spürte sie ein seltsam zittriges Gefühl in der Magengegend. Seit wann war eigentlich Isabelle für Simon zuständig und nicht mehr sie selbst? Wenn sie eine Lektion aus alldem lernte, dann die, wie leicht man alles verlieren konnte, von dem man geglaubt hatte, es gehöre einem für immer.

*Das Zimmer war ganz in Gold und Weiß getaucht, die hohen Wände schimmerten wie Emaille und die Decke funkelte, als wäre sie mit Diamanten besetzt. Clary trug ein grünes Samtkleid und hielt einen goldenen Fächer in der Hand. Ihr Haar war zu einem Knoten zusammengebunden, aus dem sich mehrere Locken gelöst hatten, jedes Mal, wenn sie sich umdrehte, fühlte sich ihr Kopf merkwürdig schwer an.*

*»Hast du jemand Interessanteren gesehen als mich?«, fragte Simon. In dem Traum war er rätselhafterweise ein vollendeter Tänzer. Er führte sie durch die Menge, als sei sie ein Blatt, das die Strömung des Flusses erfasst hatte. Er war ganz in Schwarz gekleidet, wie ein Schattenjäger, und sein Typ kam gut zur Geltung: dunkles Haar, leicht gebräunte Haut, weiße Zähne. Er sieht gut aus, stellte Clary überrascht fest.*

*»Es gibt niemanden, der interessanter ist als du«, sagte Clary. »Es ist nur dieser Ort. So etwas habe ich noch nie gesehen.« Wieder drehte sie sich um, während sie an einem Champagnerbrunnen vorbeikamen – eine riesige silberne Schale, in deren Mitte eine Meerjungfrau mit einem Krug stand und prickelnden Schaumwein über ihren nackten Rücken goss. Menschen füllten ihre Gläser aus der Schale, lachten und unterhielten sich. Die Meerjungfrau drehte den Kopf, als Clary vorbeikam, und lächelte sie an. Dabei zeigte sie weiße Zähne, so scharf wie die eines Vampirs.*

*»Willkommen in der Gläsernen Stadt«, sagte eine Stimme, die nicht die*

*von Simon war. Clary stellte fest, dass Simon verschwunden war; stattdessen tanzte sie jetzt mit Jace, der ganz in Weiß gekleidet war. Sein Hemd bestand aus dünner Baumwolle und sie konnte die schwarzen Male darunter erkennen. Um den Hals trug er eine Bronzekette, sein Haar und seine Augen schimmerten goldener denn je. Wie gerne würde sie sein Porträt mit der matten goldenen Farbe malen, die man manchmal an russischen Ikonen sah, dachte Clary.*

*»Wo ist Simon?«, fragte sie, als sie sich erneut um den Champagnerbrunnen drehten. Clary sah Isabelle zusammen mit Alec, beide in Königsblau. Sie hielten sich an der Hand, wie Hänsel und Gretel im finsteren Wald.*

*»Dieser Ort ist für die Lebenden«, sagte Jace. Seine Hände waren kühl und sie spürte sie auf eine Weise in den ihren, wie sie Simons Hände noch nie gespürt hatte.*

*Sie schaute ihn mit zusammengekniffenen Augen an. »Was meinst du damit?«*

*Er kam näher. Sie fühlte seine Lippen an ihrem Ohr. Sie waren alles andere als kalt. »Wach auf, Clary«, flüsterte er. »Wach auf. Wach auf.«*

Mit einem Ruck richtete sie sich auf und schnappte nach Luft, die schweißnassen Haare klebten an ihrem Hals. Ihre Handgelenke wurden niedergedrückt, und als sie versuchte, sich loszureißen, erkannte sie, wer sie da festhielt. »Jace?«

»Ja.« Er saß auf der Bettkante – wie war sie ins Bett gekommen? – und wirkte zerzaust und verschlafen.

»Lass mich los.«

»’tschuldigung.« Seine Finger gaben ihre Handgelenke frei. »Du hast versucht, mich zu schlagen, als ich deinen Namen sagte.«

»Ich glaube, ich bin ein bisschen schreckhaft.« Sie schaute sich um und sah, dass sie sich in einem kleinen Zimmer mit dunklen Holzmöbeln befand. Dem schwachen Licht nach zu urteilen, das durch das halb geöffnete Fenster fiel, musste es sehr früh am Morgen sein. Ihr Rucksack lehnte an der Wand. »Wie bin ich hierhergekommen? Ich kann mich nicht erinnern . . .«

»Ich habe dich schlafend auf dem Boden im Flur gefunden.« Jace klang amüsiert. »Hodge hat mir geholfen, dich ins Bett zu bringen. Er meinte, in einem Gästezimmer hättest du es bestimmt bequemer als auf der Krankenstation.«

»Wow. Ich kann mich an nichts erinnern.« Sie fuhr sich mit den Händen durchs Haar und schob sich eine zerwühlte Locke aus dem Gesicht. »Wie spät ist es überhaupt?«

»Ungefähr fünf.«

*»Morgens?«* Sie blitzte ihn an. »Ich hoffe, es gibt einen guten Grund dafür, dass du mich um diese Uhrzeit weckst.«

»Wieso? Hattest du einen schönen Traum?«

In ihren Ohren klang noch immer Musik und sie meinte, die schweren Juwelen zu spüren, die ihre Wangen streiften. »Ich kann mich nicht erinnern.«

Er stand auf. »Einer der Stillen Brüder ist hier und möchte dich sehen. Hodge hat mich geschickt, um dich zu holen. Eigentlich wollte er dich selbst wecken, aber da es fünf Uhr morgens ist, dachte ich, du würdest vielleicht weniger mürrisch reagieren, wenn dein Blick als Erstes auf jemand Attraktiven fällt.«

»Du meinst dich?«

»Wen sonst?«

»Diese Sache mit den Stillen Brüdern . . . ich war damit nicht einverstanden«, fauchte sie.

»Du willst doch deine Mutter finden, oder?«

Sie starrte ihn an.

»Du brauchst nur kurz mit Bruder Jeremiah zu reden. Das ist schon alles. Vielleicht magst du ihn ja sogar. Für einen Mann, der nie etwas sagt, hat er einen tollen Sinn für Humor.«

Clary stützte den Kopf in die Hände. »Geh raus. Raus mit dir, damit ich mich anziehen kann.«

Als er die Tür hinter sich zuzog, schwang sie die Beine aus dem Bett. Trotz der frühen Stunde drang bereits heißfeuchte Luft in das Zimmer. Sie schloss das Fenster und ging ins Bad, um sich das Gesicht zu waschen und den Geschmack von altem Papier aus dem Mund zu spülen.

Fünf Minuten später schlüpfte sie in eine abgeschnittene Jeans und ein schlichtes schwarzes T-Shirt und stieg in ihre grünen Turnschuhe. Wenn nur ihre dünnen, sommersprossigen Beine mehr wie die langen, schlanken von Isabelle ausgesehen hätten . . . Aber es war nicht zu ändern. Sie band ihr Haar zu einem Pferdeschwanz und trat zu Jace auf den Flur.

Church war bei ihm, murrte und streifte unruhig um seine Beine.

»Was ist mit dem Kater los?«, fragte Clary.

»Die Stillen Brüder machen ihn nervös.«

»Anscheinend machen sie jeden nervös.«

Jace lächelte matt. Church miaute, als sie den Korridor entlanggingen, folgte ihnen aber nicht. Wenigstens speicherten die dicken Mauern der Kathedrale die Nachtkühle, dachte Clary. Die langen Flure waren dunkel und kalt.

Als sie zur Bibliothek kamen, sah Clary zu ihrer Überraschung, dass dort keine einzige Lampe brannte. Nur der milchige Schein, der durch die hohen Fenster der gewölbten Decke fiel, erleuchtete den Raum. Hodge trug einen Anzug und saß hinter dem riesigen Schreibtisch; sein grau meliertes Haar schimmerte silbern im Licht der Morgendämmerung. Einen Moment lang dachte sie, er sei allein im Raum und Jace habe ihr einen Streich gespielt. Doch dann sah sie eine Gestalt aus dem Halbdunkel hervortreten und sie erkannte, dass das, was sie für einen dunkleren Schatten gehalten hatte, ein Mann war. Ein großer Mann in einer schweren Robe, die vom Kopf bis zu den Füßen reichte und ihn vollkommen umhüllte. Die Kapuze der Robe verdeckte sein Gesicht. Die Robe selbst hatte die Farbe von Pergament und die verschlungenen Runenmuster am Saum und an den Ärmeln sahen aus, als seien sie mit Blut aufgetragen worden. Clary spürte, wie sich ihre Nackenhaare aufstellten und fast schmerzhaft prickelten.

»Das ist Bruder Jeremiah aus der Stadt der Stille«, sagte Hodge.

Als der Mann auf sie zukam, wehte sein Umhang und Clary erkannte, was an ihm so seltsam war: Er erzeugte nicht das geringste Geräusch. Wenn er ging, war kein Schritt zu hören. Selbst seine Robe, die eigentlich hätte rascheln müssen, blieb still. Sie fragte sich schon, ob er ein Geist sei, wurde aber eines Besseren belehrt, als er vor ihr zum Stehen kam. Er verströmte einen merkwürdig süßlichen Duft, nach Weihrauch und Blut, der Geruch eines lebendigen Lebewesens.

»Und dies, Jeremiah«, sagte Hodge und erhob sich von seinem Schreibtisch, »ist das Mädchen, von dem ich dir geschrieben habe. Clarissa Fray.«

Das Gesicht unter der Kapuze wandte sich langsam in ihre Richtung. Clary fröstelte es bis in die Fingerspitzen. »Hallo«, sagte sie.

Keine Antwort.

»Ich bin zu dem Schluss gekommen, dass du recht hattest, Jace«, sagte Hodge.

»Ja, schließlich habe ich meistens recht«, erwiderte Jace.

Hodge ignorierte diese Bemerkung. »Ich habe letzte Nacht einen Brief an den Rat geschickt, aber Clarys Erinnerungen gehören ihr. Nur sie kann entscheiden, wie sie mit dem Inhalt ihres Kopfes verfahren will. Wenn sie die Hilfe der Stillen Brüder in Anspruch nehmen möchte, dann sollte sie diese Möglichkeit auch bekommen.«

Clary schwieg. Dorothea hatte gesagt, in ihrem Kopf sei eine Blockade, hinter der sich etwas verberge. Natürlich wollte sie wissen, worum es sich dabei handelte. Aber die schemenhafte Gestalt des Stillen Bruders war so . . . so *still*. Er verströmte eine Stille, schwarz und dick wie Tinte, eine dunkle Flut. Es ließ ihr das Blut in den Adern gefrieren.

Bruder Jeremiah schaute noch immer in ihre Richtung, doch unter seiner Kapuze konnte sie nichts als Dunkelheit erkennen. *Das ist Jocelyns Tochter?*

Clary schnappte kurz nach Luft und wich zurück. Die Worte hatten in ihrem Kopf vibriert, als habe sie selbst sie gedacht – aber das hatte sie nicht.

»Ja«, antwortete Hodge und fügte schnell hinzu: »Aber ihr Vater war ein Irdischer.«

*Das spielt keine Rolle,* sagte Jeremiah. *Das Blut des Rates ist dominant.*

»Warum haben Sie meine Mutter Jocelyn genannt?«, fragte Clary und suchte vergeblich nach einem Hinweis auf ein Gesicht unter der Kapuze. »Haben Sie sie gekannt?«

»Die Brüder besitzen Aufzeichnungen über alle Mitglieder des Rats«, erklärte Hodge. »Umfangreiche Aufzeichnungen . . .«

»So umfangreich können sie nicht sein«, meinte Jace, »wenn sie nicht einmal wussten, dass sie noch lebt.«

*Sehr wahrscheinlich hat ein Hexenmeister ihr geholfen unterzutauchen. Die meisten Schattenjäger können dem Rat nicht so leicht entfliehen.* Jeremiahs Stimme klang vollkommen ausdruckslos; er schien Jocelyns Handeln weder gutzuheißen noch zu missbilligen.

»Eine Sache verstehe ich nicht«, sagte Clary. »Warum denkt Valentin, dass meine Mom den Kelch der Engel hat? Wenn sie, wie Sie sagen, so viel Mühe auf sich genommen hat zu verschwinden, warum sollte sie ihn dann mitnehmen?«

»Um zu verhindern, dass er Valentin in die Hände fällt«, erwiderte Hodge. »Sie hat wie kein anderer Mensch gewusst, was passieren würde, wenn Valentin den Kelch in seine Hände bekommt. Und ich vermute, sie hatte kein großes Vertrauen zum Rat und fürchtete, dass der Kelch dort nicht sicher sein würde. Schließlich hatte Valentin ihn dem Rat schon einmal entwendet.«

»Aha.« Clary konnte die Zweifel in ihrer Stimme nicht verbergen. Das Ganze erschien ihr so unglaublich. Sie versuchte, sich ihre Mutter vorzustellen, wie sie im Schutz der Dunkelheit flüchtete, einen großen goldenen Kelch in der Tasche ihres Overalls versteckt. Aber es gelang ihr nicht.

»Jocelyn stellte sich gegen ihren Mann, als sie herausfand, wozu er den Kelch verwenden wollte«, erklärte Hodge. »Es ist nicht abwegig anzunehmen, dass sie alles in ihrer Macht Stehende getan hätte, um zu verhindern, dass der Kelch in seine Hände gelangt. Auch der Rat hätte sich als Allererstes an sie gewandt, wenn er geglaubt hätte, sie sei noch am Leben.«

»Mir kommt es so vor«, sagte Clary gereizt, »dass niemand, den der Rat für tot hält, auch wirklich tot ist. Vielleicht sollte er in zahnmedizinische Aufzeichnungen investieren.«

»Mein Vater ist tot«, sagte Jace, ebenso gereizt. »Ich brauche keine zahnmedizinischen Aufzeichnungen, um das zu wissen.«

Clary drehte sich zu ihm um. »Hör zu, ich wollte nicht . . .«

*Das reicht,* unterbrach Bruder Jeremiah sie. *Du hast jetzt Gelegenheit, die Wahrheit zu erfahren, wenn du geduldig genug bist zuzuhören.*

Mit einer schnellen Bewegung hob er die Hände und zog die Kapuze von seinem Gesicht. Clary vergaß Jace und unterdrückte den Impuls, laut aufzuschreien. Der Kopf des Archivars war kahl, glatt und weiß wie ein Ei; dort, wo einst die Augen gesessen hatten, befanden sich nur dunkle Höhlen. Seine Lippen waren von einem Muster dunkler Linien überzogen, das an Operationsnähte erinnerte. Jetzt verstand sie, was Alec mit Verstümmelung gemeint hatte.

*Die Brüder der Stadt der Stille lügen nicht,* sagte Jeremiah. *Wenn du die Wahrheit von mir hören willst, dann werde ich sie dir offenbaren, aber ich verlange im Gegenzug von dir das Gleiche.*

Clary hob das Kinn. »Auch ich lüge nicht.«

*Der Geist kann nicht lügen.* Jeremiah trat auf sie zu. *Ich will deine Erinnerungen.*

Der Geruch nach Blut und Tinte war erdrückend. Clary wurde von Panik erfasst. »Stopp . . .«

»Clary.« Es war Hodge, der in sanftem Ton zu ihr sprach. »Es ist durchaus möglich, dass es Erinnerungen gibt, die du vergessen oder unterdrückt hast, Erinnerungen, die entstanden sind, als du zu jung warst, um dich bewusst daran zu erinnern, und an die Bruder Jeremiah herankommen kann. Es würde uns sehr weiterhelfen.«

Sie schwieg und biss sich auf die Lippe. Sie hasste die Vorstellung, dass jemand in ihren Kopf eindrang und Erinnerungen berührte, die so persönlich und verborgen waren, dass nicht einmal sie selbst Zugang dazu hatte.

»Sie muss nichts tun, was sie nicht will«, sagte Jace plötzlich. »Oder?«

Clary fiel Hodge ins Wort, ehe er antworten konnte. »Schon gut. Ich mache es.«

Bruder Jeremiah nickte kurz und bewegte sich mit einer Geräuschlosigkeit auf sie zu, die ihr einen eiskalten Schauer über den Rücken jagte. »Wird es wehtun?«, flüsterte sie.

Statt einer Antwort berührte er ihr Gesicht mit seinen schmalen weißen Händen. Die mit Runen übersäte Haut seiner Finger war so dünn wie Pergament. Sie konnte die Kraft der Runen spüren, die wie statische Energie auf ihrer Haut prickelte. Bevor sie die Augen schloss, sah sie den ängstlichen Ausdruck auf Hodges Gesicht.

Farben wirbelten in der Dunkelheit hinter ihren Augenlidern. Sie spürte eine Art Druck, ein Ziehen in Kopf, Händen und Füßen. Die Hände zu Fäusten geballt, versuchte sie, diesem Gewicht und der Dunkelheit standzuhalten. Es fühlte sich an, als würde sie gegen etwas Hartes und Unnachgiebiges gedrückt und langsam zermalmt. Sie hörte sich selbst nach Luft ringen und plötzlich war ihr eiskalt. Das Bild einer vereisten Straße blitzte vor ihr auf, graue, hoch aufragende Häuser, eine Explosion von Weiß, die ihr Gesicht mit stechenden Eispartikeln überzog . . .

»Das reicht!« Jace' Stimme durchschnitt die Winterkälte und der fallende Schnee verschwand in einem Regen aus weißen Funken. Clary riss die Augen auf.

Langsam sah sie die Bibliothek wieder scharf – die von Büchern gesäumten Wände, die besorgten Gesichter von Hodge und Jace.

Bruder Jeremiah stand reglos da, ein geschnitzter Abgott aus Elfenbein und roter Tinte. Clary spürte einen stechenden Schmerz in ihren Händen und schaute auf die roten Furchen, die ihre Nägel in die Haut gegraben hatten.

*»Jace«,* sagte Hodge mahnend.

»Sieh dir ihre Hände an.« Jace deutete auf Clary, die ihre Finger eingezogen hatte, um die verletzten Handinnenflächen zu verbergen.

Hodge legte ihr seine breite Hand auf die Schulter. »Alles in Ordnung?«

Sie nickte langsam. Das erdrückende Gewicht war verschwunden, aber sie spürte den Schweiß, der ihre Haare durchnässte und ihr T-Shirt am Rücken haften ließ wie Klebeband.

*In deinem Kopf ist eine Blockade,* sagte Bruder Jeremiah. *Es gibt keinen Zugang zu deinen Erinnerungen.*

»Eine Blockade?«, fragte Jace. »Du meinst, sie verdrängt ihre Erinnerungen?«

*Nein. Ich meine, sie sind durch einen Bann aus ihrem Bewusstsein ausgesperrt worden. Ich kann den Bann hier nicht brechen. Sie muss in die City of Bones, die Stadt der Gebeine, kommen und vor die Bruderschaft treten.*

»Ein *Bann?«,* fragte Clary ungläubig. »Wer sollte mir einen Bann auferlegen?«

Niemand antwortete ihr. Jace schaute seinen Tutor an. Er war überraschend blass, dachte Clary, wenn man bedachte, dass dies alles seine Idee gewesen war. »Hodge, sie sollte nicht gehen müssen, wenn sie nicht ...«

»Schon gut.« Clary atmete tief ein. Dort, wo sich ihre Nägel in die Haut gekrallt hatten, schmerzten ihre Handflächen und sie sehnte sich danach, sich irgendwohin zu legen und im Dunkeln auszuruhen. »Ich werde gehen. Ich will die Wahrheit wissen. Ich will wissen, was in meinem Kopf ist.«

Jace nickte. »Gut. Dann komme ich mit dir.«

Als sie das Institut verließen, erschien es Clary, als würde sie eine heiße Waschküche betreten. Feuchte Luft drückte auf die Stadt und legte sich wie eine schwüle Glocke darüber.

»Ich verstehe nicht, warum wir nicht sofort mit Bruder Jeremiah mitgehen durften«, murrte Clary. Sie standen an der Ecke vor dem Institut. Die Straßen waren verlassen, bis auf einen Müllwagen, der langsam den Block entlangfuhr. »Ist es ihm peinlich, mit Schattenjägern gesehen zu werden, oder was?«

»Die Angehörigen der Bruderschaft *sind* Schattenjäger«, erklärte Jace. Irgendwie schaffte er es, trotz der Hitze cool auszusehen. Clary hätte ihn dafür schlagen können.

»Ich nehme an, er holt sein Auto?«, fragte sie sarkastisch.

Jace grinste. »So ungefähr.«

Sie schüttelte den Kopf. »Irgendwie wäre mir wohler, wenn Hodge mitkäme.«

»Wieso? Reicht dir mein Schutz nicht?«

»Ich brauche jetzt keinen Schutz, sondern jemanden, der mir hilft zu denken.« Plötzlich erinnerte sie sich und schlug sich die Hand vor den Mund. »Oh – Simon!«

»Nein, ich bin Jace«, meinte Jace geduldig. »Simon ist der wieselartige kleine Typ mit dem schlechten Haarschnitt und dem grässlichen Modegeschmack.«

»Ach, sei still«, sagte sie, wenn auch eher automatisch als wirklich ernst gemeint. »Ich wollte ihn vor dem Schlafengehen doch noch anrufen. Fragen, ob er gut nach Hause gekommen ist.«

Jace schüttelte den Kopf und schaute zum Himmel, als könnte dieser sich jeden Moment öffnen und die Geheimnisse des Universums preisgeben. »Bei all dem, was passiert ist, machst du dir Sorgen um Wieselgesicht?«

»Nenn ihn nicht so. Er sieht nicht aus wie ein Wiesel.«

»Vielleicht hast du recht«, entgegnete Jace. »Ich hab schon attraktivere Wiesel gesehen. Er erinnert eher an eine Ratte.«

»Das tut er nicht . . .«

»Wahrscheinlich ist er zu Hause und liegt in einer Pfütze seines eigenen Geifers. Warte nur, bis er Isabelle langweilt und du ihn wieder aufpäppeln darfst.«

»Glaubst du, dass er Isabelle langweilen wird?«, fragte Clary.

Jace dachte einen Augenblick nach. »Ja.«

Clary fragte sich, ob Isabelle vielleicht klüger war, als Jace sie einschätzte. Vielleicht würde sie erkennen, was für ein toller Typ Simon war: wie lustig, wie schlau, wie cool. Vielleicht würden sie zusammen ausgehen. Die Vorstellung erfüllte Clary mit unbeschreiblichem Entsetzen.

Sie hing ihren Gedanken nach und brauchte einen Moment, bis sie bemerkte, dass Jace etwas zu ihr gesagt hatte. Als sie ihn blinzelnd anschaute, sah sie, dass er ironisch grinste. »Was ist?«, fragte sie genervt.

»Ich wünschte, du würdest deine verzweifelten Versuche einstellen, meine Aufmerksamkeit zu erregen«, sagte er. »Es wird langsam peinlich.«

»Sarkasmus ist der letzte Ausweg der Fantasielosen«, konterte sie.

»Ich kann nichts dafür. Ich nutze meine Schlagfertigkeit, um meinen inneren Schmerz zu verbergen.«

»Dein Schmerz wird sich schneller zeigen, als dir lieb ist, wenn du nicht auf den Verkehr achtest. Willst du, dass dich ein Taxi überfährt?«

»Mach dich nicht lächerlich«, sagte er. »In dieser Gegend würden wir nie so einfach ein Taxi bekommen.«

Wie auf Kommando fuhr ein schmaler schwarzer Wagen mit getönten Scheiben an den Randstein und hielt mit laufendem Motor vor Jace. Er war lang und schnittig, besaß nach außen gewölbte Scheiben und eine Straßenlage wie eine Limousine.

Jace schaute sie von der Seite an; sein Blick war amüsiert, hatte aber auch etwas Drängendes. Sie betrachtete den Wagen erneut, entspannte ihre Augen und ließ die Kraft des Wahrhaftigen den Schleier des Zauberglanzes durchdringen.

Im nächsten Moment erinnerte der Wagen an Aschenputtels Kutsche, die jedoch nicht pink, golden und blau wie ein Osterei leuchtete, sondern schwarz wie Samt schimmerte und dunkel getönte Scheiben besaß. Auch die Räder und das Verdeck waren schwarz. Auf dem Kutschbock aus schwarzem Metall saß Bruder Jeremiah und hielt die Zügel in seinen behandschuhten Händen. Sein Gesicht war unter der Kapuze seiner pergamentfarbenen Robe verborgen. Am anderen Ende der Zügel standen zwei pechschwarze Pferde, die schnaubten und mit den Hufen scharrten.

»Steig ein«, sagte Jace. Als Clary mit offenem Mund stehen blieb, nahm er sie am Arm, schob sie halb durch die geöffnete Tür der Kutsche und schwang sich selbst hinein. Die Kutsche setzte sich in Bewegung, noch ehe er die Tür hinter sich geschlossen hatte. Er fiel neben ihr auf die Sitzbank, die mit einem glänzenden Stoff bezogen war, und schaute sie an. »Eine persönliche Eskorte zur Stadt der Gebeine sollte man auf keinen Fall ausschlagen.«

»Das wollte ich ja gar nicht. Ich war nur so überrascht. Ich hatte nicht erwartet . . . ich meine, ich dachte, es sei ein Auto.«

»Entspann dich einfach«, schlug Jace vor. »Genieß den Geruch dieser neuen Kutsche.«

Clary verdrehte die Augen und schaute aus dem Fenster. Sie hätte gedacht, ein Pferd und eine Kutsche würden im Verkehr von Manhattan keine Chance haben, aber sie rollten mit Leichtigkeit durch das Stadtzentrum; ihre lautlose Fahrt blieb unbemerkt in dem Gewirr von Taxis, Bussen und Geländewagen, welche die Straßen verstopften. Vor ihnen wechselte ein gelbes Taxi die Spur und schnitt ihnen den Weg ab. Clary verkrampfte sich und dachte mit Sorge an die Pferde – da machte die Kutsche einen Ruck nach vorne, als die Pferde auf das Taxi sprangen. Sie unterdrückte einen Aufschrei. Statt über den Boden zu schleifen, schwebte die Kutsche hinter den Pferden in die Luft und rollte leicht und lautlos über das Dach des Taxis hinweg und auf der anderen Seite wieder hinunter. Clary schaute zurück, als die Kutsche auf dem Asphalt aufsetzte – der Taxifahrer rauchte, starrte geradeaus und schien von alldem nichts zu bemerken. »Ich dachte immer, Taxichauffeure wären rücksichtslose Autofahrer, aber das hier spottet jeder Beschreibung«, sagte sie matt.

»Nur weil du jetzt durch den Schleier des Zauberglanzes sehen kannst . . .« Jace ließ das Ende des Satzes zwischen ihnen in der Luft hängen.

»Ich kann nur hindurchsehen, wenn ich mich konzentriere«, sagte sie. »Es verursacht irgendwie Kopfschmerzen.«

»Ich wette, das liegt an der Blockade in deinem Kopf. Die Brüder werden sich darum kümmern.«

»Und dann?«

»*Then you'll see the world as it is – infinite.* Unendlich«, sagte Jace mit einem trockenen Lächeln.

»Verschone mich mit Blake-Zitaten.«

Sein Lächeln wirkte sofort sehr viel weniger amüsiert. »Ich hätte nicht gedacht, dass du es erkennst. Du machst auf mich nicht den Eindruck, als würdest du viele Gedichte lesen.«

»Jeder kennt dieses Blake-Zitat wegen der Doors.«

Jace schaute sie verständnislos an.

»The Doors. Das war eine Band.«

»Wenn du es sagst.«

»Ich nehme an, du hast in deinem Job nicht viel Zeit, Musik zu hören«, sagte Clary und dachte an Simon, dem Musik alles bedeutete.

Jace zuckte die Achseln. »Vielleicht ab und zu mal den wehklagenden Chor der Verdammten.«

Clary warf ihm einen forschenden Blick zu, um zu sehen, ob er Witze machte, doch sein Gesicht war ausdruckslos.

»Aber du hast gestern im Institut Klavier gespielt. Also musst du doch . . .«

Die Kutsche sprang erneut hoch. Clary krallte sich an der Kante der Sitzbank fest und schaute aus dem Fenster – sie rollten über das Dach eines Stadtbusses. Aus dieser Perspektive konnte sie die oberen Stockwerke der alten Stadthäuser entlang der Straße sehen, die mit grotesken Fratzen und kunstvollen Ornamenten verziert waren.

»Ich habe nur ein bisschen geklimpert«, sagte Jace, ohne sie anzusehen. »Mein Vater bestand darauf, dass ich ein Instrument erlerne.«

»Klingt streng, dein Vater.«

»Nein, keineswegs«, entgegnete Jace scharf. »Er hat mich verwöhnt. Er hat mir alles beigebracht – Waffentraining, Dämonenlehre, Alchimie, alte Sprachen. Er hat mir alles gegeben, was ich wollte. Pferde, Waffen, Bücher, sogar einen Jagdfalken.«

Aber Waffen und Bücher sind nicht unbedingt das, was sich die meisten Kinder zu Weihnachten wünschen, dachte Clary, als die Kutsche wieder auf die Fahrbahn aufsetzte. »Warum hast du Hodge nicht gesagt, dass du die Männer kanntest, mit denen Luke gesprochen hat? Dass sie diejenigen sind, die deinen Vater getötet haben?«

Jace schaute auf seine Hände. Es waren schlanke und behutsame Hände – die Hände eines Künstlers, nicht die eines Kriegers. Der Ring, der ihr schon vorher aufgefallen war, funkelte an seinem Finger. Sie hatte immer gedacht, ein Junge, der einen Ring trug, müsse etwas Feminines an sich haben, aber das stimmte nicht. Der Ring war massiv und bestand aus geschwärztem Silber, in das ein Muster aus Sternen und der Buchstabe W eingraviert waren. »Wenn ich es Hodge gesagt hätte, wüsste er, dass ich Valentin selbst töten will. Und das würde er niemals zulassen.«

»Du meinst, du willst ihn aus Rache töten?«

»Um der Gerechtigkeit willen«, sagte Jace. »Bisher wusste ich nicht, wer meinen Vater umgebracht hat. Doch jetzt weiß ich es. Das ist meine Chance, der Gerechtigkeit zu dienen.«

Clary verstand zwar nicht, wieso der Tod eines Menschen es rechtfertigte, einen anderen Menschen zu töten, ahnte aber, dass es keinen Sinn hatte, dies auszusprechen. »Aber du wusstest doch, wer ihn getötet hat«, sagte sie. »Es waren diese Männer. Du hast gesagt . . .«

Da Jace sie nicht anschaute, verstummte sie. Sie fuhren jetzt am Astor Place vorbei und wichen knapp einer violetten Straßenbahn der New York University aus, die sich durch den Verkehr schob. Die Passanten auf den Bürgersteigen sahen aus, als würden sie von der feuchten Hitze erdrückt wie zwischen Glas gepresste Insekten. Mehrere Gruppen obdachloser Kinder hatten sich um den Sockel einer großen Messingstatue versammelt und Pappschilder vor sich aufgestellt, auf denen sie um Geld baten. Clary bemerkte ein ungefähr gleichaltriges Mädchen mit kahl rasiertem Schädel, das sich an einen braunhäutigen Jungen mit Dreadlocks und einem Dutzend Piercings im Gesicht lehnte. Als die Kutsche vorbeifuhr, drehte er den Kopf, als könne er sie sehen, und einen kurzen Moment lang blickte sie in seine Augen. Eines davon war trüb, als habe es keine Pupille.

»Ich war damals zehn«, sagte Jace. Sie wandte sich ihm wieder zu und schaute ihn an. Sein Gesicht war ausdruckslos. Jedes Mal, wenn er von seinem Vater sprach, schien die Farbe aus seinem Gesicht zu weichen. »Wir wohnten in einem Herrenhaus auf dem Land. Mein Vater sagte immer, es sei sicherer dort. Ich hatte gehört, wie sie die Auffahrt hinaufkamen, und war zu ihm gegangen, um es ihm zu sagen. Er befahl mir, ich solle mich verstecken, also versteckte ich mich. Unter der Treppe. Es waren noch andere bei ihnen. Keine Menschen. Forsaken. Sie überwältigten meinen Vater und schnitten ihm die Kehle durch. Das Blut lief über den Boden, sickerte in meine Schuhe. Ich verharrte regungslos in meinem Versteck.«

Es dauerte einen Moment, bis Clary erkannte, dass er offenbar nicht vorhatte, noch mehr zu erzählen. Und sie benötigte eine weitere Sekunde, um einen Ton herauszubringen. »Es tut mir so leid, Jace.«

Seine Augen funkelten in der Dunkelheit. »Ich habe nie verstanden, warum die Irdischen sich dauernd für Dinge entschuldigen, an denen sie keine Schuld tragen.«

»Das war keine Entschuldigung, eher eine Art ... mitzufühlen ... eine Art mitzuteilen, dass es mir leidtut, dass du unglücklich bist.«

»Ich bin nicht unglücklich«, sagte er. »Nur Menschen ohne Ziel sind unglücklich. Ich habe ein Ziel.«

»Meinst du damit, Dämonen zu töten oder Rache für den Tod deines Vaters zu nehmen?«

»Beides.«

»Würde dein Vater wirklich wollen, dass du diese Männer tötest? Nur aus Rache?«

»Ein Schattenjäger, der einen seiner Brüder umbringt, ist schlimmer als ein Dämon und sollte wie ein solcher zur Strecke gebracht werden«, entgegnete Jace. Es klang, als zitiere er die Worte aus einem Lehrbuch.

»Aber sind alle Dämonen böse? Ich meine, wenn nicht alle Vampire böse sind und auch nicht alle Werwölfe, vielleicht ...«

Jace sah sie direkt an. Er wirkte gereizt. »Das ist etwas völlig anderes. Vampire, Werwölfe und selbst Hexenmeister sind teilweise menschlich. Sie sind Teil dieser Welt und in ihr geboren. Sie gehören hierher. Aber Dämonen kommen aus anderen Welten. Es sind interdimensionale Parasiten. Sie dringen in eine Welt ein und zehren sie auf. Sie können nichts aufbauen, nur zerstören – sie können nicht schaffen, nur benutzen. Sie verwandeln einen Ort zu Asche, und wenn er tot ist, ziehen sie zum nächsten. Sie wollen Leben, nicht nur dein Leben oder meines, sondern das gesamte Leben dieser Welt, ihrer Flüsse und Städte, ihrer Meere, alles. Und das Einzige, was zwischen ihnen und der Zerstörung all dessen steht, was du hier siehst ...« – Jace zeigte nach draußen und holte mit der Hand zu einer Geste aus, als wolle er die gesamte Stadt einschließen, von den Wolkenkratzern im Zentrum bis zu den Verkehrsstaus auf der Houston Street – » ... sind die Nephilim.«

»Oh«, flüsterte Clary. Was hätte sie auch sonst sagen sollen? »Wie viele andere Welten gibt es denn?«

»Das weiß niemand. Hunderttausende, vielleicht Millionen.«

»Und das sind alles . . . tote Welten? Aufgezehrt?« Clarys Magen zog sich zusammen, aber vielleicht lag es auch an dem Ruck, den die Kutsche machte, als sie über einen roten Mini fuhren. »Das klingt so traurig.«

»Das habe ich nicht gesagt.« Das dunkle orangefarbene Licht, das wie ein Dunstschleier über der Stadt lag, drang durch die Fenster und hob sein scharfes Profil hervor. »Es gibt vermutlich andere lebendige Welten, so wie unsere. Aber nur Dämonen können sich zwischen ihnen bewegen. Vermutlich weil sie überwiegend körperlos sind; allerdings kennt niemand den genauen Grund. Viele Hexenmeister haben Versuche unternommen, sind aber stets daran gescheitert. Nichts von der Erde kann die Schranken zwischen den Welten durchdringen. Wenn wir dazu in der Lage wären, könnten wir sie vielleicht aufhalten und verhindern, dass sie hierherkommen, aber bisher ist es niemandem gelungen herauszufinden, wie sie es machen. Inzwischen kommen immer mehr. Früher gab es nur kleine Invasionen von Dämonen, mit denen man leicht fertig werden konnte. Aber allein seit dem Jahr meiner Geburt sind mehr Dämonen durch die Schranken gedrungen als in allen Jahren davor zusammengenommen. Der Rat muss ständig Schattenjäger entsenden und sehr oft kehren sie nicht zurück.«

»Aber wenn du den Kelch der Engel hättest, könntest du weitere erschaffen, oder? Weitere Dämonenjäger?«, fragte Clary vorsichtig.

»Ja«, bestätigte Jace. »Aber wir haben den Kelch schon seit über fünfzehn Jahren nicht mehr in unserem Besitz und viele von uns sterben jung. Wir werden also allmählich immer weniger.«

»Könnt ihr euch denn nicht, äh . . .« Clary suchte nach dem richtigen Wort. »Fortpflanzen?«

Jace brach in Gelächter aus, genau in dem Moment, als die Kutsche eine scharfe Linkskurve fuhr. Er trotzte der Fliehkraft, doch

Clary wurde gegen ihn geschleudert. Jace fing sie auf und hielt sie sanft, aber bestimmt auf Abstand. Sie spürte den kalten Abdruck seines Ringes wie ein Stück Eis auf ihrer verschwitzten Haut. »Natürlich«, sagte er. »Wir finden es toll, uns fortzupflanzen. Das ist eine unserer Lieblingsbeschäftigungen.«

Clary riss sich von ihm los, das Gesicht rot vor Scham, und schaute wieder aus dem Fenster. Sie fuhren auf ein schweres gusseisernes Tor zu, an dem sich dunkle Pflanzen emporrankten.

»Wir sind da«, verkündete Jace, als das sanfte Rollen der Räder auf dem Asphalt vom Holpern über Kopfsteinpflaster abgelöst wurde. Clary erkannte eine Inschrift auf dem Bogen, als sie durch das Tor fuhren: Marmorfriedhof der Stadt New York.

»Aber in Manhattan werden doch schon seit hundert Jahren keine Menschen mehr begraben, weil ihnen der Platz ausgegangen ist, oder?«, sagte sie. Die Kutsche fuhr durch eine schmale Gasse mit hohen Steinmauern zu beiden Seiten.

»Die City of Bones existiert schon länger.« Die Kutsche kam holpernd zum Stehen. Clary zuckte zusammen, als Jace den Arm ausstreckte, aber er wollte nur die Tür an ihrer Seite öffnen. Sein Arm war schlank und muskulös und mit feinen goldenen Härchen überzogen.

»Man hat keine Wahl, oder?«, fragte sie. »Wenn es darum geht, ein Schattenjäger zu sein, meine ich. Man kann sich nicht einfach dagegen entscheiden.«

»Nicht einfach so und schon gar nicht ohne Risiko.« Die Tür schwang auf und ließ einen Schwall stickiger Luft hinein. Die Kutsche hatte auf einem weiten Rasenstück angehalten, das von moosbewachsenen Marmorwänden umgeben war. »Aber wenn ich eine Wahl hätte, würde ich mich trotzdem dafür entscheiden.«

»Warum?«

Jace zog eine Augenbraue hoch, was Clary sofort neidisch machte. Sie hatte sich schon immer gewünscht, das zu können. »Weil es das ist, was ich gut kann.«

Er schob sich an ihr vorbei und sprang aus der Kutsche. Clary rutschte zur Kante der Sitzbank, sodass ihre Beine in der Luft hingen. Es war ziemlich hoch. Entschlossen sprang sie. Ihre Füße schmerzten beim Aufprall auf den Boden, aber sie fiel nicht hin. Triumphierend drehte sie sich um und sah, dass Jace sie beobachtete. »Ich hätte dir geholfen«, sagte er.

Sie blinzelte. »Schon in Ordnung. Das war nicht nötig.«

Jace schaute hinter sich. Bruder Jeremiah stieg lautlos mit wallender Robe vom Kutschbock herab. Seine Gestalt warf keinen Schatten auf das von der Sonne verbrannte Gras.

*Kommt,* sagte er. Er schwebte von der Kutsche und den beruhigenden Lichtern der Second Avenue davon, auf den dunklen Mittelpunkt des Gartens zu. Es war klar, dass sie ihm folgen sollten.

Das Gras war trocken und raschelte unter den Füßen, aber die Marmorwände zu beiden Seiten schimmerten glatt und weiß wie Perlen. Namen und Daten waren in sie eingemeißelt. Clary brauchte einen Moment, bis sie begriff, dass sie Gräber kennzeichneten. Ein Schauer fuhr ihr über den Rücken. Wo waren die Leichen? In den Wänden, stehend begraben, als seien sie bei lebendigem Leib eingemauert worden . . .?

Während sie die Inschriften las, hatte sie nicht auf ihre Schritte geachtet, und als sie plötzlich mit etwas zusammenstieß, das eindeutig lebendig war, schrie sie laut auf.

Es war Jace. »Schrei nicht so. Du weckst noch die Toten.«

Sie musterte ihn stirnrunzelnd. »Warum bleiben wir stehen?«

Er zeigte auf Bruder Jeremiah, der vor einer Engelsstatue innegehalten hatte. Sie war nur ein wenig größer als er selbst, ihr Sockel mit Moos bewachsen. Der Marmor der Statue war so glatt, dass er fast durchsichtig schimmerte; das Gesicht des Engels wirkte entschlossen, schön und traurig zugleich. In ihren langen weißen Händen hielt die Statue einen Kelch, dessen Rand mit Edelsteinen besetzt war. Irgendetwas an diesem Engel schien Clarys Erinnerung zu wecken, denn er kam ihr auf unheimliche Weise vertraut vor. Auf dem Sockel stand eine Jahreszahl, 1234, umgeben von den Wörtern *Nephilim: facilis descensus averni.*

»Soll das der Kelch der Engel sein?«, fragte sie.

Jace nickte. »Und das dort unten auf dem Sockel ist das Motto der Nephilim, der Schattenjäger.«

»Was bedeutet es?«

Jace' Lächeln blitzte in der Dunkelheit auf. »Es bedeutet: ›Seit 1234 sehen wir Schattenjäger in Schwarz besser aus als die Witwen unserer Feinde.‹«

»Jace . . .«

*Es bedeutet: Der Abstieg zur Hölle ist leicht,* erklärte Jeremiah.

»Hübsch und so aufbauend«, meinte Clary und bekam trotz der Hitze eine Gänsehaut.

»Das hier ist ein kleiner Scherz der Brüder«, sagte Jace. »Du wirst schon sehen.«

Sie schaute Bruder Jeremiah an. Er hatte eine schwach leuchtende Stele aus irgendeiner Innentasche seiner Robe geholt und zog mit deren Spitze das Muster einer Rune auf dem Sockel der Statue nach. Plötzlich öffnete sich der Mund des Marmorengels zu einem stummen Schrei und ein gähnendes schwarzes Loch klaffte in dem grasbewachsenen Boden zu Jeremiahs Füßen. Es sah aus wie ein offenes Grab.

Langsam trat Clary an den Rand des Lochs und blinzelte hinein. Stufen aus Granit, deren Kanten durch jahrelangen Gebrauch ausgetreten waren, führten in die Tiefe. In regelmäßigen Abständen waren Fackeln über der Treppe angebracht, die in intensivem Grün und Blau leuchteten. Der Fuß der Treppe verlor sich in der Dunkelheit.

Jace nahm die Stufen mit der Leichtigkeit eines Mannes, dem die Situation zwar nicht unbedingt angenehm, aber doch vertraut war. Auf halbem Weg zur ersten Fackel blieb er stehen und blickte zu ihr hinauf. »Komm schon«, sagte er ungeduldig.

Clary hatte kaum ihren Fuß auf die erste Stufe gestellt, als ihr Arm mit einem kalten Griff gepackt wurde. Sie schaute überrascht auf. Bruder Jeremiah hielt sie am Handgelenk und seine eisigen weißen Finger gruben sich in ihre Haut. Sie konnte den knöchernen Schimmer seines vernarbten Gesichts hinter der Kapuze sehen.

*Fürchte dich nicht,* sagte seine Stimme in ihrem Kopf. *Es würde mehr als eines einzelnen menschlichen Schreis bedürfen, um diese Toten aufzuwecken.*

Als er ihren Arm wieder freigab, stolperte sie mit hämmerndem Herzen hinter Jace die Stufen hinunter, der am Fuß der Treppe auf sie wartete. Er hatte eine der grün leuchtenden Fackeln aus der Halterung genommen und hielt sie auf Augenhöhe vor sich. Sie verlieh seiner Haut einen blassen grünen Schimmer. »Alles in Ordnung?«

Clary nickte, denn sie traute sich nicht zu sprechen. Die Stufen endeten auf einem flachen Absatz; vor ihnen erstreckte sich ein langer schwarzer Tunnel, aus dessen Wänden gewundene Baumwurzeln hervorragten. An seinem Ende war ein schwaches bläuliches Licht zu erkennen. »Es ist so . . . dunkel«, sagte sie matt.

»Soll ich deine Hand halten?«

Clary hielt beide Hände hinter den Rücken, wie ein kleines Kind. »Hör auf, so von oben herab mit mir zu reden.«

»Tja, ich kann ja wohl schlecht *von unten hinauf* mit dir reden. Dazu bist du zu klein.« Jace schaute an ihr vorbei und die Fackel versprühte Funken, als er weiterging. »Nur keine Umstände, Bruder Jeremiah«, sagte er gedehnt. »Geh ruhig vor. Wir sind direkt hinter dir.«

Clary zuckte zusammen. Sie war noch immer nicht an das stille Kommen und Gehen des Archivars gewöhnt. Er schwebte lautlos an ihr vorbei und in den Tunnel hinein. Einen kurzen Moment später folgte sie ihm und schob Jace' ausgestreckte Hand von sich.

Das Erste, was Clary von der Stadt der Stille sah, waren endlose Reihen hoher Marmorbögen, die sich in der Ferne verloren wie ordentlich aufgereihte Spalierbäume eines Obstgartens. Der harte Marmor schimmerte in der Farbe hellen Elfenbeins und sah aus wie poliert; an einigen Stellen waren schmale Streifen Onyx, Jaspis und Jade eingesetzt. Während sie vom Tunnel aus auf den Wald aus Bögen zugingen, sah Clary, dass der Boden mit den gleichen Runen versehen war, die manchmal Jace' Haut in Linien, Spiralen und kunstvoll verschlungenen Mustern bedeckten.

Als die drei durch den ersten Marmorbogen schritten, tauchte etwas Großes und Weißes zu ihrer Linken auf wie ein Eisberg vor dem Bug der Titanic. Es war ein weißer Steinblock, glatt und quadratisch, in dessen Vorderseite eine Art Tür eingelassen war. Clary fühlte sich an ein Spielhäuschen für Kinder erinnert, in dem sie gerade nicht mehr aufrecht stehen konnte.

»Das ist ein Mausoleum«, erklärte Jace und richtete das Licht der Fackel darauf. Clary sah, dass eine Rune in die mit Eisenriegeln verschlossene Tür eingemeißelt war. »Ein Grab. Hier bestatten wir unsere Toten.«

»Alle eure Toten?« Sie hätte ihn gerne gefragt, ob auch sein Vater hier beerdigt war, aber er war bereits weitergegangen und konnte sie nicht mehr hören. Sie eilte ihm hinterher, denn sie wollte an diesem unheimlichen Ort nicht mit Bruder Jeremiah allein sein. »Hattest du nicht gesagt, es sei eine Bibliothek?«

*Die Stadt der Stille hat viele Ebenen,* warf Jeremiah ein. *Und nicht all unsere Toten sind hier bestattet. Es gibt ein weiteres Beinhaus in Idris, das natürlich viel größer ist. Aber auf dieser Ebene befinden sich die Mausoleen und der Ort der Feuerbestattung.*

»Der Ort der Feuerbestattung?«

*Diejenigen, die in der Schlacht sterben, werden verbrannt und aus ihrer Asche werden die Marmorbögen errichtet, die du hier siehst. Das Blut und die Gebeine der Dämonenjäger sind ein machtvoller Schutz gegen das Böse. Selbst über den Tod hinaus dient der Rat der Sache.*

Wie anstrengend, dachte Clary, das ganze Leben zu kämpfen und diesen Kampf selbst dann noch fortsetzen zu müssen, wenn das Leben vorbei war. Aus den Augenwinkeln konnte sie die rechteckigen weißen Grabkammern sehen, die sich in ordentlichen Reihen zu beiden Seiten erhoben und deren Türen von außen verschlossen waren. Jetzt verstand sie, warum dieser Ort Stadt der Stille genannt wurde: Ihre einzigen Bewohner waren die Stillen Brüder und die Toten, die sie so eifrig bewachten.

Inzwischen standen sie vor einer weiteren Treppe, die noch tiefer in die Dunkelheit hineinführte. Jace hielt die Fackel hoch und sie warf Schatten an die Wände. »Wir steigen jetzt zur zweiten Ebene hinunter, wo sich die Archive und die Ratszimmer befinden«, sagte er, als wolle er sie beruhigen.

»Wo sind die Wohnbereiche?«, fragte Clary, teils aus Höflichkeit, teils aus Neugier. »Wo schlafen die Brüder?«

*Schlafen?*

Das stille Wort hing in der Dunkelheit zwischen ihnen. Jace lachte und die Flamme der Fackel in seiner Hand flackerte. »Das musstest du ja fragen.«

Am Fuß der Treppe befand sich ein weiterer Tunnel, der sich an seinem Ende zu einem rechteckigen Platz verbreiterte, dessen Ecken jeweils ein Turm aus geschnitzten Knochen markierte. An den Seiten des Platzes brannten Fackeln in langen Onyxhaltern und die Luft roch nach Asche und Rauch. In der Mitte des Platzes stand ein langer Tisch aus schwarzem, hell marmoriertem Basalt. An der dunklen Wand hinter dem Tisch hing ein enormes silbernes Schwert, dessen Heft die Form ausgebreiteter Flügel hatte, mit der Spitze nach unten. Entlang des Tischs saß eine Reihe Stiller Brüder, jeder in die gleiche pergamentfarbene Robe gekleidet wie Jeremiah.

Jeremiah verlor keine Zeit. *Wir sind angekommen. Clarissa, trete vor den Rat der Stadt der Stille.*

Clary sah Jace an, der jedoch verwirrt blinzelte. Bruder Jeremiah hatte offenbar nur in *ihrem* Kopf gesprochen. Sie schaute zum Tisch, auf die lange Reihe der stummen Gestalten in ihren schweren Roben. Der Boden des Platzes zeigte ein Schachbrettmuster aus goldener Bronze und einem dunkleren Rot. Direkt vor dem Tisch befand sich ein großes Quadrat aus weißem Marmor, verziert mit einem parabelförmigen Muster aus silbernen Sternen.

Clary trat in die Mitte des schwarzen Quadrats, als trete sie vor ein Erschießungskommando. Sie hob den Kopf. »In Ordnung«, sagte sie. »Und jetzt?«

Die Brüder gaben ein Geräusch von sich, das Clary die Haare im Nacken und auf den Armen zu Berge stehen ließ, ein Geräusch wie ein Seufzen oder ein Stöhnen. Einmütig hoben sie die Hand und schoben die Kapuzen zurück, sodass ihre vernarbten Gesichter und die leeren Augenhöhlen sichtbar wurden.

Clary hatte zwar schon Bruder Jeremiahs unverhülltes Gesicht gesehen, trotzdem krampfte sich ihr Magen zusammen. Es war, als würde sie eine Reihe von Totenköpfen ansehen – wie einer dieser mittelalterlichen Holzschnitte, auf denen die Toten herumliefen, sich unterhielten und auf den aufgetürmten Leibern der Lebenden tanzten. Ihre zugenähten Münder schienen sie anzugrinsen.

*Der Rat grüßt dich, Clarissa Fray,* hörte sie nicht nur eine, sondern ein Dutzend Stimmen in ihrem Kopf sagen. Einige klangen tief und heiser, andere weich und monoton, aber alle waren fordernd und beharrlich und drängten gegen die fragilen Schranken ihres Geistes.

»Stopp«, sagte sie und zu ihrem Erstaunen klang ihre Stimme fest und entschlossen. Der Lärm in ihrem Kopf riss so abrupt ab wie eine Schallplatte, die sich plötzlich nicht länger dreht. »Sie können in meinen Kopf hineinschauen«, sagte sie, »aber erst, wenn ich bereit bin.«

*Wenn du unsere Hilfe nicht willst, können wir auch darauf verzichten. Schließlich hast du uns um Unterstützung gebeten.*

»Sie wollen wissen, was in meinem Kopf ist, und das möchte ich auch. Das heißt aber nicht, dass Sie nicht vorsichtig vorgehen sollten«, erwiderte Clary.

Der Bruder, der in der Mitte des Tischs saß, stützte das Kinn auf seine dünnen weißen Finger. *Zugegeben, es ist ein interessantes Puzzle,* sagte er und die Stimme, die sie hörte, war ruhig und neutral. *Und wenn du dich nicht wehrst, besteht auch kein Grund, Zwang anzuwenden.*

Clary biss die Zähne zusammen. Sie wollte sich wehren, ihnen Widerstand leisten, wollte diese aufdringlichen Stimmen aus ihrem Kopf verbannen. Es fiel ihr schwer, einfach abzuwarten und eine solch schwerwiegende Verletzung ihres intimsten, persönlichsten Inneren zu erlauben ...

Aber sie sagte sich, dass dies aller Wahrscheinlichkeit nach bereits geschehen war. Das hier war nichts anderes als das Aufdecken eines vergangenen Verbrechens, des Diebstahls ihrer Erinnerung. Wenn es funktionierte, würde das wiederhergestellt werden, was man ihr genommen hatte. Sie schloss die Augen.

»Fangen Sie an«, sagte sie.

Der erste Kontakt erfolgte in Form eines Flüsterns in ihrem Kopf, so zart, als würde ein herabfallendes Blatt sie streifen. *Sag dem Rat deinen Namen.*

*Clarissa Fray.*

Weitere Stimmen gesellten sich zu der ersten. *Wer bist du?*

*Ich bin Clary. Meine Mutter ist Jocelyn Fray. Ich wohne 807 Berkeley Place in Brooklyn. Ich bin fünfzehn Jahre alt. Der Name meines Vaters war ...*

Plötzlich schien ihr Geist zurückzuschnellen wie ein Gummiband und sie taumelte lautlos in einen Wirbel von Bildern, die an die Innenseiten ihrer geschlossenen Lider geworfen wurden. Ihre Mutter scheuchte sie mitten in der Nacht über eine dunkle Straße, an deren Rändern sich schmutzige Schneehaufen auftürmten. Dann ein niedriger grauer und bleierner Himmel, Reihen schwarzer, kahler Bäume. Ein leeres, in die Erde gegrabenes Rechteck, in das ein schlichter Sarg herabgelassen wurde. *Asche zu Asche*. Jocelyn, die in ihre Patchwork-Decke gehüllt war und mit Tränen in den Augen hastig ein Kästchen schloss und unter ein Kissen schob, als Clary ins Zimmer kam. Sie sah erneut die Initialen auf der Schachtel: J. C.

Die Bilder kamen jetzt schneller, als würde sie ein Daumenkino durchblättern. Clary stand oben an einer Treppe und schaute einen schmalen Gang hinunter. Wieder sah sie Luke, vor ihm auf dem Boden seine grüne Reisetasche. Jocelyn stand vor ihm und schüttelte den Kopf. »Warum jetzt, Lucian? Ich dachte, du wärst tot . . .« Clary blinzelte; Luke sah anders aus, fast fremd. Er hatte einen Bart und seine Haare waren lang und unordentlich – Zweige senkten sich herab und versperrten ihr die Sicht; sie war wieder im Park und grüne Elfen, so klein wie Zahnstocher, schwebten zwischen den roten Blumen umher. Freudig streckte sie die Hand nach einer der Elfen aus, aber ihre Mutter schrie entsetzt auf und riss sie hoch. Dann war es erneut Winter auf der dunklen Straße und sie rannten, dicht zusammengedrängt unter einem Regenschirm; Jocelyn schob und zog sie zwischen den aufgetürmten Schneewänden hindurch. Ein Torweg aus Granit tauchte im Schneegestöber auf – über der Tür waren Worte eingemeißelt: DER MAGNIFIZIÖSE. Dann stand sie in einem Eingang, der nach Eisen und schmelzendem Schnee roch. Ihre Finger waren taub vor Kälte. Eine Hand unter ihrem Kinn hob ihren Kopf und oben an der Wand entdeckte sie mehrere Worte, von denen ihr zwei sofort ins Auge fielen: MAGNUS BANE.

Plötzlich fuhr ein stechender Schmerz durch ihren linken Arm. Sie schrie auf, während die Bilder verblassten und sie nach oben getrieben wurde und die Oberfläche ihres Bewusstseins durchbrach wie ein Taucher, der aus den Fluten emporschnellt. Etwas Kaltes drückte sich an ihre Wange. Sie riss die Augen auf und sah silberne Sterne. Sie musste zweimal blinzeln, ehe ihr klar wurde, dass sie auf dem Marmorfußboden lag, die Knie an die Brust gezogen. Als sie sich bewegen wollte, schoss ein heißer Schmerz durch ihren Arm.

Vorsichtig richtete sie sich auf. Die Haut über ihrem linken Ellbogen war aufgeschürft und blutete. Sie musste darauf gelandet sein, als sie das Bewusstsein verlor. Auf ihrem T-Shirt war Blut. Als sie sich verwirrt umschaute, erblickte sie Jace, der sie ansah, zwar vollkommen reglos, aber sehr blass um die Nase.

*Magnus Bane*. Die Worte bedeuteten etwas, aber was? Doch ehe sie die Frage laut aussprechen konnte, unterbrach Bruder Jeremiah sie.

*Die Blockade in deinem Kopf ist stärker, als wir erwartet hatten,* erklärte er. *Nur derjenige, der sie errichtet hat, kann sie ohne Gefahr entfernen. Würden wir es tun, so würde das deinen Tod bedeuten.*

Clary rappelte sich auf und hielt sich den verletzten Arm. »Aber ich weiß nicht, wer die Blockade errichtet hat. Wenn ich es wüsste, wäre ich nicht hierhergekommen.«

*Die Antwort auf diese Frage ist mit deinen Gedanken verwoben,* sagte Bruder Jeremiah. *Du hast sie als Schriftzug in deinem Wachtraum gesehen.*

»Magnus Bane? Aber . . . was kann das schon sein?«

*Es ist genug*. Bruder Jeremiah stand auf. Wie auf ein Zeichen erhob sich auch der Rest der Bruderschaft. In einer Geste stillschweigender Anerkennung verneigten die Männer den Kopf vor Jace und verschwanden dann zwischen den Säulen. Nur Bruder Jeremiah blieb zurück. Er sah teilnahmslos zu, wie Jace zu Clary eilte.

»Ist mit deinem Arm alles in Ordnung? Lass mich mal sehen«, forderte er und umfasste ihr Handgelenk.

»Au! Es ist nichts. Lass das, du machst es nur noch schlimmer«, sagte Clary und versuchte, sich loszumachen.

»Du blutest auf die Sprechenden Sterne«, sagte er. Clary schaute auf den Boden und sah, dass er recht hatte: Auf dem weißen und silbernen Marmor war ein Blutfleck. »Ich wette, irgendwo gibt es auch für diesen Fall ein Gesetz.« Vorsichtig drehte er ihren Arm um, sanfter, als sie es ihm zugetraut hätte. Dann zog er die Unterlippe zwischen die Zähne und pfiff leise. Clary blickte auf ihren Arm und erkannte, dass er vom Ellbogen bis zum Handgelenk mit Blut bedeckt war. Ihr Arm fühlte sich steif an und pochte vor Schmerz.

»Ist das der Moment, wo du dein T-Shirt in Streifen reißt, um meine Wunde zu verbinden?«, witzelte sie. Sie hasste den Anblick von Blut, besonders den ihres eigenen.

»Wenn es dir darum ging, dass ich mir die Kleider vom Leib reiße, hättest du mich nur bitten müssen.« Er griff in die Tasche und holte seine Stele heraus. »Das wäre nicht annähernd so schmerzhaft gewesen.«

Als sie sich an den stechenden Schmerz erinnerte, den die Stele bei ihrer ersten Berührung verursacht hatte, wappnete sie sich, doch dieses Mal spürte sie nur eine leichte Wärme, während der glühende Stab leicht über ihre Wunde glitt.

»So, das war's schon«, sagte Jace und richtete sich auf. Clary beugte verblüfft ihren Arm – das Blut war zwar noch da, aber die Wunde schien verschwunden, ebenso wie der Schmerz und die Steifheit. »Und wenn du das nächste Mal vorhast, dich zu verletzen, um meine Aufmerksamkeit zu erregen, dann denk dran, dass ein paar süße Worte Wunder wirken können.«

Unwillkürlich verzog Clary den Mund zu einem Lächeln. »Ich werde daran denken«, sagte sie, und als er sich abwandte, fügte sie hinzu: »Danke.«

Jace ließ die Stele in seine hintere Hosentasche gleiten, ohne sich zu ihr umzudrehen, aber sie glaubte, aus seiner Schulterhaltung eine gewisse Befriedigung herauslesen zu können. »Bruder Jeremiah«, sagte er und rieb sich die Hände, »du bist die ganze Zeit sehr still gewesen. Bestimmt möchtest du uns an ein paar deiner Gedanken teilhaben lassen.«

*Ich habe den Auftrag, euch aus der Stadt der Stille hinauszuführen, und das ist alles,* entgegnete der Archivar. Clary fragte sich, ob sie es sich nur einbildete oder ob seine »Stimme« tatsächlich leicht pikiert klang.

»Wir finden auch selbst hinaus«, schlug Jace hoffnungsvoll vor. »Ich bin sicher, dass ich den Weg noch kenne . . .«

*Die Wunder der Stadt der Stille sind nicht für die Augen der Nichteingeweihten bestimmt,* sagte Jeremiah und kehrte ihnen mit einem lautlosen Flattern seiner Robe den Rücken zu. *Hier entlang.*

Als sie ins Freie traten, atmete Clary tief die schwere Morgenluft ein und genoss den Geruch der Stadt, diese Mischung aus Smog, Schmutz und Menschen. Jace schaute sich aufmerksam um. »Es wird bald regnen.«

*Er hat recht,* dachte Clary, während sie in den eisengrauen Himmel hinaufschaute. »Fahren wir mit der Kutsche zurück zum Institut?«

Jace schaute von Bruder Jeremiah, der reglos wie eine Statue verharrte, zu der Kutsche, die wie ein schwarzer Schatten im Torbogen zur Straße stand. Dann grinste er.

»Auf keinen Fall«, sagte er. »Ich hasse diese Dinger. Lass uns ein Taxi nehmen.«

# 11
# Magnus Bane

Jace beugte sich nach vorne und schlug mit dem Kopf gegen die Trennscheibe zwischen Rücksitz und Fahrer. »Biegen Sie links ab! Links! Ich hab gesagt, Sie sollen den Broadway nehmen, Sie hirnamputierter Idiot!«

Der Taxifahrer reagierte, indem er das Steuer so scharf nach links riss, dass Clary gegen Jace geschleudert wurde. Sie stieß einen verärgerten Aufschrei aus. »Warum müssen wir überhaupt den Broadway nehmen?«

»Ich sterbe vor Hunger und zu Hause sind nur noch die Reste vom Chinesen.« Er nahm sein Mobiltelefon aus der Tasche und wählte eine Nummer. »Alec! Wach auf!«, brüllte er in den Hörer. Clary konnte ein verärgertes Brummen am anderen Ende hören. »Wir treffen uns bei Taki's. Frühstück. Ja, du hast mich richtig verstanden. Frühstück. Was? Es ist nur ein paar Blocks entfernt. Komm in die Gänge.«

Er beendete das Gespräch und schob das Handy in eine seiner vielen Taschen, während das Taxi am Straßenrand anhielt. Jace reichte dem Fahrer ein Bündel Geldscheine und schob Clary mit dem Ellbogen aus dem Wagen. Als er auf dem Gehweg hinter ihr stand, streckte er sich wie eine Katze und breitete die Arme aus. »Willkommen im tollsten Restaurant von New York.«

Das Restaurant sah nicht nach etwas Besonderem aus – ein flacher Backsteinbau, der in der Mitte durchhing wie ein eingefallenes Soufflé. Darüber prangte ein ramponierter Neonschriftzug mit seinem Namen, der hin und wieder flackerte. Zwei Männer in langen Mänteln, die Filzhüte tief ins Gesicht gezogen, trieben sich vor dem schmalen Eingang des fensterlosen Gebäudes herum.

»Sieht aus wie ein Gefängnis«, bemerkte Clary.

Jace zeigte mit dem Finger auf sie. »Aber könntest du im Gefängnis *Spaghetti Fra Diavolo* bestellen, nach denen du dir die Finger lecken würdest? Wohl kaum.«

»Ich will keine Spaghetti. Ich will wissen, was Magnus Bane ist.«

»Nicht was, sondern wer. Es ist ein Name.«

»Und weißt du auch, wer hinter diesem Namen steckt?«

»Ja, ein Hexenmeister«, erwiderte Jace mit betont sachlicher Stimme. »Denn nur ein Hexenmeister hätte eine solche Blockade in deinem Kopf errichten können. Oder vielleicht einer der Stillen Brüder, aber sie waren es ja nicht.«

»Ist er ein Hexenmeister, von dem du schon mal *gehört* hast?«, hakte Clary nach. Allmählich hatte sie Jace' vernünftigen Ton satt.

»Der Name kommt mir irgendwie bekannt vor . . .«

»Hi!« Es war Alec, der aussah, als wäre er aus dem Bett gefallen und mitsamt Pyjamahose direkt in die Jeans gestiegen. Seine ungekämmten Haare standen wild in alle Richtungen ab. Er kam mit großen Schritten auf sie zu, die Augen auf Jace geheftet, und ignorierte Clary wie üblich. »Izzy ist unterwegs«, sagte er. »Sie bringt den Irdischen mit.«

»Simon? Wo kommt der denn her?«, fragte Jace.

»Er ist heute Morgen ganz früh aufgetaucht. Konnte es wohl ohne Izzy nicht mehr aushalten. Rührend.« Alec klang amüsiert. Clary hätte ihm am liebsten einen Tritt verpasst. »Was ist jetzt, gehen wir rein? Ich bin am Verhungern.«

»Ich auch«, sagte Jace. »Ich könnte ein paar frittierte Mäuseschwänze vertragen.«

»Was?«, fragte Clary, überzeugt, dass sie sich verhört hatte.

Jace grinste sie an. »Entspann dich. Es ist ein ganz normales Restaurant.«

An der Tür wurden sie von einem der davorstehenden Männer

aufgehalten. Als dieser sich aufrichtete, konnte Clary einen kurzen Blick auf das Gesicht unter dem Hut werfen. Seine Haut war dunkelrot und seine breiten, kantigen Hände endeten in blauschwarzen Fingernägeln. Clary versteifte sich, aber Jace und Alec schienen unbesorgt. Sie sagten etwas zu dem Mann, der daraufhin nickte, zurücktrat und sie vorbeiließ.

*»Jace«,* zischte Clary, als sich die Tür hinter ihnen schloss. »Wer *war* das?«

»Du meinst Clancy?« Jace ließ seinen Blick durch das hell erleuchtete Restaurant schweifen. Obwohl der Raum fensterlos war, wirkte er freundlich und einladend. Gemütliche Sitzecken aus Holz reihten sich aneinander, jede mit bunten Kissen gepolstert. Liebenswert zusammengewürfeltes Geschirr stand auf der Theke, hinter der ein blondes Mädchen in rosa-weißer Servierschürze flink einem untersetzten Mann in einem Flanellhemd Wechselgeld herausgab. Sie sah Jace, winkte und bedeutete ihm, sie sollten sich setzen, wo sie wollten. »Clancy hält unerwünschte Gäste fern«, sagte Jace und führte sie zu einer der Sitzecken.

»Er ist ein *Dämon«,* zischte Clary. Ein paar der Gäste drehten sich zu ihr um – ein Junge mit spitzen blauen Dreadlocks saß neben einem hübschen indischen Mädchen mit langem schwarzem Haar und hauchdünnen goldenen Flügeln, die aus ihrem Rücken zu wachsen schienen. Der Junge schaute finster. Clary stellte erleichtert fest, dass das Restaurant fast leer war.

»Nein, ist er nicht«, sagte Jace und setzte sich auf eine Bank. Clary wollte neben ihn rutschen, aber Alec war schneller. Vorsichtig nahm sie den beiden gegenüber Platz; trotz Jace' Behandlung war ihr Arm noch immer steif. Sie fühlte sich hohl und ganz leicht benommen, als hätten die Stillen Brüder in sie hineingegriffen und ihr Innerstes herausgekratzt. »Er ist ein Ifrit«, erklärte Jace. »Das sind Hexenmeister ohne Zauberkräfte. Halbe Dämonen, die nichts verhexen können, aus welchem Grund auch immer.«

»Arme Schweine«, sagte Alec und nahm eine der Speisekarten.

Auch Clary nahm eine Karte und riss erstaunt die Augen auf. Heuschrecken in Honig waren als Spezialität aufgeführt, ebenso wie rohes Fleisch, ganze rohe Fische und etwas, das sich Fledermaus auf Toast nannte. Auf einer der Getränkeseiten standen die diversen Blutgruppen, die es vom Fass gab – zu Clarys Erleichterung waren es verschiedene Sorten von Tierblut, statt der menschlichen Blutgruppen A, Null oder B negativ. »Wer isst denn einen ganzen rohen Fisch?«, fragte sie laut.

»Wassergeister«, erwiderte Alec. »Selkies, vielleicht auch die eine oder andere Nixe.«

»Lass am besten die Finger von den Elbengerichten«, sagte Jace und schaute Clary über den Rand der Speisekarte hinweg an. »Sie machen Menschen ein bisschen verrückt. Du isst eine Elbenpflaume und im nächsten Moment rennst du nackt und mit einem Geweih auf dem Kopf die Madison Avenue entlang. Nicht dass mir das je passiert wäre«, fügte er rasch hinzu.

Alec lachte. »Weißt du noch . . .«, setzte er an und erzählte eine Geschichte, in der so viele seltsame Worte und Eigennamen vorkamen, dass Clary gar nicht erst versuchte, ihm zu folgen. Stattdessen beobachtete sie Alec, während er mit Jace sprach. Er verströmte eine unruhige, fast fieberhafte Energie, die vorher nicht da gewesen war. Etwas an Jace schien seine Sinne zu schärfen, ihn konzentrierter zu machen. Wenn sie die beiden zusammen malen würde, dachte sie, würde sie Jace ein wenig verschwommen darstellen, während Alec deutlich hervortreten und ganz aus scharfen, klaren Flächen und Winkeln bestehen würde.

Jace hielt während Alecs Wortschwall den Blick nach unten gerichtet, lächelte ein wenig und klopfte mit dem Fingernagel an sein Wasserglas. Sie spürte, dass er an etwas anderes dachte, und empfand eine plötzliche Sympathie für Alec. Es war bestimmt nicht leicht, Jace gern zu haben. *Ich habe über euch gelacht, weil mich Liebesbezeugungen amüsieren, vor allem, wenn die Liebe nicht erwidert wird.*

Jace blickte auf, als die Kellnerin vorbeikam. »Bekommen wir irgendwann auch mal einen Kaffee?«, fragte er laut und schnitt Alec mitten im Satz das Wort ab.

Alec verstummte und seine Energie schwand. »Ich . . .«

Clary beeilte sich, etwas zu sagen. »Für wen ist all das rohe Fleisch bestimmt?«, fragte sie und deutete auf die dritte Seite der Speisekarte.

»Werwölfe«, meinte Jace. »Aber ab und zu habe ich auch nichts gegen ein blutiges Steak.« Er beugte sich vor, streckte seine Hand über den Tisch und blätterte in Clarys Speisekarte. »Die Gerichte für Menschen sind hier hinten.«

Sie studierte die ganz gewöhnlichen Menüs und fühlte sich wie betäubt. Es war einfach alles zu viel. »Sie haben *Smoothies?«*

»Das Aprikosen-Pflaumen-Smoothie mit Wildblütenhonig ist einfach göttlich«, sagte Isabelle, die plötzlich zusammen mit Simon aufgetaucht war. »Rutsch rüber«, meinte sie zu Clary, die sich so dicht an die Wand schob, dass sie die kalten Backsteine an ihrem Arm spürte. Simon, der sich neben Isabelle setzte, schenkte ihr ein leicht verlegenes Lächeln, das sie jedoch nicht erwiderte. »Du solltest mal einen probieren.«

Da Clary sich nicht sicher war, ob Isabelle mit ihr redete oder mit Simon, hielt sie lieber den Mund. Isabelles Haare kitzelten sie im Gesicht; sie rochen nach einem Vanilleparfüm. Clary unterdrückte ein Niesen. Sie hasste Parfüm mit Vanille und hatte nie verstanden, warum manche Mädchen unbedingt wie eine Nachspeise riechen wollten.

»Wie ist es in der Stadt der Gebeine gelaufen?«, fragte Isabelle und schlug ihre Speisekarte auf. »Habt ihr herausgefunden, was in Clarys Kopf los ist?«

»Wir haben einen Namen«, erwiderte Jace. »Magnus . . .«

»Sei *still«,* zischte Alec und schlug mit der geschlossenen Speisekarte nach Jace, der ihn daraufhin mit schmerzverzerrtem Gesicht ansah und sich den Arm rieb. »Herrje! Was hast du nur für ein Problem?«

»In diesem Laden wimmelt es von Schattenwesen. Das weißt du ganz genau. Ich denke, du solltest versuchen, die Details eurer Nachforschungen für dich zu behalten.«

*»Nachforschungen?«,* lachte Isabelle. »Sind wir jetzt Detektive? Vielleicht sollten wir uns alle einen Codenamen zulegen.«

»Gute Idee«, sagte Jace. »Ich bin Baron Heißsporn von Hugenstein.«

Alec musste lachen und spuckte das Wasser wieder in sein Glas. In dem Moment kam die Kellnerin, um ihre Bestellungen aufzunehmen. Auch aus der Nähe betrachtet, war sie ein hübsches blondes Mädchen; allerdings leuchteten ihre Augen irritierend – vollkommen blau, ohne Pupillen und das geringste Weiß. Sie lächelte und enthüllte dabei scharfe kleine Zähne. »Wisst ihr schon, was ihr wollt?«

Jace grinste. »Das Übliche«, sagte er und die Kellnerin schenkte ihm ein Lächeln.

»Für mich auch«, stimmte Alec ein, bekam aber kein Lächeln. Isabelle bestellte umständlich ein Früchte-Smoothie, Simon wollte Kaffee und Clary entschied sich nach kurzem Zögern für einen großen Kaffee und Kokos-Pfannkuchen. Die Kellnerin zwinkerte ihr mit einem blauen Auge zu und stolzierte davon.

»Ist sie auch ein Ifrit?«, fragte Clary und sah ihr nach.

»Kaelie? Nein. Sie ist halb Fee, glaube ich«, meinte Jace.

»Sie hat Nixenaugen«, sagte Isabelle nachdenklich.

»Wisst ihr wirklich nicht, was sie ist?«, fragte Simon.

Jace schüttelte den Kopf. »Ich achte ihre Privatsphäre.« Er verpasste Alec einen Stoß in die Rippen. »Hey, lass mich mal kurz raus.«

Mit finsterem Blick machte Alec Platz. Clary schaute Jace nach, als er zu Kaelie hinüberging. Sie lehnte an der Theke und sprach durch die Durchreiche zur Küche mit dem Koch, von dem Clary jedoch nur einen gebeugten Kopf mit einer Kochmütze sehen konnte. Große pelzige Ohren ragten durch Löcher auf beiden Seiten der Kochmütze heraus.

Kaelie lächelte Jace an, der einen Arm um sie legte. Sie schmiegte sich an ihn. Clary fragte sich, ob Jace das etwa unter »Achtung ihrer Privatsphäre« verstand.

Isabelle verdrehte die Augen. »Er sollte die Bedienung wirklich nicht so anmachen.«

Alec schaute sie an. »Du glaubst doch nicht, dass er es ernst meint, oder? Dass er sie mag, meine ich.«

Isabelle zuckte die Achseln. »Sie ist ein Schattenwesen«, sagte sie, als würde das alles erklären.

»Das verstehe ich nicht«, sagte Clary.

Isabelle schaute sie gelangweilt an. »Was verstehst du nicht?«

»Diese ganze Schattenwesengeschichte. Ihr jagt sie nicht, weil sie keine echten Dämonen sind, aber sie sind auch keine Menschen. Vampire töten beispielsweise, sie trinken Blut . . .«

»Nur bösartige Vampire trinken das Blut lebender Menschen«, warf Alec ein. »Und die dürfen wir töten.«

»Und was sind Werwölfe? Nichts weiter als zu groß geratene Hündchen?«

»Sie töten Dämonen«, sagte Isabelle. »Solange sie uns in Ruhe lassen, kümmern wir uns auch nicht um sie.«

*Genauso als würde man Spinnen leben lassen, weil sie Mücken fressen,* dachte Clary. »Das heißt also, sie sind gut genug, um nicht getötet zu werden, gut genug, euch euer Essen zu kochen, gut genug, um mit ihnen zu flirten – aber nicht *wirklich* gut genug? Ich meine, nicht so gut wie Menschen?«

Isabelle und Alec schauten sie an, als würde sie Urdu sprechen. »Anders als Menschen«, sagte Alec schließlich.

»Besser als Irdische?«, fragte Simon.

»Nein«, sagte Isabelle entschieden. »Man könnte einen Irdischen zu einem Schattenjäger machen. Ich meine, wir stammen von Irdischen ab. Aber man könnte aus einem Schattenwesen nie ein Mitglied des Rats machen. Sie können die Runen nicht tragen.«

»Also sind sie schwach?«, fragte Clary.

»Das würde ich nicht sagen«, entgegnete Jace, während er wieder auf die Sitzbank neben Alec rutschte. Seine Haare waren zerzaust und er hatte Lippenstift auf der Wange. »Zumindest nicht, wenn ein Peri, ein Djinn, ein Ifrit oder, Gott weiß, wer sonst noch zuhört.« Er grinste, als Kaelie mit dem Essen erschien. Clary betrachtete ihre Pfannkuchen. Sie sahen fantastisch aus: goldbraun und mit Honig übergossen. Sie nahm einen Bissen, während Kaelie auf ihren hohen Absätzen davonstakste. Die Pfannkuchen waren köstlich.

»Ich habe dir doch gesagt, dass es das tollste Restaurant in ganz Manhattan ist«, sagte Jace und aß seine Pommes frites mit den Fingern.

Sie schaute zu Simon, der den Kopf gesenkt hatte und in seinem Kaffee rührte.

»Mmmf«, sagte Alec mit vollem Mund.

»Genau«, entgegnete Jace. Er schaute Clary an. »Das Ganze ist keine einseitige Angelegenheit. Wir mögen den Schattenwesen vielleicht nicht immer von Herzen zugetan sein, aber das gilt auch umgekehrt. Ein paar Hundert Jahre des gemeinsamen Abkommens können tausend Jahre der Feindseligkeit nicht auslöschen.«

»Ich bin sicher, sie weiß nicht, was das Abkommen ist, Jace«, gab Isabelle zu bedenken.

»Doch, das weiß ich.«

»Aber ich nicht«, sagte Simon.

»Mag sein, aber wen interessiert schon, was du weißt?« Jace betrachtete eine Fritte, bevor er hineinbiss. »Zu gewissen Zeiten und an gewissen Orten genieße ich die Gesellschaft gewisser Schattenwesen. Aber wir werden nicht unbedingt zu denselben Partys eingeladen.«

»Moment mal.« Isabelle setzte sich plötzlich aufrecht hin. »Wie, sagtest du, war noch mal der Name?«, wandte sie sich an Jace. »Der Name in Clarys Kopf?«

»Ich habe keinen Namen genannt. Zumindest nicht vollständig. Er lautet Magnus Bane«, sagte Jace und grinste Alec spöttisch an. »Klingt schwer nach ›übervorsichtiger Nervensäge‹.«

Alec murmelte eine Antwort in seinen Kaffee, die unschwer als »blödes Arschloch« zu erkennen war. Clary musste innerlich grinsen.

»Eigentlich ist das unmöglich . . . aber ich bin mir fast sicher . . .« Isabelle tauchte in ihre Handtasche und holte einen zusammengefalteten blauen Papierbogen heraus, mit dem sie wild herumwedelte. »Seht euch *das* mal an.«

Alec griff nach dem Papier, schaute es sich mit einem Achselzucken an und reichte es an Jace weiter. »Eine Einladung zu einer Party. Irgendwo in Brooklyn«, sagte er. »Ich hasse Brooklyn.«

»Sei nicht so ein Snob«, erwiderte Jace. Dann setzte er sich aufrecht hin und musterte Isabelle. »Wo hast du das her, Izzy?«

Sie machte eine wegwerfende Handbewegung. »Von diesem Wassergeist im Pandemonium. Er sagte, es würde super werden. Er hatte einen ganzen Packen von Einladungen.«

»Was für eine Party?«, fragte Clary ungeduldig. »Zeigt ihr uns den Zettel endlich mal oder nicht?«

Jace drehte den Bogen um, sodass alle ihn lesen konnten. Auf dem Papier, das fast so dünn war wie Pergament, stand in einer feinen, eleganten Handschrift etwas geschrieben. Es war die Ankündigung einer Zusammenkunft im bescheidenen Heim von Magnus dem Magnifiziösen, dem Hexenmeister, und versprach den Gästen *»einen hinreißenden Abend voller Vergnügungen, die Ihre wildesten Vorstellungen übertreffen werden«.*

»Magnus«, sagte Simon. »Magnus wie Magnus Bane?«

»Ich bezweifle, dass es viele Hexenmeister mit dem Namen Magnus in und um New York gibt«, meinte Jace.

Alec blinzelte. »Heißt das, dass wir zu der Party gehen müssen?«, fragte er in die Runde.

»Wir *müssen* gar nichts«, antwortete Jace, während er das Kleingedruckte auf dem Papier studierte. »Aber dieser Einladung nach zu urteilen, ist Magnus Bane der Oberste Hexenmeister von Brooklyn.« Er schaute zu Clary. »Und mich persönlich würde schon mal interessieren, was der Name des Obersten Hexenmeisters von Brooklyn in deinem Kopf zu suchen hat.«

Die Party begann nicht vor Mitternacht. Da bis dahin noch viel Zeit war, verschwanden Jace und Alec in der Waffenkammer und Isabelle und Simon verkündeten, sie wollten einen Spaziergang im Central Park machen, damit sie ihm die Feenkreise zeigen könne. Simon fragte Clary, ob sie vielleicht mitkommen wolle. Aber obwohl sie eine mörderische Wut verspürte, lehnte sie mit der Begründung ab, sie sei zu erschöpft.

Dafür musste sie nicht einmal lügen – sie war wirklich erschöpft, ihr Körper war noch immer geschwächt von den Nachwirkungen des Giftes und dem Mangel an Schlaf. Sie legte sich auf ihr Bett im Institut, streifte die Schuhe ab und wollte schlafen, aber es gelang ihr nicht. Das Koffein sprudelte in ihren Adern wie Mineralwasser und in ihrem Kopf rasten die Bilder. Immer wieder sah sie das Gesicht ihrer Mutter, das mit panischem Ausdruck auf sie herabblickte. Sie sah die Sprechenden Sterne, hörte die Stimmen der Stillen Brüder in ihrem Kopf. *Warum* war eine Blockade in ihrem Kopf? Warum sollte ein mächtiger Hexenmeister sie dort errichtet haben, zu welchem Zweck? Sie fragte sich, welche Erinnerungen sie verloren haben mochte, welche Erlebnisse sie gehabt hatte, an die sie sich nicht mehr erinnern konnte. Oder vielleicht war alles, an das sie sich zu erinnern glaubte, eine Lüge ...?

Sie setzte sich auf, denn sie konnte ihre Gedanken und die damit verbundenen Konsequenzen nicht länger ertragen. Barfuß lief sie durch den Korridor in Richtung Bibliothek. Vielleicht konnte Hodge ihr helfen.

Aber in der Bibliothek war niemand. Das Nachmittagslicht fiel durch die halb zugezogenen Vorhänge und warf goldene Streifen auf den Fußboden. Auf dem Schreibtisch lag das Buch, aus dem

Hodge vorgelesen hatte; sein abgenutzter Ledereinband glänzte. Daneben schlief Hugo auf seiner Stange, den Schnabel unter einen Flügel gesteckt.

*Meine Mutter kannte dieses Buch,* dachte Clary. *Sie hat es berührt und darin gelesen*. Bei dem Gedanken, etwas in den Händen zu halten, das ein Teil des Lebens ihrer Mutter gewesen war, empfand sie einen nagenden Schmerz in der Magengegend. Sie lief durch den Raum und legte ihre Hände auf das Buch. Das sonnenbeschienene Leder fühlte sich warm an. Sie schlug den Band auf.

Etwas Zusammengefaltetes, das zwischen den Seiten gelegen hatte, glitt auf den Boden zu ihren Füßen. Sie bückte sich, um es aufzuheben, und faltete es reflexartig auseinander.

Es war die Fotografie einer Gruppe junger Menschen, keiner von ihnen älter als Clary. Sie wusste, dass die Aufnahme vor mindestens zwanzig Jahren entstanden sein musste, allerdings nicht wegen der Kleidung, die die Porträtierten trugen – unauffällig und schwarz wie die der meisten Schattenjäger –, sondern weil sie sofort ihre Mutter erkannte: Jocelyn, höchstens siebzehn oder achtzehn, die halblangen Haare offen und das Gesicht ein wenig runder, Kinn und Mund weniger ausgeprägt. *Sie sieht aus wie ich,* dachte Clary benommen.

Jocelyn hatte den Arm um einen Jungen gelegt, den Clary nicht kannte. Es versetzte ihr einen Schock. Ihr war nie der Gedanke gekommen, dass ihre Mutter je mit einem anderen Mann als ihrem Vater zusammen gewesen sein könnte. Schließlich hatte Jocelyn sich nie verabredet oder an Liebschaften interessiert gezeigt. Sie war nicht wie die meisten alleinerziehenden Mütter, die bei den Treffen der Elternvertretung nach potenziellen Dads Ausschau hielten. Oder wie Simons Mutter, die ständig ihr Profil in Internet-Singlebörsen auf den neuesten Stand brachte. Der Junge auf dem Foto sah gut aus: Seine Haare waren so blond, dass sie fast weiß schienen, und er hatte dunkle Augen.

»Das ist Valentin«, sagte eine Stimme neben ihrem Ellbogen. »Mit siebzehn.«

Clary zuckte zusammen und ließ dabei fast das Foto fallen. Hugo gab ein aufgeschrecktes und mürrisches Krächzen von sich, ehe er es sich wieder mit gesträubtem Gefieder auf seiner Stange gemütlich machte.

Es war Hodge, der sie mit neugierigen Augen musterte.

»Tut mir leid«, sagte sie, legte die Fotografie auf den Tisch und trat eilig zurück. »Ich wollte nicht in Ihren Sachen herumschnüffeln.«

»Schon gut.« Er berührte das Foto mit einer vernarbten und wettergegerbten Hand – ein seltsamer Kontrast zu den makellosen, ordentlichen Ärmelaufschlägen seines Tweedanzugs. »Es ist schließlich ein Teil deiner Vergangenheit.«

Clary trat wieder an den Schreibtisch heran, als übe das Foto eine magische Anziehungskraft auf sie aus. Der weißhaarige Junge auf dem Foto lächelte Jocelyn an, seine Augen auf eine Art zusammengekniffen, wie man sie nur bei Jungen sieht, die ihr Gegenüber wirklich mögen. Niemand hatte *sie* jemals so angesehen, dachte Clary. Mit seinem kühlen, fein geschnittenen Gesicht wirkte Valentin vollkommen anders als ihr Vater, dessen offenes Lächeln und rötliches Haar sie geerbt hatte. »Valentin sieht . . . irgendwie nett aus.«

»Nett war er nun wirklich nicht«, erwiderte Hodge mit einem schiefen Lächeln, »aber er war charmant, clever und sehr überzeugend. Erkennst du sonst noch jemanden?«

Sie betrachtete das Foto erneut. Links hinter Valentin stand ein dünner Junge mit einem hellbraunen Haarschopf. Er hatte die breiten Schultern und schlaksigen Handgelenke eines Halbwüchsigen, der noch nicht zu voller Größe aufgeschossen ist. »Sind Sie das?«

Hodge nickte. »Und sonst . . .?«

Sie musste zweimal hinsehen, ehe sie noch einen weiteren Jungen identifizieren konnte: Er wirkte so jung, dass er fast nicht zu erkennen war. Schließlich verrieten ihn seine Brille und die Augen dahinter, so blau wie Meerwasser. »Luke«, sagte sie.

»Lucian. Und hier.« Hodge beugte sich über das Foto und zeigte auf ein elegant aussehendes Teenager-Paar, beide dunkelhaarig, das Mädchen einen halben Kopf größer als der Junge. Ihr Gesicht war schmal und hart, fast wie das eines Raubtiers. »Die Lightwoods«, sagte er. »Und das hier« – er zeigte auf einen sehr attraktiven Jungen mit schwarzem, lockigem Haar und einem kantigen, gebräunten Gesicht – »ist Michael Wayland.«

»Er sieht Jace gar nicht ähnlich.«

»Jace kommt nach seiner Mutter.«

»Ist das eine Art Klassenfoto?«, fragte Clary.

»Nicht ganz. Es ist ein Bild des Kreises, aufgenommen in dem Jahr, als er gegründet wurde. Deshalb steht Valentin, der Anführer, vorn und Luke rechts neben ihm. Er war Valentins Stellvertreter.«

Clary wandte den Blick ab. »Ich begreife immer noch nicht, warum meine Mutter bei so etwas mitgemacht hat.«

»Du musst verstehen ...«

»Das sagen Sie andauernd«, erwiderte Clary verärgert. »Ich weiß nicht, warum ich irgendwas verstehen muss. Sagen Sie mir doch einfach die Wahrheit und entweder verstehe ich sie oder nicht.«

Hodges Mundwinkel zuckten. »Wie du meinst.« Er hielt inne, um Hugo zu streicheln, der wichtigtuerisch am Rand des Schreibtischs herumstolzierte. »Das Abkommen hatte nie die Unterstützung des gesamten Rats. Besonders die ehrwürdigeren Familien sehnten sich nach den alten Zeiten, als die Schattenwesen noch getötet werden durften. Nicht nur aus Hass, sondern weil sie sich dadurch sicherer fühlten. Es ist einfacher, eine Bedrohung als Masse zu behandeln, als Gruppe und nicht als Individuen, die einzeln beurteilt werden müssen ... und die meisten von uns kannten jemanden, der von einem Schattenwesen verletzt oder getötet worden war. Es gibt nichts, was mit dem moralischen Absolutismus der Jugend vergleichbar wäre. Als Kind ist es einfach, an Gut und Böse, Hell und Dunkel zu glauben. Valentin hat das nie aufgegeben, weder seinen destruktiven Idealismus noch seinen leidenschaftlichen Hass auf alles, das für ihn ›nicht menschlich‹ ist.«

»Aber meine Mutter hat er geliebt«, sagte Clary.

»Ja. Er hat deine Mutter geliebt. Und er liebte Idris . . .«

»Was war denn so toll an Idris?«, fragte Clary und hörte selbst den mürrischen Ton in ihrer Stimme.

»Es war«, setzte Hodge an, korrigierte sich dann aber, »es *ist* die Heimat der Nephilim – der Ort, an dem sie wirklich sie selbst sein können, sich nicht verstecken und nichts mit dem Schleier des Zauberglanzes kaschieren müssen. Ein vom Erzengel gesegneter Ort. Erst wenn du Alicante mit seinen Gläsernen Türmen gesehen hast, weißt du überhaupt, was eine Stadt ist. Diese Metropole ist schöner, als du dir vorstellen kannst.« In seiner Stimme klang ein tiefer Schmerz mit.

Clary erinnerte sich plötzlich an ihren Traum. »Haben in der Gläsernen Stadt jemals . . . Tanzveranstaltungen stattgefunden?«

Hodge blinzelte sie an, als erwache er gerade aus einem Traum. »Jede Woche. Ich habe nie daran teilgenommen, aber deine Mutter ging regelmäßig auf die Bälle. Genau wie Valentin.« Er lachte leise in sich hinein. »Ich war eher ein Gelehrter, verbrachte meine Tage in der Bibliothek von Alicante. Die Bücher, die du hier siehst, sind nur ein Bruchteil der Schätze, die dort stehen. Ich hatte gehofft, mich eines Tages vielleicht der Bruderschaft anschließen zu können, aber nach dem, was ich getan hatte, kam das natürlich nicht mehr infrage.«

»Das tut mir leid«, sagte Clary unbeholfen. Ihre Gedanken wurden noch immer von der Erinnerung an ihren Traum beherrscht. *Gab es auf den Bällen einen Brunnen mit einer Meerjungfrau? Trug Valentin Weiß, sodass meine Mutter die Male auf seiner Haut durch den Stoff sehen konnte?*

»Kann ich das behalten?«, fragte sie und zeigte auf das Foto.

Hodge zögerte einen Moment. »Mir wäre es lieber, wenn du es Jace nicht zeigen würdest«, sagte er schließlich. »Es gibt schon genug Dinge, mit denen er fertig werden muss – da sollte nicht auch noch ein Foto von seinem toten Vater auftauchen.«

»Natürlich.« Sie drückte das Foto an ihre Brust. »Danke.«

»Nicht der Rede wert.« Er schaute sie fragend an. »Bist du in die Bibliothek gekommen, um mit mir zu sprechen, oder hattest du einen anderen Grund?«

»Ich wollte wissen, ob Sie etwas vom Rat gehört haben. Über den Kelch. Und . . . meine Mom.«

»Ich habe heute Morgen eine kurze Antwort erhalten.«

»Und, hat der Rat Leute geschickt? Schattenjäger?«, fragte sie und konnte die Ungeduld in ihrer Stimme hören.

Hodge wandte den Blick von ihr ab. »Ja, das haben sie.«

»Warum wohnen sie dann nicht hier?«

»Man ist besorgt, dass das Institut von Valentin beobachtet wird. Je weniger er weiß, desto besser.« Hodge sah ihren verzweifelten Gesichtsausdruck und seufzte. »Es tut mir leid, dass ich dir nicht mehr sagen kann, Clarissa. Der Rat vertraut mir nicht besonders, selbst jetzt noch nicht. Man hat mir nur sehr wenig mitgeteilt. Ich wünschte, ich könnte dir helfen.«

Die Trauer in seiner Stimme hinderte sie daran, ihn weiter zu drängen. »Sie können mir helfen . . . Ich kann nämlich nicht schlafen«, sagte sie. »Ich grüble zu viel. Könnten Sie . . .«

»Ah, ein unruhiger Geist.« Seine Stimme war voller Mitgefühl. »Dagegen kann ich dir etwas geben. Warte hier.«

Der Trank, den Hodge ihr gab, roch angenehm nach Wacholder und Laub. Clary öffnete die Phiole auf dem Weg in ihr Zimmer und schnupperte daran. Unglücklicherweise war das Fläschchen noch offen, als Clary ihr Zimmer betrat, wo Jace ausgestreckt auf ihrem Bett lag und seelenruhig in ihrem Skizzenblock blätterte. Erschrocken schrie Clary auf und ließ die Phiole fallen; sie rollte über den Boden und die blassgrüne Flüssigkeit ergoss sich auf die Holzdielen.

»Oje«, sagte Jace, setzte sich auf und legte den Skizzenblock beiseite. »Ich hoffe, das war nichts Wichtiges.«

»Es war ein Schlaftrunk«, sagte sie wütend und berührte die Phiole mit der Spitze ihres Turnschuhs. »Und jetzt ist er hinüber.«

»Wenn bloß Simon hier wäre. Er könnte dich vermutlich in den Schlaf langweilen.«

Clary war nicht in der Stimmung, Simon zu verteidigen. Stattdessen setzte sie sich neben Jace aufs Bett und nahm ihm den Skizzenblock ab. »Normalerweise erlaube ich keinem, einen Blick darauf zu werfen.«

»Warum nicht?« Jace sah zerzaust aus, als hätte er eben noch geschlafen. »Du bist eine ziemlich gute Malerin. Stellenweise sogar hervorragend.«

»Meine Skizzen sind . . . wie ein Tagebuch. Nur dass ich nicht in Worten denke. Ich denke in Bildern, also male ich. Aber trotzdem ist es sehr privat.« Sie fragte sich, ob sie so verrückt klang, wie sie befürchtete.

Jace sah gekränkt aus. »Ein Tagebuch ohne Bilder von mir? Wo sind die heißen Fantasien? Die Titelbilder von Liebesromanen? Die . . .«

»Verlieben sich eigentlich alle Mädchen, denen du begegnest, in dich?«, fragte Clary leise.

Die Frage ließ seine Selbstsicherheit verpuffen, als hätte man mit einer Nadel in einen Luftballon gestochen. »Ich würde es nicht als *Liebe* bezeichnen«, sagte er nach einer Weile. »Zumindest . . .«

»Du könntest versuchen, nicht die ganze Zeit den Charmeur zu spielen«, sagte Clary. »Vielleicht wäre das für alle eine Erleichterung.«

Er schaute auf seine Hände. Sie sahen bereits aus wie die Hände von Hodge, übersät mit winzigen weißen Narben, auch wenn die Haut jung und faltenlos war. »Wenn du wirklich müde bist, könnte ich dafür sorgen, dass du einschläfst. Ich könnte dir eine Gutenachtgeschichte erzählen«, sagte er.

Sie sah ihn an. »Meinst du das ernst?«

»Ich meine alles ernst.«

Sie fragte sich, ob die Müdigkeit sie beide ein bisschen verrückt gemacht hatte. Aber Jace sah nicht müde aus, eher traurig. Sie schob den Skizzenblock auf den Nachttisch, streckte sich aus und rollte sich auf die Seite. »Okay.«

»Mach die Augen zu.«

Als sie die Augen schloss, sah sie immer noch kleine Lichtpunkte an den Innenseiten ihrer Lider, die an winzige Sternenexplosionen erinnerten.

»Es war einmal ein Junge«, begann Jace.

»Ein Schattenjäger-Junge?«, unterbrach Clary ihn sofort.

»Natürlich.« Einen Moment klang seine Stimme leicht amüsiert, doch als er weitersprach, war der Unterton verschwunden. »Als der Junge sechs Jahre alt war, schenkte sein Vater ihm einen Falken, den er abrichten sollte. ›Falken sind Raubvögel‹, sagte der Vater, ›die Schattenjäger der Lüfte.‹

Der Falke mochte den Jungen nicht und der Junge mochte den Falken nicht. Sein spitzer Schnabel machte ihn nervös und die scharfen Augen schienen ihn ständig zu beobachten. Wenn er in seine Nähe kam, hackte der Falke mit dem Schnabel nach ihm und kratzte ihn mit den Krallen. Wochenlang bluteten die Handgelenke und Hände des Jungen. Er wusste nicht, dass der Vater einen Falken ausgesucht hatte, der über ein Jahr in freier Wildbahn gelebt hatte und daher fast unmöglich zu zähmen war. Aber der Junge versuchte es, weil der Vater ihm gesagt hatte, er solle den Falken abrichten, und er wollte seinen Vater nicht enttäuschen.

Der Junge blieb die ganze Zeit bei dem Falken, hielt ihn wach, indem er mit ihm sprach, und spielte ihm sogar Musik vor, denn es hieß, ein müder Vogel ließe sich leichter zähmen. Er lernte, mit der Ausrüstung umzugehen, mit der Haube, dem Brehlriemen und der Langfessel, mit der er den Vogel an seinem Handgelenk festband. Sein Vater hatte ihm aufgetragen, darauf zu achten, dass der Falke nichts sehen konnte, aber das brachte er nicht fertig. Stattdessen versuchte der Junge, sich dorthin zu setzen, wo der Vogel ihn sehen konnte, wenn er seine Flügel streichelte, denn er wollte, dass er ihm vertraute. Und er fütterte ihn aus der Hand. Zuerst wollte der Vogel nichts fressen; später fraß er jedoch so gierig, dass sein Schnabel die Haut der Handflächen aufschlitzte. Aber der Junge freute sich darüber, denn es war ein Fortschritt und er wollte, dass der Vogel ihn kennenlernte, selbst wenn dieser dazu sein Blut trinken musste.

Allmählich erkannte der Junge, dass der Falke schön war, dass seine schlanken Flügel für den schnellen Flug gemacht waren, dass er stark und geschickt, wild und geschmeidig war. Wenn er im Sturzflug auf den Boden zuschoss, bewegte er sich schnell wie ein Blitz. Als er lernte, zu kreisen und auf seinem Handgelenk zu landen, schrie der Junge fast vor Freude. Manchmal hüpfte der Vogel auf seine Schulter und legte ihm den Schnabel ins Haar. Er wusste, dass sein Falke ihn liebte, und als er sicher war, dass der Vogel nicht nur gezähmt, sondern perfekt abgerichtet war, ging er zu seinem Vater und zeigte ihm, was er geschafft hatte, in der Hoffnung, sein Vater würde stolz auf ihn sein.

Stattdessen nahm der Vater den Vogel, der nun zahm und zutraulich war, in die Hände und brach ihm das Genick. ›Ich habe dir gesagt, du sollst ihn abrichten‹, sagte der Vater und ließ den leblosen Körper des Falken zu Boden fallen. ›Stattdessen hast du ihm beigebracht, dich zu lieben. Falken sind aber keine liebevollen Haustiere: Ihre Natur ist kämpferisch, wild und grausam. Dieser Vogel war nicht gezähmt, er war gebrochen.‹

Als sein Vater gegangen war, weinte der Junge um seinen Vogel, bis der Vater schließlich einen Bediensteten schickte, das tote Tier zu holen und zu begraben. Der Junge weinte nie wieder und er vergaß nie, was er gelernt hatte: dass lieben zerstören heißt und dass geliebt zu werden bedeutet, derjenige zu sein, der zerstört wird.«

Clary, die die ganze Zeit still dagelegen und kaum geatmet hatte, rollte auf den Rücken und öffnete die Augen. »Das ist eine *schreckliche* Geschichte«, sagte sie entrüstet.

Jace hatte die Beine angezogen und das Kinn auf die Knie gestützt. »Ja, wirklich?«, fragte er nachdenklich.

»Der Vater des Jungen ist furchtbar. Es ist eine Geschichte über Kindesmisshandlung. Ich hätte wissen sollen, was sich Schattenjäger unter einer Gutenachtgeschichte vorstellen – alles, wovon man entsetzliche Albträume bekommt . . .«

»Manchmal bekommt man von den Malen entsetzliche Albträume«, sagte Jace. »Wenn man noch zu jung dafür ist.« Er schaute sie nachdenklich an. Das Licht der Abenddämmerung drang durch die Vorhänge und machte aus seinem Gesicht eine Kontraststudie. *Chiaroscuro,* dachte sie, die Kunst von Licht und Schatten. »Wenn man es recht bedenkt, ist es eine gute Geschichte. Der Vater des Jungen hat nur versucht, ihn stärker zu machen. Unbeugsam.«

»Aber man muss lernen, ein wenig nachzugeben«, sagte Clary und gähnte. Trotz der schrecklichen Geschichte hatte der Rhythmus von Jace' Stimme sie schläfrig gemacht. »Oder man zerbricht.«

»Nicht wenn man stark genug ist«, erwiderte Jace bestimmt. Er streckte die Hand aus und sie spürte, wie er mit dem Handrücken über ihre Wange streichelte. Sie merkte, dass ihr die Augen zufielen. Die Erschöpfung machte ihre Knochen weich und sie fühlte sich, als würde sie davongespült. Als sie einschlief, hörte sie seine Worte in ihrem Kopf nachhallen. *Er hat mir alles gegeben, was ich wollte. Pferde, Waffen, Bücher, sogar einen Jagdfalken.*

»Jace«, versuchte sie zu sagen. Aber der Schlaf hatte sie bereits übermannt. Er zog sie hinab und sie blieb stumm.

Eine drängende Stimme riss sie aus ihren Träumen. »Wach auf!«

Langsam öffnete Clary die Augen. Sie fühlten sich schwer und verklebt an. Irgendetwas kitzelte in ihrem Gesicht. Haare! Ruckartig setzte sie sich auf und krachte mit dem Kopf gegen etwas Hartes.

»Au! Du hast mir gegen den Kopf geschlagen!« Es war die Stimme eines Mädchens. Isabelle. Sie schaltete die Lampe neben dem Bett ein, schaute Clary vorwurfsvoll an und rieb sich den Schädel. Im

Licht der Lampe schien sie förmlich zu schillern – sie trug einen langen silbernen Rock, ein paillettenbesetztes Top, ihre Nägel waren lackiert wie funkelnde Münzen und sie hatte ihr dunkles Haar mit silbernen Perlen durchflochten. Sie sah aus wie eine Mondgöttin. Clary hasste sie.

»Du hättest dich ja nicht so über mich beugen müssen. Du hast mich fast zu Tode erschreckt.« Clary rieb sich ebenfalls den Kopf. Direkt über ihrer Augenbraue spürte sie eine schmerzende Stelle. »Was willst du überhaupt?«

Isabelle deutete auf den dunklen Nachthimmel vor dem Fenster. »Es ist fast Mitternacht. Wir müssen los, zu der Party, und du bist noch immer nicht umgezogen.«

»Ich wollte so gehen«, sagte Clary und zeigte auf ihr Ensemble aus Jeans und T-Shirt. »Ist das ein Problem?«

»Ist das ein Problem?« Isabelle sah aus, als würde sie gleich in Ohnmacht fallen. »Natürlich ist das ein Problem! Kein Schattenwesen würde solche Kleider tragen. Und es ist eine Party. Du wirst auffallen wie ein bunter Hund, wenn du so . . . leger gekleidet bist«, sagte sie und schaute, als habe sie ein viel schlimmeres Wort als »leger« verwenden wollen.

»Ich wusste nicht, dass wir uns schick machen«, erwiderte Clary sauer. »Ich habe keine Partyklamotten dabei.«

»Dann musst du dir welche von mir leihen.«

»Oh *nein*.« Clary dachte an das zu große T-Shirt und die weiten Jeans. »Ich meine, das geht doch nicht.«

Isabelles Lächeln funkelte wie ihre Fingernägel. »Ich bestehe darauf.«

»Ich würde wirklich lieber meine eigenen Sachen anziehen«, protestierte Clary und wand sich unbehaglich, als Isabelle sie vor den bodenlangen Spiegel in ihrem Zimmer stellte.

»Das geht aber nicht«, sagte Isabelle. »Du siehst aus wie eine Achtjährige, und was noch schlimmer ist, du siehst aus wie eine Irdische.«

Clary schob rebellisch den Kiefer vor. »Von deinen Kleidern passt mir kein einziges.«

»Das werden wir ja sehen.«

Clary beobachtete Isabelle im Spiegel, als diese ihren Kleiderschrank durchstöberte. Ihr Zimmer sah aus, als sei darin eine Discokugel explodiert. Die Wände waren schwarz und schimmerten golden von der Farbe, die jemand in schwungvoller Schwammtechnik aufgetragen hatte. Überall lagen Kleidungsstücke: auf dem zerwühlten schwarzen Bett, über den Lehnen der Holzstühle. Sie quollen aus dem Schrank heraus und hingen an der großen Garderobe, die an einer Wand platziert worden war. Der Frisiertisch, dessen Spiegel eine pinkfarbene Pelzumrandung besaß, war übersät mit Glitter, Pailletten und Rouge- und Pudertöpfchen.

»Schönes Zimmer«, sagte Clary und dachte sehnsüchtig an ihre orangefarbenen Wände zu Hause.

»Danke. Ich habe es selbst gestrichen.« Isabelle kam mit einem engen schwarzen Teil vom Kleiderschrank zurück, das sie Clary zuwarf.

Clary faltete das Kleid auseinander und hielt es sich an. »Es sieht verdammt eng aus.«

»Es dehnt sich«, sagte Isabelle. »Zieh es an.«

Rasch schlüpfte Clary in das kleine Bad, das leuchtend blau gestrichen war, und zwängte sich das Kleid über den Kopf – es war eng und hatte winzige Spaghettiträger. Sie versuchte, flach zu atmen, und ging ins Schlafzimmer zurück, wo Isabelle in Sandalen auf dem Bett saß und sich ein paar juwelenbesetzte Ringe an die Zehen schob. »Du kannst wirklich froh sein, dass du so eine flache Brust hast«, sagte Isabelle. »Ich könnte so was nie ohne BH tragen.«

Clary schaute mürrisch. »Es ist zu kurz.«

»Es ist nicht zu kurz. Es ist prima«, meinte Isabelle und fummelte mit den Füßen unter dem Bett herum. Sie holte ein Paar Stiefel und schwarze Netzstrümpfe hervor. »Hier, das kannst du dazu anziehen. Damit siehst du größer aus.«

»Genau, denn ich bin flachbrüstig *und* ein Zwerg.« Clary zog den Saum ihres Kleides herunter, das gerade die obere Hälfte ihrer Oberschenkel bedeckte. Sie trug fast nie Röcke, und schon gar keine kurzen, und empfand es daher als äußerst beunruhigend, dass man so viel von ihren Beinen sah. »Wenn es schon an mir so kurz ist, wie kurz muss es dann erst an dir sein?«, überlegte sie laut.

Isabelle grinste. »Ich trage es als Oberteil.«

Clary ließ sich auf das Bett fallen und zog die Strümpfe und die Schnürstiefel an, die ein wenig weit um die Waden waren, ansonsten aber passten. Sie band die Stiefel zu, stand auf und betrachtete sich im Spiegel. Sie musste zugeben, dass die Kombination aus schwarzem Kleid, Netzstrümpfen und hohen Stiefeln ziemlich scharf aussah. Das Einzige, was den Anblick verdarb, waren . . .

»Deine Haare«, sagte Isabelle. »Sie müssen unbedingt hochgesteckt werden. Setz dich.« Sie zeigte gebieterisch in Richtung Frisiertisch. Clary setzte sich davor und kniff die Augen zusammen, als Isabelle – nicht besonders sanft – ihre Zöpfe öffnete, die Haare auskämmte und mit Haarklammern hochsteckte. Clary öffnete die Augen genau in dem Moment, als ihr ein Puderquast ins Gesicht gedrückt wurde und sie in eine dichte Glitterwolke einhüllte. Sie hustete und sah Isabelle vorwurfsvoll an.

Isabelle lachte. »Schau nicht mich an, sondern dich.« Als sie in den Spiegel blickte, sah Clary, dass Isabelle ihre Haare zu einer eleganten Hochsteckfrisur eingeschlagen hatte, die von funkelnden Nadeln zusammengehalten wurde. Plötzlich erinnerte sie sich an ihren Traum, an das schwere Haar, das ihren Kopf nach unten drückte, als sie mit Simon tanzte . . . Unruhig rutschte sie auf dem Stuhl hin und her.

»Noch nicht aufstehen. Wir sind noch nicht fertig«, sagte Isabelle und nahm einen Eyeliner. »Mach die Augen auf.«

Clary riss die Augen auf und war froh, dass sie so ihre Tränen unterdrücken konnte. »Isabelle, kann ich dich mal was fragen?«

»Klar«, antwortete Isabelle und setzte fachmännisch den Eyeliner an.

»Ist Alec schwul?«

Isabelles Handgelenk zuckte, der Eyeliner rutschte ab und hinterließ einen langen schwarzen Strich von Clarys Augenwinkel bis zum Haaransatz. »Verdammt«, murmelte Isabelle und legte den Stift weg.

»Schon gut«, begann Clary und führte eine Hand an ihr Auge.

»Nein, ist es nicht.« Isabelle klang, als sei sie den Tränen nah, während sie in dem Chaos auf ihrem Frisiertisch wühlte. Schließlich fand sie ein Wattebällchen und reichte es Clary. »Hier, nimm das.« Sie setzte sich auf die Bettkante, ließ ihre Fußkettchen klimpern und schaute Clary durch ihren Haarvorhang an. »Wie bist du dahintergekommen?«, fragte sie schließlich.

»Ich . . .«

»Du darfst es auf keinen Fall irgendjemandem sagen.«

»Nicht einmal Jace?«

»Vor allem nicht Jace.«

»In Ordnung.« Clary merkte, wie steif ihre Stimme sich anhörte. »Ich glaube, mir war nicht klar, dass es so eine große Sache ist.«

»Für meine Eltern wäre es eine ziemlich große Sache«, sagte Isabelle leise. »Sie würden Alec verstoßen und ihn aus dem Rat werfen . . .«

»Wie? Man darf als Schattenjäger nicht schwul sein?«

»Es gibt zwar keine offizielle Vorschrift, aber es wird nicht gern gesehen. Ich meine, die Leute in unserem Alter sind weniger das Problem – glaube ich«, fügte sie unsicher hinzu und Clary erinnerte sich, dass Isabelle bisher nur wenigen Jugendlichen ihres Alters begegnet war. »Aber die ältere Generation. Wenn jemand schwul ist, dann wird nicht darüber gesprochen.«

»Oh«, sagte Clary und wünschte sich, sie hätte nie davon angefangen.

»Ich liebe meinen Bruder«, fuhr Isabelle leise fort. »Ich würde alles für ihn tun. Aber daran kann ich nichts ändern.«

»Wenigstens hat er dich«, sagte Clary unbeholfen und dachte einen Moment an Jace, der Liebe als etwas betrachtete, das dem Betreffenden nur das Herz brach. »Glaubst du wirklich, dass es Jace ... etwas ausmachen würde?«

»Ich weiß es nicht«, antwortete Isabelle in einem Ton, dem zu entnehmen war, dass sie lieber das Thema wechseln wollte. »Aber das habe nicht ich zu entscheiden.«

»Vermutlich nicht«, meinte Clary. Sie beugte sich zum Spiegel vor und wischte mit dem Wattebällchen, das Isabelle ihr gegeben hatte, den verschmierten Eyeliner weg. Als sie sich wieder zurücklehnte, ließ sie die Watte vor Überraschung fast fallen: Was hatte Isabelle mit ihr angestellt? Ihre Wangenknochen sahen scharf und kantig aus, ihre Augen lagen tief in den Höhlen und waren von einem geheimnisvollen leuchtenden Grün umrahmt.

»Ich sehe aus wie meine Mom«, sagte sie verblüfft.

Isabelle hob die Augenbrauen. »Was? So alt? Vielleicht noch ein wenig Glitter ...«

»Nein, kein weiterer Glitter«, stammelte Clary hastig. »Nein, es ist gut so. Es gefällt mir.«

»Prima.« Isabelles Fußkettchen klimperten, als sie vom Bett aufsprang. »Lass uns gehen.«

»Ich muss noch mal in mein Zimmer, etwas holen«, sagte Clary und stand auf. »Ach, noch was: Brauche ich irgendwelche Waffen? Trägst du welche?«

»Ich habe jede Menge davon.« Isabelle lächelte und streckte abwechselnd ihre Füße in die Luft, sodass ihre Kettchen bimmelten wie Weihnachtsglocken. »Die hier zum Beispiel. Die linke Kette ist aus Gold, was für Dämonen giftig ist, und die rechte ist gesegnetes Eisen, für den Fall, dass ich irgendwelchen unfreundlichen Vampiren oder Elben begegne – Elben hassen Eisen. In beide Kettchen sind Kraftrunen eingraviert, damit ich mordsmäßig zutreten kann.«

»Dämonenjagd und Mode«, sagte Clary. »Ich hätte nie gedacht, dass das zusammenpasst.«

Isabelle lachte laut auf. »Du würdest staunen ...«

Die Jungs warteten am Eingang auf sie. Sie waren vollkommen in Schwarz gekleidet, sogar Simon, der eine etwas zu große schwarze Hose und sein eigenes, auf links gedrehtes T-Shirt trug, um das Band-Logo zu verbergen. Er stand unbehaglich ein wenig abseits, während Jace und Alec an der Wand lehnten und gelangweilt dreinschauten. Simon blickte auf, als Isabelle näher kam, ihre goldene Peitsche ums Handgelenk geschlungen und die Fußkettchen bimmelnd wie Glöckchen. Clary hatte erwartet, dass er sie verblüfft anstarren würde, denn Isabelle sah umwerfend aus. Aber seine Augen bewegten sich an ihr vorbei zu Clary, wo sie mit einem Ausdruck der Verwunderung haften blieben.

»Was ist das denn?«, fragte er und richtete sich auf. »Was du da anhast, meine ich.«

Clary schaute an sich herunter. Sie hatte eine leichte Jacke übergeworfen, damit sie sich nicht so nackt fühlte, und den Rucksack aus ihrem Zimmer geholt. Er hing über ihrer Schulter und baumelte wie gewohnt zwischen ihren Schulterblättern. Aber Simon blickte nicht auf ihren Rucksack; er blickte auf ihre Beine, als habe er sie noch nie zuvor gesehen.

»Das ist ein Kleid, Simon«, sagte Clary trocken. »Ich weiß, ich trage nicht oft Kleider, aber übertreibst du nicht ein wenig?«

»Es ist so *kurz*«, erwiderte er verwirrt. Selbst in Dämonenjägerkluft sah er immer noch aus wie die Sorte Jungen, die bei einer Verabredung das Mädchen zu Hause abholen, nett zu den Eltern und freundlich zu den Haustieren sind, dachte Clary.

Jace hingegen sah aus wie die Sorte Jungen, die plötzlich hereingeschneit kommt und dann das Haus nur so zum Spaß niederbrennt. »Mir gefällt das Kleid«, sagte er und stieß sich von der Wand ab. Seine Augen wanderten langsam an ihr auf und ab, wie die streichelnden Pfoten einer Katze. »Aber es fehlt noch etwas.«

»Seit wann bist du Modeexperte?« Ihre Stimme klang stockend – er stand dicht vor ihr, so nah, dass sie seine Wärme spüren und den leicht verbrannten Geruch neu aufgebrachter Male riechen konnte.

Er nahm etwas aus seiner Jackentasche und reichte es ihr – einen langen, dünnen Dolch in einer Lederscheide. Der Griff des Dolches war mit einem einzelnen roten Stein in Form einer Rose verziert.

Sie schüttelte den Kopf. »Ich wüsste nicht einmal, wie man damit umgeht . . .«

Er drückte ihr den Dolch in die Hand und schloss dann ihre Finger darum. »Du wirst es lernen. Es liegt dir im Blut«, fügte er leise hinzu.

Langsam zog sie ihre Hand zurück. »Okay.«

»Ich könnte dir eine Scheide dafür geben, die du dir um den Oberschenkel binden kannst«, bot Isabelle an. »Ich habe jede Menge davon.«

»Auf keinen Fall!«, protestierte Simon.

Clary warf ihm einen genervten Blick zu. »Danke, aber ich bin nicht der Typ für so was.« Sie steckte den Dolch in die Außentasche ihres Rucksacks.

Als sie die Tasche zuzog, schaute sie auf und sah, dass Jace sie unter schweren Lidern hervor beobachtete. »Und noch etwas«, sagte er. Er zog die funkelnden Klammern aus ihrem Haar, sodass es in warmen, schweren Locken herabfiel. Das Gefühl der weichen Haare auf ihrer nackten Haut war fremd und auf seltsame Art angenehm.

»Viel besser«, sagte er und sie dachte, dass dieses Mal seine Stimme ein wenig gestockt hatte.

# 12
# Die Party des toten Mannes

Die Wegbeschreibung auf der Einladung führte sie in ein Industriegebiet in Brooklyn, wo die Straßen von Fabriken und Lagerhäusern gesäumt waren. Clary sah, dass manche Gebäude zu Lofts und Galerien umgebaut worden waren, aber ihre hoch aufragenden, rechteckigen Formen hatten noch immer etwas Bedrohliches und die wenigen Fenster waren mit Eisengittern gesichert.

Mithilfe des Sensors, den Isabelle bediente und der über eine Art Navigationssystem zu verfügen schien, machten sie sich von der U-Bahn-Station aus auf den Weg. Simon, der solche technischen Spielereien liebte, war fasziniert – oder zumindest tat er so, als sei der Sensor der Grund seiner Faszination. In der Hoffnung, möglichst wenig mit den anderen reden zu müssen, ließ Clary sich zurückfallen, während sie einen heruntergekommenen Park durchquerten, dessen Gras von der Sommerhitze verbrannt war. Zu ihrer Rechten schimmerten die Turmspitzen einer Kirche grau und schwarz vor dem sternenlosen Nachthimmel.

»Komm schon«, sagte eine drängende Stimme an ihrem Ohr. Es war Jace, der auf sie gewartet hatte und jetzt neben ihr ging. »Ich will mich nicht ständig umschauen müssen, nur um sicherzugehen, dass dir nichts passiert ist.«

»Dann kümmre dich doch einfach nicht um mich.«

»Das letzte Mal, als ich dich allein gelassen habe, hat dich ein Dämon angegriffen«, erinnerte er sie.

»Oh, es täte mir wirklich *furchtbar* leid, wenn dein beschaulicher Abendspaziergang durch meinen plötzlichen Tod ruiniert würde.«

Er blinzelte. »Es gibt eine feine Grenze zwischen Sarkasmus und unverhohlener Feindschaft und du hast sie anscheinend gerade überschritten. Was ist los?«

Sie biss sich auf die Lippe. »Heute Morgen haben seltsame, unheimliche Typen in meinem Kopf herumgewühlt. Und gleich werde ich den seltsamen, unheimlichen Typen treffen, der als Erster in meinem Kopf herumgewühlt hat. Was ist, wenn mir nicht gefällt, was er dort findet?«

»Wie kommst du darauf, dass es dir nicht gefallen könnte?«

Clary schob sich die Haare aus ihrem verschwitzten Nacken. »Ich hasse es, wenn du eine Frage mit einer Gegenfrage beantwortest.«

»Nein, tust du nicht. Du findest es charmant. Aber willst du denn nicht die Wahrheit erfahren?«

»Nein. Ich meine, vielleicht. Ich weiß es nicht.« Sie seufzte. »Würdest du es wollen?«

»Das ist die richtige Straße«, rief Isabelle, die etwa zwanzig Meter vor ihnen ging. Sie befanden sich in einer schmalen Gasse mit alten Lagerhäusern, von denen die meisten allerdings den Eindruck machten, als ob dort Leute wohnten: Blumenkästen vor den Fenstern, Spitzengardinen, die in der schwülen Nachtluft flatterten, nummerierte Plastikmülleimer auf dem Bürgersteig. Clary schaute angestrengt und konzentriert auf die Szenerie, aber es ließ sich unmöglich sagen, ob das die Straße war, die sie in der Stadt der Gebeine gesehen hatte – in ihrer Vision war sie fast vollkommen unter Schnee begraben gewesen.

Sie spürte, wie Jace mit dem Finger sanft über ihre Schulter strich. »Absolut. Immer«, murmelte er.

Sie schaute ihn aus dem Augenwinkel an, denn sie wusste nicht, was er meinte. »Was?«

»Die Wahrheit«, sagte er. »Ich würde . . .«

»Jace!« Es war Alec, der nicht weit entfernt auf dem Bürgersteig stand. Clary fragte sich, warum seine Stimme so laut geklungen hatte.

Jace drehte sich um und ließ die Hand von ihrer Schulter gleiten. »Ja?«

»Glaubst du, wir sind hier richtig?« Alec zeigte auf etwas, das Clary nicht sehen konnte; es war hinter einem großen schwarzen Wagen versteckt.

»Was haben wir denn hier?« Jace schloss zu Alec auf und Clary hörte ihn lachen. Als sie das Auto erreichte, sah sie es auch: mehrere silbern glänzende Motorräder mit tief liegendem schwarzem Chassis. Ölverschmierte Rohre und Leitungen wanden sich um die Fahrgestelle; sie sahen aus wie Adern. Die Maschinen hatten etwas unangenehm Organisches an sich, wie Kreaturen in einem Gemälde von Giger.

»Vampire«, sagte Jace.

»Für mich sehen sie eher aus wie Motorräder«, meinte Simon und gesellte sich zusammen mit Isabelle, die die Maschinen finster musterte, zu ihnen.

»Es sind auch Motorräder, aber sie wurden umgebaut, damit sie mit Dämonenenergie angetrieben werden können«, erklärte Isabelle. »Vampire fahren solche Maschinen, damit sie sich nachts schnell fortbewegen können. Es entspricht nicht unbedingt den Vereinbarungen des Bündnisses, aber . . .«

»Ich habe gehört, dass einige der Maschinen fliegen können«, sagte Alec eifrig. Er klang wie Simon, wenn er ein neues Videospiel ausprobierte. »Oder dass sie unsichtbar werden, wenn man einen Hebel betätigt. Oder unter Wasser fahren können.«

Jace war vom Bordstein gesprungen und ging um die Maschinen herum. Er betrachtete sie eingehend und berührte dann eines der glatten Fahrgestelle. Auf der Seite befand sich eine silberne Aufschrift: *Nox invictus*. »Siegreiche Nacht«, übersetzte er.

Alec schaute ihn befremdet an. »Was machst du da?«

Clary glaubte zu sehen, wie Jace die Hand wieder in die Jackentasche steckte. »Nichts.«

»Komm endlich weiter«, sagte Isabelle. »Ich hab mich nicht so aufgebrezelt, um dir dabei zuzusehen, wie du dich an ein paar Motorrädern in der Gosse zu schaffen machst.«

»Sie sind ein schöner Anblick«, meinte Jace und sprang wieder auf den Bürgersteig zurück. »Das musst du zugeben.«

»Ein schöner Anblick bin ich auch«, entgegnete Isabelle, die nicht so aussah, als wolle sie irgendetwas zugeben. »Jetzt komm endlich.«

Jace sah Clary an. »Dieses Haus«, fragte er und zeigte auf das Lagergebäude aus rotem Backstein. »Ist es das?«

Clary seufzte. »Ich denke schon«, meinte sie unsicher. »Aber sie sehen alle gleich aus.«

»Finden wir es heraus«, sagte Isabelle und ging mit entschlossenen Schritten die Treppe hinauf. Die anderen folgten ihr und drängten sich in den übel riechenden Eingang. Eine nackte Glühbirne baumelte an einem Kabel über ihren Köpfen und beleuchtete eine große Metalltür und eine Reihe von Klingeln an der linken Wand. Nur auf einer stand ein Name: Bane.

Isabelle drückte auf die Klingel. Nichts passierte. Sie klingelte erneut. Gerade wollte sie es zum dritten Mal versuchen, als Alec sie am Handgelenk festhielt. »Sei nicht so unhöflich«, mahnte er.

Sie funkelte ihn böse an: »Alec . . .«

In dem Moment flog die Tür auf.

Ein schlanker Mann stand im Rahmen und betrachtete sie neugierig. Isabelle fasste sich als Erste wieder und schenkte ihm ein strahlendes Lächeln. »Magnus? Magnus Bane?«

»Das bin ich.« Der junge Mann im Türrahmen war so groß und so dünn wie eine Bohnenstange; seine Haare bildeten eine Krone aus dichten schwarzen Stacheln. Er war Asiate und hatte ein elegantes, hübsches Gesicht mit hohen Wangenknochen, seine Schultern waren erstaunlich breit für seine schlanke Figur. Er war passend für die Party angezogen, denn er trug enge Jeans und ein schwarzes Hemd, das mit Dutzenden Metallschnallen bedeckt war. Seine Augen waren von einer Art Maske aus schwarzem Glitter umrahmt, die Lippen dunkelblau geschminkt. Er fuhr sich mit der Hand, an der fast an jedem Finger ein Ring steckte, durch die stachligen Haare und betrachtete sie nachdenklich. »Kinder der Nephilim«, sagte er. »Ich kann mich nicht erinnern, euch eingeladen zu haben.«

Isabelle holte ihre Einladung hervor und schwenkte sie wie eine weiße Fahne. »Ich habe eine Einladung. Und das hier« – mit einer ausladenden Bewegung ihres Armes deutete sie auf den Rest der Gruppe – »sind meine Freunde.«

Magnus zupfte ihr den Zettel aus der Hand und betrachtete ihn angewidert. »Ich muss betrunken gewesen sein«, sagte er. Dann riss er die Tür auf. »Kommt rein. Und versucht, meine Gäste am Leben zu lassen.«

Jace schob sich durch die Tür und musterte Magnus prüfend. »Selbst wenn einer von ihnen seinen Drink auf meine neuen Schuhe verschüttet?«

»Selbst dann.« Plötzlich schnellte Magnus' Hand nach vorn, so rasch, dass Clary es kaum wahrnahm. Er riss Jace die Stele aus der Hand – Clary hatte gar nicht bemerkt, dass dieser sie hervorgeholt hatte – und hielt sie hoch. Jace sah leicht betreten aus. »Und das«, sagte Magnus und steckte die Stele in Jace' Jeanstasche, »behältst du besser in der Hose, Schattenjäger.«

Magnus grinste, während er sich zur Treppe wandte und einen verblüfft dreinschauenden Jace zurückließ, der den anderen die Tür aufhielt. »Kommt rein«, sagte er. »Ehe noch jemand auf die Idee kommt, es sei *meine* Party.«

Sie schoben sich an Jace vorbei und lachten nervös. Nur Isabelle blieb stehen und schüttelte den Kopf. »Bitte versuch, ihn nicht zu verärgern. Denn dann wird er uns nicht helfen.«

Jace wirkte gelangweilt. »Ich weiß, was ich tue.«

»Das hoffe ich.« Isabelle rauschte mit wehenden Röcken an ihm vorbei.

Magnus' Wohnung befand sich am Ende einer langen, wackligen Treppe. Simon beeilte sich, Clary einzuholen, die es augenblicklich bereute, dass sie eine Hand auf das Geländer gelegt hatte, um sich festzuhalten. Es war mit einem klebrigen, eklig grünen Zeug beschmiert.

»Igitt«, sagte Simon und bot ihr einen Zipfel seines T-Shirts an, damit sie ihre Hand daran abwischen konnte, was sie auch tat. »Ist alles in Ordnung? Du wirkst so . . . verstört.«

»Er kommt mir so bekannt vor. Magnus, meine ich.«

»Du glaubst also, er geht auf die St. Xavier School?«

»Sehr witzig.« Sie warf ihm einen wütenden Blick zu.

»Du hast recht. Für einen Schüler ist er zu alt. Aber ich glaube, ich hatte ihn letztes Jahr in Chemie.«

Clary lachte laut auf. Sofort war Isabelle bei ihnen und steckte ihren Kopf zwischen sie. »Was ist denn so lustig, Simon? Habe ich was verpasst?«

Simon war so anständig, verlegen zu schauen, schwieg aber. »Nein, du hast nichts verpasst«, murmelte Clary und ließ die beiden allein. Allmählich taten ihr in Isabelles hochhackigen Stiefeln die Füße weh. Als sie den oberen Treppenabsatz erreichte, humpelte sie ein wenig, doch sie vergaß den Schmerz in dem Moment, als sie durch die Tür zu Magnus' Wohnung ging.

Das Loft wirkte riesig und war fast vollkommen unmöbliert. Die Fenster reichten vom Boden bis zur Decke und waren mit einem dicken Film aus Schmutz und Farbe beschmiert, sodass kaum Licht von der Straße hineindrang. Große Metallsäulen, um die sich bunte Lichterketten wanden, stützten eine gewölbte, rußige Decke. Die Türen waren aus den Angeln gehoben und am anderen Ende des Raumes zu einer improvisierten Theke über zerbeulte Mülltonnen gelegt worden. Eine Frau mit violetter Haut und einem metallischen Bustier mixte Drinks in hohen grellbunten Gläsern, die den darin enthaltenen Getränken eine ungewöhnliche Tönung gaben: Blutrot, Dunkelblau, Giftgrün. Selbst für eine New Yorker Barfrau arbeitete sie erstaunlich schnell und effizient – vermutlich nicht zuletzt deshalb, weil sie ein zweites Paar langer, eleganter

Arme hatte. Clary fühlte sich an Lukes Statue der indischen Göttin Kali erinnert.

Die Partygäste sahen ebenso seltsam aus. Ein attraktiver Junge mit grünschwarzen Haaren grinste Clary über einen Teller mit rohem Fisch hinweg an. Seine Zähne waren scharf und gezackt wie die eines Hais. Neben ihm stand ein Mädchen mit langem dunkelblondem Haar, in das Blumen geflochten waren. Die Beine unter dem Saum ihres kurzen grünen Kleids endeten in Füßen mit Schwimmhäuten. Eine Gruppe junger Frauen, die so blass waren, dass Clary sich fragte, ob sie weiße Theaterschminke trugen, schlürfte aus geschliffenen Kristallgläsern eine dunkelrote Flüssigkeit, die für Wein zu dickflüssig schien. Die Mitte des Raums war voller Körper, die zu hämmernden, von den Wänden zurückprallenden Beats tanzten, obwohl Clary nirgendwo eine Band sehen konnte.

»Gefällt dir die Party?«

Sie drehte sich um und erkannte Magnus, der an einer der Säulen lehnte. Seine Augen leuchteten in der Dunkelheit. Sie ließ den Blick schweifen und stellte fest, dass Jace und die anderen verschwunden waren, von der Menge geschluckt.

Sie versuchte zu lächeln. »Gibt es einen bestimmten Anlass für die Party?«

»Den Geburtstag meiner Katze.«

»Oh. Wo ist denn Ihre Katze?«

Er stieß sich von der Säule ab und schaute ernst. »Ich weiß es nicht. Sie ist weggelaufen.«

Clary blieb eine Antwort erspart, da Jace und Alec plötzlich wieder auftauchten. Alec schaute wie üblich mürrisch drein. Jace trug eine Kette winziger schimmernder Blüten um den Hals und schien mit sich zufrieden. »Wo sind Simon und Isabelle?«, fragte Clary.

»Auf der Tanzfläche.« Jace zeigte hinter sich. Clary konnte die beiden gerade noch am Rand der Menge sehen. Simon tat, was er meistens tat, wenn er vorgab zu tanzen: Er wippte auf den Fußballen auf und ab und zog ein unbehagliches Gesicht. Isabelle wand sich geschmeidig wie eine Schlange um ihn herum und streichelte mit den Fingern über seine Brust. Sie warf ihm einen Blick zu, als beabsichtige sie, ihn in die nächste Ecke zu zerren und dort Sex mit ihm zu haben. Clary schlang die Arme um ihren Brustkorb, wobei ihre Armreifen aneinanderschlugen. *Wenn sie noch enger tanzen, brauchen sie nicht einmal in eine Ecke zu gehen,* dachte sie aufgebracht.

»Hör zu«, wandte Jace sich an Magnus, »wir müssen wirklich mit . . .«

»Magnus Bane!« Die tiefe, dröhnende Stimme gehörte zu einem überraschend kleinen Mann, der ungefähr Anfang dreißig zu sein schien. Er war kompakt und muskulös, hatte einen glatt rasierten Schädel und einen spitzen Ziegenbart. Mit einem zitternden Finger zeigte er auf Magnus. »*Irgendjemand* hat Weihwasser in den Tank meines Motorrads geschüttet. Es ist ruiniert. Hinüber. Alle Rohre sind geschmolzen.«

»Geschmolzen?«, murmelte Magnus. »Wie schrecklich.«

»Ich will wissen, wer das war.« Der Mann öffnete den Mund und enthüllte lange, spitze Eckzähne. Clary starrte ihn fasziniert an. Sie sahen überhaupt nicht so aus, wie sie sich Vampirzähne vorgestellt hatte, sondern waren dünn und scharf wie Nadeln. »Ich dachte, du hättest hoch und heilig versprochen, dass heute Abend keine Werwölfe hier sein würden, *Bane.«*

»Ich habe keine Kinder des Mondes eingeladen«, sagte Magnus und betrachtete seine glitzernden Fingernägel. »Gerade wegen eurer blöden kleinen Fehde. Wenn irgendeiner von ihnen beschlossen hat, deine Maschine lahmzulegen, war es jedenfalls keiner meiner Gäste und deshalb . . .«, er schenkte dem Mann ein gewinnendes Lächeln, »fällt das auch nicht unter meine Verantwortung.«

Der Vampir tobte vor Wut und zeigte mit dem Finger auf Magnus. »Willst du mir etwa sagen, dass . . .«

Magnus' mit Glitter überzogener Zeigefinger zuckte nur ganz kurz, so geringfügig, dass Clary fast glaubte, er habe sich überhaupt nicht bewegt. Der Vampir hörte auf zu brüllen, würgte und fasste sich an den Hals. Sein Mund bewegte sich, aber es kam kein Laut heraus.

»Du hast meine Gastfreundschaft überstrapaziert«, sagte Magnus gedehnt und riss die Augen weit auf. Schockiert sah Clary, dass die Pupillen vertikalen Schlitzen glichen, wie denen einer Katze. »Und jetzt verschwinde.« Er spreizte die Finger seiner Hand und der Vampir drehte sich so elegant, als habe ihn jemand bei der Schulter gepackt. Er wurde herumgewirbelt und marschierte durch die Menge zur Tür.

Jace pfiff leise. »Sehr eindrucksvoll.«

»Du meinst diese kleine Stummschaltung?« Magnus schaute zur Decke. »Ich weiß.«

Alec machte ein Geräusch, als würde er ersticken. Nach einem kurzen Augenblick wurde Clary klar, dass er lachte. *Das sollte er öfter machen.*

»Wir haben das Weihwasser in seinen Tank gekippt«, sagte er.

»Alec!«, rief Jace. »Halt den Mund.«

»Das habe ich mir schon gedacht«, meinte Magnus und schaute amüsiert. »Ihr rachsüchtigen kleinen Mistkerle. Ihr wusstet, dass ihre Maschinen mit Dämonenenergie fahren. Ich glaube nicht, dass er es reparieren kann.«

»Ein motorisierter Blutsauger weniger«, sagte Jace. »Mir bricht das Herz.«

»Ich habe gehört, dass einige von ihren Maschinen fliegen können«, warf Alec ein, der ausnahmsweise einmal lebhaft wirkte. Er lächelte fast.

»Das ist lediglich ein altes Hexenmeister-Märchen«, sagte Magnus, dessen Katzenaugen funkelten. »Seid ihr deshalb zu meiner Party gekommen? Nur um die Maschine eines Blutsaugers zu ruinieren?«

»Nein.« Jace war wieder vollkommen ernst. »Wir müssen mit dir reden. Am liebsten irgendwo, wo uns keiner stört.«

Magnus zog eine Augenbraue hoch. *Verdammt,* dachte Clary, *noch einer, der das kann.* »Habe ich Ärger mit dem Rat?«

»Nein«, sagte Jace.

»Vermutlich nicht«, mischte Alec sich ein. »Au!« Er warf Jace, der ihm einen Tritt verpasst hatte, einen wütenden Blick zu.

»Nein«, wiederholte Jace. »Wir können unter dem Siegel des Bündnisses reden. Wenn du uns hilfst, wird alles, was du sagst, vertraulich behandelt.«

»Und wenn ich euch nicht helfe?«

Jace streckte seine Hände aus. Die schwarzen Runenmale auf seinen Handflächen stachen deutlich hervor. »Vielleicht passiert nichts; vielleicht bekommst du aber auch Besuch aus der Stadt der Stille.«

Magnus' Stimme klang wie über Eisscherben rinnender Honig. »Das ist ja eine tolle Wahl, vor die du mich da stellst, kleiner Schattenjäger.«

»Es ist überhaupt keine Wahl«, entgegnete Jace.

»Ja«, sagte der Hexenmeister. »Genau das meinte ich.«

Magnus' Schlafzimmer glich einer Explosion von Farben: kanariengelbes Bettzeug auf einer Matratze auf dem Boden, ein stahlblauer Frisiertisch, auf dem mehr Töpfe, Pinsel und Make-up-Utensilien lagen als auf dem von Isabelle. Samtvorhänge in Regenbogenfarben verdeckten die vom Boden bis zur Decke reichenden Fenster und ein verfilzter Wollteppich lag auf dem Fußboden.

»Hübsches Zimmer«, meinte Jace und zog einen der schweren Vorhänge zur Seite. »Man verdient wohl ganz gut als Oberster Hexenmeister von Brooklyn?«

»Es geht«, sagte Magnus. »Zusätzliche Krankenversicherungsleistungen kann man allerdings vergessen. Kein Zahnersatz.« Er schloss die Tür hinter sich und lehnte sich dagegen. Als er die Arme verschränkte, schob sich sein Hemd etwas nach oben und legte einen Teil seines flachen goldbraunen, aber nabellosen Bauches frei. »Also«, sagte er. »Was habt ihr auf dem Herzen, ihr verschlagenen kleinen Mistkerle?«

»Es geht gar nicht um sie«, sagte Clary, die ihre Stimme gefunden hatte, ehe Jace antworten konnte. »Ich bin diejenige, die mit Ihnen sprechen möchte.«

Magnus richtete seine katzenartigen Augen auf sie. »Du bist keine von ihnen«, sagte er. »Du gehörst nicht zum Rat. Aber du kannst die Verborgene Welt sehen.«

»Meine Mutter gehörte dem Rat an.« Zum ersten Mal hatte sie es laut ausgesprochen und sie wusste, dass es stimmte. »Aber sie hat mir nichts davon erzählt. Sie hat es geheim gehalten. Und ich weiß nicht, warum.«

»Dann frag sie.«

»Das kann ich nicht. Sie ist . . .« Clary zögerte. »Sie ist verschwunden.«

»Und dein Vater?«

»Er starb, bevor ich geboren wurde.«

Magnus seufzte genervt. »Wie hat Oscar Wilde es einmal formuliert: ›Ein Elternteil zu verlieren, das könnte man noch als Missgeschick durchgehen lassen. Aber alle beide zu verlieren, das sieht doch schon sehr nach Unachtsamkeit aus.‹«

Clary hörte, dass Jace ein kleines, zischendes Geräusch machte, als würde er Luft durch seine Zähne einsaugen. »Ich habe meine Mutter nicht verloren«, sagte sie. »Sie wurde verschleppt. Von Valentin.«

»Ich kenne keinen Valentin«, sagte Magnus, doch seine Augen flackerten wie die Flamme einer Kerze und Clary wusste, dass er log. »Es tut mir leid, dass du in einer so unangenehmen Situation steckst, aber ich wüsste nicht, was das alles mit mir zu tun hat. Wenn du mir sagen könntest . . .«

»Sie kann dir nichts sagen, weil sie sich an nichts erinnert«, unterbrach Jace ihn in scharfem Ton. »Jemand hat ihre Erinnerungen ausgelöscht. Deshalb haben wir die Stadt der Stille aufgesucht, um zu sehen, was die Brüder aus ihrem Kopf herausholen können. Sie fanden zwei Worte. Und ich glaube, du kannst dir denken, wie sie lauten.«

Einen Moment lang herrschte Schweigen. Dann zog Magnus die

Mundwinkel hoch und zeigte ein bitteres Lächeln. »Meine Signatur. Als ich es tat, wusste ich, dass es eine Torheit war. Ein Akt der Hybris . . .«

»Sie haben meinen Geist *signiert?«*, fragte Clary ungläubig.

Magnus hob die Hand und schrieb mit glühenden Buchstaben etwas in die Luft. Als er die Hand wieder senkte, schwebten die Schriftzeichen im Raum, heiß und golden: Magnus Bane.

»Ich war stolz auf meine Arbeit – auf das Werk, das ich an dir vollbracht hatte«, sagte er gedehnt und schaute Clary an. »So sauber. So perfekt. Alles, was du sahst, hast du im gleichen Moment wieder vergessen. Kein Bild einer Fee, eines Kobolds oder einer langbeinigen Bestie blieb dir im Gedächtnis und konnte deinen unschuldigen irdischen Schlaf stören. Und genau so hat sie es gewollt.«

Clarys Stimme klang dünn vor Anspannung. *»Wer* hat das so gewollt?«

Magnus seufzte und sein Atem ließ die Feuerbuchstaben zu glühender Asche zerfallen. Schließlich setzte er zu einer Antwort an – und obwohl sie nicht überrascht war, obwohl sie genau gewusst hatte, was er erwidern würde, trafen die Worte Clary bis ins Mark.

»Deine Mutter«, sagte er.

# 13
# Dem Vergessen entrissen

»Meine Mutter hat mir das angetan?«, fragte Clary, doch ihr überraschtes Entsetzen klang nicht überzeugend; das hörte sie selbst. Sie schaute sich zu Jace um und sah das Bedauern in seinem Blick; selbst Alec hatte es offenbar bereits vermutet und schien Mitleid mit ihr zu haben. »Aber warum?«

»Ich weiß es nicht.« Magnus spreizte die Finger seiner langen weißen Hände. »Es ist nicht meine Aufgabe, Fragen zu stellen. Ich tue das, wofür ich bezahlt werde.«

»Innerhalb der Grenzen des Bündnisses«, erinnerte Jace ihn mit einer Stimme, so weich wie das Fell einer Katze.

Magnus legte den Kopf auf die Seite. »Innerhalb der Grenzen des Bündnisses, natürlich.«

»Also erlaubt das Bündnis diese geistige Vergewaltigung?«, fragte Clary verbittert. Als niemand ihr antwortete, ließ sie sich auf die Kante von Magnus' Bett sinken. »Ist es nur einmal passiert? War es etwas Bestimmtes, das ich vergessen sollte? Wissen Sie, worum es dabei ging?«

Magnus marschierte rastlos vor dem Fenster auf und ab. »Ich glaube, du verstehst nicht ganz. Das erste Mal, als ich dich sah, musst du ungefähr zwei Jahre alt gewesen sein. Damals schaute ich aus diesem Fenster« – er tippte an das Glas und Staub und Farbpartikel rieselten zu Boden – »und sah, wie sie die Straße entlangkam und etwas an sich drückte, das in eine Decke gehüllt war. Ich war ziemlich überrascht, als sie vor meiner Tür stehen blieb. Sie sah so normal aus, so jung.«

Das silberne Mondlicht fiel auf sein falkenähnliches Profil. »Als sie hereinkam, schlug sie die Decke zurück. Du warst darin eingewickelt. Sie setzte dich auf den Boden und du bist herumgetapst, hast Sachen aufgehoben, meine Katze am Schwanz gezogen ... Als die Katze dich kratzte, hast du geschrien wie eine Banshee und ich habe deine Mutter gefragt, ob du tatsächlich etwas von einer solchen Todesfee in dir hättest. Deine Mutter konnte darüber nicht lachen.« Er hielt inne. Alle schauten ihn jetzt gespannt an, sogar Alec. »Sie erzählte mir, sie sei eine Schattenjägerin. Lügen hätten keinen Zweck gehabt – die Male verschwinden nie vollständig, auch wenn sie mit der Zeit verblassen, sie hinterlassen schwache silberne Narben auf der Haut. Sie flackerten, als sie sich bewegte.« Er rieb sich das Auge und verschmierte dabei etwas Glitter. »Deine Mutter erzählte mir, sie hätte gehofft, du wärst mit einem blinden Inneren Auge geboren worden. Aber an diesem Nachmittag hatte sie dich dabei erwischt, wie du eine Elfe geneckt hast, die in einer Hecke gefangen saß. In dem Moment wusste sie, dass du *sehen* kannst. Und deshalb fragte sie mich, ob es möglich sei, dir das Zweite Gesicht zu nehmen.«

Clary gab einen kurzen Laut von sich, ein gequältes Stöhnen, aber Magnus fuhr unerbittlich fort.

»Ich sagte ihr, diesen Teil deines Geistes zu verstümmeln, könne schwere Schäden hinterlassen und dich möglicherweise in den Wahnsinn treiben. Sie vergoss keine Träne. Deine Mutter war nicht der Typ Frau, der leicht weint. Stattdessen fragte sie mich, ob es eine andere Möglichkeit gäbe. Ich sagte ihr, man könne dafür sorgen, dass du die Teile der Verborgenen Welt, die du sehen kannst, vergisst – und zwar noch im gleichen Moment. Es gab nur eine Bedingung dabei: Sie musste alle zwei Jahre mit dir zu mir kommen, damit der Bann erneuert werden konnte.«

»Und, hat sie sich daran gehalten?«, fragte Clary.

Magnus nickte. »Seit diesem ersten Besuch habe ich dich alle zwei Jahre behandelt. Ich habe dich aufwachsen sehen. Im Grunde bist du das einzige Kind, dessen Entwicklung ich auf diese Weise miterleben konnte. In meinem Gewerbe wird man normalerweise nur ungern in die Nähe von Kindern gelassen.«

»Dann hast du Clary also erkannt, als wir unten an der Tür standen«, sagte Jace. »Du musst sie erkannt haben.«

»Natürlich.« Magnus klang gereizt. »Es war ein Schock. Aber was hättet ihr an meiner Stelle getan? Sie schien mich nicht zu erkennen. Sie sollte mich ja auch nicht kennen. Aber allein die Tatsache, dass sie hier war, bedeutete, dass der Bann an Kraft verlor. Eigentlich hätte deine Mutter schon vor einem Monat zu mir kommen sollen. Ich habe sogar noch bei euch zu Hause vorbeigeschaut, als ich aus Tansania zurückkam, aber Jocelyn meinte, ihr beide hättet euch gestritten und du wärst weggelaufen. Sie sagte, sie würde sich mit mir in Verbindung setzen, sobald du zurück wärst, aber . . .« – ein elegantes Schulterzucken – »das hat sie nicht getan.«

Ein kalter Schauer der Erinnerung ließ Clarys Haut kribbeln. Sie wurde sich plötzlich bewusst, wie sie neben Simon im Hausflur gestanden und verzweifelt versucht hatte, sich an etwas zu erinnern, das sich am Rand ihres Blickfelds bewegt hatte . . . *Ich dachte, ich hätte Madame Dorotheas Katze gesehen, aber es war wohl nur eine Lichtspiegelung.*

Doch Madame Dorothea besaß keine Katze. »Sie waren an diesem Tag da«, sagte Clary. »Ich habe Sie aus Madame Dorotheas Wohnung kommen sehen. Ich erinnere mich an Ihre Augen.«

Magnus sah aus, als würde er gleich schnurren. »Mich vergisst man nicht so schnell, das ist wahr«, brüstete er sich. Dann schüttelte er den Kopf. »Aber du solltest dich nicht an mich erinnern. In dem Moment, als ich dich sah, habe ich einen Schleier aus Zauberglanz errichtet, so dick wie eine Mauer. Du hättest direkt mit dem Gesicht dagegenlaufen sollen – metaphorisch gesprochen.«

*Wenn man mit dem Gesicht gegen eine metaphorische Mauer läuft, zieht man sich dann metaphorische Verletzungen zu?*, rätselte Clary. »Wenn Sie den Bann aufheben, kann ich mich dann an all das erinnern, was ich vergessen habe? Bekomme ich alle Erinnerungen zurück, die Sie mir gestohlen haben?«

»Ich kann ihn nicht aufheben.« Magnus schien sich nicht sehr wohl in seiner Haut zu fühlen.

»Was?« Jace klang wütend. »Warum nicht? Der Rat verlangt, dass du . . .«

Magnus schaute ihn kühl an. »Ich mag es nicht, wenn man mir sagt, was ich zu tun habe, kleiner Schattenjäger.«

Clary sah, wie sehr es Jace missfiel, »klein« genannt zu werden, aber ehe er etwas entgegnen konnte, ergriff Alec das Wort. Seine Stimme war sanft und bedächtig. »Weißt du denn nicht, wie man ihn umkehren kann? Den Bann, meine ich.«

Magnus seufzte. »Einen Bann aufzuheben, ist wesentlich komplizierter, als ihn zu schaffen. Und diesen habe ich besonders sorgfältig und verschlungen konstruiert . . . Wenn ich auch nur den geringsten Fehler bei seiner Aufhebung machen würde, könnte ihr Geist für immer geschädigt werden. Andererseits hat der Bann bereits an Kraft verloren«, fügte er hinzu. »Die Wirkung wird mit der Zeit von selbst verschwinden.«

Clary musterte ihn scharf. »Werde ich dann alle meine Erinnerungen zurückbekommen? Alles, was aus meinem Kopf entfernt wurde?«

»Ich weiß es nicht. Die Erinnerungen könnten alle auf einmal zurückkommen oder bruchstückweise. Möglicherweise wirst du dich aber auch an nichts mehr von dem erinnern, was du im Laufe der Jahre vergessen hast. Der Auftrag, den deine Mutter mir erteilte, war einzigartig. Ich hatte damit nicht die geringste Erfahrung – und von daher weiß ich auch nicht, was nun passieren wird.«

»Aber ich will nicht warten.« Clary presste die Hände so fest in ihrem Schoß zusammen, dass ihre Fingerknöchel weiß hervortraten. »Mein ganzes Leben habe ich mich gefühlt, als würde etwas mit mir nicht stimmen. Als würde etwas fehlen oder als sei etwas beschädigt. Jetzt weiß ich . . .«

»Ich habe dir nicht geschadet«, unterbrach Magnus sie und verzog ärgerlich die Lippen. »Jeder Teenager fühlt sich so – innerlich zerrissen oder fehl am Platz, irgendwie anders, als Königskind, das aus Versehen in eine Familie von Bauern hineingeboren wurde. In deinem Fall besteht der Unterschied darin, dass es der Wahrheit entspricht: Du *bist* anders. Vielleicht nicht besser, aber anders. Und es ist kein Zuckerschlecken, anders zu sein. Willst du wissen, wie es ist, wenn du mit dem Teufelsmal geboren wirst?« Mit gespreizten Fingern zeigte er auf seine Augen. »Wenn dein ›Vater‹ bei deinem Anblick zurückzuckt und deine Mutter sich in der Scheune erhängt, in den Wahnsinn getrieben, als sie verstand, was sie getan hat – oder was ihr angetan wurde? Als ich zehn war, versuchte der Mann, der mich großgezogen hatte, mich im Fluss zu ertränken. Er wusste, dass ich nicht sein Sohn war, dass mein richtiger Vater ein Dämon war. Ich wehrte mich mit aller Kraft – ließ ihn an Ort und Stelle in Flammen aufgehen. Schließlich wandte ich mich an die Priester in der Kirche, um Zuflucht zu suchen. Sie versteckten mich. Es heißt, Mitleid sei bitter, aber es ist besser als Hass. Als ich herausfand, wer ich wirklich war – nur zur Hälfte ein menschliches Wesen –, habe ich mich selbst gehasst. Und es gibt nichts Schlimmeres.«

Als Magnus geendet hatte, herrschte einen Moment lang Schweigen. Zu Clarys Überraschung fand Alec als Erster seine Stimme wieder. »Es war nicht deine Schuld«, sagte er. »Du kannst nichts dafür, wie du geboren wurdest.«

Magnus wirkte verschlossen. »Ich bin darüber hinweg«, murmelte er und wandte sich an Clary. »Aber ich denke, du weißt, was ich meine. Anders ist nicht besser, Clarissa. Deine Mutter hat versucht, dich zu schützen. Mach ihr das nicht zum Vorwurf.«

Clarys Hände entspannten sich. »Es ist mir egal, ob ich anders bin. Ich will nur die sein, die ich wirklich bin.«

Magnus fluchte in einer Sprache, die sie nicht kannte. Es klang wie knisternde Flammen. »Also gut. Hör zu. Ich kann nicht ungeschehen machen, was ich getan habe. Aber ich kann dir etwas anderes geben – einen Teil von dem, was dir gehört hätte, wenn du als echtes Kind der Nephilim aufgewachsen wärst.« Er stolzierte durch das Zimmer hinüber zum Bücherregal und nahm ein schweres Buch heraus, dessen grüner Samtumschlag stark abgenutzt wirkte. Als er darin blätterte, wirbelten Staub und dunkle Stoffstückchen durch die Luft. Die Seiten waren aus dünnem, fast durchsichtigem Pergament und jeweils mit einer tiefschwarzen Rune bedruckt.

Jace zog die Augenbrauen hoch. »Ist das ein Exemplar des Grauen Buches?«

Magnus, der fieberhaft in dem Band blätterte, schwieg.

»Hodge hat eins«, bemerkte Alec. »Er hat es mir mal gezeigt.«

»Aber es ist nicht grau«, hörte Clary sich sagen. »Es ist grün.«

»Wenn es so etwas wie tödliche Buchstabengläubigkeit gäbe, wärst du schon als Kind gestorben«, meinte Jace. Dann wischte er den Staub von der Fensterbank und betrachtete sie eingehend – so als überlege er, ob sie wohl sauber genug sei, sich daraufzusetzen. »Grau ist das Codewort für ›Schwarze Kunst‹. Darunter versteht man ›magisches, verborgenes Wissen‹. In dem Buch sind alle Runen verzeichnet, die der Erzengel Raziel im ursprünglichen Buch des Bündnisses festgehalten hat. Es gibt nicht viele Exemplare, weil jedes eigens angefertigt werden muss. Einige der Runen sind so stark, dass sie normale Seiten verbrennen würden.«

Alec sah beeindruckt aus. »Das wusste ich gar nicht.«

Jace hüpfte auf die Fensterbank und ließ seine Beine baumeln. »Nicht jeder schläft im Geschichtsunterricht.«

»Ich schlafe nicht . . .«

»Oh doch, das tust du und sabberst dabei aufs Pult.«

»Schluss jetzt«, sagte Magnus, allerdings nicht unfreundlich. Er steckte einen Finger zwischen zwei Seiten des Buches, ging zu Clary und legte es behutsam in ihren Schoß. »Wenn ich das Buch jetzt aufschlage, möchte ich, dass du die Seite studierst. Sieh sie dir so lange an, bis du spürst, dass sich etwas in deinem Geist verändert.«

»Wird es wehtun?«, fragte Clary nervös.

»Jedes Wissen tut weh«, erwiderte er, richtete sich auf und öffnete das Buch in ihrem Schoß. Clary starrte auf die saubere weiße Seite mit der schwarzen Rune. Sie erinnerte sie an eine Spirale mit Flügeln. Erst als Clary den Kopf neigte, verwandelte die Rune sich in einen Stab, um den sich Blätter rankten. Die Ecken des Musters schienen ihre Gestalt zu verändern und kitzelten Clarys Geist wie Federn, die über empfindliche Haut streicheln. Sie fühlte, dass ihr Körper zaghaft zu reagieren begann, und hätte am liebsten den Kopf weggedreht. Stattdessen zwang sie sich hinzuschauen, bis ihre Augen brannten und alles verschwamm. Sie wollte gerade blinzeln, als sie es spürte: ein Klicken in ihrem Kopf, wie ein Schlüssel, der im Schloss gedreht wird.

Die Rune auf der Seite schien nun schärfer hervorzutreten und sie dachte unwillkürlich: *Erinnerung*. Wenn die Rune aus einem Wort bestanden hätte, dann wäre es dieses gewesen, aber sie bedeutete mehr – mehr als alle Worte, die Clary sich vorstellen konnte. Es war die erste Erinnerung eines Kindes an das Licht, das durch die Gitterstäbe seines Bettchens fällt, die Erinnerung an den Geruch des Regens auf den Straßen in der Stadt, an den Schmerz unvergessenen Verlusts, den Stachel der Demütigung und die grausame Vergesslichkeit des Alters, wenn die ältesten Erinnerungen quälend klar und deutlich hervortreten, aber die unmittelbarsten Ereignisse nicht mehr ins Gedächtnis gerufen werden können.

Mit einem leisen Seufzer blätterte sie weiter und weiter – überließ sich ganz den Bildern und Empfindungen. *Kummer. Gedanken. Stärke. Schutz. Gnade* . . . nur um überrascht und vorwurfsvoll aufzuschreien, als Magnus ihr das Buch vom Schoß riss.

»Das reicht«, sagte er und stellte das Buch wieder ins Regal zurück. Er wischte sich die Hände an seiner Jeans ab, auf der graue, staubige Streifen zurückblieben. »Wenn du alle Runen auf einmal liest, bekommst du Kopfschmerzen.«

»Aber . . .«

»Die meisten Schattenjäger-Kinder lernen über Jahre immer nur eine einzige Rune«, erklärte Jace. »Das Graue Buch enthält Runen, die selbst ich nicht kenne.«

»Man stelle sich das mal vor«, meinte Magnus.

Jace ignorierte ihn. »Magnus hat dir die Rune für Verstehen und Erinnern gezeigt. Sie öffnet deinen Geist, damit du den Rest der Male lesen und erkennen kannst.«

»Die Rune kann auch ruhende Erinnerungen aktivieren«, sagte Magnus. »Auf diese Weise stellen sie sich vielleicht wieder ein. Mehr kann ich nicht für dich tun.«

Clary schaute auf ihren Schoß. »Ich kann mich noch immer an nichts erinnern, was mit dem Kelch der Engel zusammenhängt.«

»Ach, darum geht es also?« Magnus klang wirklich überrascht. »Ihr seid hinter dem Engelskelch her? Hör zu, ich habe deine Erinnerungen durchforstet. Aber darin war nichts, was mit den Insignien der Engel zusammenhängen würde.«

»Insignien der Engel?«, fragte Clary verblüfft. »Ich dachte . . .«

»Der Erzengel gab den ersten Schattenjägern drei Dinge: einen Kelch, ein Schwert und einen Spiegel. Die Stillen Brüder haben das Schwert und der Kelch und der Spiegel waren in Idris, zumindest bis Valentin auftauchte.«

»Niemand weiß, wo sich der Spiegel jetzt befindet«, sagte Alec. »Er ist seit einer Ewigkeit verschwunden.«

»Uns geht es um den Kelch«, bemerkte Jace. »Valentin sucht danach.«

»Und ihr wollt den Kelch finden, ehe er ihn in die Finger bekommt?«, fragte Magnus mit hochgezogenen Augenbrauen.

»Hatten Sie nicht gesagt, Sie wüssten nicht, wer Valentin ist?«, hakte Clary nach.

»Ich habe gelogen«, gab Magnus offen zu. »Ich gehöre nicht zu den Feenwesen. Ich bin nicht verpflichtet, wahrhaftig zu sein. Und nur ein Narr würde sich zwischen Valentin und seine Rache stellen.«

»Du glaubst, dass es ihm darum geht? Um Rache?«, fragte Jace.

»Ich nehme es an. Er hat eine schwere Niederlage erlitten und er schien – scheint – nicht der Typ Mann zu sein, der eine Niederlage würdevoll hinnimmt.«

Alec schaute Magnus ernst an. »Warst du bei dem Aufstand dabei?«

Magnus blickte ihm in die Augen. »Ja. Ich habe etliche von euren Leuten getötet.«

»Angehörige des Kreises«, berichtigte Jace. »Niemanden von uns . . .«

»Wenn ihr die hässlichen Seiten eures Tuns hartnäckig leugnet«, sagte Magnus, noch immer an Alec gewandt, »werdet ihr nie aus euren Fehlern lernen.«

Alec, der mit einer Hand an der Bettdecke zupfte, wurde rot. »Es scheint dich nicht zu überraschen, dass Valentin noch am Leben ist«, erwiderte er und wich Magnus' Blick aus.

Magnus breitete die Hände aus. »Überrascht es euch denn?«

Jace öffnete den Mund, schloss ihn aber wieder. Einen Moment wirkte er verwirrt. »Du wirst uns also nicht helfen, den Kelch der Engel zu finden?«, fragte er schließlich.

»Nein, selbst wenn ich könnte – wozu ich übrigens nicht in der Lage bin. Ich habe keine Ahnung, wo er sich befindet, und es ist mir auch egal. Wie gesagt: Nur ein Narr würde sich einmischen . . .«

Alec setzte sich auf. »Aber ohne den Kelch können wir nicht . . .«

». . . Noch mehr von euch erschaffen, ich weiß«, sagte Magnus. »Aber möglicherweise hält nicht jeder das für ein solches Drama wie ihr. Wohlgemerkt, wenn ich zwischen dem Rat und Valentin wählen müsste, würde ich mich für den Rat entscheiden. Zumindest ist er nicht wild entschlossen, meine Art auszulöschen. Aber andererseits hat der Rat auch nichts getan, was meine uneingeschränkte Loyalität verdienen würde. Nein, ich werde mich nicht an der Suche beteiligen. So – wenn ihr nichts dagegen habt, würde ich jetzt gern zu meiner Party zurückkehren, ehe die Gäste sich gegenseitig verspeisen.«

Jace ballte die Hände zu Fäusten und sah aus, als wollte er eine boshafte Bemerkung machen, doch Alec stand auf und legte ihm die Hand auf die Schulter. Clary war sich in dem schummrigen Licht nicht ganz sicher, aber es schien, als drücke Alec ziemlich fest zu. »Steht das denn zu befürchten?«, fragte er.

Magnus betrachtete ihn amüsiert. »Es ist tatsächlich schon vorgekommen.«

Jace murmelte Alec etwas zu, der ihn daraufhin losließ. Er sprang von der Fensterbank und kam zu Clary herüber. »Alles in Ordnung?«, fragte er leise.

»Ich denke schon. Ich fühle mich nicht anders . . .«

Magnus stand bei der Tür und schnippte ungeduldig mit den Fingern. »Bewegt euch, Teenager. Der Einzige, der in meinem Schlafzimmer poussieren darf, ist meine großartige Wenigkeit.«

»Poussieren?«, fragte Clary, die das Wort noch nie gehört hatte.

»Großartig?«, wiederholte Jace spöttisch.

Magnus knurrte etwas, das klang wie »Raus«.

Sie verließen das Zimmer und Magnus schloss hinter ihnen die Tür ab. Die Stimmung auf der Party erschien Clary irgendwie verändert. Vielleicht lag es aber auch nur an ihrem leicht veränderten Blick: Alles wirkte deutlicher, hatte kristallklare, scharfe Konturen. Sie sah, wie eine Gruppe von Musikern die kleine Bühne in der Mitte des Raumes betrat. Sie trugen fließende Gewänder in dunklen Gold-, Purpur- und Grüntönen und ihre hohen Stimmen waren durchdringend und ätherisch.

»Ich hasse Elben-Bands«, murmelte Magnus, als die Musiker einen sehnsüchtigen Song anstimmten, dessen Melodie so zart und durchscheinend wie ein Bergkristall war. »Ständig spielen sie diese trübseligen Balladen.«

Jace musste lachen und ließ den Blick durch den Raum schweifen. »Wo ist Isabelle?«

Clary verspürte einen Anfall von schlechtem Gewissen: Sie hatte Simon vollkommen vergessen. Rasch drehte sie sich um und hielt Ausschau nach den vertrauten hageren Schultern und dem dunklen Haarschopf. »Ich kann ihn nirgendwo sehen. Die beiden, meine ich.«

»Da ist sie.« Alec hatte seine Schwester entdeckt und winkte sie erleichtert zu sich herüber. »Wir sind hier drüben«, rief er ihr zu. »Und nimm dich vor dem Puck in Acht.«

»Vor dem Puck?«, wiederholte Jace und musterte einen dünnen Mann mit brauner Haut in einer grünen Paisley-Weste, der Isabelle sinnend betrachtete, während sie an ihm vorbeirauschte.

»Er hat mich eben gekniffen, als ich an ihm vorbeikam«, sagte Alec steif. »An einer sehr intimen Stelle.«

»Ich sage es dir nur ungern, aber wenn er an deinen intimen Stellen interessiert ist, dann interessiert er sich vermutlich nicht für die deiner Schwester«, meinte Jace.

»Nicht unbedingt«, warf Magnus ein. »Elben sind nicht sehr wählerisch.«

Jace verzog verächtlich die Lippen. »Wolltest du dich nicht um deine Gäste kümmern?«, fragte er den Hexenmeister.

Doch ehe Magnus antworten konnte, war Isabelle bei ihnen. Ihr Gesicht wirkte rot und fleckig und sie roch stark nach Alkohol.

»Jace! Alec! Wo wart ihr denn? Ich habe überall . . .«

»Wo ist Simon?«, unterbrach Clary sie.

Isabelle schwankte. »Er ist eine Ratte«, sagte sie düster.

»Hat er dir was getan?«, fragte Alec mit brüderlicher Besorgnis. »Hat er dich angefasst? Wenn er irgendwas versucht hat . . .«

»Nein, Alec«, erwiderte Isabelle gereizt. »Nicht, was du denkst. Er *ist eine Ratte.*«

»Sie ist betrunken«, sagte Jace und wollte sich angewidert abwenden.

»Bin ich nicht«, protestierte Isabelle entrüstet. »Okay, vielleicht ein bisschen, aber das spielt jetzt keine Rolle. Viel wichtiger ist, dass Simon einen dieser blauen Drinks getrunken hat. Ich habe ihm gesagt, er soll die Finger davonlassen, aber er wollte nicht auf mich hören, und dann hat er sich *in eine Ratte verwandelt.*«

»Eine *Ratte?«,* fragte Clary ungläubig. »Du meinst doch nicht . . .«

»Ich meine eine Ratte«, sagte Isabelle. »Klein. Braun. Schuppiger Schwanz.«

»Das wird dem Rat nicht gefallen«, meinte Alec nachdenklich. »Ich bin mir ziemlich sicher, dass es gegen das Gesetz verstößt, Irdische in Ratten zu verwandeln.«

»Genau genommen hat sie ihn nicht in eine Ratte verwandelt«, bemerkte Jace. »Das Schlimmste, was man ihr vorwerfen könnte, wäre Fahrlässigkeit.«

»Wen interessiert das blöde Gesetz?«, schrie Clary und packte Isabelle am Handgelenk. »Mein bester Freund ist eine Ratte!«

»Au!« Isabelle versuchte, ihre Hand wegzuziehen. »Lass mich los!«

»Erst wenn du mir sagst, wo er ist.« Noch nie zuvor hatte Clary einen so übermächtigen Drang verspürt, jemanden zu schlagen. »Ich kann nicht glauben, dass du ihn einfach allein gelassen hast! Wahrscheinlich ist er schon halb wahnsinnig vor Angst . . .«

»Wenn nicht sogar schon jemand auf ihn draufgetreten ist«, warf Jace nicht sehr hilfreich ein.

»Ich habe ihn nicht allein gelassen. Er ist unter die Bar gelaufen«, protestierte Isabelle. »Lass los, du zerquetschst meinen Armreif.«

»Miststück«, sagte Clary aufgebracht und schleuderte Isabelles Hand mit Wucht zurück. Sie wartete nicht auf eine Reaktion, sondern lief zur Bar, wo sie sich hinkniete und unter die Theke spähte. Sie glaubte, in der muffig-feuchten Dunkelheit ein Paar funkelnder Knopfaugen zu sehen.

»Simon?«, fragte sie mit erstickter Stimme. »Bist du das?«

Simon, die Ratte, krabbelte mit zitternden Schnurrhaaren ein paar Zentimeter auf sie zu. Clary erkannte die Form seiner kleinen, flach am Kopf anliegenden runden Ohren und seine scharfe, spitze Nase. Mühsam unterdrückte sie einen Anflug von Ekel. Sie konnte Ratten mit ihren gelblichen scharfen und beißwütigen Zähnen nicht ausstehen und wünschte, er hätte sich in einen Hamster verwandelt.

»Ich bin es, Clary«, sagte sie gedehnt. »Alles in Ordnung?«

Jace und die anderen traten hinzu und Isabelle wirkte inzwischen eher verärgert als zerknirscht. »Ist er da drunter?«, fragte Jace neugierig.

Clary, die noch immer auf Händen und Knien hockte, nickte.

»Schhh. Ihr verscheucht ihn noch.« Vorsichtig schob sie ihre Finger unter die Bar und lockte ihn damit. »Bitte komm raus, Simon. Magnus wird den Zauber aufheben. Es wird alles gut.«

Sie hörte ein Quieken und dann schaute die rosa Nase der Ratte unter der Bar hervor. Mit einem erleichterten Aufschrei nahm Clary die Ratte hoch. »Simon. Du hast mich verstanden!«

Die Ratte, die sich in Clarys Hände schmiegte, quiekte mürrisch. Voller Freude drückte sie sie an ihre Brust. »Oh, mein armes Baby«, säuselte Clary, fast so, als sei ihr Freund wirklich ein Haustier. »Armer Simon, es wird alles gut, das verspreche ich . . .«

»An deiner Stelle hätte ich nicht zu viel Mitleid mit ihm«, sagte Jace. »So nah wie jetzt war er deiner Brust wahrscheinlich noch nie.«

»Halt den Mund!« Clary warf Jace einen wütenden Blick zu, hielt die Ratte aber ein wenig von sich weg. Simons Schnurrhaare zitterten, ob vor Zorn, vor Aufregung oder aus nackter Angst, konnte sie nicht sagen. »Hol Magnus«, befahl sie in scharfem Ton. »Wir müssen ihn zurückverwandeln.«

»Nicht so eilig – wir wollen schließlich nichts überstürzen.« Jace, der Mistkerl, grinste doch wahrhaftig. Er streckte seine Hand nach Simon aus, als wolle er ihn streicheln. »So ist er richtig niedlich. Sieh dir nur seine kleine rosa Nase an.«

Simon zeigte Jace seine langen gelben Zähne und wollte nach ihm schnappen. Jace zog blitzschnell seine ausgestreckte Hand zurück. »Izzy, hol unseren großartigen Gastgeber.«

»Warum ich?«, fragte Isabelle bockig.

»Weil es deine Schuld ist, dass der Irdische jetzt eine Ratte ist, Dumpfbacke«, erwiderte er. Clary fiel auf, wie selten die anderen Simon bei seinem richtigen Namen nannten. »Wir können ihn schließlich nicht hierlassen.«

»Du würdest ihn nur zu gerne hierlassen, wenn *sie* nicht wäre«, konterte Isabelle und schaffte es, in dieses eine Wort so viel Gift zu legen, dass es einen Elefanten umgehauen hätte. Als sie davonstolzierte, wirbelte ihr Rock um ihre Hüften.

»Ich kann nicht glauben, dass sie dich nicht daran gehindert hat, dieses blaue Zeug zu trinken«, sagte Clary zu Simon, der Ratte. »Das kommt davon, wenn man so oberflächlich ist.«

Simon quiekte gereizt. Clary hörte, wie jemand kicherte, und entdeckte Magnus, der sich über sie beugte. Isabelle stand hinter ihm und funkelte sie wütend an. *»Rattus norvegicus«,* sagte Magnus und betrachtete Simon. »Eine gewöhnliche Wanderratte, nichts Exotisches.«

»Es ist mir egal, was für eine Art Ratte er ist«, erwiderte Clary verärgert. »Ich will, dass er wieder zurückverwandelt wird.«

Magnus kratzte sich nachdenklich am Kopf und verstreute dabei Glitter. »Überflüssig«, meinte er.

»Das habe ich auch gesagt.« Jace sah zufrieden aus.

»Überflüssig?«, schrie Clary so laut, dass Simon seinen Kopf unter ihrem Daumen versteckte. »Wie können Sie nur sagen, es sei überflüssig?«

»Weil er sich in ein paar Stunden von selbst zurückverwandeln wird«, entgegnete Magnus. »Die Wirkung des Cocktails ist nicht von Dauer. Es hätte keinen Sinn, einen Umkehrzauber anzuwenden; das würde ihm nur schaden. Zu viel Magie ist nicht gut für Irdische – ihr Organismus ist nicht daran gewöhnt.«

»Und ich bezweifle, dass sein Organismus daran gewöhnt ist, eine Ratte zu sein«, konterte Clary. »Sie sind ein Hexenmeister; können Sie den Zauber nicht einfach aufheben?«

Magnus überlegte. »Nein.«

»Sie meinen, Sie wollen nicht.«

»Nichts ist umsonst, Süße. Und du kannst dir meine Dienste nicht leisten.«

»Ich kann auch keine Ratte in der U-Bahn mit nach Hause nehmen«, sagte Clary vorwurfsvoll. »Ich könnte ihn fallen lassen oder die Bahnpolizei könnte mich verhaften, weil ich Schädlinge in einem öffentlichen Verkehrsmittel transportiere.« Simon zirpte verärgert. »Das heißt natürlich nicht, dass du ein Schädling bist«, beeilte Clary sich zu versichern.

Während ihres Gesprächs hatte ein Mädchen an der Tür laut herumkrakeelt und nun gesellten sich sechs oder sieben andere Gäste zu ihr. Aufgebrachte Stimmen übertönten die Geräusche der Party und das Dröhnen der Musik. Magnus verdrehte die Augen. »Entschuldigt mich«, sagte er und tauchte in die Menge ein, die sich sofort hinter ihm schloss.

Isabelle, die auf ihren Sandalen herumwippte, stieß einen lauten Seufzer aus. »Na, der war ja eine echte Hilfe.«

»Du könntest die Ratte doch in deinen Rucksack stecken«, meinte Alec.

Clary musterte ihn böse, konnte aber an seinem Vorschlag nichts Nachteiliges entdecken. Schließlich hatte sie keine Tasche, in die sie Simon hätte hineinstecken können. Isabelles Kleider boten nicht genug Platz für Taschen; sie waren zu eng. Clary wunderte sich, dass in ihnen genügend Platz für Isabelle war.

Sie nahm ihren Rucksack von der Schulter und fand zwischen ihrem zusammengerollten Sweatshirt und ihrem Skizzenblock ein Versteck für die kleine braune Ratte, die einst Simon gewesen war. Er rollte sich auf ihrem Portemonnaie zusammen und schaute sie vorwurfsvoll an. »Tut mir leid«, sagte sie zerknirscht.

»Weshalb die Entschuldigung?«, fragte Jace. »Ich versteh einfach nicht, wieso Irdische ständig die Verantwortung für Dinge übernehmen wollen, die nicht ihre Schuld sind. Du hast dem Idioten diesen Cocktail schließlich nicht eingeflößt.«

»Er ist nur meinetwegen hier«, sagte Clary kleinlaut.

»Jetzt bilde dir bloß nichts ein. Er ist wegen Isabelle hier.«

Wütend klappte Clary den Rucksack zu und stand auf. »Lass uns von hier verschwinden. Ich habe die Nase voll.«

Wie sich herausstellte, bestand das dichte Knäuel schreiender Menschen an der Tür aus weiteren Vampiren, wie man an ihrer blassen Haut und den tiefschwarzen Haaren leicht erkennen konnte. *Sie müssen sie färben,* dachte Clary, sie konnten unmöglich alle von Natur aus schwarzhaarig sein und außerdem hatten einige blonde Augenbrauen. Die Vampire beschwerten sich lauthals über ihre zerstörten Motorräder und die Tatsache, dass einige ihrer Freunde aus unerklärlichen Gründen verschwunden waren.

»Wahrscheinlich sind sie betrunken und liegen irgendwo im Rinnstein«, meinte Magnus und wedelte gelangweilt mit seinen langen weißen Fingern. »Ihr wisst doch, wie euresgleichen sich in Fledermäuse und Staubhaufen verwandelt, wenn ihr ein paar Bloody Marys zu viel getrunken habt.«

»Sie mixen ihren Wodka mit echtem Blut«, raunte Jace Clary ins Ohr.

Der Hauch seines Atems verlieh ihr eine Gänsehaut. »Verstehe. Danke.«

»Wir können jetzt doch nicht hier herumlaufen und jeden Staubhaufen einsammeln, nur weil sich am Morgen herausstellen könnte, dass es sich dabei um Gregor handelt«, meinte ein Mädchen mit Schmollmund und aufgemalten Augenbrauen.

»Gregor wird nichts passieren. Ich fege nur selten«, beruhigte Magnus sie. »Es wird mir eine Freude sein, sämtliche Verbliebene morgen früh zu euch zu schicken – natürlich in einem Wagen mit geschwärzten Fensterscheiben.«

»Und was ist mit unseren Motorrädern?«, fragte ein dünner Junge, dessen blonde Haarwurzeln unter seiner schlecht gefärbten schwarzen Mähne zu erkennen waren. Ein goldener Ohrring in Form eines Holzpflocks hing von seinem linken Ohrläppchen herunter. »Es dauert Stunden, sie zu reparieren.«

»Ihr habt Zeit bis Sonnenaufgang«, sagte Magnus, der nun sichtlich die Geduld verlor. »Ich schlage vor, ihr fangt gleich an.« Er hob seine Stimme. »Okay, das war's! Die Party ist vorbei! Alle Mann raus!« Er schwenkte die Arme und verstreute dabei Glitter.

Mit einem einzelnen, durchdringenden Ton hörte die Band auf zu spielen. Die Partygänger maulten und beschwerten sich, marschierten aber gehorsam zum Ausgang. Nicht ein einziger Gast blieb stehen, um sich bei Magnus für die Party zu bedanken.

»Okay, lass uns abhauen.« Jace schob Clary durch die dichte Menge in Richtung Tür. Schützend hielt sie ihren Rucksack mit beiden Händen vor sich. Plötzlich rempelte jemand ihre Schulter an und sie schrie auf und wich zur Seite aus, fort von Jace. Eine Hand streifte ihren Rucksack. Sie schaute auf und sah den Vampir mit dem Holzpflock-Ohrring, der sie angrinste. »Na, Süße«, sagte er. »Was hast du denn da Schönes in deinem Rucksack?«

»Weihwasser«, entgegnete Jace, der wie ein Flaschengeist wieder an Clarys Seite aufgetaucht war – ein sarkastischer blonder Flaschengeist.

»Oooh, ein *Schattenjäger*. Wie unheimlich«, sagte der Vampir und verschwand mit einem Zwinkern in der Menge.

»Vampire sind ja solche Primadonnen«, seufzte Magnus, der an der Tür stand. »Ehrlich, ich weiß wirklich nicht, warum ich diese Partys gebe.«

»Wegen Ihrer Katze«, erinnerte Clary ihn.

Magnus wurde munter. »Ach richtig. Der große Vorsitzende Miau Tse-tung verdient es, dass ich mich anstrenge.« Er schaute Clary und die Schattenjäger hinter ihr an. »Ihr geht schon?«

Jace nickte. »Wir wollen deine Gastfreundschaft nicht überstrapazieren.«

»Welche Gastfreundschaft?«, fragte Magnus. »Ich würde gerne behaupten, dass es mir eine Freude war, eure Bekanntschaft gemacht zu haben, aber das entspricht leider nicht der Wahrheit. Nicht dass ihr nicht alle ganz reizend gewesen wärt ... Und was dich betrifft,« er zwinkerte Alec zu, »rufst du mich mal an?«

Alec wurde rot und stotterte. Wahrscheinlich hätte er die ganze Nacht lang dagestanden, wenn Jace ihn nicht am Ellbogen gepackt und zur Tür gezerrt hätte, Isabelle an den Fersen. Clary wollte ihnen folgen, als sie eine leichte Berührung an ihrem Arm spürte. Es war Magnus.

»Ich habe eine Nachricht für dich«, sagte er. »Von deiner Mutter.«

Clary war so überrascht, dass sie fast ihren Rucksack fallen gelassen hätte. »Von meiner Mutter? Sie meinen, sie hat Sie gebeten, mir etwas auszurichten?«

»Nicht direkt«, erwiderte Magnus. Seine Katzenaugen mit ihren vertikalen Pupillen, die aussahen wie Risse in einer grün-goldenen Mauer, schauten ausnahmsweise einmal ernst. »Aber ich kannte sie auf eine andere Art, als du sie kennst. Sie handelte auf diese Weise, weil sie dich von einer Welt fernhalten wollte, die sie hasste. Ihre gesamte Existenz, die ständige Flucht, das permanente Versteckspiel – die Lügen, wie du es nennst – dienten deiner Sicherheit. Mach ihre Opfer nicht zunichte, indem du dein Leben aufs Spiel setzt. Das würde sie nicht wollen.«

»Sie würde nicht wollen, dass ich sie rette?«

»Nicht, wenn es bedeutet, dass du dich nur selbst in Gefahr bringst.«

»Aber ich bin der einzige Mensch, den es interessiert, was mit ihr geschieht . . .«

»Nein, das bist du nicht«, entgegnete Magnus.

Clary blinzelte. »Ich verstehe nicht. Gibt es . . . Magnus, wenn Sie etwas wissen . . .«

Er schnitt ihr mit brutaler Entschlossenheit das Wort ab: »Und noch etwas.« Sein Blick schnellte zur Tür, durch die Jace, Alec und Isabelle verschwunden waren. »Denk daran, dass es nicht die Monster waren, vor denen deine Mutter aus der Verborgenen Welt geflohen ist und vor denen sie sich versteckt hielt. Nicht die Hexenmeister, nicht die Werwölfe, nicht das Lichte Volk, nicht einmal die Dämonen. Es waren *sie*. Es waren die Schattenjäger.«

Sie warteten draußen vor dem Lagerhaus auf sie. Jace lehnte am Treppengeländer, die Hände in den Taschen, und schaute zu, wie die Vampire fluchend um ihre kaputten Motorräder herumstaksten. Ein schwaches Lächeln umspielte seine Lippen. Alec und Isabelle standen ein wenig abseits. Isabelle wischte sich die Augen und Clary verspürte eine irrationale Wut – Isabelle kannte Simon doch kaum und diese ganze vertrackte Situation war nicht *ihr* Problem. Clary war diejenige, die das Recht hatte, sich Sorgen um ihn zu machen, nicht das Schattenjäger-Mädchen.

Jace stieß sich vom Treppengeländer ab, als Clary auftauchte. Er ging neben ihr her, sagte aber nichts und schien in Gedanken versunken. Isabelle und Alec liefen vor ihnen; es klang, als würden sie streiten. Clary beschleunigte ihre Schritte ein wenig und reckte den Hals, um die beiden besser verstehen zu können.

»Es ist nicht deine Schuld«, sagte Alec. Er klang genervt, als habe er so etwas schon öfter mit seiner Schwester durchgemacht. Clary fragte sich, wie viele Freunde sie wohl schon aus Versehen in Ratten verwandelt hatte. »Aber es sollte dich lehren, nicht auf so viele Partys von Schattenwesen zu gehen«, fügte er hinzu. »Sie sind den Ärger nicht wert, den man sich mit ihnen einhandelt.«

Isabelle schniefte laut. »Wenn ihm etwas passiert wäre, ich ... ich weiß nicht, was ich getan hätte.«

»Wahrscheinlich genau das, was du bisher getan hast«, sagte Alec gelangweilt. »So gut hast du ihn schließlich nicht gekannt.«

»Das bedeutet aber nicht, dass ich ihn nicht ...«

»Was? Dass du ihn nicht liebst?«, meinte Alec verächtlich und hob die Stimme. »Man muss jemand *kennen,* um ihn zu lieben.«

»Aber das ist es doch nicht allein.« Isabelle klang fast traurig. »Hast du dich auf der Party nicht amüsiert, Alec?«

»Nein.«

»Ich dachte, du magst Magnus vielleicht. Er ist nett, oder?«

»Nett?« Alec schaute sie an, als sei sie verrückt geworden. »Kätzchen sind nett. Hexenmeister sind ...« Er zögerte. »Nicht nett«, schloss er müde.

»Ich dachte, ihr würdet euch gut verstehen.« Isabelles geschminkte Augen glänzten, als sie ihrem Bruder einen kurzen Blick zuwarf. »Dass ihr vielleicht Freunde werden könntet.«

»Ich habe genug Freunde«, sagte Alec und schaute über die Schulter zurück zu Jace, fast so, als könne er nichts dagegen tun.

Doch Jace war immer noch in Gedanken versunken; er hielt den Kopf gesenkt und bemerkte Alecs Blick nicht.

Plötzlich verspürte Clary den Drang, ihren Rucksack zu öffnen und hineinzuschauen. Doch dann runzelte sie die Stirn – er war bereits offen. Sie rief sich die letzten Minuten der Party ins Gedächtnis zurück: Sie hatte den Rucksack hochgenommen und den Reißverschluss zugezogen. Da war sie sich ganz sicher. Mit hämmerndem Herzen riss sie den Rucksack auf.

Sie erinnerte sich daran, wie ihr einmal das Portemonnaie in der U-Bahn gestohlen worden war. Damals hatte sie ihre Tasche geöffnet und die Geldbörse nicht mehr gefunden. Ihr Mund war ganz trocken gewesen vor Überraschung – *Habe ich es fallen lassen? Habe ich es verloren?* Irgendwann wurde ihr klar: *Es ist weg*. Jetzt war es genauso, nur tausendmal schlimmer. Mit staubtrockenem Mund durchwühlte sie den Rucksack, schob Kleider und den Skizzenblock beiseite und griff ganz tief hinein, bis sich der Bodensatz unter ihren Fingernägeln sammelte. Nichts.

Sie war stehen geblieben. Jace ging ein paar Schritte weiter und schaute dann ungeduldig zurück; Alec und Isabelle waren schon einen Block voraus.

»Was ist los?«, fragte Jace und sie spürte, dass er eigentlich noch etwas Sarkastisches hatte hinzufügen wollen. Aber er musste den Ausdruck auf ihrem Gesicht gesehen haben, denn er verkniff sich die Bemerkung. »Clary?«

»Er ist weg«, flüsterte sie. »Simon. Er war in meinem Rucksack . . .«

»Ist er herausgeklettert?«

Das war an sich eine vernünftige Frage, aber Clary, erschöpft und panisch, reagierte vollkommen unvernünftig. *»Natürlich nicht!«,* schrie sie. »Denkst du, er will von einem Auto überfahren oder von einer Katze gefressen werden?«

»Clary . . .«

»Halt den Mund!«, kreischte sie und schleuderte ihm den Rucksack entgegen. »Du warst derjenige, der gesagt hat, es sei zwecklos, ihn zurückzuverwandeln . . .«

Geschickt fing er den Rucksack auf und untersuchte ihn. »Der Reißverschluss ist aufgebrochen«, sagte er. »Von außen. Jemand hat den Rucksack aufgerissen.«

Clary schüttelte benommen den Kopf; sie konnte nur noch flüstern. »Das war ich nicht . . .«

»Ich weiß.« Seine Stimme klang sanft. Er legte die Hände an den Mund und rief: »Alec! Isabelle! Geht schon mal weiter. Wir kommen gleich nach.«

Die beiden Gestalten, die schon weit entfernt waren, blieben stehen. Alec zögerte, aber seine Schwester packte ihn am Arm und schob ihn zum U-Bahn-Eingang. Irgendetwas drückte gegen Clarys Rücken: Es war Jace, der sie mit einer Hand behutsam umdrehte. Sie ließ sich von ihm führen, stolperte neben ihm über den holprigen Bürgersteig. Schließlich standen sie wieder vor der Tür von Magnus' Haus. Der Gestank nach schalem Alkohol und der süße, unheimliche Geruch, den Clary inzwischen mit allen Schattenwesen in Verbindung brachte, erfüllten den Eingang. Jace nahm die Hand von Clarys Rücken und drückte auf die Klingel.

»Jace«, sagte sie.

Mit dunklen Augen schaute er auf sie herab. »Ja?«

Sie suchte nach Worten. »Glaubst du, dass es ihm gut geht?«

»Simon?« Er zögerte einen Moment und Clary musste an Isabelles Worte denken: *Stell ihm keine Fragen, wenn du nicht weißt, ob du die Antwort verkraften kannst*. Statt etwas zu sagen, drückte er erneut auf die Klingel, allerdings energischer als zuvor.

Dieses Mal reagierte Magnus und seine Stimme dröhnte durch den winzigen Eingang. »Wer wagt es, meine Ruhe zu stören?«

Jace wirkte fast ein wenig nervös. »Jace Wayland. Erinnerst du dich? Ich gehöre zum Rat.«

»Oh ja.« Magnus schien freundlicher gestimmt. »Bist du der mit den blauen Augen?«

»Er meint Alec«, erklärte Clary.

»Nein. Meine Augen werden meist als golden beschrieben«, erwiderte Jace in die Gegensprechanlage. »Und leuchtend.«

»Oh, *der* bist du.« Magnus klang enttäuscht. Wenn Clary nicht so niedergeschlagen gewesen wäre, hätte sie gelacht. »Ich denke, du kommst besser rauf.«

Der Hexenmeister öffnete die Tür in einem Seidenkimono mit Drachenmuster und einem goldenen Turban auf dem Kopf. In seinem Blick spiegelte sich kaum verhohlene Verärgerung.

»Ich habe bereits geschlafen«, verkündete er hochmütig.

Da Jace aussah, als wolle er gleich etwas Unhöfliches sagen, vermutlich über den Turban, kam Clary ihm lieber zuvor. »Entschuldigen Sie die Störung . . .«

Etwas Kleines, Weißes linste hinter dem Fußgelenk des Hexenmeisters hervor. Mit seinen grauen Zickzackstreifen und den rosa Puschelohren wirkte das Knäuel eher wie eine große Maus als eine kleine Katze.

»Der Große Vorsitzende Miau Tse-tung?«, fragte Clary.

Magnus nickte. »Er ist zurückgekommen.«

Jace musterte das kleine gefleckte Kätzchen leicht verächtlich. »Das ist keine Katze«, bemerkte er. »Es hat die Größe eines Hamsters.«

»Ich werde geflissentlich vergessen, dass du das gesagt hast«, meinte Magnus und schubste Miau Tse-tung vorsichtig mit dem Fuß zurück in Richtung Wohnung. »Warum seid ihr hier?«

Clary hielt ihm den aufgerissenen Rucksack entgegen. »Wegen Simon. Er ist weg.«

»Was meinst du mit *weg?«,* fragte Magnus.

»Na, *verschwunden,* nicht mehr da, abwesend, nicht präsent«, erwiderte Jace.

»Vielleicht hat er sich irgendwo versteckt«, sinnierte Magnus. »Es kann nicht leicht sein, sich an das Dasein als Ratte zu gewöhnen, besonders für jemanden, der so beschränkt ist.«

»Simon ist nicht beschränkt«, protestierte Clary wütend.

»Das stimmt«, pflichtete Jace ihr bei. »Er sieht nur beschränkt aus. In Wirklichkeit ist er von recht durchschnittlicher Intelligenz.« Sein Ton klang locker, aber seine Schultern waren angespannt. »Beim Rausgehen hat einer deiner Gäste Clary angerempelt. Ich glaube, er hat den Rucksack aufgerissen und die Ratte herausgenommen. Simon, meine ich.«

Magnus sah ihn an. »Und?«

»Ich muss herausfinden, wer es war«, erwiderte Jace entschlossen. »Und ich denke, du weißt es. Schließlich bist du der Oberste Hexenmeister von Brooklyn. Ich kann mir nicht vorstellen, dass in deiner Wohnung irgendetwas passiert, von dem du nichts mitbekommst.«

Magnus schaute auf einen seiner glänzenden Fingernägel. »Da hast du nicht unrecht.«

»Bitte, sagen Sie es uns«, bat Clary. Jace umfasste ihr Handgelenk und drückte es. Sie wusste, dass er ihr damit zu verstehen geben wollte, still zu sein, aber sie konnte nicht anders. »Bitte.«

Magnus ließ seine Hand mit einem Seufzer fallen. »Also gut. Ich habe gesehen, wie einer der Vorstadtvampire mit einer braunen Ratte in der Hand wegging. Ehrlich, ich habe wirklich gedacht, sie würde ihm gehören. Manchmal verwandeln sich die Kinder der Nacht in Ratten oder Fledermäuse, wenn sie betrunken sind.«

Clarys Hände zitterten. »Aber jetzt glauben Sie, es könnte Simon gewesen sein?«

»Das ist nur eine Vermutung, aber es wäre durchaus denkbar.«

»Da ist noch etwas.« Jace sprach ganz ruhig, aber er war jetzt angespannt und äußerst wachsam, so wie an dem Abend, als sie in Clarys Wohnung auf den Forsaken gestoßen waren. »Wo ist ihr Versteck?«

»Ihr was?«

»Das Vampirversteck. Dahin sind sie doch gegangen, oder?«

»Ich denke schon.« Magnus sah aus, als wäre er lieber ganz woanders.

»Du musst uns sagen, wo es ist.«

Magnus schüttelte den Kopf. »Ich werde es mir nicht mit den Kindern der Nacht wegen eines Irdischen verderben, den ich nicht einmal kenne.«

»Einen Moment«, unterbrach Clary ihn. »Was könnten die Vampire mit Simon vorhaben? Ich dachte, sie dürften keine Menschen verletzen . . .«

»Du möchtest wissen, was ich denke?«, fragte Magnus, nicht einmal unfreundlich. »Sie haben vermutlich angenommen, er sei eine zahme Ratte, und sich gedacht, dass es lustig sein könnte, das Tier eines Schattenjägers zu töten. Sie schätzen euch nicht besonders, egal, was das Abkommen vorschreiben mag – und das Bündnis sagt nichts über das Töten von Tieren.«

»Sie werden ihn umbringen?«, fragte Clary entsetzt.

»Nicht notwendigerweise«, beeilte Magnus sich zu versichern. »Vielleicht haben sie gedacht, er sei einer von ihnen.«

»Und was passiert in diesem Fall mit ihm?«

»Tja, in dem Moment, in dem er sich wieder in einen Menschen zurückverwandelt, werden sie ihn *trotzdem* töten. Aber vielleicht gibt euch das ein paar Stunden mehr Zeit.«

»Dann müssen Sie uns helfen«, drängte Clary den Hexenmeister. »Sonst wird Simon sterben.«

Magnus musterte sie mit einer Mischung aus Abgeklärtheit und Mitgefühl. »Sie müssen alle irgendwann sterben, Süße«, sagte er, »du gewöhnst dich besser daran.« Er wollte die Tür schließen, aber Jace stellte einen Fuß dazwischen. Magnus seufzte. »Und was jetzt?«

»Du hast uns noch immer nicht gesagt, wo ihr Versteck ist«, erinnerte Jace ihn.

»Und das werde ich auch nicht. Ich habe euch gesagt . . .«

Clary unterbrach ihn und schob sich vor Jace. »Sie haben in meinem Kopf herumgepfuscht«, sagte sie. »Meine Erinnerungen ausgelöscht. Können Sie mir nicht diesen einen Gefallen tun?«

Magnus kniff seine funkelnden Katzenaugen zusammen. Irgendwo in der Ferne schrie der Vorsitzende Miau Tse-tung. Langsam senkte der Hexenmeister den Kopf und seine Stirn stieß, noch nicht einmal sanft, gegen die Wand. »Das alte Hotel Dumont. Im Norden.«

»Ich weiß, wo das ist«, sagte Jace zufrieden.

»Wir müssen sofort dahin. Haben Sie ein Portal?«, fragte Clary.

»Nein.« Magnus schaute verärgert. »Portale sind ziemlich schwer zu bauen und stellen für ihren Besitzer kein geringes Risiko dar. Sehr hässliche Dinge können durch sie zu einem hereinkommen, wenn man sie nicht sorgfältig abschirmt. Die einzigen Portale, die es meines Wissens in der Stadt gibt, sind das bei Dorothea und das bei Renwick. Aber beide liegen zu weit weg, als dass sich die Mühe lohnen würde, dorthin zu fahren – selbst wenn ihr genau wüsstet, dass ihre Besitzer euch die Benutzung gestatten, was sie wahrscheinlich nicht tun würden. Kapiert? Und jetzt verschwindet.« Magnus starrte auf Jace' Fuß, der noch immer die Tür aufhielt. Jace rührte sich nicht.

»Noch eines«, sagte Jace. »Gibt es hier irgendwo geweihten Boden?«

»Das ist eine gute Idee. Wenn ihr es auf eigene Faust mit einer ganzen Vampirhorde aufnehmen wollt, dann solltet ihr vorher besser beten.«

»Wir brauchen Waffen«, entgegnete Jace knapp. »Mehr als die, die wir bei uns haben.«

»In der Diamond Street gibt es eine katholische Kirche. Ist euch damit geholfen?«

Jace nickte und trat zurück. »Das ist . . .«

Mit einem Krachen schlug die Tür vor ihrer Nase zu. Clary, die so heftig atmete, als sei sie gerannt, starrte auf das Metall, bis Jace ihren Arm nahm und sie die Treppe hinunter in die Nacht führte.

# 14
# Hotel Dumort

Bei Nacht wirkte die Kirche in der Diamond Street gespenstisch – ihre gotischen Spitzbogenfenster reflektierten das Mondlicht wie silberglänzende Spiegel. Ein schmiedeeiserner, mattschwarz lackierter Zaun umgab das Bauwerk. Clary rüttelte am Haupttor, doch ein schweres Vorhängeschloss hielt die beiden Flügeltüren zusammen. »Abgeschlossen«, sagte sie und sah sich kurz zu Jace um.

Er schwang seine Stele. »Lass mich mal.«

Clary schaute zu, wie er das Schloss bearbeitete, und ihr Blick fiel auf die geschwungene Linienführung seines geschmeidigen Rückens, die Muskeln unter dem kurzärmligen T-Shirt. Das Mondlicht ließ die Farbe seiner Haare verblassen, sodass sie jetzt eher silbern statt golden schimmerten.

Mit einem dumpfen Klirren fiel das Vorhängeschloss zu Boden, blieb dort als schwerer Klumpen verdrehter Kettenglieder liegen. Jace wirkte sehr zufrieden mit sich. »Wie üblich bin ich wieder mal erstaunlich gut im Öffnen von Schlössern«, sagte er.

Clary spürte plötzlich, wie Wut in ihr aufstieg. »Wenn der selbstgefällige Teil des Abends vorüber ist, können wir dann vielleicht mal voranmachen und meinen besten Freund davor bewahren, dass man ihm das Blut aus den Adern saugt und er an Exsanguination stirbt?«

»Exsanguination«, meinte Jace beeindruckt. »Ein großes Wort.«

»Und du bist ein großes . . .«

»Ts, ts«, unterbrach er sie. »Keine Flüche in der Kirche.«

»Wir sind noch nicht *in* der Kirche«, murmelte Clary und folgte ihm den Steinweg hinauf zum doppelflügeligen Hauptportal. Der Steinbogen über dem Tor war kunstvoll gemeißelt und ein Engel blickte von der höchsten Stelle des Spitzbogens auf sie hinab. Hoch aufragende Türme zeichneten sich schwarz vor dem Nachthimmel ab und Clary erkannte, dass dies die Kirche war, die sie wenige Stunden zuvor vom McCarren Park aus gesehen hatte. Sie biss sich auf die Lippe. »Irgendwie kommt es mir nicht richtig vor, eine Kirchentür aufzubrechen.«

Jace' mondbeschienenes Profil wirkte gelassen. »Das tun wir auch nicht«, erwiderte er und schob die Stele in seine Hosentasche. Dann legte er seine schlanke, braun gebrannte Hand, die über und über mit feinen weißen Narben übersät war, auf die Holztür des Portals, oberhalb des Türriegels. »Im Namen des Rats«, sagte er, »erbitte ich Zugang zu diesem geweihten Boden. Im Namen des niemals endenden Kriegs erbitte ich Zugang zu Euren Waffen. Und im Namen des Erzengels Raziel erbitte ich Euren Segen bei meiner Mission im Kampf gegen die Dunkelheit.«

Clary starrte ihn an. Er wartete reglos. Der Nachtwind blies ihm eine Haarsträhne in die Augen; er blinzelte einmal und genau in dem Moment, als sie etwas sagen wollte, öffnete sich die Tür mit einem Klick, schwang mit knarrenden Angeln auf und gab den Blick frei auf einen kühlen, leeren Raum, der von einzelnen Kerzen beleuchtet wurde. Jace trat einen Schritt zur Seite. »Nach dir.«

Als Clary den Raum betrat, wurde sie von einer Woge kühler Luft und dem Duft nach Stein und Kerzenwachs umfangen. Im Halbdunkel erkannte sie Reihen von Kirchenbänken, die sich bis zum Altar erstreckten, und vor einer der hinteren Mauern leuchteten flackernde Opferkerzen auf einem Metallgestell. Plötzlich wurde ihr bewusst, dass sie – abgesehen vom Institut, das im Grunde nicht zählte – noch nie in einer Kirche gewesen war. Natürlich hatte sie Abbildungen gesehen und das Innere von Kirchen in Spiel- und Zeichentrickfilmen bewundert, wo sie regelmäßig auftauchten. Eine Szene aus ihrer Lieblings-Zeichentrickserie spielte in einem Gotteshaus mit einem riesigen Vampirpriester. Eigentlich sollte man sich in einer Kirche geborgen fühlen, doch sie fühlte sich nicht sicher. Seltsame Gestalten schienen bedrohlich aus den Schatten aufzuragen und auf sie herabzusehen. Clary erschauderte.

»Die Steinmauern halten die Hitze draußen«, sagte Jace, der ihr Zittern bemerkt hatte.

»Daran liegt es nicht«, erwiderte sie. »Ich ... ich war noch nie in einer Kirche.«

»Du warst doch im Institut.«

»Ich meine, in einer richtigen Kirche. Während der Messe und so ...«

»Tatsächlich? Okay, also das hier ist das Kirchenschiff, in dem das Kirchengestühl steht – der Ort, an dem die Leute während des Gottesdienstes sitzen.« Sie gingen weiter und Jace' Stimme wurde als Echo von den Mauern zurückgeworfen. »Diese erhöhte, halbkreisförmige Nische, in der wir gerade stehen, ist die Apsis. Und das da ist der Altar, wo der Priester die Eucharistie feiert. Der Altar befindet sich immer auf der Ostseite der Kirche.« Jace kniete nieder und einen Moment lang dachte Clary, er würde beten. Der Altar bestand aus einem hohen dunklen Granitblock, der mit einem roten Tuch bedeckt war. Dahinter ragte eine kunstvoll vergoldete Tafel auf, die Figuren von Heiligen und Märtyrern zeigte, mit flachen goldenen Scheiben hinter den Köpfen – den Heiligenscheinen.

»Jace«, flüsterte sie. »Was machst du da?«

Jace legte beide Hände auf den Steinboden, bewegte sie rasch hin und her und wirbelte mit den Fingerspitzen Staub auf. »Ich suche nach Waffen.«

»Hier?«

»Sie sind versteckt, normalerweise in der Nähe des Altars. Speziell für uns aufbewahrt, für Notfälle.«

»Und was soll das sein? Eine Art Pakt, den ihr mit der katholischen Kirche abgeschlossen habt?«

»Nicht ausschließlich mit der katholischen Kirche. Dämonen sind schon genauso lange auf der Erde wie wir. Man findet sie überall auf der Welt, in den unterschiedlichsten Gestalten – griechische *Daímōne,* persische *Daevas,* hinduistische *Asura,* japanische *Oni.* Die meisten Religionen haben eine Methode entwickelt, die Existenz dieser Wesen und ihre Bekämpfung in ihren Glauben zu integrieren. Schattenjäger halten nicht an einer einzelnen Religion fest und im Gegenzug unterstützen alle Religionen uns in unserem Kampf. Ich hätte genauso gut auch zu einer jüdischen Synagoge oder einem japanischen Shinto-Tempel gehen und Hilfe erbitten können . . . Ah, hier ist sie ja.« Er wischte den Staub beiseite und Clary kniete sich neben ihn. In eine der achteckigen Steinplatten vor dem Altar war eine Rune gemeißelt. Clary erkannte sie – fast so mühelos, als würde sie ein englisches Wort lesen. Es war die Rune, die »Nephilim« bedeutete.

Jace holte seine Stele hervor und berührte damit die Steinplatte. Mit einem dumpfen Rumpeln wich sie zurück und gab eine dunkle Grube frei, die sich darunter befand. In ihr lag eine lange Holzkiste. Jace klappte den Deckel der Kiste auf und musterte zufrieden die sorgfältig darin gestapelten Gegenstände.

»Was ist das alles?«, fragte Clary.

»Phiolen mit Weihwasser, gesegnete Messer, Stahl- und Silberklingen«, erklärte Jace und legte die Waffen auf den Boden neben sich. »Elektrum-Draht – im Moment nicht besonders nützlich, aber es kann nie schaden, eine kleine Menge bei sich zu haben –, Silberkugeln, Schutzamulette, Kruzifixe, Davidsterne . . .«

»Großer Gott«, murmelte Clary.

»Ich bezweifle, dass Er in diese Kiste passen würde.«

»*Jace.*« Clary war entsetzt.

»Was denn?«

»Ich weiß nicht, aber irgendwie erscheint es mir unangebracht, derartige Scherze in einer Kirche zu machen.«

Er zuckte die Achseln. »Ich bin nicht sehr religiös.«

Clary sah ihn überrascht an. »Tatsächlich nicht?«

Er schüttelte den Kopf und eine Haarsträhne fiel ihm in die Augen. Doch statt sie beiseitezuschieben, hielt er eine kleine Flasche mit klarer Flüssigkeit prüfend hoch. Clary juckte es in den Fingern, ihm die Strähne aus dem Gesicht zu streichen. »Hast du gedacht, ich wäre fromm?«, fragte er.

»Nun ja . . .« Sie zögerte. »Wenn es Dämonen gibt, dann muss es doch auch . . .«

»Muss es was?« Jace steckte die Phiole in seine Tasche. »Ah . . . du meinst: Wenn es das gibt . . .« Er zeigte nach unten auf den Boden. »Dann muss es auch das geben.« Er deutete nach oben, in Richtung des Kirchengewölbes.

»Das ist doch logisch, oder?«

Jace senkte den Kopf, nahm eine Klinge in die Hand und begutachtete das Heft. »Ich will's mal so sagen«, setzte er an. »Ich töte nun schon seit etlichen Jahren Dämonen und habe bestimmt schon fünfhundert von diesen Höllengeburten dorthin zurückgeschickt, wo sie hergekommen sind. Aber in all der Zeit – in all diesen Jahren – habe ich nicht einen einzigen Engel gesehen. Und noch nicht einmal von jemandem gehört, der einen gesehen hätte.«

»Aber es war doch ein Engel, der die Schattenjäger überhaupt erst erschaffen hat«, warf Clary ein. »Das hat mir Hodge zumindest erzählt.«

»Eine hübsche Geschichte.« Jace warf ihr aus zusammengekniffenen, katzenartigen Augen einen Blick zu. »Mein Vater hat an Gott geglaubt. Aber ich glaube nicht an seine Existenz.«

»Kein bisschen?« Sie war sich nicht sicher, warum sie ihn drängte. Bisher hatte sie nie einen Gedanken daran verschwendet, ob sie selbst an Gott und Engel und all das glaubte – und danach gefragt, hätte sie wahrscheinlich mit Nein geantwortet. Aber Jace hatte etwas an sich, dass in ihr den Wunsch weckte, ihm einen Stoß zu geben, seine zynische Schale zu knacken und ihn zu dem Geständnis zu zwingen, dass er an *irgendetwas* glaubte, dass er irgendetwas fühlte, dass ihm irgendetwas am Herzen lag.

»Man könnte es auch folgendermaßen formulieren«, sagte er und schob zwei Messer in seinen Gürtel. Das schwache Licht, das durch die Buntglasfenster fiel, zeichnete farbige Quadrate auf sein Gesicht. »Mein Vater hat an einen gerechten Gott geglaubt. *Deus lo vult!*, so lautete sein Motto, ›Gott will es‹. Das war der Wahlspruch der Kreuzfahrer, die hinaus in den Kampf zogen und abgeschlachtet wurden, genau wie mein Vater. Als ich ihn in seinem eigenen Blut liegen sah, wusste ich, dass ich zwar nicht aufgehört hatte, an Gott zu glauben, aber daran, dass es ihn interessierte. Möglicherweise gibt es einen Gott, Clary, und möglicherweise auch nicht. Aber ich denke nicht, dass das eine Rolle spielt. So oder so sind wir auf uns allein gestellt.«

Sie waren die einzigen Fahrgäste in ihrem U-Bahn-Wagen. Während sie in den Norden der Stadt rollten, saß Clary schweigend da und dachte an Simon. Hin und wieder sah Jace zu ihr hinüber, als wollte er etwas sagen, hielt dann aber, ganz untypisch für ihn, den Mund.

Als sie endlich ausstiegen und die Treppe der U-Bahn-Station hinaufgingen, waren die Straßen wie ausgestorben. Die Luft hing schwer und metallisch über der Stadt und die Bars, Waschsalons und Wechselstuben lagen still hinter ihren Wellblechverschlägen. Nachdem sie fast eine Stunde gesucht hatten, fanden sie das Hotel schließlich in einer Seitenstraße der 116. Straße. Sie waren zweimal daran vorbeigelaufen, weil sie es für eines der vielen leer stehenden Mietshäuser gehalten hatten, bis Clary das Schild entdeckte. Eine Schraube hatte sich gelöst, sodass die Metalltafel halb versteckt hinter einem verkrüppelten Baum hing. HOTEL DUMONT hätte darauf stehen sollen, doch irgendjemand hatte das N übermalt und durch ein R ersetzt.

»Hotel Dumort«, meinte Jace, als Clary ihn darauf aufmerksam machte. »Entzückend.«

Clary hatte zwar nur zwei Jahre Französisch in der Schule gelernt, aber das reichte, um den Witz zu verstehen. *»Du mort«,* sagte sie. »Des Todes.«

Jace nickte. Er war jetzt vollkommen konzentriert, wie eine Katze, die eine Maus hinters Sofa hat huschen sehen.

»Aber das kann nicht das Hotel sein, das wir suchen«, sagte Clary. »Sämtliche Fenster sind mit Brettern vernagelt und die Tür ist zugemauert . . . Ach ja, richtig«, fügte sie hinzu, als sie seinen Blick auffing, »Vampire. Aber wie kommen sie in das Gebäude hinein?«

»Sie fliegen«, erklärte Jace und zeigte auf die oberen Geschosse des Bauwerks, das einst ein sehr elegantes Luxushotel gewesen sein musste. Die Natursteinfassade war mit anmutigen Ornamenten und Lilien versehen, die durch den jahrelangen Kontakt mit verschmutzter Luft und saurem Regen dunkel und verwittert wirkten.

»Wir können nicht fliegen«, fühlte Clary sich gezwungen anzumerken.

»Nein«, stimmte Jace ihr zu. »Wir können nicht fliegen. Aber wir können einbrechen und hineinmarschieren.« Er überquerte die Straße und ging auf das Hotel zu.

»Fliegen klingt irgendwie lustiger«, sagte Clary und bemühte sich, mit ihm Schritt zu halten.

»Im Moment klingt alles tausendmal lustiger.« Clary fragte sich, ob er das ernst meinte. Er strahlte eine Erregung aus, eine so erwartungsvolle Vorfreude auf die Jagd, dass er auf sie nicht den Eindruck machte, als wäre er so unzufrieden, wie er behauptete. *Er hat mehr Dämonen getötet als jeder andere in seinem Alter.* Und man tötete nicht derart viele Dämonen, indem man zögerlich in den Kampf ging.

Eine schwüle Brise war aufgekommen und rüttelte an den Blättern der verkrüppelten Bäume vor dem Hotel, wirbelte den Abfall am Straßenrand auf und trieb ihn über die geborstenen Steinplatten des Bürgersteigs. Die Gegend wirkte seltsam ausgestorben, dachte Clary – normalerweise lief in Manhattan immer irgendjemand durch die Straßen, selbst um vier Uhr morgens. Einige Straßenlaternen waren ausgefallen; lediglich die in der Nähe des Hotels warf ein schwaches gelbes Licht auf den rissigen Gehweg, der zu dem Bereich des Hotels führte, wo sich einst der Haupteingang befunden hatte.

»Bleib aus dem Lichtkegel«, sagte Jace und zog sie am Ärmel zu sich heran. »Möglicherweise halten sie von den Fenstern aus Wache. Und sieh nicht nach oben«, fügte er hinzu, doch es war bereits zu spät. Clary hatte längst zu den zersprungenen Fenstern in den oberen Geschossen hinaufgeschaut. Einen Moment lang glaubte sie, eine Bewegung hinter einer der Glasscheiben bemerkt zu haben, das Aufblitzen eines bleichen Gesichts oder einer Hand, die einen schweren Vorhang beiseitezog . . .

»Komm schon.« Jace zerrte sie hinter sich her, bis sie mit den Schatten in der näheren Umgebung des Hotels verschmolzen. Sie spürte die Anspannung in ihrem Magen, den beschleunigten Pulsschlag in ihren Handgelenken, das laute Rauschen des Bluts in ihren Ohren. Das schwache Brummen einiger Autos in der Ferne schien sehr weit weg; außer dem Knirschen ihrer eigenen Schuhe auf dem überwucherten Gehweg war nichts zu hören. Sie wünschte, sie könnte sich so lautlos fortbewegen wie ein Schattenjäger. Vielleicht würde sie Jace eines Tages bitten, es ihr beizubringen.

Leise schlichen sie um die Ecke des Hotels herum, in eine schmale Seitenstraße, die früher vermutlich als Lieferantenzufahrt gedient hatte. Die Gasse war düster und mit Müll übersät: schimmlige Pappkartons, leere Glasflaschen, zerrissene Plastiktüten und verstreut herumliegende Gegenstände, die Clary zunächst für Zahnstocher hielt, die bei näherem Hinsehen jedoch aussahen wie . . .

»Knochen«, meinte Jace nüchtern. »Hundeknochen, Katzenknochen. Sieh nicht zu genau hin. Das Durchwühlen von Vampirmüll ist kein echtes Vergnügen.«

Clary schluckte hart, um die aufsteigende Übelkeit zu bekämpfen. »Zumindest wissen wir, dass wir am richtigen Ort sind«, sagte sie schließlich und wurde dafür mit einem Anflug von Respekt belohnt, der kurz in Jace' Augen aufleuchtete.

»Oh ja, wir sind am richtigen Ort«, bestätigte er. »Jetzt müssen wir nur noch rausfinden, wie wir in das Hotel hineinkommen.«

Sämtliche Fenster, die auf die Seitengasse hinausführten, waren zugemauert; es gab keine Tür und keine Feuerleiter. »Als das noch ein Hotel war, muss hier irgendwo der Lieferanteneingang gewesen sein«, sagte Jace nachdenklich. »Die Waren wurden bestimmt nicht durch den Haupteingang ins Hotel gebracht und sonst ist nirgendwo Platz für die Lieferwagen. Es muss hier also irgendwo einen Weg ins Gebäude geben.«

Clary dachte an die kleinen Geschäfte und Weinhandlungen in der Nähe ihres Hauses in Brooklyn. Wenn sie morgens zur Schule gegangen war, hatte sie oft gesehen, wie Waren angeliefert wurden. Sie erinnerte sich, wie der koreanische Feinkosthändler immer die Metalltüren geöffnet hatte, die in den Gehweg vor der Ladentür eingelassen waren, damit die Pappkartons mit Papierhandtüchern und Katzenfutter in den Vorratskeller unter dem Geschäft gebracht werden konnten. »Ich wette, die Türen sind im Boden, wahrscheinlich unter all diesem Müll begraben.«

Jace, der sich unmittelbar hinter ihr befand, nickte. »So was Ähnliches hab ich mir auch schon überlegt.« Er seufzte. »Ich schätze, uns bleibt nichts anderes übrig, als den Abfall wegzuräumen. Am besten fangen wir mit dem Container an.« Wenig begeistert zeigte er auf den Müllbehälter.

»Du würdest lieber gegen eine gierige Horde Dämonen kämpfen, oder?«, fragte Clary.

»Zumindest wimmeln die nicht von Maden. Jedenfalls nicht alle«, fügte er nachdenklich hinzu. »Denn da gab es mal diesen Dämon, den ich in der Kanalisation unter der Grand Central Station aufgespürt hatte und der . . .«

»Stopp.« Clary hob abwehrend eine Hand. »Ich bin jetzt echt nicht in der Stimmung dafür.«

»Das muss das erste Mal sein, dass ein Mädchen je so was zu mir gesagt hat«, meinte Jace sinnend.

»Bleib einfach in meiner Nähe und es wird nicht das letzte Mal gewesen sein.«

Jace' Mundwinkel zuckten. »Jetzt ist wohl kaum der richtige Zeitpunkt für neckisches Geplänkel. Lass uns lieber den Müll wegschaffen.« Er marschierte zum Container hinüber und packte ihn an einer Seite. »Stell du dich auf die andere Seite. Dann kippen wir ihn um.«

»Umkippen macht viel zu viel Lärm«, widersprach Clary, nahm aber ihre Position auf der anderen Seite des riesigen Müllbehälters ein – ein klassischer dunkelgrüner Container der städtischen Müllabfuhr, der mit seltsamen Flecken übersät war. Das Ding stank, sogar noch stärker als herkömmliche Container – nach Müll und irgendetwas anderem. Ein süßlich-schwerer Geruch, der ihr die Kehle zuschnürte und sie innerlich würgen ließ. »Wir sollten ihn lieber wegschieben.«

»Also, jetzt hör mal zu . . .«, setzte Jace an, als aus dem Schatten hinter ihnen plötzlich eine Stimme erklang.

»Haltet ihr das wirklich für klug?«

Clary erstarrte und blinzelte in die Dunkelheit der Gasse. Einen kurzen, panischen Moment lang fragte sie sich, ob sie sich die Stimme vielleicht nur eingebildet hatte, doch Jace stand ebenfalls wie erstarrt. Auf seinem Gesicht spiegelte sich Erstaunen. Es kam nur selten vor, dass ihn irgendetwas überraschte, und noch seltener, dass sich jemand unbemerkt an ihn heranschleichen konnte. Er trat einen Schritt beiseite, seine Hand glitt zu seinem Gürtel und er fragte in ausdruckslosem Tonfall: »Ist da jemand?«

*»Dios mio«,* erwiderte eine männliche, amüsiert klingende Stimme in fließendem Spanisch. »Ihr seid nicht aus dieser Gegend, oder?«

Aus dem tiefen Dunkel trat ein Schatten hervor, der langsam Gestalt annahm: ein Junge, kaum älter als Jace und etwa fünfzehn Zentimeter kleiner. Er wirkte feingliedrig, hatte die großen dunklen Augen und die honigfarbene Haut einer Figur eines Gemäldes von Diego Rivera und trug eine schwarze, weite Hose und ein weißes Hemd mit offenem Kragen. Die Goldkette an seinem Hals funkelte schwach, als er ins Licht trat.

»Könnte man so sagen«, erwiderte Jace vorsichtig, nahm die Hand jedoch nicht vom Gürtel.

»Ihr solltet besser hier abhauen.« Der Junge fuhr sich mit der Hand durch die dicken schwarzen Locken. »Dieser Ort ist gefährlich.«

*Er meint, das ist ein schlimmes Viertel.* Clary hätte am liebsten laut losgeprustet, auch wenn es überhaupt nicht lustig war. »Wissen wir«, sagte sie. »Wir haben uns bloß ein bisschen verlaufen, das ist schon alles.«

Der Junge deutete auf den Müllcontainer. »Was hattet ihr damit vor?«

*Ich bin nicht gut im Stegreiflügen,* dachte Clary und sah zu Jace hinüber, der hoffentlich hervorragend darin war.

Doch Jace enttäuschte sie umgehend. »Wir versuchen, ins Hotel hineinzukommen. Und wir dachten, dass sich unter dem Container eine Kellertür befinden könnte.«

Ungläubig riss der Junge die Augen auf. *»La puta madre* – warum wollt ihr da unbedingt rein?«

Jace zuckte die Achseln. »Bloß aus Jux. Wir wollten nur ein wenig Spaß.«

»Ihr kapiert's nicht. Hier spukt es. Das Hotel ist verflucht, bringt Unglück.« Er schüttelte heftig den Kopf und sagte irgendetwas auf Spanisch, von dem Clary annahm, dass es um die Dummheit verwöhnter weißer Jugendlicher im Allgemeinen und Jace' und ihre Blödheit im Besonderen ging. »Los, kommt mit, ich bring euch zur U-Bahn.«

»Wir wissen, wo die Haltestelle ist«, erwiderte Jace.

Der Junge lachte leise und kehlig. *»Claro.* Natürlich wisst ihr das, aber wenn ich euch begleite, wird euch niemand belästigen. Ihr wollt doch keinen Ärger, oder?«

»Kommt darauf an«, sagte Jace und verlagerte sein Gewicht, sodass seine Jacke leicht aufsprang und die schimmernden Waffen an seinem Gürtel zu sehen waren. »Wie viel zahlen sie dir dafür, dass du die Leute vom Hotel fernhältst?«

Der Junge warf einen kurzen Blick über seine Schulter. Clarys Nerven waren zum Reißen gespannt, während sie sich vorstellte, wie sich die schmale Gasse mit weiteren Schattengestalten füllte – mit bleichen Gesichtern, roten Lippen und plötzlich aufblitzenden Eckzähnen. Als der Junge sich Jace wieder zuwandte, wirkte sein Mund wie eine dünne Linie. »Wie viel zahlt *wer* mir, *chico?*«

»Die Vampire. Wie viel zahlen sie dir? Oder gibt es irgendeinen anderen Grund? Haben sie dir erzählt, sie würden dich zu einem der ihren machen? Dir Unsterblichkeit versprochen, nie mehr Schmerzen, keine Krankheiten, ewiges Leben? Glaub mir, das ist es nicht wert. Das ewige Leben zieht sich verdammt lange hin, wenn man die Sonne nie wieder zu sehen bekommt, *chico*«, sagte Jace.

Der Junge musterte ihn mit ausdrucksloser Miene. »Ich heiße Raphael. Nicht *chico.*«

»Aber du weißt, wovon wir reden. Du weißt von den Vampiren, oder?«, fragte Clary.

Raphael drehte den Kopf zur Seite und spuckte auf den Boden. Als er Jace und Clary wieder ansah, funkelte in seinen Augen blanker Hass. *»Los vampiros, si,* die blutrünstigen Bestien. Lange bevor das Hotel verrammelt wurde, gab es schon diese Gerüchte, von dem lauten Gelächter mitten in der Nacht, den kleinen Tieren, die ständig verschwanden, den Geräuschen . . .« Er unterbrach sich und schüttelte den Kopf. »Das ganze Viertel weiß, dass man sich von diesem Haus fernhalten muss, aber was soll man machen? Die Polizei rufen und sagen, dass man ein Problem mit Vampiren hat?«

»Hast du jemals welche gesehen?«, fragte Jace. »Oder kennst du jemanden, der sie gesehen hat?«

Raphael zögerte einen Moment. »Da gab es mal ein paar Jungs«, setzte er langsam an, »eine Gruppe von Freunden. Die hielten es für eine gute Idee, in das Hotel einzudringen und die Monster darin zu töten. Die Jungen haben Gewehre und Messer mitgenommen, allesamt von einem Priester gesegnet. Danach hat man sie nicht mehr gesehen. Meine Tante hat später ihre Kleidung gefunden, draußen vor dem Haus.«

»Vor dem Haus deiner Tante?«, hakte Jace nach.

»*Si.* Einer der Jungen war mein Bruder«, erwiderte Raphael tonlos. »Und jetzt wisst ihr auch, warum ich hier manchmal mitten in der Nacht vorbeikomme, auf dem Weg von meiner Tante nach Hause, und warum ich euch vor dem Hotel gewarnt habe. Wenn ihr da reingeht, werdet ihr nicht mehr rauskommen.«

»Mein Freund ist in dem Gebäude«, sagte Clary. »Wir sind hier, um ihn da rauszuholen.«

»Verstehe«, meinte Raphael, »dann kann ich euch wohl nicht davon abhalten . . .«

»Nein«, erwiderte Jace. »Aber mach dir keine Sorgen. Was deinen Freunden widerfahren ist, wird uns nicht passieren.« Er zog eines der Engelsschwerter aus dem Gürtel und hielt es hoch; das schwache Licht, das die Klinge ausstrahlte, erhellte die Vertiefungen unter seinen Wangenknochen und verbarg seine Augen im Dunkel. »Ich habe schon eine ganze Menge Vampire getötet. Auch wenn ihre Herzen nicht schlagen, können sie dennoch sterben.«

Raphael holte scharf Luft und murmelte etwas auf Spanisch, doch so leise und schnell, dass Clary ihn nicht verstehen konnte. Er kam ein paar Schritte näher und stürzte in seiner Eile fast über einen Haufen zerknitterter Kunststoffverpackungen. »Ich weiß, wer ihr seid – ich hab schon mal von Leuten wie euch gehört. Der alte *padre* von St. Cecilia hat's mir erzählt. Aber ich dachte, das wäre nur ein Mythos.«

»Alle Mythen sind wahr«, sagte Clary, allerdings so leise, dass er sie offenbar nicht gehört hatte. Mit zusammengepresstem Mund starrte er Jace an, die Hände zu Fäusten geballt.

»Ich will euch begleiten«, stieß er hervor.

Jace schüttelte den Kopf. »Nein. Auf keinen Fall.«

»Ich könnte euch zeigen, wie man in das Hotel hineinkommt«, warf Raphael ein.

Jace zögerte; die Versuchung stand ihm ins Gesicht geschrieben. »Wir können dich trotzdem nicht mitnehmen.«

»Okay, okay.« Raphael marschierte an ihm vorbei und trat einen

Haufen Müll beiseite, der vor einer Wand lag. Darunter kam ein Gitterrost zum Vorschein – dünne Metallstäbe, mit einer bräunlich roten Rostschicht überzogen. Er kniete sich auf den Boden, umfasste die Stäbe und zog das Gitter beiseite. »Auf diesem Weg sind mein Bruder und seine Freunde reingekommen. Der Schacht führt in den Keller, glaube ich.« Er blickte kurz auf, als Jace und Clary sich neben ihn hockten. Clary hielt einen Moment die Luft an. Der Müllgestank war überwältigend und selbst in der Dunkelheit konnte sie die hin und her huschenden Kakerlaken erkennen, die eilig unter dem nächsten Müllhaufen Schutz suchten.

Ein schmales Lächeln hatte sich in Jace' Mundwinkel geschlichen. Das Elbenlicht des Engelsschwerts, das er noch immer in der Hand hielt, verlieh seinem Gesicht ein gespenstisches Äußeres; es erinnerte Clary an Simon, der sich eine Taschenlampe unter das Kinn gehalten und ihr Horrorgeschichten erzählt hatte, als sie beide elf gewesen waren. »Danke«, wandte Jace sich an Raphael. »Wir finden den Weg alleine.«

Das Gesicht des Hispanoamerikaners schimmerte bleich. »Geht da rein und tut das für euren Freund, was ich für meinen Bruder nicht tun konnte.«

Jace steckte die Seraphklinge wieder in den Gürtel und warf Clary einen Blick zu. »Mir nach«, sagte er und ließ sich in einer geschmeidigen Bewegung, die Füße zuerst, in den Schacht gleiten. Clary hielt den Atem an und wartete auf einen Schrei – vielleicht vor Schmerz oder aus Verblüffung. Doch sie hörte nur ein leises, dumpfes Geräusch, als Jace mit den Füßen auf festem Boden landete. »Alles in Ordnung«, rief er mit gedämpfter Stimme nach oben. »Spring runter. Ich fang dich auf.«

Clary sah kurz zu Raphael hinüber. »Danke für deine Hilfe.«

Der Junge schwieg und hielt ihr nur die Hand hin. Clary ergriff sie und stützte sich daran ab, während sie sich in die richtige Position über dem Schacht brachte. Seine Finger waren kalt und er ließ sie los, als sie sich in das Loch im Boden gleiten ließ. Ihr Fall dauerte nur eine Sekunde und Jace fing sie auf, wobei ihr Kleid nach oben rutschte und seine Hände ihre nackten Beine streiften. Fast unmittelbar danach gab er sie wieder frei. »Alles in Ordnung?«

Rasch zerrte sie ihr Kleid herunter, froh, dass er sie in der Dunkelheit nicht sehen konnte. »Mir geht's gut.«

Jace zog das schwach leuchtende Engelsschwert aus dem Gürtel und hielt es hoch, sodass der langsam stärker werdende Lichtschein ihre Umgebung erhellte. Sie befanden sich in einem niedrigen Raum, dessen Betonboden an mehreren Stellen geborsten war. In den Rissen hatte sich Dreck gesammelt und Clary konnte erkennen, dass schwarze Ranken die Wände hinaufkrochen. Ein Durchgang ohne Tür führte in den nächsten Raum.

Ein lautes Plumpsgeräusch ließ sie erstarren. Als sie sich umdrehte, entdeckte sie Raphael, der wenige Schritte hinter ihr gelandet war. Er war ihnen durch den Schacht gefolgt, richtete sich nun auf und grinste irre.

Jace funkelte ihn wütend an. »Ich hab dir doch gesagt . . .«

»Ich weiß.« Raphael winkte herablassend ab. »Und was willst du dagegen tun? Ich kann weder den Weg zurücknehmen, auf dem wir reingekommen sind, noch kannst du mich hier zurücklassen, wo mich die Untoten finden, oder?«

»Warum eigentlich nicht?«, erwiderte Jace. Er wirkte müde, stellte Clary überrascht fest. Die Schatten unter seinen Augen waren tiefer und dunkler als sonst.

Raphael zeigte in eine Richtung. »Wir müssen da lang, zur Treppe. Die Vampire sind in den oberen Geschossen des Hotels. Ihr werdet schon sehen.« Er schob sich an Jace vorbei durch den schmalen Durchgang. Jace sah ihm nach und schüttelte den Kopf.

»Allmählich entwickle ich einen richtigen Hass auf Irdische«, sagte er.

Das Kellergeschoss des Hotels bestand aus einem Labyrinth von unübersichtlichen Fluren, die in leere Vorratsräume führten, in eine verlassene Waschküche – wo sich stockfleckige Handtücher in verrotteten Weidenkörben stapelten – und sogar in eine gespenstische Küche, deren Edelstahlanrichten sich in der Dunkelheit verloren. Die meisten Treppen, die in die oberen Geschosse führten, waren verschwunden – nicht verfallen und zusammengebrochen, sondern bewusst zertrümmert und zu Brennholzstapeln an den Mauern aufgeschichtet. Kleine Fetzen einst kostbarer Perserteppiche hingen wie pelziger Schimmelbelag an den Holzresten.

Die zerstörten Stufen verblüfften Clary. *Was haben Vampire gegen Treppen?*, fragte sie sich.

Nach einigem Suchen fanden sie eine noch unversehrte Stiege, tief versteckt hinter der Waschküche. Die Dienstmädchen mussten sie in den Zeiten vor der Erfindung des Aufzugs zum Wäschetransport benutzt haben. Eine dicke Staubschicht lag auf den Stufen, wie eine Lage grauen Pulverschnees, die Clary zum Husten reizte.

»Schhh«, zischte Raphael. »Sie könnten dich hören. Wir sind jetzt in der Nähe ihrer Schlafquartiere.«

»Und woher willst *du* das wissen?«, flüsterte sie zurück. Schließlich sollte er gar nicht hier sein. Woher nahm er das Recht, ihr eine Lektion über Lärmvermeidung erteilen zu wollen?

»Ich kann es fühlen.« In einem seiner Augenwinkel zuckte ein Muskel und sie erkannte, dass er genauso viel Angst hatte wie sie. »Du etwa nicht?«

Sie schüttelte den Kopf. Sie spürte gar nichts, abgesehen von dieser seltsamen Kälte; nach der drückenden Schwüle draußen in der Gasse spürte sie die Kühle im Inneren des Hotels umso deutlicher.

Am oberen Ende der Treppe befand sich ein Absatz mit einer Tür, auf der, in kaum noch lesbaren Buchstaben, das Wort »Foyer« geschrieben stand. Die Tür knarrte in den rostigen Angeln, als Jace sie aufdrückte. Clary machte sich auf das Schlimmste gefasst . . .

Doch der Raum dahinter war leer. Sie standen in einer großen Eingangshalle, deren vermoderter Teppichboden an manchen Stellen weggerissen war und den Blick auf die darunter liegenden faulenden Holzdielen freigab. Eine große geschwungene Treppe mit vergoldetem Geländer und luxuriösen Teppichen musste früher den Mittelpunkt der Halle gebildet haben. Doch von der einstigen Pracht waren nur noch ein paar Stufen übrig, die sich rasch in der Dunkelheit verloren. Der Treppenrest endete direkt über ihren Köpfen, mitten in der Luft. Der Anblick war so surreal wie eines der Gemälde von Magritte, die Jocelyn so liebte. Dieses hier würde den Titel *Treppe ins Nichts* tragen, dachte Clary.

»Was haben Vampire gegen Treppen?«, fragte sie. Ihre Stimme klang so trocken wie der Staub, der jeden einzelnen Gegenstand bedeckte.

»Nichts«, sagte Jace. »Aber sie sind nicht auf sie angewiesen.«

»Damit zeigen sie, dass dieser Ort *ihnen* gehört.« Raphaels Augen leuchteten. Er wirkte beinahe begeistert. Jace warf ihm einen Seitenblick zu.

»Hast du jemals einen Vampir gesehen, Raphael?«, fragte er.

Raphael schaute ihn fast verträumt an. »Ich weiß, wie sie aussehen: Sie sind bleicher und dünner als Menschen, aber sehr stark. Sie bewegen sich anmutig wie Katzen und springen mit einer Blitzartigkeit, die Schlangen zu eigen ist. Sie sind schön und schrecklich. Genau wie dieses Hotel.«

»Du findest dieses Gebäude schön?«, fragte Clary überrascht.

»Man kann sehen, dass es mal schön war, vor vielen Jahren. Wie eine alte Frau, die in ihrer Jugend eine Schönheit war, aber jetzt durch das Alter gezeichnet ist. Du musst dir vorstellen, wie diese Treppe früher einmal ausgesehen hat, mit brennenden Gaslampen entlang der Geländer, wie Glühwürmchen in der Dunkelheit, und vielen, vielen Leuten. Nicht so, wie sie jetzt aussieht, so . . .« Er stockte, suchte nach dem richtigen Wort.

»Verstümmelt?«, meinte Jace trocken.

Raphael wirkte bestürzt, als hätte Jace ihn aus einem Traum gerissen. Er lachte zittrig und drehte sich zur Seite.

»Wo sind sie denn nun?«, wandte Clary sich an Jace. »Die Vampire, meine ich.«

»Vermutlich irgendwo da oben. Sie bevorzugen einen Schlafplatz unter dem Dach, wie Fledermäuse. Und es dauert nicht mehr lange bis Sonnenaufgang.«

Wie Marionetten, deren Köpfe an Fäden befestigt sind, sahen Clary und Raphael gleichzeitig die Treppe hinauf. Doch über ihnen war nichts zu sehen außer der Deckenmalerei, die an manchen Stellen abgeblättert und schwarz war, als hätte sie bei einem Brand Schaden genommen. Links von ihnen führte ein Torbogen tiefer in die Dunkelheit; die Säulen auf beiden Seiten waren mit Blüten- und Blattmotiven verziert. Als Raphael einen Blick über seine Schulter warf, blitzte am unteren Ende seiner Kehle eine weiße Narbe auf und hob sich deutlich von seiner braunen Haut ab. Clary fragte sich, woher er sie wohl hatte.

»Ich denke, wir sollten zum Dienstbotenaufgang zurückkehren«, flüsterte sie. »Ich fühle mich hier wie auf dem Präsentierteller.«

Jace nickte. »Dir ist schon klar, dass du von der Stiege aus nach Simon rufen musst, in der Hoffnung, dass er dich hört?«

Sie fragte sich, ob sich ihre Furcht wohl auf ihrem Gesicht spiegelte. »Ich . . .«

In dem Moment erklang ein markerschütternder Schrei. Clary wirbelte herum.

*Raphael.* Er war verschwunden. Keinerlei Abdrücke oder Spuren im Staub deuteten darauf hin, in welche Richtung er gegangen oder verschleppt worden war. Instinktiv streckte sie eine Hand nach Jace aus, doch der hatte sich bereits in Bewegung gesetzt, rannte in Richtung des gähnenden Torbogens am anderen Ende der Halle. Sie konnte ihn nicht mehr erkennen, sah nur noch das hin und her tanzende Elbenlicht seines Schwerts, dem sie folgte – wie ein Reisender, der sich von trügerischen Irrlichtern durch ein Moor leiten lässt.

Hinter dem Torbogen lag ein riesiger Raum, der früher einmal der

Ballsaal gewesen sein musste. Der ursprünglich makellos weiße Marmorboden war derart beschädigt und gesprungen, dass er an ein Meer von Eisschollen erinnerte. Entlang der Wände erstreckten sich geschwungene Balkone, deren Geländer von Rost überzogen waren. Dazwischen hingen riesige Spiegel in Goldrahmen, jeweils gekrönt von einem vergoldeten Amorhaupt. Spinnweben schwebten in der klammen Luft wie altmodische Brautschleier.

Raphael stand mit herabhängenden Armen in der Mitte des Saals. Clary rannte zu ihm, während Jace ihr etwas bedächtiger folgte. »Alles in Ordnung?«, fragte sie atemlos.

Der Junge nickte langsam. »Ich dachte, ich hätte eine Bewegung gesehen. Aber ich hab mich wohl getäuscht.«

»Wir haben beschlossen, zur Dienstbotentreppe zurückzukehren«, sagte Jace. »Hier im Erdgeschoss ist nichts zu finden.«

Raphael nickte. »Gute Idee.«

Er lief in Richtung Tür, ohne zu überprüfen, ob sie ihm auch folgten. Doch er kam nur ein paar Schritte weit, bis Jace ihn rief: »Raphael?«

Der Junge drehte sich um, mit großen, neugierigen Augen, als Jace auch schon sein Messer warf.

Raphaels Reflexe waren schnell, aber nicht schnell genug. Die Klinge traf ihn mit voller Wucht, brachte ihn ins Taumeln. Seine Beine sackten unter ihm weg und er stürzte schwer auf den gesprungenen Marmorboden. Im schwachen Schein des Elbenlichts schimmerte sein Blut schwarz.

*»Jace«,* flüsterte Clary ungläubig und blieb wie erstarrt stehen. Er hatte zwar gesagt, er hasste die Irdischen, aber . . .

Als sie zu Raphael laufen wollte, stieß Jace sie brutal aus dem Weg. Er stürzte sich auf den Jungen und griff nach dem Messer, das aus Raphaels Brust ragte.

Doch Raphael war schneller. Er umfasste das Messer und kreischte laut auf, als seine Hand das kreuzförmige Heft berührte. Die Waffe fiel klirrend zu Boden; die Klinge war blutverschmiert. Mit einer

Hand packte Jace den Jungen am Hemdkragen, in der anderen hielt er Sanvi. Das Schwert verströmte ein so strahlendes Licht, dass Clary plötzlich Farben erkennen konnte: das Königsblau der abblätternden Tapete, die Goldtupfen im Marmorboden, der rote Fleck, der sich auf Raphaels Brust ausbreitete.

Doch Raphael lachte laut auf. »Du hast danebengetroffen«, höhnte er und grinste zum ersten Mal, wobei seine spitzen weißen Schneidezähne zum Vorschein kamen. »Du hast mein Herz verfehlt.«

Jace verstärkte seinen Griff. »Du hast dich in letzter Sekunde bewegt«, sagte er. »Das war sehr unhöflich.«

Raphael runzelte die Stirn und spuckte rotes Blut. Clary wich zurück, starrte ihn mit wachsendem Entsetzen an.

»Wann hast du es herausgefunden?«, fragte er gebieterisch. Sein Akzent war verschwunden; er sprach präziser und abgehackter.

»Ich hatte bereits in der Gasse eine Ahnung«, sagte Jace, »dachte aber, du würdest uns ins Hotel führen und dich dann auf uns stürzen. Denn nachdem wir das Grundstück widerrechtlich betreten hatten, befanden wir uns außerhalb des Schutzbereichs des Bündnisses und waren damit Freiwild. Als du uns jedoch nicht attackiert hast, dachte ich, ich hätte mich geirrt. Doch dann sah ich diese Narbe an deiner Kehle.« Er rückte ein wenig ab, hielt die Klinge aber nach wie vor an Raphaels Kehle. »Als ich deine Kette zum ersten Mal sah, dachte ich, sie sieht aus wie eine dieser Ketten, an die man ein Kruzifix hängt. Und genau das hast du auch gemacht, oder? Wenn du deine Familie besucht hast. Was bedeutet schon ein kleines Brandmal, wo die Haut deiner Art so rasend schnell verheilt?«

Raphael lachte. »Das war alles? Meine Narbe?«

»Als du aus der Eingangshalle gelaufen bist, hast du keinerlei Abdrücke im Staub hinterlassen. Da wusste ich Bescheid.«

»Es war gar nicht dein Bruder, der auf der Suche nach Monstern hier eingedrungen und nicht mehr zurückgekehrt ist, oder?«, fragte Clary, als ihr die Wahrheit dämmerte. »Das warst du.«

»Ihr seid beide sehr clever«, erwiderte Raphael, »aber nicht clever genug. Seht mal nach oben«, fügte er hinzu und zeigte mit der Hand zur Decke.

Jace stieß die Hand fort, ohne den Blick von Raphael zu wenden. »Clary. Was siehst du da oben?«

Langsam hob sie den Kopf. Furcht erfasste ihren Magen wie eine eiserne Faust, ballte ihn zusammen.

*Du musst dir vorstellen, wie diese Treppe früher einmal ausgesehen hat, mit brennenden Gaslampen entlang der Geländer, wie Glühwürmchen in der Dunkelheit, und vielen, vielen Leuten.* Sämtliche Balkone waren gefüllt mit Gestalten, Reihe an Reihe – Vampire mit totenbleichen Gesichtern und roten, klaffenden Mündern, die auf sie herabstarrten.

Jace blickte Raphael unverwandt an. »Du hast sie gerufen. Stimmt's?«

Raphael grinste noch immer. Das Blut strömte nicht länger aus seiner Wunde. »Spielt das eine Rolle? Es sind viel zu viele, selbst für dich, Wayland.«

Jace schwieg. Obwohl er sich nicht bewegt hatte, ging sein Atem stoßweise und Clary konnte fast spüren, wie sehr es ihn danach verlangte, den Vampir zu töten, ihm das Messer ins Herz zu bohren und ihm ein für alle Mal das dreckige Grinsen aus dem Gesicht zu wischen. »Jace«, sagte sie warnend. »Töte ihn nicht.«

»Warum nicht?«

»Vielleicht können wir ihn als Geisel verwenden.«

Jace' Augen weiteten sich ungläubig. »Als *Geisel?*«

Clary konnte sie sehen. Es wurden immer mehr; sie füllten den Torbogen, bewegten sich so lautlos wie die Brüder in der Stadt der Gebeine. Doch die Stillen Brüder hatten weder eine so bleiche, farblose Haut noch Zähne so spitz wie Nadeln . . .

Clary fuhr sich mit der Zunge über die trockenen Lippen. »Ich weiß, was ich tue. Hilf ihm auf die Beine, Jace.«

Jace warf ihr einen Blick zu und zuckte dann die Achseln. »Von mir aus.«

»Das ist nicht lustig«, fauchte Raphael.

»Deswegen lacht ja auch keiner.« Jace richtete sich auf, zerrte Raphael hoch und drückte ihm die Messerspitze zwischen die Schulterblätter. »Ich kann dein Herz auch genauso gut von hinten durchbohren«, sagte er. »Wenn ich du wäre, würde ich keine falsche Bewegung machen.«

Clary drehte sich von ihnen weg, um sich den heranschleichenden düsteren Gestalten zuzuwenden. Gebieterisch streckte sie eine Hand aus. »Keinen Schritt weiter«, rief sie. »Oder er wird Raphael die Klinge ins Herz rammen.«

Ein Murmeln ging durch die Menge, das sowohl ein Flüstern als auch Gelächter hätte sein können. *»Stopp«,* sagte Clary erneut. Und dieses Mal unternahm Jace etwas – sie konnte nicht sehen, was –, das Raphael vor Schmerz aufschreien ließ.

Einer der Vampire hielt eine Hand hoch, um seine Gefährten zurückzuhalten. Clary erkannte ihn wieder: Es war der schmächtige Junge mit den blonden Haarwurzeln und dem Ohrring, den sie auf Magnus' Party gesehen hatte. »Sie meint es ernst«, sagte er. »Das sind Schattenjäger.«

Ein weiblicher Vampir drängte sich durch die Menge und stellte sich neben ihn, ein hübsches asiatisches Mädchen mit blauen Haaren und einem Silberfolienrock. Clary fragte sich, ob es wohl auch hässliche Vampire gab oder dicke. Vielleicht machten sie ja keine hässlichen Leute zu Vampiren. Oder vielleicht wollten hässliche Leute auch nicht ewig leben. »Schattenjäger, die unbefugt in unser Territorium eindringen«, sagte das asiatische Mädchen. »Sie befinden sich außerhalb des Schutzes des Bündnisses. Ich schlage vor, wir töten sie – sie haben schließlich auch genug von uns getötet.«

»Wer von euch ist der Gebieter dieses Ortes?«, fragte Jace mit ausdrucksloser Stimme. »Er soll vortreten.«

Das Mädchen fletschte die spitzen Zähne. »Spar dir dein Rats-Getue, Schattenjäger. Ihr habt durch euer Eindringen euer ach so kostbares Bündnis gebrochen. Das Gesetz wird euch keinen Schutz bieten.«

»Das reicht, Lily«, sagte der blonde Junge scharf. »Unsere Gebieterin ist nicht hier. Sie ist in Idris.«

»Irgendjemand muss euch doch stellvertretend anführen«, bemerkte Jace.

Stille erfüllte den Ballsaal. Die Vampire auf den Balkonen hingen über der Brüstung, um zu verstehen, was unten gesprochen wurde. Schließlich ergriff der blonde Junge erneut das Wort: »Raphael ist unser Anführer.«

Das blauhaarige Mädchen, Lily, stieß ein missbilligendes Zischen aus. »Jacob . . .«

»Ich schlage einen Handel vor«, warf Clary rasch ein, um Lilys Tirade und Jacobs Antwort zuvorzukommen. »Inzwischen dürfte euch ja bekannt sein, dass ihr von der Party heute Abend zu viele Leute mit nach Hause genommen habt. Einer davon ist mein Freund Simon.«

Jacob hob fragend eine Augenbraue. »Du bist mit einem Vampir befreundet?«

»Er ist kein Vampir. Und auch kein Schattenjäger«, fügte sie hinzu, als sie sah, wie sich Lilys blasse Augen zu Schlitzen verengten. »Einfach nur ein gewöhnlicher Menschenjunge.«

»Wir haben keine Menschen von Magnus' Party mitgenommen. Das wäre ein Verstoß gegen die Gesetze des Bündnisses.«

»Er ist in eine Ratte verwandelt worden. Eine kleine braune Ratte«, sagte Clary. »Jemand hat ihn vielleicht für ein Haustier gehalten oder . . .«

Sie verstummte. Die Vampire starrten sie an, als wäre sie geisteskrank. Kalte Verzweiflung kroch ihr das Rückgrat hinauf.

»Nur dass ich das richtig verstehe«, sagte Lily. »Du bietest uns Raphaels Leben im Tausch gegen das einer Ratte?«

Clary sah hilflos zu Jace hinüber, der jedoch die Achseln zuckte und ihr mit einem Blick zu verstehen gab: *Das war deine Idee. Lass dir was einfallen*.

»Ja«, wandte sie sich wieder an die Vampire. »Das ist der Deal, den wir euch anbieten.«

Die weißgesichtigen Gestalten starrten sie fast ausdruckslos an. In einem anderen Zusammenhang hätte Clary ihren Gesichtsausdruck als Verblüffung gedeutet.

Sie konnte *spüren,* dass Jace direkt hinter ihr stand, konnte seinen keuchenden Atem hören. Sie fragte sich, ob er sich das Hirn zermarterte, warum er sich von ihr hatte überreden lassen, überhaupt hierherzukommen. Sie fragte sich, ob er sie wohl allmählich zu hassen begann.

»Meinst du diese Ratte?«

Clary blinzelte. Ein weiterer Vampir, ein dünner schwarzer Junge mit Dreadlocks, schob sich nach vorne. Er hielt etwas zwischen den Fingern, etwas Braunes, das sich nur schwach bewegte. »Simon?«, flüsterte sie.

Die Ratte fiepste und zappelte wie wild in den Händen des Jungen. Mit einem angewiderten Ausdruck in den Augen blickte er auf das gefangene Nagetier herab. »Mann, ich dachte, das wär Zeke. Ich hab mich schon gewundert, warum er sich so anstellt.« Er schüttelte den Kopf und seine Dreadlocks wippten auf und ab. »Von mir aus kann sie ihn haben. Der hat mich sowieso schon fünf Mal gebissen.«

Clary streckte eine Hand nach Simon aus; sie sehnte sich danach, ihn zu berühren. Doch Lily stellte sich dazwischen, ehe Clary den Jungen mit den Dreadlocks erreichte. »Moment«, meinte sie. »Woher wissen wir, dass ihr euch nicht einfach die Ratte schnappt und Raphael trotzdem tötet?«

»Wir geben euch unser Wort«, erwiderte Clary wie aus der Pistole geschossen, erstarrte aber im nächsten Moment und wartete darauf, dass die Vampire in Gelächter ausbrechen würden.

Doch niemand lachte. Raphael fluchte leise auf Spanisch. Und Lily warf Jace einen neugierigen Blick zu.

»Clary«, murmelte er. In seiner Stimme schwang eine Mischung aus Ärger und Verzweiflung mit. »Ist das wirklich . . .«

»Kein Eid, kein Deal«, sagte Lily sofort, da sie seine Unsicherheit spürte. »Elliott, halt die Ratte fest.«

Der Junge mit den Dreadlocks verstärkte seinen Griff um Simon, der seine Zähne tief in Elliotts Finger schlug. »Mann«, stieß der Junge missgelaunt hervor. »Das tut echt weh.«

Clary nutzte die Gelegenheit, Jace etwas zuzuflüstern: »Leiste doch einfach diesen Eid! Wo liegt das Problem?«

»Ein Schwur ist für uns nicht das Gleiche wie für euch Irdische«, fuhr er sie wütend an. »Ich werde an jeden Eid, den ich ablege, bis in alle Ewigkeit gebunden sein.«

»Na und? Was passiert, wenn du ihn brechen würdest?«

»Ich *würde* ihn aber nicht brechen. Genau darum geht es ja . . .«

»Lily hat recht«, mischte Jacob sich ein. »Ohne Eid läuft nichts. Schwöre, dass du Raphael nicht verletzen wirst. Selbst wenn wir euch die Ratte zurückgeben.«

»Ich werde Raphael nicht verletzen«, erwiderte Clary sofort. »Unter keinen Umständen.«

Lily schenkte Clary ein nachsichtiges Lächeln. »Wegen dir machen wir uns keine Sorgen.« Sie warf Jace einen scharfen Blick zu, der Raphael derart festhielt, dass seine Knöchel weiß hervorstachen. Ein dunkler Schweißfleck zeichnete sich auf seinem Hemd ab, genau zwischen den Schulterblättern.

»Also gut, ich werde schwören«, sagte er schließlich.

»Sprich den Eid«, entgegnete Lily prompt. »Schwöre beim Erzengel. Sag die ganze Formel.«

Jace schüttelte den Kopf. »Ihr zuerst.«

Seine Worte durchbrachen die Stille wie Steine, schickten eine Woge erregten Gemurmels durch die Menge. Jacob zog ein bedenkliches Gesicht, während Lilys Augen vor Wut funkelten. »Kommt nicht infrage, Schattenjäger.«

»Wir haben euren Anführer.« Die Spitze von Jace' Messer grub sich tiefer in Raphaels Kehle. »Und was habt ihr? Eine Ratte.«

Simon, der in Elliotts Händen gefangen saß, quiekte empört. Am liebsten hätte Clary sich ihn einfach geschnappt, doch sie hielt sich zurück. »Jace . . .«

Lily sah Raphael an. »Gebieter?«

Raphael hatte den Kopf gesenkt; seine dunklen Locken verdeckten sein Gesicht. Blut verfärbte den Kragen seines Hemdes, rann als dünnes Rinnsal über seine nackte braune Haut. »Eine ziemlich wichtige Ratte«, sagte er, »sonst wärt ihr wohl kaum den ganzen Weg hierhergekommen. Ich denke, dass du, Schattenjäger, als Erster den Eid sprichst.«

Unwillkürlich verstärkte Jace seinen Griff um Raphael. Clary sah, wie sich seine Muskeln anspannten, sah seine weißen Fingerknöchel und die zusammengepressten Lippen, als er seinen Zorn zu unterdrücken versuchte. »Die Ratte ist ein Irdischer«, erwiderte er in scharfem Ton. »Wenn ihr ihn tötet, müsst ihr euch vor dem Gesetz verantworten . . .«

»Er befindet sich auf unserem Territorium. Eindringlinge werden nicht durch das Bündnis geschützt, das weißt du genau . . .«

»*Ihr* habt ihn doch hierher gebracht«, warf Clary ein. »Er ist nicht eingedrungen.«

»Das sind nur Feinheiten«, sagte Raphael und grinste trotz des Messers an seiner Kehle. »Außerdem: Glaubt ihr denn, wir hätten die Gerüchte nicht gehört, die Nachricht, die sich so rasch durch die Schattenwelt verbreitet hat wie Blut durch Adern fließt? Valentin ist zurück. Es wird bald kein Abkommen mehr geben und auch kein Bündnis mehr.«

Jace riss seinen Kopf hoch. »Wo hast du das gehört?«

Raphael runzelte verächtlich die Stirn. »Die ganze Schattenwelt weiß das. Erst vor einer Woche hat er einen Hexenmeister dafür bezahlt, eine Horde Ravener zu beschwören. Valentin hat seine Forsaken auf die Suche nach dem Kelch der Engel geschickt. Wenn er ihn findet, wird es keinen Scheinfrieden mehr zwischen uns geben, nur noch Krieg. Kein Gesetz wird mich daran hindern, dir mitten auf der Straße das Herz rauszureißen, Schattenjäger . . .«

Clary reichte es: Sie rammte Lily mit der Schulter aus dem Weg, stürzte sich auf Elliot und riss ihm Simon aus der Hand. Blitzschnell rannte Simon ihren Ärmel hinauf, krallte sich verzweifelt an dem Stoff fest.

»Ist ja gut«, flüsterte sie, »ist ja gut.« Obwohl sie genau wusste, dass das nicht stimmte. Sie drehte sich um, wollte wegrennen und spürte, wie Hände nach ihr griffen, um sie festzuhalten. Sie zappelte und wand sich, konnte sich aber nicht mit aller Gewalt aus Lilys Umklammerung befreien, deren knochige Spinnenfinger mit den schwarzen Nägeln ihre Jacke festhielten, weil sie fürchtete, Simon dabei zu verlieren, der sich mit Zähnen und Klauen an ihrem Kleid festkrallte. »Lass mich los!«, schrie Clary, trat nach der Vampirin und traf sie mit voller Wucht. Lily heulte vor Wut und Schmerz auf und schlug Clary derart heftig ins Gesicht, dass ihr Kopf zurückflog.

Clary taumelte, fing den Sturz aber gerade noch ab. Sie hörte Jace ihren Namen rufen und drehte sich zu ihm um. Er hatte Raphael losgelassen und rannte auf sie zu. Clary versuchte, zu ihm zu gelangen, wurde aber an den Schultern von Jacob festgehalten, der seine Finger tief in ihre Haut grub.

Clary schrie auf . . . doch ihr Schrei wurde von einem noch lauteren Kreischen übertönt, als Jace eine der Glasphiolen aus seiner Jacke riss und den Inhalt über sie schüttete. Sie spürte, wie ihr Gesicht von der kühlen Flüssigkeit benetzt wurde, und hörte Jacob gellend schreien, als das Wasser seine Haut berührte. Rauch stieg von seinen Fingern auf, er ließ Clary los und stieß ein hohes tierisches Heulen aus. Lily stürzte zu ihm, rief seinen Namen und in dem allgemeinen Chaos spürte Clary, wie jemand ihr Handgelenk umklammerte. Sie versuchte, sich loszureißen.

»Lass das, ich bin's«, stieß Jace keuchend hervor.

»Oh!« Einen kurzen Moment entspannte sie sich, erstarrte dann aber erneut, als sie eine vertraute Gestalt drohend hinter Jace aufragen sah. Sie schrie, woraufhin Jace sich duckte und genau in dem Moment umdrehte, als Raphael ihn mit gefletschten Zähnen und raubtierhaft wie eine Katze ansprang. Seine Eckzähne erfassten Jace' Hemd an der Schulter und rissen den Stoff in Streifen, während Jace ins Wanken geriet. Raphael krallte sich an ihm fest wie eine Spinne an ihrer Beute. Seine spitzen Zähne zielten auf Jace' Kehle. Fieberhaft tastete Clary in ihrem Rucksack nach dem Dolch, den Jace ihr gegeben hatte . . .

Im nächsten Moment flitzte eine kleine braune Gestalt über den Boden, schoss zwischen Clarys Füßen hindurch und stürzte sich auf Raphael.

Dieser kreischte auf. Simon hing an seinem Unterarm und hatte seine scharfen Rattenzähne tief in das Fleisch des Vampirs geschlagen. Raphael ließ Jace los und schlug wie wild um sich; das Blut spritzte aus seinem Arm, während er eine Flut spanischer Flüche ausstieß.

Jace starrte mit offenem Mund auf das Bild, das sich ihm bot. »Heiliger Strohsack . . .«

Doch plötzlich richtete Raphael sich auf, riss die Ratte von seinem Arm und schleuderte sie auf den Marmorboden. Vor Schmerz quiekte Simon einmal kurz auf und zischte dann zu Clary zurück. Sie bückte sich, nahm ihn hoch und drückte ihn behutsam an ihre Brust, um ihm nicht wehzutun. Sie konnte sein winziges Herz wie wild zwischen ihren Fingern pochen fühlen. »Simon«, flüsterte sie. »Simon . . .«

»Dafür ist jetzt keine Zeit. Steck ihn gut weg.« Jace hatte ihren rechten Arm gepackt und hielt ihn eisern fest. In der anderen Hand schwang er die leuchtende Seraphklinge. »Komm mit.«

Er bugsierte sie an den Rand der Menge, die ängstlich zischend auseinanderwich, als der Schein des Schwertes auf sie fiel.

»Jetzt reicht's!«, donnerte Raphaels Stimme. Sein Arm war blutüberströmt. Er bleckte die nadelspitzen Schneidezähne und warf der verwirrt hin und her wogenden Vampirmenge einen scharfen Blick zu. »Ergreift die Eindringlinge!«, brüllte er. »Tötet sie *beide* – und die Ratte dazu!«

Die Vampire näherten sich Jace und Clary; einige gingen auf sie zu, andere schlitterten und wieder andere stürzten sich von den Balkonen herab wie riesige schwarze Fledermäuse. Jace sprintete mit Clary in Richtung des Saalendes. Clary löste sich ein wenig aus seinem Griff und sah ihn von unten herauf an. »Sollten wir uns jetzt nicht mit dem Rücken zueinanderstellen oder so was in der Art?«

»Was? Warum?«

»Ich weiß auch nicht. In Filmen machen sie das immer so ... in gefährlichen Situationen.«

Sie spürte, wie er bebte. Hatte er Angst? Nein, er lachte. »Du«, stieß er atemlos hervor, »du bist wirklich die größte ...«

»Die größte *was?«*, fragte sie entrüstet. Sie befanden sich noch immer auf dem Rückzug, wobei sie den zerbrochenen Möbelstücken, die über den Boden verstreut lagen, und den Löchern im geborstenen Marmorboden sorgfältig auswichen. Jace hielt das leuchtende Engelsschwert hoch über den Kopf. Clary konnte sehen, dass sich die Vampire entlang des schimmernden Lichtscheins bewegten, und fragte sich, wie lange das Schwert sie noch zurückhalten würde.

»Nichts«, sagte Jace. »Das hier ist keine gefährliche Situation, okay? Diese Bezeichnung spare ich mir für Momente auf, in denen es richtig übel wird.«

*»Richtig* übel? Das hier ist also nicht richtig übel? Was verstehst du denn dann darunter? Einen Atomkrieg ...?«

Doch Clary konnte den Satz nicht beenden. Stattdessen schrie sie entsetzt auf, als Lily dem Lichtschein trotzte und sich mit gefletschten Zähnen und böse knurrend auf Jace stürzte. Jace riss das zweite Schwert aus seinem Gürtel und schleuderte es durch die Luft. Lily heulte gellend auf, eine klaffende Wunde im Arm. Während sie taumelte, drängten die anderen Vampire nach. *Es sind so viele,* dachte Clary, *so unendlich viele ...*

Sie tastete nach ihrem Gürtel; ihre Finger schlossen sich um das Heft des Dolches. Es fühlte sich kalt und fremd an. Sie wusste nicht, wie man ein Messer schwang. Sie hatte noch nie jemanden geschlagen, geschweige denn jemanden erstochen. Und an dem Tag, an dem sie im Sportunterricht lernen sollten, wie man Straßenräuber und Vergewaltiger mit Alltagsgegenständen wie Autoschlüsseln und Stiften abwehrte, hatte sie geschwänzt. Sie zog den Dolch hervor, hielt ihn mit zittriger Hand hoch . . .

Im nächsten Moment explodierten die Fenster in einem Regen aus Glassplittern. Clary hörte sich selbst aufschreien und sah, wie die Vampire, die sich ihr und Jace bis auf Armeslänge genähert hatten, erstaunt herumwirbelten. Auf ihren Gesichtern spiegelte sich eine Mischung aus Überraschung und blankem Entsetzen. Durch die geborstenen Fenster stürzten Dutzende hagerer Gestalten, die sich auf ihren vier Pfoten geduckt an den Boden kauerten. Glasscherben glitzerten im Mondlicht in ihrem Fell. Ihre Augen funkelten wie blaue Flammen und aus ihren Kehlen drang ein tiefes Knurren, das dem Tosen eines Wasserfalls glich.

Wölfe.

»Also *das*«, sagte Jace, »das nenne ich richtig übel.«

# 15
# Hoch oben

Bedrohlich knurrend schlichen die Wölfe auf die Vampire zu, die mit entsetzten Gesichtern zurückwichen. Nur Raphael blieb reglos stehen. Er umklammerte seinen verletzten Arm; sein Hemd hing in blutigen Fetzen an ihm herab. *»Los Niños de la Luna«,* zischte er. Selbst Clary, die kaum ein Wort Spanisch verstand, begriff sofort, was er gesagt hatte. Die Kinder des Mondes – Werwölfe. »Ich dachte, sie hassten einander«, flüsterte sie Jace zu, »Vampire und Werwölfe.«

»Das tun sie auch. Normalerweise würden sie das Versteck des jeweils anderen niemals aufsuchen. Unter keinen Umständen. Das Bündnis verbietet das.« Jace klang fast empört. »Es muss irgendetwas passiert sein. Das ist schlecht. Sehr schlecht.«

»Wie kann das noch schlimmer sein als die Situation, in der wir uns bereits befinden?«

»Das bedeutet, dass wir mitten in einem Krieg stecken«, erwiderte er.

»Wie könnt ihr es wagen, in unser Territorium einzudringen?«, brüllte Raphael mit puterrotem Gesicht.

Der größte der Wölfe, ein grau meliertes Monster mit Zähnen wie ein Hai, stieß ein hechelndes, kehliges Lachen aus. Während er einen Schritt näher kam, veränderte er seine Gestalt in einer fließenden, wogenden Bewegung zu einem riesigen, muskelbepackten Mann mit langen, strähnigen grauen Haaren. Er trug Jeans und eine schwere Lederjacke und sein hageres, wettergegerbtes Gesicht zeigte auch jetzt noch wölfische Züge. »Wir sind nicht hier, um ein Blutbad anzurichten«, sagte er. »Wir wollen das Mädchen.«

Raphael schaute wütend und überrascht zugleich. »Wen?«
»Das Menschenmädchen.« Der Werwolf deutete mit ausgestrecktem Arm auf Clary.

Clary war zu entsetzt, um auch nur einen Muskel zu rühren. Simon, der sich in ihren Händen hin und her gewunden hatte, verharrte reglos. Hinter ihr murmelte Jace etwas, das regelrecht blasphemisch klang. »Du hast mir gar nicht erzählt, dass du irgendwelche Werwölfe kennst«, fügte er hinzu. Sie hörte einen Hauch von Überraschung in seiner ansonsten tonlosen Stimme – anscheinend war er genauso verblüfft wie sie selbst.

»Tu ich auch nicht«, erwiderte sie.

»Das ist richtig übel«, murmelte Jace.

»Das hast du vorhin auch schon gesagt.«

»Es schien eine Wiederholung wert zu sein.«

»Nein, ist es nicht.« Clary wich zurück, bis sie dicht an ihn gedrängt stand. *»Jace*. Die starren mich alle an.«

Sämtliche Blicke waren auf sie gerichtet; die meisten Vampire schauten überrascht. Raphael musterte Clary mit zusammengekniffenen Augen. Dann wandte er sich wieder an den Werwolf. »Ihr könnt sie nicht haben«, sagte er. »Sie ist in unser Territorium eingedrungen, deswegen gehört sie uns.«

Der Werwolf lachte. »Freut mich, dass du das so siehst«, erwiderte er und machte einen riesigen Satz in Raphaels Richtung. Mitten im Sprung durchlief eine Welle seinen Körper und er wurde wieder ein Wolf, mit borstigem Fell und weit aufgerissenem Maul, bereit zuzuschlagen. Er schnappte nach Raphaels Kehle und die beiden gingen als kämpfendes, knurrendes Knäuel aus Zähnen und Klauen zu Boden. Im nächsten Moment stürzten sich die anderen Vampire mit wütendem Heulen auf die Werwölfe, die sie mit gefletschten Lefzen in der Mitte des Ballsaals empfingen.

Der Lärm war infernalisch – wenn es zu Boschs Darstellung der Hölle einen Soundtrack gegeben hätte, hätte er so geklungen, dachte Clary.

Jace pfiff leise durch die Zähne. »Raphael hat heute aber einen echt schlechten Tag erwischt.«

»Na und?« Clary empfand kein Mitleid mit dem Vampir. »Aber was machen wir jetzt?«

Jace blickte sich um. Sie waren von der kämpfenden Menge, die sich am Boden wälzte, in den hinteren Bereich des Ballsaals gedrängt worden, und obwohl man ihnen im Moment keine Beachtung schenkte, würde es nicht mehr lange dauern, bis sie wieder im Mittelpunkt der Aufmerksamkeit stünden. Doch ehe Clary diesen Gedanken aussprechen konnte, befreite Simon sich plötzlich gewaltsam aus ihrer Umklammerung und sprang zu Boden. »Simon!«, schrie sie, während er in eine Ecke flitzte, wo schwere, stockfleckige Samtvorhänge von der Decke hingen. »Simon, bleib hier!«

Jace musterte ihn mit hochgezogenen Augenbrauen. »Was hat er vor . . .« Im nächsten Moment packte er Clarys Arm, um sie zurückzureißen. »Clary, hör auf, der Ratte hinterherzurennen. Sie versucht zu fliehen. Das tun Ratten nun mal.«

Clary funkelte ihn wütend an. »Das ist keine Ratte. Das ist Simon. Und er hat Raphael für dich gebissen, du undankbarer Mistkerl.« Sie riss sich los und rannte hinter Simon her, der sich zwischen die Falten des Vorhangs zwängte, aufgeregt fiepte und mit den Pfoten daran herumzerrte. Endlich verstand sie, was er ihr zu sagen versuchte. Mit einem Ruck riss sie die schimmligen Vorhänge, die sich schleimig anfühlten, beiseite. Dahinter befand sich . . .

»Eine Tür«, keuchte Clary. »Simon, du kleines Genie.«

Simon quiekte bescheiden, als sie ihn hochhob und vorsichtig in ihre Jackentasche steckte. Jace stand bereits hinter ihr. »Eine Tür? Und, lässt sie sich öffnen?«

Sie griff nach dem Knauf, rüttelte daran und drehte sich niedergeschlagen zu Jace um. »Sie ist verschlossen. Oder klemmt.«

Jace warf sich gegen die Tür, die jedoch keinen Millimeter nachgab. Er fluchte. »Meine Schulter wird nie wieder so sein wie früher. Ich erwarte, dass du mich gesund pflegst.«

»Mach einfach die Tür auf, okay?«

Mit weit aufgerissenen Augen blickte er an ihr vorbei. »Clary . . .«

Sie drehte sich um. Ein mächtiger Wolf hatte sich aus dem Gewühl gelöst und hetzte mit flach angelegten Ohren auf sie zu. Er war grau-schwarz gestreift und eine rote Zunge hing aus seinem riesigen Maul. Clary schrie. Fluchend warf Jace sich erneut gegen die Tür, während Clary nach ihrem Gürtel tastete, den Dolch zu fassen bekam und ihn von sich schleuderte.

Nie zuvor hatte sie ein Messer geworfen, nicht einmal im Traum daran gedacht. Wenn sie überhaupt mit Waffen in Berührung gekommen war, dann nur, um ein Bild von ihnen zu malen. Deshalb war sie mehr als überrascht, als der Dolch zitternd, aber zielgenau durch die Luft sauste und sich in die Flanke des Wolfs bohrte.

Das Tier jaulte auf und wurde langsamer, doch drei seiner Gefährten spurteten bereits in seine Richtung. Einer verharrte an der Seite des verletzten Wolfes, aber die beiden anderen stürmten weiter auf die Tür zu. Clary schrie erneut auf, während Jace sich ein drittes Mal mit voller Wucht gegen die Tür warf. Mit einem tosenden Krachen aus knirschenden Scharnieren und splitterndem Holz gab sie nach. »Aller guten Dinge sind drei«, keuchte er und hielt sich die Schulter. Er tauchte in das dunkle Loch, das hinter der geborstenen Tür lag, drehte sich um und streckte ungeduldig eine Hand aus. »Komm schon, Clary!«

Clary schnappte nach Luft, schlüpfte durch den Spalt und drückte die Tür genau in dem Moment hinter sich ins Schloss, als die beiden schweren Wolfskörper dagegenprallten. Sie fingerte nach dem Türriegel, doch er war verschwunden – weggeflogen, als Jace die Tür aufgebrochen hatte.

»Duck dich!«, rief er. Im nächsten Moment fegte seine Stele über ihren Kopf hinweg, schlitzte dunkle Linien in das morsche Holz der Tür. Sie drehte den Hals, um zu sehen, was er geschnitzt hatte: einen sichelförmigen Bogen, drei parallele Linien, einen Stern mit Strahlen: *Schutz gegen Verfolger.*

»Ich habe deinen Dolch verloren«, gestand sie. »Tut mir leid.«

»Kann passieren.« Jace steckte die Stele wieder in die Tasche. Clary konnte ein dumpfes Dröhnen hören, als die Wölfe sich wieder und wieder gegen die Tür warfen, doch sie hielt stand. »Die Rune wird sie eine Weile aufhalten, aber nicht für immer. Wir müssen uns beeilen.«

Clary blickte hoch. Sie befanden sich in einem nasskalten Durchgang; eine schmale Holzstiege führte hinauf in die Dunkelheit. Die Stufen und das Geländer waren mit Staub bedeckt. Simon reckte seine Nase aus Clarys Jackentasche hervor; seine schwarzen Knopfaugen funkelten im Dämmerlicht. »Okay«, sagte Clary und nickte Jace zu. »Du gehst als Erster.«

Jace sah einen Moment so aus, als wollte er grinsen, war dann aber doch zu müde dazu. »Du weißt, wie sehr ich es genieße, Erster zu sein. Aber wir müssen langsam machen – ich bin mir nicht sicher, ob die Treppe unser Gewicht aushält.«

Auch Clary hatte ihre Zweifel. Die Stufen knacksten und ächzten bei jedem Schritt, wie eine alte Frau, die über ihre Wehwehchen klagt. Clary griff nach dem Handlauf, um sich abzustützen, als ein Stück des morschen Geländers abbrach und ihr einen leisen Schrei entlockte. Jace lachte unterdrückt und nahm ihre Hand. »Hier. Halt dich an mir fest.«

Simon machte ein Geräusch, das für eine Ratte nach einem verächtlichen Schnauben klang, doch Jace schien es nicht zu bemerken. Vorsichtig bewegten sie sich die Stufen hinauf. Die Treppe verlief in einer engen Spirale nach oben und zog sich durch das gesamte Gebäude. Sie passierten Treppenabsatz für Treppenabsatz, sahen jedoch keine einzige Tür. Als sie das vierte Geschoss erreicht hatten, ließ eine gedämpfte Explosion die Treppe erbeben und eine Wolke aufgewirbelten Staubs stieg an ihnen vorbei.

»Sie haben die Tür aufgebrochen«, sagte Jace finster. »Verdammt – ich dachte, der Bann würde länger halten.«

»Sollten wir jetzt nicht doch laufen?«, fragte Clary eindringlich.

*»Und ob!«,* rief er und sie donnerten die Stufen hinauf, die unter ihrem Gewicht knirschten und knarrten. Mehrere Nägel schossen wie Geschützfeuer aus dem Holz. Sie hatten jetzt den fünften Treppenabsatz erreicht und Clary glaubte, das dumpfe *Tapp-Tapp* der Wolfstatzen auf den Stufen weit unter ihnen zu hören. Vielleicht bildete sie sich das aber auch nur ein. Sie wusste, dass sie noch keinen heißen Atem in ihrem Nacken spüren konnte, doch das Knurren und Heulen, das jetzt immer näher kam, war echt und grauenerregend.

Vor ihnen zeichnete sich der sechste Absatz ab und sie stürzten die letzten Stufen hinauf. Clary schnappte keuchend nach Luft – ihre Lungen brannten, doch sie brachte einen schwachen Jubelschrei heraus, als sie die Tür entdeckte. Sie war aus dickem Stahl, mit Nieten übersät und wurde von einem Ziegelstein offen gehalten. Clary hatte kaum Zeit, sich darüber zu wundern, weil Jace die Tür aufstieß, sie hindurchschob und die Tür hinter sich zuschlug. Sie hörten ein deutliches Klicken, als sie ins Schloss fiel und zuschnappte. *Gott sei Dank,* dachte sie.

Dann drehte sie sich um.

Über ihr erhob sich ein Himmel voller Sterne, die funkelten wie eine Handvoll zufällig verstreuter Diamanten. Doch das Firmament schimmerte nicht mehr nachtschwarz, sondern leuchtete in einem klaren Dunkelblau, der Farbe der anbrechenden Morgendämmerung. Sie standen auf einem kahlen Schieferdach, aus dem ein paar vereinzelte Schornsteine herausragten. An einem Ende erhob sich ein alter, verfallener Wasserturm, während am anderen ein Haufen lose gestapelter Holzbretter unter einer schweren Plane lag. »Das hier muss der Zugang der Vampire sein«, sagte Jace und blickte in Richtung Tür. Im fahlen Licht der Morgendämmerung konnte Clary sein Gesicht jetzt deutlicher erkennen; die Anspannung zeichnete sich in feinen Linien rund um seine Augen ab. Das Blut auf seiner Kleidung – hauptsächlich von Raphael – schimmerte schwarz. »Sie fliegen hier hinauf. Allerdings bringt uns dieses Wissen im Moment auch nicht weiter.«

»Vielleicht gibt es ja eine Feuerleiter«, meinte Clary. Vorsichtig tasteten sie sich bis zum Rand des Dachs vor. Clary hatte Angst vor großen Höhen und der gähnende Abgrund drehte ihr den Magen um – genau wie der Anblick der Feuerleiter, die als verdrehter, unbrauchbarer Metallknoten von der Seite der Hotelfassade herabbaumelte. »Oder auch nicht«, sagte sie und warf einen Blick auf die Tür, durch die sie gekommen waren. Sie befand sich an einem kastenartigen Aufbau in der Dachmitte und vibrierte; der Knauf wurde wild hin und her gedreht. Das Schloss würde nur noch wenige Minuten standhalten, wenn überhaupt . . .

Jace presste die Hände gegen die Augen. Die schwüle Luft drückte wie Blei auf ihre Schultern und ließ Clarys Nackenhaare kribbeln. Ein dünnes Schweißrinnsal lief Jace am Hals entlang in den Kragen. Plötzlich wünschte sich Clary, dass es regnete. Der Regen würde diese Hitzeglocke wie tausend Nadelstiche treffen und platzen lassen.

Jace murmelte vor sich hin. »Denk nach, Wayland, *denk nach . . .*«

In den Tiefen von Clarys Bewusstsein begann eine Form Gestalt anzunehmen. Eine Rune tanzte vor ihrem inneren Auge: zwei nach unten gerichtete Dreiecke, durch eine einzelne Linie miteinander verbunden – eine Rune wie ein Paar Flügel . . .

»Das ist es!«, rief Jace und ließ die Hände sinken. Einen verblüfften Moment lang fragte Clary sich, ob er ihre Gedanken gelesen hatte. Jace schaute sie mit fiebrigem Blick an; seine goldgefleckten Augen leuchteten. »Ich kann nicht glauben, dass ich nicht schon eher daraufgekommen bin.« Er stürzte in Richtung des Holzstapels am anderen Ende des Dachs, blieb dann aber abrupt stehen und sah sich nach ihr um. Clary stand noch immer wie angewurzelt an der Dachkante; ihr schwirrte der Kopf vor lauter glitzernder Symbole und Formen. »Komm schon, Clary!«

Sie schob die Gedanken an die Runen beiseite und folgte ihm. Jace hatte inzwischen die Plane erreicht und zerrte daran. Sie gab mit einem Ruck nach; unter den Holzplanken kamen glänzendes

Chrom, beschlagenes Leder und funkelnder Lack zum Vorschein. *»Motorräder?«*

Jace schnappte sich das erstbeste – eine riesige dunkelrote Harley mit goldenen Flammen auf dem Tank. Er schwang ein Bein über die Sitzbank und warf Clary über die Schulter einen Blick zu. »Steig auf.«

Clary starrte ihn an. »Machst du Witze? Weißt du denn, wie man so ein Ding fährt? Hast du überhaupt einen *Schlüssel?«*

»Ich brauch keinen Schlüssel«, erklärte er mit Engelsgeduld. »Die Maschine fährt mit Dämonenenergie. Also, was ist jetzt? Steigst du auf oder willst du dein eigenes Motorrad fahren?«

Wie betäubt kletterte Clary hinter ihm auf den Sitz. Irgendwo tief in ihrem Inneren schrie eine kleine Stimme, dass das keine gute Idee sei.

»Okay«, sagte Jace. »Jetzt leg deine Arme um mich.« Sie folgte seiner Aufforderung und spürte, wie sich seine harte Bauchmuskulatur anspannte, als er sich vorbeugte und die Spitze der Stele in das Zündschloss rammte. Zu ihrer großen Überraschung fühlte sie, wie das Motorrad unter ihr zum Leben erwachte. In ihrer Jackentasche quiekte Simon laut auf.

»Schon gut, alles okay«, sagte sie so besänftigend wie möglich. »Jace!«, rief sie über den Lärm der Maschine hinweg. »Was hast du vor?«

Er schrie irgendetwas zurück, das wie »Kickstart!« klang.

Clary blinzelte. »Na, dann beeil dich mal! Die Tür . . .«

Wie aufs Stichwort flog in diesem Moment die Dachtür krachend auf und wurde förmlich aus den Angeln gerissen. Wölfe strömten durch die Öffnung, hetzten über das Dach direkt auf sie zu. Über ihnen stiegen Vampire auf, zischend und kreischend wie eine Schar beutegieriger Raubvögel.

Sie spürte, wie Jace' Arme sich anspannten und das Motorrad einen solchen Satz nach vorne machte, dass sie das Gefühl hatte, ihr Magen würde gegen ihre Wirbelsäule gepresst. Instinktiv klammerte sie sich an Jace' Gürtel, während sie vorwärtsschossen, mit quietschenden Reifen über den Schiefer schlitterten und die Wölfe auseinandertrieben, die sich jaulend aus dem Weg warfen. Clary hörte, dass Jace irgendetwas rief, doch seine Worte wurden vom Lärm der Räder und dem Heulen des Motors übertönt. Der Rand des Dachs kam immer näher, schneller und schneller. Clary hätte am liebsten die Augen geschlossen, aber irgendetwas zwang sie, sie offen zu halten, als die Harley über die Kante schoss und wie ein Stein nach unten sackte, sechs Geschosse in die Tiefe.

Clary wusste später nicht mehr, ob sie tatsächlich geschrien hatte oder nicht. Das Ganze war wie die Schussfahrt auf einer Achterbahn, wenn die Schienen nach dem ersten Anstieg plötzlich senkrecht abfallen und die Fahrgäste schwerelos durch die Luft zu schweben scheinen, mit nutzlos fuchtelnden Armen und dem Magen auf der Höhe der Ohren. Als sich das Motorrad mit einem Ruck aufrichtete, wunderte Clary sich kaum noch. Statt in Richtung Boden rasten sie nun hinauf in den sternenfunkelnden Himmel.

Sie warf einen Blick über ihre Schulter zurück und sah eine Gruppe Vampire am Rand des Daches stehen, umzingelt von Wölfen. Rasch schaute sie wieder nach vorne. *Selbst wenn ich das Hotel erst nach einer Ewigkeit wiedersehe, wäre das noch zu früh,* dachte sie.

Jace stieß vor lauter Erleichterung Freudenschreie aus. Clary beugte sich vor und klammerte sich fest an ihn. »Meine Mutter hat mir immer gesagt, wenn ich jemals zu einem Jungen auf ein Motorrad steige, bringt sie mich um«, rief sie ihm über das Pfeifen des Fahrtwinds und das ohrenbetäubende Dröhnen der Maschine hinweg zu.

Sie konnte ihn zwar nicht lachen hören, spürte aber, wie sein Körper bebte. »Das würde sie nicht sagen, wenn sie mich kennen würde«, rief er voller Überzeugung zurück. »Ich bin ein hervorragender Fahrer.«

Plötzlich kam Clary ein Gedanke. »Hattest du nicht gesagt, dass nur *einige* der Vampirmotorräder fliegen können?«

Geschickt steuerte Jace die Maschine um eine Ampel herum, die gerade von Rot auf Grün sprang. Unter ihnen konnte Clary Autos hupen hören, die Sirenen von Krankenwagen, das laute Dröhnen der Omnibusse. Aber sie traute sich nicht, nach unten zu schauen. »Das stimmt. Nicht alle können fliegen!«, bestätigte er.

»Und woher wusstest du dann, dass dieses hier dazugehört?«

»Ich hab es nicht gewusst!«, rief er vergnügt zurück und zog die Maschine fast senkrecht nach oben. Clary kreischte auf und klammerte sich erneut an seinen Gürtel.

»Du solltest mal nach unten sehen!«, rief Jace. »Der helle Wahnsinn!«

Die Neugier gewann die Oberhand über ihre Höhenangst. Clary schluckte einmal kräftig und öffnete die Augen.

Sie flogen viel höher, als sie gedacht hatte, und einen Moment lang drehte sich die Erde unter ihr, eine verschwommene Landschaft aus Lichtern und Schatten. Inzwischen rasten sie in Richtung Osten, auf den Highway zu, der sich am rechten Flussufer entlangschlängelte.

Trotz des tauben Gefühls in ihren Händen und des Drucks in ihrer Brust musste sie zugeben, dass der Anblick atemberaubend war: die Stadt, die sich wie ein hoch aufragender Wald aus Glas und Silber vor ihnen erhob, das grau schimmernde Band des East River, der Manhattan und die benachbarten Stadtbezirke wie eine Narbe trennte. Der Wind blies durch Clarys Haare, umspielte ihre nackten Beine, köstlich kühl nach so vielen Tagen der Hitze und Schwüle. Aber da sie noch nie geflogen war, nicht einmal mit einem Flugzeug, jagte ihr der riesige Abgrund unter ihr Angst ein. Rasch kniff sie die Augen wieder zusammen und blinzelte erst dann erneut vorsichtig durch die halb geschlossenen Lider, als sie über den Fluss donnerten. Kurz unterhalb der Queensboro Bridge drehte Jace die Harley nach Süden und steuerte auf die Halbinsel zu. Der Himmel hatte nun eine mittelblaue Tönung angenommen, in der Ferne erkannte Clary den glitzernden Bogen der Brooklyn Bridge und – als dunklen Fleck am Horizont – die Freiheitsstatue.

»Ist alles in Ordnung?«, rief Jace.

Clary schwieg, klammerte sich nur noch fester an ihn. Er legte die Maschine in die Kurve und im nächsten Moment rasten sie auf die Brücke zu. Zwischen den Tragseilen konnte Clary die Sterne funkeln sehen. Ein Frühzug ratterte über die Brücke – die Linie Q, mit einer Gruppe schläfriger Pendler an Bord. Sie dachte daran, wie oft sie selbst diesen Zug genommen hatte. Auf einmal wurde sie von einer Woge der Höhenangst erfasst. Rasch schloss sie die Augen und kämpfte heftig schluckend gegen die Übelkeit an.

»Clary?«, rief Jace. »Clary, ist alles in Ordnung?«

Sie schüttelte den Kopf, die Augen noch immer fest geschlossen, allein in der Dunkelheit. Sie hörte nur das Rauschen des Fahrtwinds und ihr wild pochendes Herz. Plötzlich spürte sie ein Kratzen an ihrer Brust. Sie ignorierte das Gefühl, bis es erneut auftauchte, diesmal fester und intensiver. Vorsichtig öffnete sie ein Auge und erkannte Simon, der seinen Kopf aus ihrer Jackentasche gesteckt hatte und eindringlich an ihrem Kleid zerrte. »Schon gut, Simon«, brachte sie mühsam hervor, ohne nach unten zu sehen. »Es war nur die Brücke . . .«

Er kratzte sie erneut und deutete nachdrücklich auf das Ufergebiet von Brooklyn, das sich zu ihrer Linken erstreckte. Benommen vom Schwindel, sah sie in die angezeigte Richtung und entdeckte hinter der Silhouette der Lagerhäuser und Werkshallen eine kaum sichtbare Sonnensichel, leuchtend wie der Rand einer blassen Goldmünze. »Ja, sehr hübsch«, sagte Clary und schloss erneut die Augen. »Toller Sonnenaufgang.«

Jace erstarrte, als wäre er von einem Blitz getroffen worden. »Sonnenaufgang?«, brüllte er und riss die Maschine ruckartig nach rechts. Clary sperrte entsetzt die Augen auf, als sie auf die Wasseroberfläche zurasten, die im Morgenlicht blau schimmerte.

Clary drängte sich so dicht wie möglich an Jace, ohne Simon dabei zu zerquetschen. »Was ist denn so schlimm am Sonnenaufgang?«

»Das habe ich dir doch gesagt! Diese Harley fährt mit Dämonenenergie!« Er steuerte das Motorrad so aus der Kurve, dass sie auf gleicher Höhe mit dem Fluss waren. Die Räder streiften die Wasseroberfläche. Flusswasser spritzte Clary ins Gesicht. »Sobald die Sonne aufgeht . . .«

Die Maschine begann zu stottern. Jace fluchte bildgewaltig und gab Vollgas. Erneut schoss die Harley nach vorne, spuckte dann mehrfach und bäumte sich unter ihnen auf wie ein bockendes Pferd. Während Jace weiter vor sich hin fluchte, brach ein Sonnenstrahl hinter den Kaianlagen hervor und ließ die Welt in umwerfender Helligkeit erstrahlen. Clary konnte nun jeden Stein, jeden Kiesel unter dem Motorrad erkennen, während sie den Fluss hinter sich ließen und über das schmale Ufer schossen. Vor ihnen lag der bereits dicht befahrene Highway. Mit Mühe schafften sie es auf die andere Seite – die Räder der Harley streiften das Dach eines vorbeidonnernden Lasters. Dahinter lag der leere Parkplatz eines riesigen Supermarkts. »Halt dich fest!«, brüllte Jace, als das Motorrad bockte und stotterte. »Halt dich an mir fest, Clary, lass auf keinen Fall los . . .«

Die Maschine kippte zur Seite und schlug mit dem Vorderrad zuerst auf dem Parkplatz auf. Sie schoss vorwärts, schlingerte und prallte mehrmals auf dem unebenen Boden auf, wobei Clarys Kopf mit enormer Gewalt hin und her geschleudert wurde. Die Luft stank nach verbranntem Gummi. Endlich verlor die Maschine etwas an Geschwindigkeit, schlitterte über den Asphalt und prallte mit solcher Wucht gegen eine Parkbuchtbegrenzung aus Beton, dass Clary in die Luft geschleudert und zur Seite gerissen wurde. Ihre Hände lösten sich von Jace' Gürtel. Sie hatte kaum Zeit, sich schützend zusammenzurollen, ihre Arme um den Körper zu legen und zu hoffen, dass Simon nicht zerquetscht würde, als sie auch schon mit voller Wucht auf dem Asphalt aufschlug. Ein brennender Schmerz schoss durch ihren Arm. Irgendetwas spritzte ihr ins Gesicht und sie hustete, während sie über den Boden rollte und schließlich auf dem Rücken liegen blieb. Vorsichtig tastete sie nach ihrer Jackentasche. Sie war leer. Clary versuchte, Simons Namen zu sagen, brachte aber keinen Ton heraus. Rasselnd schnappte sie nach Luft. Ihr Gesicht war feucht und irgendeine klebrige Flüssigkeit sickerte in ihren Kragen.

*Ist das Blut?* Benommen öffnete sie die Augen. Ihr Gesicht fühlte sich an wie eine einzige große Wunde und ihre Arme schmerzten und stachen. Sie rollte sich auf die Seite und stellte fest, dass sie zur Hälfte in einer dreckigen Wasserpfütze lag. Der Morgen war nun endgültig angebrochen – Clary konnte die Reste des Motorrads sehen, die zu einem unkenntlichen Haufen Asche zusammenfielen, als die Sonnenstrahlen es trafen.

Ein Stück entfernt kam Jace mit schmerzverzerrtem Gesicht auf die Beine. Er wollte auf sie zulaufen, brachte aber gerade mal ein langsames Humpeln zustande. Ein Ärmel seiner Jacke war abgerissen und eine lange blutige Wunde erstreckte sich über seinen linken Arm. Das Gesicht unter den dunkelblonden Locken, die von Schweiß, Dreck und Blut verklebt waren, wirkte kreidebleich. Sie fragte sich, warum er so geschockt aussah. Lag vielleicht eines ihrer Beine halb abgerissen in einer Blutlache?

Sie versuchte, sich aufzurichten, und spürte plötzlich eine Hand auf ihrer Schulter. »Clary?«

*»Simon!«*

Er kniete neben ihr, blinzelte mehrmals, als könne er es selbst nicht glauben. Seine Kleidung war zerknittert und dreckig und er hatte seine Brille verloren, doch ansonsten schien er unverletzt. Ohne die Augengläser wirkte er jünger, schutzloser und ein wenig benommen. Er streckte eine Hand aus, um ihr Gesicht zu berühren, doch sie zuckte zurück. »Au!«

»Alles in Ordnung? Du siehst großartig aus«, sagte er mit einem leisen Stocken in der Stimme. »Der schönste Anblick meines Lebens . . .«

»Das liegt daran, dass du deine Brille nicht aufhast«, erwiderte sie matt und rechnete mit einer oberschlauen Antwort. Doch stattdessen schlang er die Arme um sie und presste sie fest an sich. Seine

Kleidung roch nach Blut, Schweiß und Schmutz, sein Herz schlug rasend schnell und er drückte gegen ihre Wunden, aber sie empfand es trotzdem als ungeheure Erleichterung, von ihm gehalten zu werden und zu wissen, dass es ihm gut ging.

»Clary«, sagte er mit rauer Stimme. »Ich dachte ... ich dachte, dass du ...«

»Dass ich dich hängen lassen würde? So ein Quatsch! Natürlich hab ich nach dir gesucht«, sagte sie.

Sie schlang die Arme um ihn. Alles an ihm war so vertraut, vom ausgebleichten Stoff seines T-Shirts bis hin zu der scharfen Kante seines Schlüsselbeins, auf der ihr Kinn ruhte. Er sagte ihren Namen und beruhigend strich sie ihm über den Rücken. Als sie einen kurzen Blick über die Schulter warf, sah sie Jace, der sich abwandte, als würde das helle Licht der aufgehenden Sonne ihm in den Augen brennen.

# 16
# Gefallene Engel

Hodge war stocksauer. Er hatte sie in der Eingangshalle erwartet, in der sich auch Isabelle und Alec herumdrückten, als Clary und die Jungs durch die Tür gehumpelt kamen, dreckig und blutverschmiert. Sofort erhielten sie eine Standpauke, auf die Clarys Mutter stolz gewesen wäre: Nicht nur, dass sie ihn angelogen hatten – offenbar hatte Jace ihm nichts von der Party erzählt –, er würde Jace auch nie wieder vertrauen können. Zusätzlich garnierte er seine Predigt mit Bemerkungen wie »das Gesetz gebrochen«, »den Rat hintergangen« und »Schande über den stolzen und ehrwürdigen Namen der Waylands gebracht«. Nachdem Hodge seiner Wut Luft gemacht hatte, fixierte er Jace mit festem Blick. »Du hast mit deinem Starrsinn andere in Gefahr gebracht. Dies ist ein Vorfall, den du nicht einfach mit einem Schulterzucken abtun kannst. Dafür werde ich sorgen!«

»Das hatte ich auch gar nicht vor«, sagte Jace. »Ich kann eh nichts abschütteln. Meine Schulter ist ausgekugelt.«

»Wenn ich nur glauben könnte, dass körperliche Schmerzen eine Strafe für dich sind«, erwiderte Hodge finster. »Aber vermutlich wirst du die nächsten Tage entspannt auf der Krankenstation verbringen, während Alec und Isabelle dich von morgens bis abends bemuttern. Und wahrscheinlich wirst du das Ganze auch noch *genießen.*«

Hodge sollte in fast allen Punkten recht behalten: Jace und Simon landeten auf der Krankenstation. Allerdings bemutterte nur Isabelle die beiden – wie Clary feststellte, nachdem sie sich frisch gemacht hatte und einige Zeit später das Krankenzimmer betrat. Hodge hatte die Prellung an ihrem Arm behandelt und zwanzig Minuten unter der Dusche hatten einen Großteil der Asphaltsteinchen herausgespült, die sich in ihre Haut gegraben hatten. Doch Clary fühlte sich noch immer völlig zerschlagen.

Alec hockte wie eine düstere Gewitterwolke auf der Fensterbank und zog ein finsteres Gesicht, als er Clary hereinkommen sah. »Ach, du bist's.«

Clary ignorierte ihn. »Hodge lässt ausrichten, er ist auf dem Weg hierher«, wandte sie sich an Simon und Jace. »Er hofft, dass ihr bis dahin an eurem schwach flackernden Lebenslicht festhalten könnt – oder so was Ähnliches.«

»Ich wünschte, er würde sich beeilen«, erwiderte Jace verärgert. Er saß aufrecht im Bett, gegen einen Stapel dicke weiße Kissen gelehnt, und trug noch immer seine schmutzigen Sachen.

»Warum? Tut es sehr weh?«, fragte Clary.

»Nein. Ich habe eine hohe Schmerzschwelle. Genau genommen ist es keine Schwelle, sondern ein großes, geschmackvoll eingerichtetes Foyer. Aber ich langweile mich schnell.« Er warf ihr einen Seitenblick zu. »Weißt du noch, wie du mir im Hotel versprochen hast, wenn wir jemals lebend da rauskämen, würdest du eine Schwesterntracht anziehen und mich von Kopf bis Fuß abseifen?«

»Ich glaube, da hast du dich verhört«, erwiderte Clary. »Es war Simon, der dir das versprochen hat.«

Jace blickte unwillkürlich zu Simon hinüber, der ihm ein breites Grinsen schenkte und beteuerte: »Sobald ich wieder auf den Beinen bin, Süßer.«

»Ich wusste, wir hätten dafür sorgen sollen, dass du eine Ratte bleibst«, sagte Jace.

Clary lachte und ging zu Simon, der sich in einem Berg von Kissen und mit dicken Decken über den Beinen sichtlich unwohl fühlte. Vorsichtig setzte sie sich auf die Bettkante. »Wie geht's dir?«

»Ich fühl mich wie jemand, der mit einer Käseraspel massiert wurde«, erwiderte Simon und verzog das Gesicht, als er die Beine anzog. »Ein Knochen in meinem Fuß ist gebrochen. Der Fuß war dermaßen angeschwollen, dass Isabelle meinen Schuh aufschneiden musste.«

»Freut mich, dass sie sich so aufopfernd um dich kümmert«, sagte Clary mit einem Hauch von Spott in der Stimme.

Simon beugte sich vor, ohne die Augen von ihr zu nehmen. »Ich muss mit dir reden, Clary.«

Clary nickte zögernd. »Ich geh gleich auf mein Zimmer. Komm einfach nach, wenn Hodge dich behandelt hat, okay?«

»Klar.« Zu ihrer großen Überraschung beugte er sich noch weiter vor und küsste sie auf die Wange. Es war ein Schmetterlingskuss, seine Lippen streiften sie nur zart, doch als sie sich aufrichtete, spürte sie, dass sie errötete. *Wahrscheinlich, weil uns die anderen so seltsam anstarren,* dachte sie und ging hinaus.

Als sie die Tür des Krankenzimmers hinter sich zugezogen hatte, berührte sie verwirrt ihr Gesicht. Ein flüchtiger Kuss auf die Wange hatte keine große Bedeutung, doch dieses Verhalten war sehr ungewöhnlich für Simon. Vielleicht wollte er Isabelle eifersüchtig machen? *Männer,* dachte Clary, sie wurde einfach nicht schlau aus ihnen. Und dann erst Jace, der seine Verwundeter-Prinz-Nummer abzog! Sie war gegangen, ehe er sich über die Anzahl der Webfäden in seiner Bettwäsche beschweren konnte.

»Clary!«

Überrascht drehte sie sich um. Alec rannte mit federnden Schritten hinter ihr her den Gang entlang und holte sie schließlich ein. »Ich muss mit dir reden.«

Erstaunt sah sie ihn an. »Worüber?«

Er zögerte. Mit seiner hellen Haut und den dunkelblauen Augen war er ebenso attraktiv wie seine Schwester, doch im Gegensatz zu Isabelle tat er alles, um sein Äußeres nicht noch zu betonen. Dazu zählten auch der ausgefranste Pullover und die gestutzten Haare, die aussahen, als hätte er sie im Dunkeln geschnitten. Er schien sich in seiner Haut nicht wohlzufühlen. »Ich denke, du solltest das Institut besser verlassen. Geh nach Hause«, sagte er.

Sie wusste, dass er sie nicht mochte, aber trotzdem traf diese Bemerkung sie wie eine Ohrfeige. »Alec, als ich das letzte Mal zu Hause war, wimmelte es dort von Forsaken. Und Ravenern. Mit Giftzähnen. Ich würde nichts lieber tun, als nach Hause zurückzukehren, aber ...«

»Du musst doch irgendwelche Verwandte haben, bei denen du wohnen kannst.« In seiner Stimme schwang leichte Verzweiflung mit.

»Nein. Außerdem will Hodge, dass ich bleibe«, erwiderte sie kurz angebunden.

»Das kann er unmöglich wollen. Nicht nach dem, was du getan hast ...«

»Was habe ich denn getan?«

Er schluckte. »Du hast dafür gesorgt, dass Jace fast getötet wurde.«

»Ich habe *was?* Wovon redest du überhaupt?«

»Einfach so deinem Freund hinterherzurennen. Weißt du eigentlich, in welche Gefahr du ihn gebracht hast? Weißt du ...«

»Ihn? Meinst du Jace?«, unterbrach Clary ihn rüde. »Nur zu deiner Information: Das Ganze war seine Idee. *Er* hat Magnus gefragt, wo sich das Vampirversteck befindet. *Er* ist in die Kirche marschiert und hat die Waffen geholt. Und auch wenn ich ihn nicht begleitet hätte, wäre er trotzdem in das Hotel gestürmt.«

»Das verstehst du nicht«, sagte Alec. »Du kennst ihn nicht. Nicht so wie ich. Er glaubt, er müsse die Welt retten, und er hätte nichts dagegen, wenn er bei dem Versuch umkäme. Manchmal denke ich, dass er sogar sterben möchte, aber das bedeutet nicht, dass du ihn dazu ermutigen solltest.«

»Ich kapier's nicht«, erwiderte sie. »Jace ist ein Nephilim. Das ist doch eure Aufgabe: Ihr rettet Leute, ihr tötet Dämonen, ihr bringt euch in Gefahr. Warum war die letzte Nacht denn etwas anderes?«

Alec verlor die Beherrschung. »Weil er *mich zurückgelassen* hat!«, brüllte er. »Normalerweise bin ich immer bei ihm, gebe ihm Deckung, halte ihm den Rücken frei, pass auf ihn auf. Aber du . . . du bist nur Ballast, eine *Irdische.«* Er stieß das Wort aus, als wäre es etwas Unanständiges.

»Nein«, erwiderte Clary. »Das bin ich nicht. Ich bin eine Nephilim – genau wie du.«

Er kräuselte verächtlich die Lippen. »Möglicherweise«, sagte er. »Aber ohne Training und ohne jede Erfahrung bist du von keinem großen Nutzen, oder? Deine Mutter hat dich in der irdischen Welt aufgezogen und genau da gehörst du hin. Nicht hierher, wo du Jace dazu bringst, sich so zu verhalten, als wäre er . . . als wäre er keiner von uns. Wo du ihn dazu verleitest, seinen Eid gegenüber dem Rat zu brechen, das Gesetz zu übertreten . . .«

»Achtung, Alec, wichtige Durchsage: Ich bringe Jace nicht dazu, *irgendetwas* zu tun«, fuhr Clary ihn an. »Er macht, was er will. Das solltest du eigentlich wissen.«

Alec musterte sie, als wäre sie eine besonders abscheuliche Art von Dämon, die er noch nie gesehen hatte. »Ihr *Mundies* seid total egoistisch! Hast du überhaupt eine Ahnung, was er für dich getan hat, welches Risiko er auf sich genommen hat? Und ich rede nicht nur von seiner Sicherheit. Für ihn steht viel mehr auf dem Spiel. Er hat bereits Vater und Mutter verloren; willst du, dass er jetzt auch noch die einzige Familie verliert, die ihm geblieben ist?«

Clary wich kurz zurück. Doch dann stieg wie eine schwarze Woge heiße Wut in ihr auf – Wut auf Alec, weil er teilweise recht hatte, Wut auf alles und jeden: auf die vereiste Straße, die ihr den Vater genommen hatte, noch ehe sie geboren war; auf Simon, weil er sich in diese lebensgefährliche Situation gebracht hatte; auf Jace, weil er den Märtyrer spielte und nichts auf sein Leben gab. Wut auf Luke, weil er so getan hatte, als würde sie ihm etwas bedeuten, obwohl das eine riesige Lüge gewesen war. Und Wut auf ihre Mutter, weil sie nicht die langweilige, normale, planlose Frau war, die sie immer zu sein vorgegeben hatte, sondern jemand vollkommen anderes: eine heldenhafte und atemberaubende und mutige Person, die Clary überhaupt nicht kannte. Eine Person, die nicht da war, jetzt, da Clary sie dringend brauchte.

»Ausgerechnet du redest von Egoismus«, zischte Clary so giftig, dass Alec einen Schritt zurückwich. »Du interessierst dich doch nur für einen Menschen auf dieser Welt und das bist du selbst, Alec Lightwood. Kein Wunder, dass du noch keinen einzigen Dämon getötet hast, denn dafür hast du viel zu viel Angst.«

Alec starrte sie sprachlos an. »Wer hat dir das erzählt?«

»Jace.«

Alec sah aus, als hätte sie ihn geschlagen. »Das würde er nie tun. So was würde er niemals sagen.«

»Das hat er aber.« Clary konnte erkennen, wie sehr sie ihn damit traf, und es bereitete ihr Freude. Zur Abwechslung durften ruhig mal die Gefühle eines anderen verletzt werden. »Von mir aus kannst du noch stundenlang von Ehre und Aufrichtigkeit schwafeln und davon, dass *Mundies* angeblich weder das eine noch das andere besitzen. Aber wenn du ehrlich bist, musst du zugeben, dass du nur deshalb einen Wutanfall bekommen hast, weil du in Jace verliebt bist. Das hat überhaupt nichts mit . . .«

Alec machte einen Satz nach vorn und im nächsten Moment dröhnte Clary der Schädel. Er hatte sie mit solcher Wucht an die Wand gestoßen, dass ihr Hinterkopf gegen die Holzvertäfelung geprallt war. Sein Gesicht schwebte nur wenige Zentimeter über ihrem; seine Augen wirkten riesig und dunkel. »Wenn du Jace gegenüber auch nur ein einziges Mal etwas Derartiges erwähnst, bring ich dich um«, stieß er zwischen zusammengebissenen Zähnen hervor. »Das schwöre ich beim Erzengel.«

Ein heftiger Schmerz durchfuhr ihre Arme, die er fest umklammert hielt. Unwillkürlich schnappte sie nach Luft. Alec blinzelte kurz, als würde er aus einer Trance erwachen, und ließ sie los, wobei er seine Hände wegriss, als hätte er sich an ihrer Haut verbrannt.

Ohne ein weiteres Wort machte er auf dem Absatz kehrt und ging schwankend zur Krankenstation zurück, als wäre er betrunken oder benommen.

Clary rieb sich die gequetschten Arme und starrte ihm nach. Sie war entsetzt über das, was sie getan hatte. *Großartige Leistung, Clary. Jetzt hasst er dich wirklich.*

Am liebsten wäre sie sofort ins Bett gegangen und in einen tiefen Schlaf gefallen, aber trotz ihrer Müdigkeit fand sie keine Ruhe. Schließlich holte sie ihren Skizzenblock aus dem Rucksack und begann, mit angezogenen Knien zu zeichnen. Zunächst nur flüchtige Skizzen – ein Detail der zerfallenen Fassade des Vampirhotels, einen Wasserspeier mit Fangzähnen und hervorstehenden Augen, eine leere Straße, nur beleuchtet von einer einzigen Laterne, eine Schattengestalt am Rand des Lichtkegels. Sie skizzierte Raphael mit dem blutverschmierten weißen Hemd und der kruzifixartigen Narbe am Hals. Und dann zeichnete sie Jace, wie er auf dem Dach stand und in den Abgrund hinabblickte. Ohne jede Furcht, als empfände er den Sturz als eine Art Herausforderung – als gäbe es nichts, was er nicht mit dem Glauben an die eigene Unbesiegbarkeit überwinden könnte. Genau wie in ihrem Traum malte sie ihn mit Flügeln, die bogenförmig hinter seinen Schultern zum Vorschein kamen, wie die Schwingen eines Engels.

Und schließlich versuchte sie, ihre Mutter zu zeichnen. Sie hatte Jace zwar gesagt, sie fühle sich nach der Lektüre des Grauen Buchs nicht anders als vorher, was im Grunde auch der Wahrheit entsprach. Doch jetzt, als sie versuchte, sich die Züge ihrer Mutter ins Gedächtnis zu rufen, erkannte sie, dass sich Jocelyns Bild in einem Detail geändert hatte: Sie konnte die Narben ihrer Mutter sehen, die winzigen weißen Male, die ihren Rücken und ihre Schultern bedeckten, als hätte sie in einem Schneetreiben gestanden.

Es tat weh – die Erkenntnis, dass die Art und Weise, wie sie ihre Mutter ihr Leben lang gesehen hatte, nicht der Realität entsprach, dass alles eine Lüge gewesen war. Die Tränen stiegen ihr in die Augen und sie schob den Skizzenblock unter ihr Kopfkissen. Plötzlich hörte sie ein Klopfen an der Tür – leise, zögernd. Hastig rieb sie sich die Augen. »Herein.«

Es war Simon. Sie hatte vollkommen vergessen, wie schrecklich er aussah: Er hatte noch nicht geduscht und seine Kleidung war zerrissen und schmutzig, seine Haare vollkommen verfilzt. Seltsam förmlich blieb er im Türrahmen stehen.

Sie rutschte beiseite und machte ihm Platz auf ihrem Bett. Es war nichts Ungewöhnliches daran, mit Simon auf einem Bett zu sitzen; seit sie kleine Kinder waren, hatten sie beim anderen übernachtet, mit Decken und Tüchern Zelte und Lager gebaut und später gemeinsam bis tief in die Nacht Comics gelesen.

»Du hast ja deine Brille wiedergefunden«, stellte Clary fest. Ein Glas war zerbrochen.

»Ja, sie steckte in meiner Jackentasche. Die Brille hat das Ganze besser überstanden, als ich erwartet hätte. Ich werde wohl meinem Optiker ein Dankesschreiben schicken.« Vorsichtig ließ er sich neben ihr auf das Bett sinken.

»Hat Hodge deine Verletzungen kuriert?«

Er nickte. »Ja. Ich fühl mich zwar immer noch, als hätte mich ein Bus gestreift, aber wenigstens ist nichts mehr gebrochen.« Er drehte sich zur Seite und sah sie an. Seine Augen hinter den zerbrochenen Brillengläsern waren exakt so, wie sie sie in Erinnerung hatte: dunkel und ernsthaft, mit genau der Sorte dichter und langer Wimpern, für die Jungs sich nicht interessierten und für die Mädchen jederzeit einen Mord begehen würden. »Clary, dass du nach mir gesucht hast . . . dass du all das für mich riskiert hast . . .«

»Nicht.« Abwehrend hielt sie eine Hand hoch. »Du hättest für mich genau das Gleiche getan.«

»Natürlich«, sagte er, ohne jede Arroganz oder Prahlerei, »aber ich habe das immer für normal gehalten – eben so, wie das zwischen uns beiden sein sollte . . .«

Verwirrt rutschte Clary auf dem Bett ein Stück zur Seite, sodass sie ihn direkt ansehen konnte. »Was meinst du damit?«

»Ich meine damit Folgendes«, setzte Simon geduldig an, als wäre er überrascht, dass er etwas erklären musste, das eigentlich auf der Hand lag. »Ich bin immer derjenige gewesen, der dich mehr gebraucht hat als du mich.«

»Aber das stimmt doch gar nicht«, erwiderte Clary erschrocken.

»Doch, so ist es«, sagte Simon mit der gleichen irritierenden Ruhe. »Du hast auf mich immer den Eindruck gemacht, als würdest du niemanden brauchen, Clary. Du bist immer so ... gefasst. Du brauchst nichts außer deinen Stiften und deiner Fantasiewelt. Wie oft habe ich etwas sechs oder sieben Mal wiederholen müssen, ehe du endlich reagiert hast. Du warst so meilenweit entfernt. Und dann hast du mich angesehen und mir dieses seltsame Lächeln geschenkt und da wusste ich, dass du mich vollkommen vergessen und dich erst in diesem Moment wieder an mich erinnert hattest. Aber ich war nie sauer auf dich. Die Hälfte deiner Aufmerksamkeit ist besser als die ganze Aufmerksamkeit von allen anderen zusammen.«

Clary tastete nach seiner Hand, erwischte aber nur sein Handgelenk. Sie konnte den Herzschlag unter seiner Haut spüren. »Ich habe in meinem ganzen Leben nur drei Menschen geliebt«, sagte sie. »Meine Mutter, Luke und dich. Und bis auf dich habe ich sie alle verloren. Glaub ja nicht, du würdest mir nichts bedeuten – wage es nicht mal.«

»Meine Mutter meint, man braucht nur drei Menschen, denen man vertrauen kann, um sich selbst zu verwirklichen«, sagte Simon leichthin, doch seine Stimme brach bei dem Wort »verwirklichen«. »Sie meint, du hättest das anscheinend ziemlich gut im Griff.«

Clary lächelte ihn wehmütig an. »Hat deine Mutter sonst noch irgendwelche weisen Worte über mich gesagt?«

»Ja.« Er erwiderte ihr schiefes Lächeln. »Aber die werde ich dir nicht verraten.«

»Das ist nicht fair!«

»Wer hat jemals behauptet, dass das Leben fair sei?«

Nach einer Weile legten sie sich so auf das Bett, wie sie es bereits als Kinder gemacht hatten: Schulter an Schulter, Clarys rechtes Bein über Simons linkem. Ihre Zehen reichten gerade mal bis zu seinem Knie. Flach auf dem Rücken liegend, starrten sie an die Decke und unterhielten sich – eine Angewohnheit, die noch aus der Zeit stammte, als Clarys Zimmerdecke mit fluoreszierenden Sternen beklebt gewesen war, die in der Nacht leuchteten. Während Jace nach Seife und Limonen duftete, roch Simon nach jemandem, der auf dem Parkplatz eines Supermarkts herumgerollt war. Aber das störte Clary nicht.

»Das Seltsame war . . .« – Simon wickelte eine von Clarys Haarsträhnen um seinen Finger – »dass ich, kurz bevor es passierte, noch mit Isabelle über Vampire gescherzt habe. Ich wollte sie nur zum Lachen bringen . . . ›Womit treibt man jüdische Vampire in die Flucht? Silberne Davidsterne? Gebratene Leber? Schecks über achtzehn Dollar?‹«

Clary lachte.

Simon wirkte zufrieden. »Isabelle hat nicht gelacht.«

Clary dachte an eine Reihe von Dingen, die sie gerne darauf geantwortet hätte, hielt sich aber zurück. »Vielleicht ist das einfach nicht Isabelles Art von Humor«, sagte sie schließlich.

Simon warf ihr unter seinen langen Wimpern einen kurzen Blick zu. »Geht sie mit Jace ins Bett?«

Clary quietschte überrascht auf und versuchte, ihren Schrei mit einem Husten zu überdecken. Sie starrte ihn an. »Äh, nein. Sie sind praktisch miteinander verwandt. Das würden sie nicht machen.« Sie schwieg einen Moment. »Glaube ich jedenfalls.«

Simon zuckte die Achseln. »Nicht dass mich das interessieren würde«, sagte er mit fester Stimme.

»Natürlich nicht.«

»Nein. Ganz ehrlich!« Er drehte sich auf die Seite. »Anfangs dachte ich, Isabelle wäre . . . na ja, ich weiß auch nicht . . . cool eben. Aufregend. Anders. Aber auf der Party ist mir klar geworden, dass sie einfach nur verrückt ist.«

Clary musterte ihn mit zusammengekniffenen Augen. »Hat *sie* dir gesagt, du sollst den blauen Cocktail trinken?«

Simon schüttelte den Kopf. »Nein, das war allein meine Idee. Ich hab gesehen, wie du mit Jace und Alec verschwunden bist, und da dachte ich . . . ach, ich weiß auch nicht. Du sahst so anders aus als sonst. Du wirktest so verändert. Ich wurde den Gedanken einfach nicht los, dass du dich bereits weiterentwickelt hattest und dass für mich in deiner neuen Welt kein Platz sein würde. Ich wollte irgendetwas tun, um auch ein Teil davon zu werden. Und als dann dieser kleine grüne Kerl mit dem Tablett voller Getränke kam . . .«

Clary stöhnte. »Du Idiot.«

»Ich hab nie was anderes behauptet.«

»Tut mir leid. War es schlimm?«

»Eine Ratte zu sein? Nein. Anfangs war es etwas verwirrend. Ich befand mich plötzlich auf Knöchelhöhe mit den anderen. Erst dachte ich, ich hätte einen Schrumpf-Zaubertrank getrunken, aber ich konnte nicht verstehen, warum ich auf einmal so einen Hunger auf Kaugummipapier hatte.«

Clary kicherte. »Nein, ich meinte eigentlich das Vampirhotel. War das schrecklich?«

Irgendetwas flackerte in seinen Augen auf und er blickte rasch zur Seite. »Nein. Im Grunde kann ich mich zwischen der Party und der Landung auf dem Parkplatz an kaum etwas erinnern.«

»Ist wahrscheinlich auch besser so.«

Er wollte etwas darauf erwidern, musste dann aber furchtbar gähnen. Im Zimmer war es allmählich dunkel geworden. Clary schlug die Bettdecke beiseite, stand auf und schob die Vorhänge auseinander. Die Stadt vor ihrem Fenster war in das rotgoldene Licht des Sonnenuntergangs getaucht. Das silberne Dach des Chrysler Building glühte in der Ferne wie ein Schürhaken, der zu lange im Feuer gelegen hatte. »Die Sonne geht gleich unter. Vielleicht sollten wir uns was zu essen machen.«

Als sie keine Antwort bekam, drehte sie sich um und sah, dass Simon eingeschlafen war, die Arme unter dem Kopf verschränkt. Sie seufzte, ging zum Bett, nahm ihm die Brille von der Nase und legte sie auf das Nachttischchen. Sie konnte sich schon gar nicht mehr erinnern, wie oft er mit Brille eingeschlafen und vom Klirren der Gläser wieder aufgewacht war.

*Und wo soll ich jetzt schlafen?* Es machte ihr zwar nichts aus, mit Simon in einem Bett zu liegen, aber er hatte ihr kaum Platz gelassen. Einen Moment lang dachte sie daran, ihn zu wecken, doch er wirkte so friedlich. Außerdem war sie noch nicht müde. Sie wollte gerade den Skizzenblock unter ihrem Kissen hervorholen, als es an der Tür klopfte.

Barfuß lief sie durchs Zimmer und drehte leise den Türknauf. Es war Jace. Frisch geduscht stand er in Jeans und grauem T-Shirt vor ihr. Seine noch feuchten Locken umgaben sein Gesicht wie ein goldener Heiligenschein und die Verletzungen und blauen Flecken waren bereits zu einem hellen Grau verblasst. Er hielt beide Hände hinter dem Rücken versteckt.

»Hast du schon geschlafen?«, fragte er neugierig und kein bisschen zerknirscht.

»Nein.« Clary trat hinaus auf den Gang und zog die Tür hinter sich zu. »Wie kommst du darauf?«

Er musterte ihr hellblaues Trägertop und die dazu passenden Baumwollshorts. »Ach, nur so.«

»Ich hab fast den ganzen Tag im Bett verbracht«, sagte sie, was im Grunde ja auch der Wahrheit entsprach. Bei seinem Anblick stieg ihre Nervosität schlagartig um tausend Prozent, aber sie sah keinen Grund, ihn das wissen zu lassen. »Was ist mit dir? Bist du nicht müde?«

Er schüttelte den Kopf. »Genau wie die Post sind auch Dämonenjäger immer im Dienst. ›Weder Schnee noch Regen noch Hitze noch die Schatten der Nacht können diese Männer davon abhalten, hinauszugehen und . . .‹«

»Du hättest ein echtes Problem, wenn dich die Schatten der Nacht vom Hinausgehen abhielten«, bemerkte sie feinsinnig.

Jace grinste. Im Gegensatz zu seinen Haaren waren seine Zähne nicht vollkommen makellos. Einem der oberen Schneidezähne fehlte eine winzige Ecke, was sein Lächeln nur noch anziehender machte.

Clary schlang die Arme um ihren Körper. Es war kühl auf dem Flur und sie spürte, wie sie eine Gänsehaut bekam. »Was machst du überhaupt hier?«

»Meinst du mit ›hier‹ vor deinem Zimmer oder ›hier‹ wie in der großen spirituellen Frage nach dem Zweck unseres Daseins auf Erden? Wenn du wissen willst, ob es sich nur um einen kosmischen Zufall handelt oder ob das Leben eine tiefere, meta-ethische Bedeutung hat . . . na ja, das beschäftigt die Gelehrten schon seit Jahrhunderten. Ich bin zwar der Ansicht, dass der schlichte, ontologische Reduktionismus eindeutig eine irreführende Annahme ist, aber . . .«

»Ich glaube, ich geh wieder ins Bett.« Clary drehte sich um.

Leichtfüßig schob er sich zwischen sie und die Tür. »Ich bin hier«, sagte er, »weil Hodge mich daran erinnert hat, dass du Geburtstag hast.«

Clary schnaubte genervt. »Mein Geburtstag ist erst morgen.«

»Aber das ist kein Grund, nicht schon jetzt mit dem Feiern anzufangen.«

Sie musterte ihn misstrauisch. »Du willst nur Alec und Isabelle aus dem Weg gehen.«

Er nickte. »Beide versuchen ständig, einen Streit mit mir vom Zaun zu brechen.«

»Aus dem gleichen Grund?«

»Keine Ahnung.« Verstohlen blickte er den Flur hinunter. »Auch Hodge nervt mich. Jeder will mit mir reden. Nur du nicht. Ich wette, du willst nicht mit mir reden.«

»Nein«, bestätigte Clary. »Ich möchte was essen. Ich hab nämlich einen Mordshunger.«

Jace streckte die Hände nach vorne, in denen er eine leicht zerknitterte Papiertüte hielt. »Ich hab ein paar Sachen aus der Küche mitgehen lassen, als Isabelle gerade nicht hingesehen hat.«

Clary grinste. »Ein Picknick? Ist es nicht ein bisschen spät für den Central Park? Der ist doch jetzt voller . . .«

Er winkte ab. »Feen. Ich weiß.«

»Ich wollte eigentlich ›Straßenräuber‹ sagen«, erwiderte Clary. »Obwohl ich den Straßenräuber bedaure, der es auf dich abgesehen hat.«

»Das ist eine weise Einstellung, zu der ich dir nur gratulieren kann«, sagte Jace und wirkte sehr zufrieden. »Aber ich wollte gar nicht den Central Park vorschlagen. Was hältst du vom Gewächshaus?«

»Was, jetzt? Bei Nacht? Ist es dort nicht zu . . . dunkel?«

Er lächelte, als kenne er ein großes Geheimnis. »Komm, ich zeig's dir.«

# 17
# Die Mitternachtsblume

Im Zwielicht der hereinbrechenden Nacht wirkten die großen, leeren Räume, die sie auf ihrem Weg zum Dachgeschoss passierten, wie ausgestorbene Bühnenbilder. Mit weißen Tüchern drapierte Möbel ragten aus der Dämmerung hervor wie Eisberge im Nebel.

Als Jace die Tür zum Gewächshaus öffnete, schlug Clary ein warmer Duft entgegen, weich wie die Pfoten einer Katze: der feuchtwürzige Geruch von Erde, das kräftige Aroma nachtblühender Pflanzen – Mondwinden, Engelstrompeten, Wunderblumen und einige Gewächse, die sie nicht kannte, wie jene Blume mit einer einzelnen sternförmigen gelben Blüte, deren Blätter mit goldenem Blütenstaub bedeckt waren. Durch die Glaswände des Gewächshauses funkelten die Lichter Manhattans wie kalte Diamanten.

»Wow.« Langsam drehte sie sich im Kreis, ließ den Anblick auf sich wirken. »Es ist einfach fantastisch hier oben.«

Jace grinste. »Und wir haben das Gewächshaus ganz für uns allein. Alec und Isabelle kommen nicht gern hier hoch; sie haben irgendeine Allergie.«

Clary zitterte, obwohl ihr nicht kalt war. »Was für eine Pflanze ist das?«, fragte sie und zeigte auf einen Kübel.

Jace zuckte die Achseln und setzte sich vorsichtig neben den Strauch mit den glänzend grünen Blättern und den zahlreichen fest geschlossenen Blütenknospen. »Keine Ahnung. Meinst du etwa, ich würde im Pflanzenkundeunterricht zuhören? Ich will kein Archivar werden, ich brauche den ganzen Kram nicht zu wissen.«

»Du musst nur wissen, wie man tötet, was?«

Jace sah sie an und grinste. Er wirkte wie ein blonder Engel aus einem Gemälde von Rembrandt – wenn man einmal von seinem diabolischen Lächeln absah. »Stimmt genau.« Er holte ein in Servietten eingewickeltes Päckchen aus dem Papierbeutel und reichte es ihr. »Außerdem weiß ich, wie man ein höllisch gutes Käsesandwich macht«, fügte er hinzu. »Probier mal.«

Clary lächelte zögernd und setzte sich ihm gegenüber auf den Boden. Die Steinfliesen des Gewächshauses fühlten sich kalt an ihren nackten Beinen an, aber es war angenehm nach der unerträglichen Hitze der vorangegangenen Tage. Als Nächstes zog Jace ein paar Äpfel aus der Tüte, dazu einen Schokoriegel mit Früchten und Nüssen und eine Flasche Wasser. »Kein übler Fang«, sagte sie bewundernd.

Das Käsesandwich war warm und ein wenig weich, schmeckte aber wunderbar. Aus einer seiner unzähligen Jackentaschen zauberte Jace ein Jagdmesser hervor, das aussah, als könnte man damit einen Grizzly erlegen. Sorgfältig zerteilte er einen Apfel und schnitt ihn in gleichmäßige Schnitze. »Das ist zwar keine Geburtstagstorte«, meinte er und reichte ihr ein Stück, »aber hoffentlich besser als gar nichts.«

»Ich hatte mit gar nichts gerechnet . . . deshalb vielen Dank.« Sie biss in das Apfelstück, das grün und erfrischend schmeckte.

»Niemand sollte an seinem Geburtstag gar nichts bekommen.« Jace schälte den zweiten Apfel; die Schale löste sich in langen, welligen Streifen. »Geburtstage sollten etwas Besonderes sein. Mein Geburtstag war immer der Tag, an dem mein Vater sagte, ich könne alles tun oder haben, was ich wollte.«

»Alles?« Clary lachte. »Und was hast du dir so *alles* gewünscht?«

»Als ich fünf war, habe ich mir ein Spaghetti-Bad gewünscht.«

»Aber damit war dein Vater natürlich nicht einverstanden, oder?«

»Doch, doch. Das ist es ja gerade. Er war einverstanden. Er meinte, es sei nicht teuer . . . also warum nicht, wo ich es mir doch so sehr wünschte? Er wies unsere Dienstboten an, eine Wanne mit kochendem Wasser und Nudeln zu füllen, und als die Mischung ein wenig abgekühlt war ...«, er zuckte die Achseln, » ... habe ich darin gebadet.«

*Dienstboten?*, dachte Clary und fragte laut: »Und, wie war's?«

»Glitschig.«

»Glaube ich gerne.« Sie versuchte, ihn sich als kleinen Jungen vorzustellen, kichernd und bis zu den Ohren in warmen Nudeln. Doch das Bild wollte vor ihrem inneren Auge nicht entstehen. Jace hatte garantiert nie gekichert, nicht einmal als Fünfjähriger. »Und was hast du dir noch gewünscht?«

»Hauptsächlich Waffen«, sagte er, »was dich kaum verwundern dürfte. Und Bücher. Ich habe viel gelesen, meistens für mich allein.«

»Bist du denn nicht zur Schule gegangen?«

»Nein«, erwiderte er gedehnt, als nähere sich das Gespräch nun einem Thema, über das er nicht reden wollte.

»Aber deine Freunde ...«

»Ich hatte keine Freunde«, sagte er. »Abgesehen von meinem Vater. Er war alles, was ich brauchte.«

Sie starrte ihn an. »Du hattest überhaupt keine Freunde?«

Er hielt ihrem Blick stand. »Als ich Alec begegnete, war ich zehn Jahre alt«, erklärte er. »Das war das erste Mal, dass ich ein anderes Kind in meinem Alter kennenlernte. Das erste Mal, dass ich einen Freund hatte.«

Sie blickte zu Boden. Vor ihrem inneren Auge nahm nun ein anderes, unangenehmes Bild Gestalt an: Sie dachte an Alec, daran, wie er sie angesehen hatte. *So was würde er niemals sagen.*

»Du musst mich nicht bemitleiden«, meinte Jace, als hätte er ihre Gedanken erraten. Dabei war gar nicht er derjenige, für den sie Mitleid empfand. »Mein Vater hat mir die beste Erziehung, die beste Kampfausbildung zuteil werden lassen, die man sich vorstellen kann. Er hat mir die ganze Welt gezeigt. London. Sankt Petersburg. Ägypten. Wir sind damals viel gereist.« Seine Augen verdüsterten sich. »Seit er gestorben ist, bin ich nirgendwo mehr gewesen. Abgesehen von New York.«

»Du kannst dich glücklich schätzen«, erwiderte Clary. »Ich bin in meinem Leben noch kein einziges Mal aus diesem Bundesstaat herausgekommen. Meine Mutter hat mich nicht mal auf Klassenfahrt nach Washington mitfahren lassen. Ich schätze, ich weiß jetzt, warum«, fügte sie wehmütig hinzu.

»Weil sie fürchtete, dass du ausflippen könntest? Dämonen im Weißen Haus sehen würdest?«

Clary knabberte an einem Stück Schokoriegel. »Im Weißen Haus gibt es Dämonen?«

»Das war nur ein Witz . . . denke ich zumindest.« Gelassen zuckte er die Achseln. »Eigentlich bin ich mir sicher – irgendjemand hätte es sonst erwähnt.«

»Vermutlich wollte sie mich einfach nicht zu weit von sich weglassen. Meine Mutter, meine ich. Nach dem Tod meines Vaters hat sie sich total verändert.« Lukes Stimme hallte in ihrem Kopf nach. *Du bist danach nie mehr dieselbe gewesen, aber Clary ist nun mal nicht Jonathan.*

Jace zog fragend eine Augenbraue hoch. »Erinnerst du dich an deinen Vater?«

Sie schüttelte den Kopf. »Nein. Er starb, bevor ich auf die Welt kam.«

»Da kannst du froh sein«, sagte er. »So vermisst du ihn auch nicht.«

Jedem anderen hätte sie diese Bemerkung übel genommen, doch zur Abwechslung schwang in seiner Stimme keinerlei Sarkasmus mit, nur eine tiefe Sehnsucht nach seinem eigenen Vater. »Geht das Gefühl irgendwann vorüber?«, fragte sie. »Dass man ihn vermisst, meine ich?«

Er sah sie von der Seite an, beantwortete ihre Frage aber nicht. »Denkst du viel an deine Mutter?«

Nein. Auf diese Weise dachte sie nicht an ihre Mutter. »Eher an Luke . . .«

»Auch wenn das nicht sein richtiger Name ist.« Sinnierend biss Jace in ein Apfelstück. »Ich hab eine Weile über ihn nachgedacht. Irgendetwas an seinem Verhalten passt nicht zusammen . . .«

»Er ist ein Feigling.« Clarys Stimme klang bitter. »Du hast ihn doch gehört. Er wird sich nicht gegen Valentin stellen. Nicht einmal für meine Mutter.«

»Aber das ist es ja gerade, was ich . . .« Lange, tiefe Glockentöne unterbrachen ihn. Irgendwo schlug eine Kirchturmuhr. »Mitternacht«, sagte Jace und legte das Messer beiseite. Er stand auf und streckte ihr eine Hand entgegen, um ihr aufzuhelfen. An seinen Fingern klebte ein wenig Apfelsaft. »So, pass auf.«

Konzentriert blickte er auf den grünen Strauch mit den vielen geschlossenen Blütenknospen, neben dem sie gesessen hatten. Clary wollte ihn fragen, worauf genau sie denn achten sollte, doch er hielt eine Hand hoch, um sie zum Schweigen zu bringen. »Warte«, raunte er mit funkelnden Augen.

Die Blätter der Pflanze hingen schlaff und reglos herab. Doch plötzlich begann eine der fest geschlossenen Knospen zu beben und zu zittern, schwoll auf die doppelte Größe an und platzte auf. Das Ganze war wie ein Zeitrafferfilm einer aufgehenden Blüte: Zarte grüne Kelchblätter stülpten sich nach außen und gaben die zusammengedrängten Kronblätter im Inneren frei, die mit hellgelbem Blütenstaub bedeckt waren.

»Oh!«, stieß Clary hervor, blickte auf und bemerkte, dass Jace sie beobachtete. »Blüht sie jede Nacht?«

»Nur um Mitternacht«, erklärte er. »Herzlichen Glückwunsch, Clarissa Fray.«

Sie war seltsam gerührt. »Vielen Dank.«

»Ich hab noch was für dich.« Er wühlte in seiner Tasche, zog etwas hervor und drückte es ihr in die Hand. Es war ein grauer Stein mit leicht unebener Oberfläche, die an einigen Stellen abgenutzt aussah.

»Ha«, stieß Clary grinsend hervor, während sie den Stein in der

Hand drehte. »Du weißt doch: Wenn Mädchen sagen, dass sie sich einen dicken Klunker wünschen, dann meinen sie damit keinen *echten* Felsbrocken.«

»Sehr amüsant, meine kleine, sarkastische Freundin. Aber das da ist genau genommen kein Felsbrocken. Alle Schattenjäger besitzen einen Elbenlichtstein.«

»Oh.« Sie betrachtete den Stein mit neuem Interesse und schloss die Hand darum – so wie sie es bei Jace im Keller des Vampirhotels beobachtet hatte. Sie war sich nicht ganz sicher, aber sie glaubte, einen winzigen Lichtschein zwischen ihren Fingern hindurchschimmern zu sehen.

»Er wird dir Licht bringen«, erläuterte Jace mit rauer Stimme.

Clary schob den Stein in ihre Hosentasche. »Vielen Dank. Es war sehr nett von dir, mir etwas zu schenken.« Die Spannung zwischen ihnen schien so greifbar wie die schwüle Luft, die sie umgab. »Jedenfalls besser als ein Spaghetti-Bad.«

»Falls du diese kleine persönliche Information mit irgendjemand teilen solltest, werde ich mich genötigt sehen, dich zu töten«, erwiderte er düster.

»Als ich fünf war, wünschte ich mir, dass meine Mutter mich in den Trockner steckte, damit ich mit den Kleidern darin herumwirbeln konnte«, sagte Clary. »Der Unterschied zu deinem Vater ist nur, dass sie mich nicht gelassen hat.«

»Wahrscheinlich, weil das Herumwirbeln im Trockner unschön enden kann«, bemerkte Jace, »während Nudeln nur selten zum Tode führen. Es sei denn, Isabelle bereitet sie zu.«

Die Mitternachtsblume verlor bereits ihre Blütenblätter. Sie schwebten zu Boden, schimmernd wie kleine Scheibchen Sternenlicht. »Und als ich zwölf war, hab ich mir eine Tätowierung gewünscht«, fuhr Clary fort. »Aber auch damit war meine Mutter nicht einverstanden.«

»Die meisten Schattenjäger erhalten mit zwölf ihr erstes Mal. Es muss dir im Blut gelegen haben«, erwiderte er ernst.

»Vielleicht. Allerdings bezweifle ich, dass die meisten Schattenjäger sich ein Tattoo mit Donatello von den Teenage Mutant Ninja Turtles auf der linken Schulter wünschen.«

Jace starrte sie verblüfft an. »Du wolltest dir eine Schildkröte auf die Schulter tätowieren lassen?«

»Ich wollte die Narbe meiner Pockenimpfung kaschieren.« Sie schob den Träger ihres Tops ein wenig zur Seite, sodass das sternförmige weiße Mal auf ihrem Oberarm sichtbar wurde. »Siehst du?«

Rasch schaute er zur Seite. »Es ist schon spät«, murmelte er. »Wir sollten wieder nach unten gehen.«

Verlegen zog Clary den Träger hoch. Als ob er sich für ihre blöde Narbe interessierte.

Doch dann sprudelten die nächsten Worte ohne ihr Dazutun förmlich aus ihr heraus. »Bist du und Isabelle . . . seid ihr schon mal miteinander gegangen?«

Nun sah er sie direkt an. Das Mondlicht ließ die Farbe seiner Augen blasser erscheinen; sie schimmerten eher silbern als golden. »Isabelle?«, fragte er erstaunt.

»Ich dachte . . .« Jetzt fühlte sie sich noch unbehaglicher. »Simon wollte das wissen.«

»Vielleicht sollte er sie selbst fragen.«

»Ich bin mir nicht sicher, ob er das möchte«, erwiderte Clary. »Na ja, ist ja auch egal. Geht mich eh nichts an.«

Er musterte sie amüsiert. »Die Antwort lautet Nein. Natürlich hat es Momente gegeben, in denen einer von uns beiden vielleicht daran gedacht hat. Aber sie ist für mich wie eine Schwester. Es wäre irgendwie merkwürdig.«

»Das heißt also, dass Isabelle und du nie . . .«

»Nein. Nie«, sagte Jace.

»Sie hasst mich«, meinte Clary.

»Nein, tut sie nicht«, erwiderte er zu ihrer großen Überraschung. »Du machst sie einfach nur nervös, weil sie bisher das einzige Mädchen in einer Gruppe von Jungs war, die sie anhimmelten. Und das hat sich jetzt geändert.«

»Aber sie ist so wunderschön.«

»Das bist du auch«, sagte Jace, »und zwar auf eine ganz andere Art und Weise als sie. Diese Erkenntnis kann sie nicht leugnen. Sie wäre viel lieber klein und zierlich; sie hasst es, dass sie größer ist als die meisten Jungs.«

Clary schwieg, weil sie nicht wusste, was sie darauf antworten sollte. Wunderschön. Er hatte sie wunderschön genannt. Noch nie hatte jemand sie als schön bezeichnet, abgesehen von ihrer Mutter, und das zählte nicht. Mütter waren schließlich dazu verpflichtet, ihre Töchter schön zu finden. Clary sah Jace mit großen Augen an.

»Wir sollten jetzt besser nach unten gehen«, murmelte er erneut. Sie spürte, dass sie ihn mit ihrem unverwandten Blick verunsicherte, konnte aber nicht damit aufhören.

»Okay«, sagte sie schließlich; zu ihrer großen Erleichterung klang ihre Stimme normal. Und sie war noch erleichterter, dass es ihr gelang, den Blick von ihm abzuwenden. Der Mond schien nun direkt von oben auf sie herab und tauchte das gesamte Gewächshaus in fast taghelles Licht. Als sie einen Schritt nach vorne machen wollte, sah sie etwas Weißes auf dem Boden schimmern: Es war das Messer, das Jace zum Schneiden der Äpfel verwendet hatte. Hastig zuckte sie zurück, um nicht daraufzutreten, und stieß mit der Schulter gegen seine Brust. Als sie sich ihm zuwandte, um sich zu entschuldigen, streckte Jace eine Hand aus, um ihr Halt zu geben. Im nächsten Moment lag sie in seinen Armen und er küsste sie.

Erst schien es, als wolle er sie gar nicht küssen: Sein Mund presste sich hart und unnachgiebig auf ihre Lippen. Doch dann zog er sie fest an sich und seine Lippen wurden weicher. Sie konnte sein wild schlagendes Herz spüren, die Süße der Äpfel in seinem Mund schmecken. Behutsam strich sie ihm durch das Haar, so wie sie es seit ihrer ersten Begegnung hatte tun wollen. Seine Locken wickelten sich um ihre Finger, seidig und weich. Ihr Herz raste und in ihren Ohren rauschte es – es klang fast wie Flügelschläge ...

Mit einem leisen Fluch löste Jace sich ein wenig von ihr, hielt sie jedoch noch immer fest im Arm. »Krieg jetzt keine Panik, aber wir haben Besuch.«

Clary drehte den Kopf. Nur wenige Meter entfernt hockte Hugo auf einem Ast und beobachtete sie mit schimmernden schwarzen Knopfaugen. Dann war das, was sie für wahnsinnige Leidenschaft gehalten hatte, also *tatsächlich* das Geräusch von Flügelschlägen gewesen – irgendwie enttäuschend, dachte sie.

»Wenn Hugo hier ist, ist Hodge nicht mehr weit«, sagte Jace leise. »Wir sollten gehen.«

»Spioniert er dir etwa hinterher?«, flüsterte Clary empört. »Hodge, meine ich.«

»Nein. Er kommt nur gern zum Nachdenken hier hoch. Zu schade, da wir doch gerade eine solch prickelnde Unterhaltung geführt haben.« Er lachte leise.

Vorsichtig stiegen sie dieselben Stufen wieder hinunter, die sie kurz zuvor hinaufgeklettert waren – doch für Clary fühlte es sich vollkommen anders an. Jace hielt ihre Hand in seiner und schickte überall, wo seine Haut sie berührte, winzige elektrische Stöße durch ihre Finger, ihre Handfläche, ihr Handgelenk, ihre Adern. Tausend Fragen schossen ihr durch den Kopf, aber sie fürchtete sich davor, diese besondere Stimmung zu zerstören, indem sie sie aussprach. Er hatte »zu schade« gesagt, daher nahm sie an, dass der gemeinsame Abend vorbei war – zumindest der Teil, in dem geküsst wurde.

Vor ihrer Zimmertür blieben sie stehen. Clary lehnte sich mit dem Rücken gegen die Wand und schaute zu Jace hoch. »Danke für das Geburtstagspicknick«, sagte sie und versuchte, ihre Stimme möglichst neutral klingen zu lassen.

Er schien ihre Hand nicht loslassen zu wollen. »Willst du jetzt schlafen gehen?«

*Er ist nur höflich,* ermahnte sie sich. Andererseits: Vor ihr stand Jace und der war niemals höflich. Sie beschloss, seine Frage mit einer Gegenfrage zu beantworten: »Bist du denn nicht müde?«

Seine Stimme klang tief und dunkel. »Ich habe mich nie wacher gefühlt.«

Er beugte sich zu ihr hinab. Mit der freien Hand umfasste er behutsam ihr Gesicht und küsste sie. Ihre Lippen berührten einander, erst vorsichtig und leicht, dann drängender und fordernder. Genau in diesem Moment riss Simon die Zimmertür auf und trat auf den Flur hinaus.

Seine Haare waren verwuschelt und er blinzelte, da er seine Brille nicht trug. Doch er sah auch so genug. »Was zum Teufel . . .?«, rief er so laut, dass Clary sich mit einem Ruck von Jace löste, als habe seine Berührung ihre Haut verbrannt.

»Simon! Was machst du . . . ich meine . . . ich dachte, du würdest . . .«

»Schlafen? Ja, das hab ich auch«, erwiderte er. Seine Wangenknochen schimmerten dunkelrot durch seine leicht gebräunte Haut hindurch – wie jedes Mal, wenn er verlegen oder wütend war. »Aber dann bin ich aufgewacht und du warst nicht da. Daher dachte ich . . .«

Clary überlegte fieberhaft, was sie sagen sollte. Warum hatte sie nicht daran gedacht, dass so etwas passieren konnte? Warum hatte sie nicht vorgeschlagen, in Jace' Zimmer zu gehen? Die Antwort war so einfach wie erschreckend: Sie hatte Simon vollkommen vergessen.

»Tut mir leid«, murmelte sie schließlich, wobei sie nicht genau wusste, wen sie eigentlich damit meinte. Aus den Augenwinkeln glaubte sie zu sehen, wie Jace ihr einen zornigen Blick zuwarf; doch als sie ihn anschaute, wirkte er wie immer – lässig, selbstsicher, leicht gelangweilt.

»Um solch ermüdende Situationen zu vermeiden, Clarissa, solltest du in Zukunft vielleicht erwähnen, dass du bereits einen Mann in deinem Bett hast«, sagte er.

»Du hast ihn in dein *Bett* gebeten?«, rief Simon entsetzt.

»Lächerlich, nicht wahr?«, meinte Jace. »Wir hätten nie und nimmer alle drei hineingepasst.«

»Ich habe ihn nicht in mein Bett gebeten«, fauchte Clary. »Wir haben uns nur geküsst.«

»Nur geküsst?«, spottete Jace mit gespieltem Schmerz in der Stimme. »Oh, wie schnell verleugnest du doch unsere Liebe.«

»Jace ...«

Sie sah das maliziöse Leuchten in seinen Augen und verstummte. Es hatte keinen Zweck. Plötzlich wurde ihr das Herz schwer. »Simon, es ist spät«, sagte sie müde. »Tut mir leid, dass wir dich geweckt haben.«

»Und mir erst.« Er marschierte in ihr Zimmer und warf die Tür hinter sich zu.

Jace' Lächeln war ironisch und unverbindlich. »Na los, geh ihm nach. Tätschle ihm das Köpfchen und sag ihm, dass er noch immer dein allerbester kleiner Freund ist. Oder hattest du das nicht vor?«

»Hör auf damit«, sagte sie. »Hör auf damit, dich so zu benehmen.«

Sein Lächeln wurde noch breiter. »Wie zu benehmen?«

»Wenn du sauer auf mich bist, dann sag es einfach. Tu nicht so, als könnte dich nichts berühren. Es scheint fast, als würdest du nie irgendwas empfinden.«

»Vielleicht hättest du darüber nachdenken sollen, bevor du mich geküsst hast«, erwiderte er.

Ungläubig starrte sie ihn an. »Ich habe *dich* geküsst?«

Das Funkeln in seinen Augen wurde noch stärker. »Keine Sorge«, meinte er, »für mich war es auch kein besonders denkwürdiger Moment.«

Clary sah ihm nach, wie er den Flur entlangging, und verspürte gleichermaßen den unwiderstehlichen Drang, in Tränen auszubrechen und hinter ihm herzulaufen und ihm einen Tritt vors Schienbein zu verpassen. Doch da sie wusste, dass sowohl die eine wie auch die andere Reaktion ihn mit Genugtuung erfüllen würde, hielt sie sich zurück und ging stattdessen niedergeschlagen in ihr Zimmer.

Simon stand in der Mitte des Raums und wirkte vollkommen verloren. Er hatte seine Brille aufgesetzt. Clary hörte Jace' gehässige Stimme in ihrem Kopf: *Tätschle ihm das Köpfchen und sag ihm, dass er noch immer dein allerbester kleiner Freund ist.*

Sie ging auf ihn zu, doch als sie sah, was er in der Hand hielt, blieb sie abrupt stehen. Ihren Skizzenblock – aufgeschlagen auf der Seite mit der Zeichnung, an der sie zuletzt gearbeitet hatte, die Skizze von Jace mit den Engelsschwingen. »Gut getroffen«, höhnte er. »Dann haben sich die ganzen Zeichenstunden ja doch noch gelohnt.«

Normalerweise hätte Clary ihm eine Standpauke gehalten, weil er in ihren Skizzenblock geschaut hatte, doch jetzt war nicht der richtige Moment dafür. »Simon, hör zu ...«

»Ich gebe zu, dass es kein besonders eleganter Abgang war, in *dein* Zimmer zurückzukehren und beleidigt die Tür zuzuknallen«, unterbrach er sie steif und warf den Skizzenblock auf ihr Bett. »Aber ich musste ja schließlich meine Sachen holen ...«

»Wo willst du denn jetzt hin?«, fragte sie.

»Nach Hause. Ich denke, ich bin schon viel zu lange hier gewesen. Irdische wie ich gehören nicht an einen Ort wie diesen.«

Sie seufzte. »Hör zu, es tut mir leid, okay? Ich hatte nicht vor, ihn zu küssen; es ist einfach passiert. Ich weiß, dass du ihn nicht magst.«

»Nein«, erwiderte Simon noch förmlicher. »Ich *mag* keine abgestandene Cola. Ich *mag* keine dämliche Boygroup-Popmusik. Ich *mag* es nicht, im Stau festzustecken. Ich *mag* keine Mathehausaufgaben. Aber ich *hasse* Jace. Erkennst du den Unterschied?«

»Er hat dir das Leben gerettet«, bemerkte Clary, wobei sie sich wie eine Lügnerin vorkam – schließlich war Jace nur ins Hotel Dumort mitgekommen, weil er fürchtete, Ärger zu bekommen, falls ihr irgendetwas zustieß.

»Das sind nur Details«, erwiderte Simon abschätzig. »Er ist ein Arschloch. Ich hätte nicht gedacht, dass du so tief sinken kannst.«

Clary spürte heiße Wut auflodern. »Ach, und jetzt glaubst ausgerechnet *du,* aufs hohe Ross steigen zu müssen?«, fauchte sie. »Du bist doch derjenige, der die ›Braut mit dem geilsten Body‹ zur Herbstfete einladen wollte.« Sie imitierte Erics träge, schleppende Stimme. Simon presste die Lippen zu einem dünnen Strich zusammen. »Also was kümmert es dich, wenn Jace sich manchmal wie ein Blödmann benimmt? Du bist weder mein Bruder noch mein Vater – du *musst* ihn nicht mögen. Ich habe noch keine einzige deiner Freundinnen leiden können, aber ich hatte immer den Anstand, das für mich zu behalten.«

»Das ist was anderes«, stieß Simon zwischen zusammengebissenen Zähnen hervor.

»Ach ja? Und wieso?«

»Weil ich mitbekommen habe, wie du ihn ansiehst!«, rief er wütend. »Und ich habe keines dieser Mädchen je auf diese Weise angesehen! Das war nur ein Zeitvertreib, eine Art Übung, bis . . .«

»Bis was?« Clary spürte dunkel, dass sie schrecklich zu ihm war. Die ganze Geschichte war schrecklich. Bis zu diesem Moment hatten sie sich höchstens mal darüber gestritten, wer den letzten Schokokuss aus der Schachtel im Baumhaus essen durfte. Doch sie schien einfach nicht aufhören zu können. »Bis du Isabelle kennengelernt hast? Ich kann nicht fassen, dass du mir wegen Jace Vorträge hältst, während du einen kompletten Idioten aus dir gemacht hast, und zwar wegen ihr!« Ihre Stimme überschlug sich nun fast.

»Ich hab versucht, dich *eifersüchtig* zu machen!«, brüllte Simon zurück. Seine Hände waren zu Fäusten geballt. »Du bist so blöd, Clary. So *blöd!* Kapierst du denn gar nichts?«

Verblüfft starrte sie ihn an. Wovon zum Teufel redete er? »Du hast versucht, mich eifersüchtig zu machen? Warum um alles in der Welt?«

Sie erkannte sofort, dass es das Schlimmste war, was sie hätte fragen können.

»Weil«, setzte er so bitter an, dass sie erschrak, »weil ich seit zehn

Jahren in dich verliebt bin. Deshalb dachte ich, es wäre an der Zeit herauszufinden, ob du das Gleiche für mich empfindest. Was aber anscheinend nicht der Fall ist.«

Genauso gut hätte er ihr einen Tritt in den Magen verpassen können. Clary brachte keinen Ton hervor; die Luft schien aus ihren Lungen gewichen zu sein. Sie starrte ihn an, suchte fieberhaft nach einer Antwort, irgendeiner Antwort.

»Nein. Lass das. Es gibt nichts, was du sagen könntest«, unterbrach er sie rüde, als sie gerade ansetzen wollte.

Wie gelähmt sah sie ihm nach, wie er zur Tür ging. Sie konnte sich nicht dazu bringen, ihn zurückzuhalten – sosehr sie es auch wollte. Aber was hätte sie sagen sollen? *Ich liebe dich auch?* Nein, denn sie liebte ihn nicht – oder doch?

Simon blieb an der Tür stehen, eine Hand auf dem Türknauf, und drehte sich noch einmal zu ihr um. Seine Augen hinter den Brillengläsern wirkten nun eher müde als wütend. »Willst du wirklich wissen, was meine Mutter sonst noch über dich gesagt hat?«, fragte er.

Clary schüttelte den Kopf.

Er schien es nicht zu bemerken. »Sie meinte, du würdest mir das Herz brechen«, sagte er und ging. Die Tür fiel mit einem deutlichen Klicken hinter ihm ins Schloss und Clary war allein.

Nachdem er weg war, ließ sie sich auf ihr Bett sinken und griff nach ihrem Skizzenblock. Sie drückte ihn gegen die Brust, wollte nicht darin zeichnen, sondern nur den Geruch vertrauter Dinge wahrnehmen – Tinte, Papier, Kreide.

Sie dachte daran, Simon nachzulaufen, ihn einzuholen. Aber was hätte sie ihm sagen sollen? Was konnte sie *überhaupt* sagen? *Du bist so blöd, Clary*, hatte er gebrüllt. *Kapierst du denn gar nichts?*

Sie dachte an Hunderte von Dingen, die er gesagt oder getan hatte, an die Witze, die Eric und die anderen über sie beide gerissen hatten, an die Gespräche, die plötzlich verstummten, wenn sie den Raum betrat. Jace hatte es von Anfang an gewusst. *Ich habe über euch gelacht, weil mich Liebesbezeugungen amüsieren, vor allem, wenn die Liebe nicht erwidert wird.* Sie hatte sich damals nicht gefragt, was er damit meinte, doch jetzt wusste sie es.

Sie hatte Simon vor wenigen Stunden gesagt, dass sie in ihrem Leben nur drei Menschen geliebt hatte: ihre Mutter, Luke und ihn. Sie fragte sich, ob es wirklich möglich war, innerhalb einer Woche alle Menschen zu verlieren, die man liebte. Sie fragte sich, ob dies zu den Erlebnissen zählte, über die man jemals hinwegkommen konnte. Und dennoch . . . für einen kurzen Moment mit Jace oben auf dem Dach hatte sie ihre Mutter vergessen. Sie hatte Luke vergessen. Sie hatte Simon vergessen. Und sie war glücklich gewesen. Das war das Schlimmste daran – dass sie glücklich gewesen war.

Vielleicht, dachte sie, vielleicht war der Verlust von Simons Freundschaft ja die Strafe dafür, dass sie so egoistisch gewesen war, einen winzigen Moment lang glücklich zu sein, während ihre Mutter noch immer verschwunden war. Das Ganze war sowieso nicht echt gewesen. Jace mochte zwar fantastisch küssen können, aber er empfand nicht das Geringste für sie. Das hatte er selbst gesagt.

Langsam ließ sie den Skizzenblock sinken. Simon hatte recht gehabt; es war ein gutes Porträt von Jace. Sie hatte die harte Linie seines Mundes gut getroffen, die nicht dazu passenden, verletzlichen Augen. Die Schwingen wirkten so echt, dass sie sich vorstellte, wie weich sie sich anfühlen mussten, wenn sie mit dem Finger darüberstrich. Sie ließ ihre Hand auf das Papier sinken, ihre Gedanken abschweifen . . .

Und riss ihre Hand ruckartig zurück. Starrte auf das Blatt. Ihre Finger hatten kein trockenes Papier berührt, sondern weiche Federn. Ihr Blick wanderte zu den Runen, die sie gedankenverloren in eine Ecke des Blatts gekritzelt hatte. Sie schimmerten – genau wie die Runen, die Jace mit seiner Stele zeichnete.

Plötzlich begann ihr Herz, schneller zu schlagen, in einem kräftigen, pulsierenden Rhythmus. Wenn eine Rune eine Zeichnung zum Leben erwecken konnte, dann . . .

Ohne den Blick von der Zeichnung zu wenden, tastete sie nach ihren Stiften. Atemlos schlug sie eine neue, leere Seite auf und zeichnete das Erstbeste, was ihr durch den Kopf ging. Es war der Kaffeebecher, der auf ihrem Nachttisch stand. Dank der Techniken, die sie im Zeichenunterricht gelernt hatte, konnte sie ihn detailliert wiedergeben: den kaffeeverschmierten Rand, den Riss in der Glasur des Henkels. Als sie den Stift nach einer Weile beiseitelegte, hatte sie den Becher so wirklichkeitsgetreu wie möglich gezeichnet. Von einem Instinkt angetrieben, den sie selbst nicht ganz verstand, griff sie nach dem Becher und stellte ihn auf den oberen Rand des Papiers. Und dann begann sie sehr sorgfältig, die Runen neben die Zeichnung zu setzen.

# 18
# Der Kelch der Engel

Jace lag auf dem Bett und gab vor zu schlafen, als das Klopfen an der Tür ihm schließlich doch zu viel wurde. Er hievte sich von der Bettdecke und stöhnte auf. Auch wenn er im Gewächshaus so getan hatte, als ginge es ihm glänzend, fühlte er noch immer jeden einzelnen schmerzenden Knochen in seinem Körper.

Schon bevor er die Tür öffnete, wusste er bereits, wer davorstehen würde. Wahrscheinlich hatte Simon es geschafft, sich erneut in eine Ratte verwandeln zu lassen. Aber dieses Mal würde er das verdammt noch mal auch bleiben. Denn er, Jace Wayland, war nicht bereit, auch nur einen Finger für ihn zu rühren.

Clary hielt den Skizzenblock fest an die Brust gedrückt; ein paar Haarsträhnen hatten sich aus ihren leuchtend roten Zöpfen gelöst. Jace lehnte sich gegen den Türrahmen, ignorierte den Adrenalinstoß, der ihm bei ihrem Anblick durch die Adern schoss. Und nicht zum ersten Mal fragte er sich, warum sie diese Wirkung auf ihn hatte. Isabelle setzte ihre Schönheit gezielt ein wie ihre Peitsche, aber Clary wusste nicht einmal, dass sie schön war. Vielleicht war das die Erklärung.

Er konnte sich nur einen Grund für ihr Kommen vorstellen, obwohl das eigentlich keinen Sinn ergab – nach dem, was er zu ihr gesagt hatte. Worte waren wie Waffen; das hatte ihm sein Vater beigebracht, und er hatte Clary verletzen wollen, stärker als je ein Mädchen zuvor. Im Grunde hatte er vor ihr noch nie ein Mädchen verletzen wollen. Normalerweise wollte er sie nur und danach wollte er meist, dass sie möglichst bald wieder verschwanden.

»Lass mich raten«, sagte er, wobei er die Worte auf eine Weise dehnte, von der er wusste, dass Clary sie hasste. »Simon hat sich in einen Ozelot verwandelt und du willst, dass ich was dagegen unternehme, ehe Isabelle aus ihm eine Stola macht. Tja, da wirst du bis morgen warten müssen. Ich bin jetzt nicht im Dienst.« Er zeigte an sich herab; er trug einen blauen Pyjama mit einem Loch im Ärmel. »Siehst du? Schlafanzug.«

Clary schien ihn kaum zu hören. »Jace«, murmelte sie, »es ist wichtig.«

»Nein, nein, sag nichts«, erwiderte er. »Du hast eine Zeichenkrise und brauchst dringend ein Aktmodell. Tja, leider bin ich nicht in der Stimmung dafür. Aber frag doch mal Hodge«, fügte er hinzu. »Ich hab gehört, er tut alles für ein . . .«

»Jace!«, brüllte sie ihn mit sich fast überschlagender Stimme an. »Halt mal eine Sekunde die Klappe und hör mir zu!«

Er blinzelte.

Clary holte tief Luft und sah ihn unsicher an. Plötzlich verspürte er einen ungewohnten Impuls – den Drang, sie in die Arme zu nehmen und ihr zu sagen, dass alles gut werden würde. Doch er widerstand diesem Gefühl. Seiner Erfahrung nach wurde nur selten alles wieder gut.

»Jace«, sagte sie so leise, dass er sich vorbeugen musste, um sie zu verstehen. »Ich glaube, ich weiß, wo meine Mutter den Kelch der Engel versteckt hat. Er befindet sich in einem Gemälde.«

»Was?« Jace starrte sie an, als hätte sie ihm erzählt, einer der Stillen Brüder würde in der Eingangshalle nackt Rad schlagen. »Du meinst, sie hat ihn *hinter* einem Gemälde versteckt? Sämtliche Bilder in eurer Wohnung waren aus ihren Rahmen gerissen.«

»Ich weiß.« Clary schaute an ihm vorbei in sein Zimmer. Es sah nicht so aus, als wäre sonst noch jemand da, dachte sie erleichtert. »Hör zu, kann ich nicht kurz reinkommen? Ich möchte dir was zeigen.«

Er gab die Tür frei. »Wenn's unbedingt sein muss.«

Sie setzte sich auf sein Bett, das Skizzenbuch auf den Knien. Die Kleidungsstücke, die er am Abend getragen hatte, lagen auf der Bettdecke, doch der Rest des Raums war so sauber aufgeräumt wie eine Mönchszelle. Nicht ein einziges Bild hing an den Wänden, keine Poster, keine Fotos von Verwandten oder Freunden. Das weiße Bettlaken war sauber und ordentlich unter die Matratze geschlagen. Nicht gerade ein typisches Jungenzimmer. »Hier«, sagte sie und blätterte die Seiten um, bis sie die Zeichnung mit dem Kaffeebecher fand. »Sieh dir das mal an.«

Jace schob sein getragenes T-Shirt beiseite und setzte sich neben sie. »Das ist ein Kaffeebecher.«

»Ich *weiß,* dass das ein Kaffeebecher ist«, erwiderte sie und hörte, wie gereizt sie klang.

»Ich kann es kaum erwarten, dass du mal was wirklich Kompliziertes zeichnest, zum Beispiel die Brooklyn Bridge oder einen Hummer. Wahrscheinlich schickst du mir dann einen Boten, der mir die frohe Nachricht persönlich übermittelt.«

Clary ignorierte ihn. »Sieh mal – das wollte ich dir zeigen.« Sie legte eine Hand auf die Zeichnung und griff dann mit einer raschen Bewegung *in* das Papier hinein. Als sie ihre Hand eine Sekunde später wieder zurückzog, baumelte der Kaffeebecher an ihren Fingern. Sie hatte sich vorgestellt, dass Jace überrascht vom Bett aufspringen und irgendetwas rufen würde, wie »Donnerlittchen!«. Doch das geschah nicht. Vermutlich weil Jace schon ganz andere Dinge in seinem Leben mitgemacht hatte und weil niemand mehr solche Ausdrücke wie »Donnerlittchen!« verwendete, dachte Clary. Immerhin starrte er sie mit weit aufgerissenen Augen an. »Hast du das gemacht?«

Sie nickte.

»Wann?«

»Gerade eben, in meinem Zimmer, nachdem . . . nachdem Simon gegangen ist.«

Er musterte sie scharf, drang aber nicht weiter in sie. »Hast du Runen verwendet? Welche?«

Sie schüttelte den Kopf und nestelte an dem nun leeren Papierblatt herum. »Ich weiß es nicht. Sie sind mir einfach durch den Kopf geschossen und ich hab sie genauso gezeichnet, wie ich sie gesehen habe.«

»Waren das Runen, die du aus dem Grauen Buch kanntest?«

»Keine Ahnung.« Sie schüttelte noch immer den Kopf. »Ich kann es dir beim besten Willen nicht sagen.«

»Und dir hat wirklich niemand gezeigt, wie das geht? Beispielsweise deine Mutter?«

»Nein. Ich hab dir ja schon gesagt, dass meine Mutter mir ständig gepredigt hat, so was wie Magie gäbe es nicht . . .«

»Ich wette, sie hat es dir beigebracht«, fiel er Clary ins Wort, »und es dich dann anschließend vergessen lassen. Magnus hat ja gesagt, dass deine Erinnerung langsam zurückkommen würde.«

»Könnte sein.«

»Natürlich.« Jace sprang auf und lief unruhig im Zimmer auf und ab. »Wahrscheinlich verstößt es gegen das Gesetz, Runen auf diese Art anzuwenden, solange man noch nicht die entsprechende Genehmigung besitzt. Aber das spielt im Moment keine Rolle. Du glaubst also, deine Mutter hat den Kelch in einem Gemälde versteckt? Auf die gleiche Weise, wie du es gerade mit dem Kaffeebecher gemacht hast?«

Clary nickte. »Ja, aber in keinem der Gemälde, die in der Wohnung hingen.«

»Und wo dann? In einer Galerie? Das Bild könnte sonst wo sein . . .«

»Nein, kein Bild«, erwiderte Clary, »sondern eine Karte.«

Jace blieb abrupt stehen und drehte sich zu ihr um. »Eine Karte?«

»Erinnerst du dich an das Tarotspiel bei Madame Dorothea? Die Karten, die meine Mutter für sie gemalt hat?«

Er nickte.

»Und weißt du noch, wie ich das Ass der Kelche gezogen habe? Als ich später die Statue des Erzengels sah, kam mir der Kelch irgendwie bekannt vor. Das lag daran, dass ich ihn schon mal gesehen hatte, auf jener Ass-Karte. *Meine Mutter hat den Kelch der Engel in Madame Dorotheas Tarotkarten hineingemalt.«*

Jace stand jetzt dicht vor ihr. »Weil sie wusste, dass er in dieser Zufluchtsstätte in Sicherheit war. Außerdem konnte sie ihn auf diese Weise Dorothea geben, ohne ihr zu sagen, worum es sich handelte und wieso sie ihn verstecken musste.«

»Oder dass sie ihn überhaupt verstecken musste. Madame Dorothea geht nie aus und sie würde die Karten niemals aus der Hand geben . . .«

»Und deine Mutter war von eurer Wohnung aus wunderbar in der Lage, sowohl den Kelch als auch Dorothea im Auge zu behalten.« Jace klang fast beeindruckt. »Kein schlechter Schachzug.«

»Ja, vermutlich.« Clary kämpfte gegen das Zittern in ihrer Stimme an. »Ich wünschte, sie hätte ihn nicht so gut versteckt.«

»Wie meinst du das?«

»Ich meine, wenn die Männer den Kelch gefunden hätten, dann hätten sie sie vielleicht in Ruhe gelassen. Schließlich waren sie nur hinter dem Kelch her . . .«

»Sie hätten sie so oder so getötet, Clary«, sagte Jace. Sie wusste, dass er recht hatte. »Das sind genau dieselben Männer, die meinen Vater getötet haben. Der einzige Grund dafür, dass deine Mutter vielleicht noch lebt, ist die Tatsache, dass sie den Kelch nicht finden konnten. Sei lieber froh, dass Jocelyn ihn so gut versteckt hat.«

»Ich wüsste nicht, was das alles mit uns zu tun hat«, murrte Alec und blinzelte mit trüben Augen durch seine zerzausten Haare. Jace hatte die restlichen Bewohner des Instituts im Morgengrauen geweckt und in die Bibliothek geschleift, um ihre »Kampftaktik zu besprechen«, wie er es formulierte. Alec hockte noch im Schlafanzug in einem Sessel, Isabelle war in ein rosafarbenes Negligé gehüllt und Hodge trug seinen üblichen Tweedanzug und trank Kaffee aus einem angeschlagenen blauen Keramikbecher. Nur Jace wirkte hellwach und sah sie mit funkelnden Augen an. »Ich dachte, die Suche nach dem Kelch wäre jetzt Aufgabe des Rats«, fuhr Alec fort.

»Es ist vernünftiger, wenn wir das selbst in die Hand nehmen«, erwiderte Jace ungeduldig. »Hodge und ich haben schon alles besprochen und diesen Beschluss gefasst.«

»Okay.« Isabelle schob eine mit einem rosa Band umwickelte Haarsträhne hinters Ohr. »Ich bin dabei.«

»Ich nicht«, sagte Alec. »Genau in diesem Moment befinden sich bereits Beauftragte des Rats in der Stadt und suchen nach dem Kelch. Gib ihnen doch die Information; dann können sie ihn holen.«

»So einfach ist das nicht«, meinte Jace.

»Doch, so einfach ist das.« Alec beugte sich vor und runzelte die Stirn. »Das alles hat nichts mit uns zu tun. Hierbei geht es nur um deine ... deine Begeisterung für Gefahren.«

Jace schüttelte aufgebracht den Kopf. »Ich verstehe nicht, warum du dich in dieser Sache gegen mich stellst.«

*Weil er nicht will, dass dir etwas zustößt,* dachte Clary und wunderte sich, dass Jace offenbar nicht in der Lage war zu erkennen, was in Alec vor sich ging. Aber andererseits hatte sie die gleichen Gefühle bei Simon übersehen ...

»Hör zu: Dorothea vertraut dem Rat nicht. Genau genommen hasst sie ihn sogar. Aber uns vertraut sie«, erläuterte Jace.

»*Mir* vertraut sie«, warf Clary ein. »Keine Ahnung, wie sie zu dir steht. Ich bin mir noch nicht mal sicher, ob sie dich überhaupt mag.«

Jace ignorierte sie. »Komm schon, Alec. Das wird bestimmt lustig. Und denk doch mal an den Ruhm, wenn wir den Kelch der Engel nach Idris zurückbringen! Unsere Namen werden in die Geschichte eingehen ...«

»Ich pfeif auf den Ruhm«, erwiderte Alec und heftete seinen Blick fest auf Jace' Gesicht. »Ich hab keine Lust, irgendeine Riesendummheit zu begehen.«

»In diesem Fall hat Jace allerdings recht«, sagte Hodge. »Wenn die

Ratsbeauftragten die Zufluchtsstätte in Dorotheas Wohnung aufsuchen würden, wäre das eine Katastrophe. Dorothea würde mit dem Kelch fliehen und wahrscheinlich auf Nimmerwiedersehen verschwinden. Nein, Jocelyn wollte ganz eindeutig, dass nur *eine* Person den Kelch finden kann, und das ist Clary – und sonst niemand.«

»Dann soll sie ihn doch alleine holen«, entgegnete Alec.

Selbst Isabelle schnappte bei diesen Worten nach Luft. Jace, der sich mit den Händen auf der Rückenlehne eines Stuhls abgestützt hatte, richtete sich auf und musterte Alec mit einem eisigen Blick. Nur Jace konnte in Pyjamahosen und einem alten T-Shirt dermaßen cool wirken, dachte Clary – und es gelang ihm mühelos. »Wenn du vor ein paar Forsaken Angst hast, dann bleib in Gottes Namen hier«, sagte er sanft.

Alec wurde kreidebleich. »Ich hab keine Angst«, stieß er hervor.

»Gut«, meinte Jace. »Dann wäre das Problem ja gelöst, oder?« Er warf einen Blick in die Runde. »Das heißt, wir gehen alle gemeinsam.«

Alec murmelte ein Ja, während Isabelle eifrig nickte. »Na klar«, rief sie. »Das wird bestimmt ein Riesenspaß.«

»Ich weiß zwar nicht, ob es wirklich spaßig werden wird, aber ich bin selbstverständlich dabei«, sagte Clary.

»Clary, wenn du dir Sorgen wegen der Gefahr machst«, warf Hodge rasch ein, »brauchst du das natürlich nicht auf dich zu nehmen. Wir können immer noch den Rat verständigen . . .«

»Nein«, erwiderte Clary zu ihrer eigenen Überraschung. »Meine Mutter wollte, dass *ich* den Kelch finde. Nicht Valentin und auch sonst niemand anderes.« *Sie hat sich nicht vor den Monstern versteckt, hatte Magnus gesagt.* »Wenn sie wirklich ihr ganzes Leben versucht hat, Valentin von dem Kelch fernzuhalten, ist es das Mindeste, was ich tun kann.«

Hodge lächelte. »Ich glaube, sie wusste, dass du das sagen würdest.«

»Mach dir keine Sorgen«, meinte Isabelle. »Dir wird bestimmt nichts passieren. Wir kommen schon mit ein paar Forsaken klar. Sie mögen zwar verrückt sein, aber sie sind nicht sehr clever.«

»Und wesentlich leichter in Schach zu halten als Dämonen . . . nicht so durchtrieben«, ergänzte Jace. »Ach ja, wir brauchen noch einen Wagen, vorzugsweise einen großen«, fügte er hinzu.

»Wozu?«, fragte Isabelle. »Bisher haben wir doch auch keinen Wagen benötigt.«

»Bisher mussten wir uns auch noch nie Gedanken darüber machen, einen Gegenstand von unermesslichem Wert zu transportieren. Ich möchte den Kelch jedenfalls nicht in der U-Bahn mit mir herumschleppen«, sagte Jace.

»Wir könnten ein Taxi nehmen«, meinte Isabelle. »Oder einen Transporter mieten.«

Jace schüttelte den Kopf. »Ich will die Begleitumstände selbst bestimmen können. Ich habe keine Lust, mich mit einem muffligen Taxifahrer oder einem Autoverleiher herumzuschlagen, während wir eine so wichtige Aufgabe erledigen.«

»Hast *du* denn keinen Führerschein oder Wagen?«, wandte Alec sich an Clary und musterte sie mit kaum verhohlener Abneigung. »Ich dachte, alle Irdischen hätten so was.«

»Erst ab sechzehn«, erwiderte Clary verärgert. »Ich sollte in diesem Jahr den Führerschein machen, aber so weit ist es nicht mehr gekommen.«

»Du bist ja 'ne tolle Hilfe.«

»Wenigstens können meine Freunde fahren«, konterte sie. »Simon hat einen Führerschein.«

Augenblicklich bereute Clary ihre Worte.

»Tatsächlich?«, fragte Jace in enervierend nachdenklichem Ton.

»Aber er hat kein Auto«, fügte sie rasch hinzu.

»Dann fährt er also den Wagen seiner Eltern?«, fragte Jace.

Clary seufzte. »Nein. Normalerweise fährt er Erics Bus, wenn die Band zu Auftritten muss. Manchmal leiht Eric ihm den Wagen auch zu anderen Gelegenheiten. Wenn Simon ein Date hat oder so.«

Jace schnaubte. »Er holt seine Verabredung in einem Bus ab? Kein Wunder, dass er so einen Erfolg bei den Damen hat . . .«

»Der Bus ist schließlich auch ein Auto«, erwiderte Clary. »Du bist doch nur sauer auf Simon, weil er etwas hat, was du nicht hast.«

»Er hat viele Dinge, die ich nicht habe«, sagte Jace. »Kurzsichtigkeit, einen Haltungsfehler und eine beängstigende Koordinationsstörung.«

»Wusstest du eigentlich, dass die meisten Psychologen sich darin einig sind, dass Feindseligkeit in Wirklichkeit eine Form sublimierter sexueller Anziehungskraft ist?«, fragte Clary.

»Ah, das erklärt vielleicht, wieso ich so oft auf Leute stoße, die mich zu hassen scheinen«, erwiderte Jace unbekümmert.

»Ich hasse dich nicht«, warf Alec rasch ein.

»Weil wir eine brüderliche Zuneigung füreinander empfinden«, erklärte Jace und ging zum Schreibtisch. Er nahm den Hörer des schwarzen Telefons ab und hielt ihn Clary hin. »Ruf ihn an.«

»Wen?«, fragte Clary, um Zeit zu schinden. »Eric? Der würde mir nie seinen Wagen leihen.«

»Simon«, entgegnete Jace. »Ruf ihn an und frage ihn, ob er uns zu deinem Haus fahren kann.«

Clary unternahm einen letzten Versuch. »Kennt ihr denn gar keine Schattenjäger mit einem fahrbaren Untersatz?«

»In New York?« Jace' Lächeln verblasste. »Im Augenblick sind fast alle Schattenjäger wegen des Abkommens in Idris. Außerdem würden sie darauf bestehen, uns zu begleiten. Es läuft also auf Simon oder gar nichts hinaus.«

Einen kurzen Moment lang trafen sich ihre Blicke. In seinen Augen lag etwas Provozierendes und noch etwas anderes . . . als wollte er sie herausfordern, ihr Zögern zu erklären. Mit einem finsteren Gesicht ging sie um den Schreibtisch herum und riss ihm den Hörer aus der Hand.

Clary musste nicht lange nachdenken: Simons Telefonnummer war ihr fast so vertraut wie ihre eigene. Sie machte sich darauf gefasst, dass seine Mutter oder eine seiner Schwestern abnehmen würde, aber glücklicherweise ging er nach dem zweiten Klingeln selbst an den Apparat. »Hallo?«

»Simon?«

Schweigen.

Jace betrachtete Clary. Sie kniff die Augen zu und versuchte, so zu tun, als sei er nicht da. »Ich bin's«, murmelte sie. »Clary.«

»Ich *weiß*, wer dran ist.« Er klang verärgert. »Ich hatte fest geschlafen.«

»Ich weiß, es ist ziemlich früh. Tut mir leid.« Sie wickelte die Telefonschnur um ihren Zeigefinger. »Ich muss dich um einen Gefallen bitten.«

Erneut herrschte am anderen Ende der Leitung Schweigen, bis Simon schließlich ein freudloses Lachen ausstieß. »Das soll wohl ein Witz sein.«

»Nein, mir ist nicht nach Witzen zumute«, erwiderte Clary. »Wir wissen, wo sich der Kelch der Engel befindet, und wir sind entschlossen, ihn zu holen. Das Problem ist nur: Wir brauchen einen Wagen.«

Simon lachte erneut. »Entschuldige mal, willst du mir etwa erzählen, dass deine dämonenschlachtenden Freunde zu ihrem nächsten Rendezvous mit den Mächten der Finsternis kutschiert werden müssen – und zwar von meiner Mutter?«

»Ich hatte eigentlich gedacht, du könntest Eric fragen, ob er dir den Bus leiht.«

»Clary, wenn du glaubst, dass ich . . .«

»Wenn wir den Kelch der Engel finden, habe ich etwas in der Hand, um meine Mutter zurückzubekommen. Der Kelch ist der einzige Grund dafür, dass Valentin sie noch nicht getötet oder freigelassen hat.«

Simon stieß einen langen, gequälten Seufzer aus. »Glaubst du wirklich, dass du so einfach einen Handel mit ihm vereinbaren kannst, Clary? Ich weiß nicht recht.«

»Ich weiß es auch nicht. Aber ich weiß, dass zumindest eine Chance besteht.«

»Dieser Kelch ist ziemlich mächtig, oder? In ›Dungeons and Dragons‹ empfiehlt es sich normalerweise, nicht mit solch mächtigen Gegenständen herumzuspielen, bis man genau weiß, welche Eigenschaften sie besitzen.«

»Ich habe nicht vor, damit herumzuspielen. Ich will den Kelch nur dazu verwenden, meine Mom zu befreien.«

»Das ergibt doch überhaupt keinen Sinn, Clary.«

»Das hier ist kein verdammtes Rollenspiel, Simon!«, schrie sie beinahe in den Hörer. »Kein lustiges Spielchen, bei dem das schlimmste Szenario darin besteht, dass du schlecht würfelst. Hier geht es um meine Mutter und darum, dass Valentin sie vielleicht gerade in diesem Moment foltert . . . oder tötet. Ich muss einfach alles versuchen, um sie zu befreien – genau wie ich es für dich getan habe.«

Pause. »Vielleicht hast du ja recht. Ich weiß auch nicht, aber das ist irgendwie nicht meine Welt. Wo genau soll es denn hingehen? Damit ich Eric Bescheid geben kann.«

»Bring ihn bloß nicht mit«, rief sie rasch.

»Ich weiß, ich weiß«, erwiderte er mit übertriebener Geduld. »Ich bin ja nicht blöd.«

»Wir wollen zu mir nach Hause. Der Kelch ist bei uns im Haus.«

Sie konnte hören, wie er einen Moment verblüfft schwieg. »Bei euch im Haus? Ich dachte, da liefen Hunderte Zombies rum«, sagte er schließlich.

»Forsaken, keine Zombies. Jace und die anderen werden sich um sie kümmern, während ich den Kelch hole.«

»Warum musst ausgerechnet *du* den Kelch holen?« Er klang besorgt.

»Weil ich die Einzige bin, die dazu in der Lage ist«, erklärte Clary. »Bitte hol uns so schnell wie möglich ab; wir warten an der Straßenecke auf dich.«

Simon murmelte etwas Unverständliches, bevor er »Okay« sagte.

Clary öffnete die Augen. Die Bibliothek schien hinter einem Schleier von Tränen zu verschwimmen. »Danke, Simon«, sagte sie. »Du bist ein . . .«

Doch Simon hatte bereits aufgelegt.

»Ich habe den Eindruck, dass das Dilemma des Kräftegleichgewichts erstaunlich beständig ist«, meinte Hodge.

Clary warf ihm einen kurzen Blick zu. »Was meinen Sie denn damit?«

Sie hockte auf der Fensterbank in der Bibliothek, gegenüber von Hodge, der in seinem Sessel saß, mit Hugo auf der Armlehne. Auf einem Stapel schmutziger Teller, für die sich offenbar niemand zuständig fühlte, erkannte man die Reste des Frühstücks – klebrige Marmelade, Toastkrümel und Butterstückchen. Nach dem Frühstück waren alle auf ihre Zimmer gegangen, um sich vorzubereiten, und Clary war als Erste wieder in die Bibliothek zurückgekehrt – was nicht weiter überraschte, weil sie lediglich Jeans und T-Shirt überstreifen und kurz ihre Haare kämmen musste, während die anderen gezwungen waren, sich mit Waffen und Rüstungen auszustatten. Da Clary Jace' Dolch im Hotel Dumort verloren hatte, besaß sie nur einen einzigen Gegenstand, der ansatzweise »übernatürliche Kräfte« besaß, den Elbenlichtstein in ihrer Tasche.

»Ich musste eben an deinen Simon denken«, meinte Hodge, »und an Alec und Jace.«

Clary schaute aus dem Fenster. Es regnete und dicke, fette Tropfen klatschten gegen die Scheibe. Der Himmel wirkte undurchdringlich und grau. »Was haben Alec und Jace mit Simon zu tun?«

»Überall dort, wo Gefühle nicht erwidert werden, herrscht ein Ungleichgewicht der Kräfte«, erklärte Hodge. »Ein Ungleichgewicht, dass sehr schnell ausgenutzt werden kann – doch das wäre nicht sehr weise. Wo Liebe ist, da ist häufig auch Hass. Beide Gefühle können durchaus nebeneinander existieren.«

»Simon hasst mich nicht.«

»Er könnte aber im Laufe der Zeit Hass gegen dich entwickeln, falls er den Eindruck bekommt, dass du ihn nur ausnutzt.« Hodge hielt abwehrend eine Hand hoch. »Ich weiß, dass das nicht deine Absicht ist, und manchmal kennt Not kein Gebot. Aber diese Situation erinnert mich an andere, vergleichbare Umstände. Hast du noch das Foto, das ich dir gegeben habe?«

Clary schüttelte den Kopf. »Nein, nicht hier. Es liegt in meinem Zimmer. Soll ich es holen?«

»Nein.« Hodge streichelte Hugos rabenschwarze Federn. »Als deine Mutter ein junges Mädchen war, hatte auch sie einen guten Freund – genau wie du Simon. Die beiden standen einander so nahe wie Geschwister; tatsächlich wurden sie häufig für Bruder und Schwester gehalten. Doch als sie heranwuchsen, erkannten sämtliche Freunde um sie herum, dass er sich in sie verliebt hatte. Aber sie bemerkte seine Gefühle nie und bezeichnete ihn in all den Jahren immer nur als ›Freund‹.«

Clary starrte Hodge an. »Meinen Sie etwa Luke?«

»Ja«, sagte Hodge. »Lucian war immer davon ausgegangen, dass er und Jocelyn füreinander bestimmt seien. Und als sie dann Valentin kennen- und lieben lernte, war es für ihn unerträglich. Nach ihrer Hochzeit verließ Lucian den Kreis und verschwand – und ließ uns alle in dem Glauben, er sei gestorben.«

»Das hat er nie erzählt ... nie auch nur irgendetwas in der Art angedeutet«, meinte Clary. »In all den Jahren hätte er sie doch fragen können ...«

»Er kannte die Antwort bereits«, erwiderte Hodge und blickte hinauf zum regennassen Dachfenster. »Lucian hat noch nie zu der Sorte von Männern gehört, die sich selbst etwas vormachen. Nein, er gab sich damit zufrieden, in ihrer Nähe zu sein – vielleicht in der Hoffnung, dass sich ihre Gefühle im Laufe der Zeit ändern könnten.«

»Aber wenn er sie liebt, warum hat er diesen Männern dann erzählt, dass es ihm egal sei, was mit ihr passiert? Warum hat er sie daran gehindert, ihm zu sagen, wo sie sich befindet?«

»Wie ich schon sagte: Wo Liebe ist, da ist auch Hass«, erklärte Hodge. »Sie hat ihn damals furchtbar verletzt; sie hat ihm den Rücken zugekehrt. Und trotzdem hat er in all diesen Jahren immer das treue Schoßhündchen gespielt, ohne Klagen, ohne Vorwürfe und ohne ihr seine Gefühle zu offenbaren. Vielleicht hat er dies für eine günstige Gelegenheit gehalten, den Spieß umzudrehen – sie so zu verletzen, wie sie ihn verletzt hat.«

»Das würde Luke niemals tun.« Doch Clary erinnerte sich auch an den eisigen Ton in seiner Stimme, als er ihr geraten hatte, ihn nicht mehr anzurufen. Erneut sah sie den harten Ausdruck in seinen Augen, als er mit Valentins Männern gesprochen hatte. Das war nicht der Luke, den sie kannte, mit dem sie aufgewachsen war. Der alte Luke hätte ihre Mutter niemals dafür bestrafen wollen, dass sie ihn nicht ausreichend oder auf die richtige Art und Weise liebte. »Aber sie hat ihn geliebt«, dachte Clary laut, ohne es zu bemerken. »Nur auf eine andere Weise als er sie. Reicht das denn nicht?«

»Vielleicht war er anderer Ansicht.«

»Was passiert eigentlich, wenn wir den Kelch gefunden haben?«, fragte Clary. »Wie nehmen wir Kontakt zu Valentin auf, um ihm mitzuteilen, dass wir ihn haben?«

»Hugo wird ihn zu finden wissen.«

Der Regen klatschte gegen die Scheiben. Clary zitterte. »Ich hol nur schnell meine Jacke«, sagte sie und rutschte von der Fensterbank.

Sie fand ihre grün-rosa Kapuzenjacke auf dem Boden ihres Rucksacks. Als sie die herauszog, hörte sie etwas knistern. Es war das Foto, auf dem der Kreis, ihre Mutter und Valentin abgelichtet waren. Clary betrachtete die Aufnahme eine Weile und steckte sie dann wieder in ihren Rucksack.

Als sie in die Bibliothek zurückkehrte, hatten die anderen sich bereits um Hodge versammelt, der mit Hugo auf der Schulter an seinem Schreibtisch saß: Jace ganz in Schwarz, Isabelle mit ihren dämonentötenden Stiefeln und der goldenen Peitsche und Alec, der sich einen Köcher mit Pfeilen über die Schulter gehängt hatte und eine lederne Armschiene trug, die seinen rechten Arm vom Handgelenk bis zum Ellbogen schützte. Bis auf Hodge hatten alle frische Male aufgetragen – jeder Zentimeter nackter Haut war mit tintenschwarzen, verschlungenen Mustern versehen. Jace hatte seinen linken Ärmel aufgerollt und versuchte mit gerunzelter Stirn, das Kinn auf die Schulter gedrückt, ein achteckiges Mal in die Haut seines Oberarms zu ritzen.

Alec beobachtete ihn. »Du versaust es noch«, sagte er. »Lass mich mal.«

»Ich bin Linkshänder«, entgegnete Jace, aber seine Stimme klang mild und er gab Alec seine Stele. Alec wirkte erleichtert, als er sie entgegennahm – so als wäre er sich bis zu diesem Moment nicht sicher gewesen, dass Jace ihm sein Verhalten vom Morgen bereits verziehen hatte. »Das ist eine der grundlegenden *Iratzen*«, erläuterte Jace, während Alec seinen dunklen Schopf über Jace' Arm beugte und die Linien der Heilrune sorgfältig nachzog. Jace zuckte zusammen, als die Stele über seine Haut glitt; er kniff die Augen zu Schlitzen zusammen und ballte seine Hand zu einer Faust, bis die Muskeln seines linken Arms wie dicke Taue hervorstanden. »Beim Erzengel, Alec . . .«

»Ich versuche ja, vorsichtig zu sein«, erwiderte Alec. Er gab Jace' Arm frei und trat einen Schritt zurück, um sein Werk zu bewundern. »Fertig.«

Jace öffnete die Faust und senkte den Arm. »Danke.« Plötzlich schien er sich Clarys Nähe bewusst zu werden und musterte sie mit zusammengekniffenen Augen. »Clary.«

»Du siehst aus, als wärst du bereit«, meinte sie, während Alec errötete, ein Stück von Jace abrückte und geschäftig mit seinen Pfeilen hantierte.

»Stimmt. Hast du noch den Dolch, den ich dir gegeben habe?«, fragte Jace.

»Nein. Den hab ich doch im Hotel Dumort verloren, weißt du nicht mehr?«

»Ach ja, richtig.« Jace betrachtete sie zufrieden. »Damit hast du beinahe einen Werwolf getötet . . . ich erinnere mich.«

Isabelle, die am Fenster gestanden hatte, rollte mit den Augen. »Ich hätte fast vergessen, dass genau das zu den Dingen zählt, die dich richtig in Fahrt bringen, Jace: Mädchen, die böse Schattenwesen töten.«

»Ich mag jeden, der böse Schattenwesen tötet«, erwiderte er gleichmütig. »Besonders mich.«

Clary warf einen Blick auf die Uhr auf dem Schreibtisch. »Wir sollten runtergehen. Simon kann jeden Moment hier sein.«

Hodge erhob sich. Er wirkte sehr müde, dachte Clary, als hätte er seit Tagen nicht geschlafen.

»Möge der Erzengel euch alle beschützen«, sagte er und Hugo stieß sich mit einem lauten Krächzen von seiner Schulter ab, während die Uhr zwölf schlug.

Es regnete noch immer, als Simon den Transporter um die Straßenecke lenkte und zweimal hupte. Clarys Herz machte einen Sprung – tief in ihrem Inneren hatte sie befürchtet, er würde vielleicht nicht auftauchen.

Jace blinzelte durch den Regenvorhang. Die vier hatten sich unter einem steinernen Gesims untergestellt. »*Das* soll der Bus sein? Der sieht aus wie eine vergammelte Banane.«

Das ließ sich schwer leugnen: Eric hatte den Wagen neongelb lackiert und inzwischen war er mit Beulen und dunklen Rostflecken übersät. Simon hupte wieder. Clary konnte seine verschwommene Gestalt durch die nassen Scheiben erkennen. Sie seufzte und zog die Kapuze über den Kopf. »Also dann mal los.«

Sie stapften durch die schmutzigen Regenpfützen, die sich auf dem Bürgersteig gebildet hatten, wobei Isabelles riesige Stiefel bei jedem Schritt ein schmatzendes Geräusch machten. Simon ließ den Motor im Leerlauf laufen und kletterte nach hinten. Als er die Schiebetür an der Seite öffnete, kamen die Sitzbänke zum Vorschein, deren Polster ziemlich verschlissen waren. Bedrohlich spitze Sprungfedern bohrten sich durch die Löcher. Isabelle rümpfte die Nase. »Kann man sich da gefahrlos draufsetzen?«

»Das ist jedenfalls gefahrloser, als aufs Dach geschnallt zu werden, was deine Alternative wäre«, erwiderte Simon zuckersüß. Er ignorierte Clary und nickte Jace und Alec zu. »Hi.«

»Hi«, erwiderte Jace und hob die schwere Segeltasche hoch, in der sich ihre Waffen befanden. »Wo kann ich die verstauen?«

Simon deutete auf das Heck des Transporters, wo die Jungs normalerweise ihre Instrumente unterbrachten, während Alec und Isabelle einstiegen und sich auf die hintere Sitzbank hockten. »Erster vorne!«, rief Clary, als Jace die Tasche verstaut hatte und wieder an der Schiebetür vorbeikam.

Clary hatte so laut gerufen, dass Alec erschrocken zu seinem Bogen griff. »Was? Wer?«

»Sie meint, dass *sie* auf dem Beifahrersitz sitzen möchte«, erklärte Jace und schob sich eine feuchte Locke aus den Augen.

»Kein schlechter Bogen«, bemerkte Simon und nickte Alec mit dem Kopf zu.

Alec blinzelte. Regentropfen glitzerten auf seinen Wimpern. »Hast du Ahnung vom Bogenschießen?«, fragte er in einem Ton, der seine Zweifel kaum verbarg.

»Ich hatte im Ferienlager Kurse im Bogenschießen«, erwiderte Simon. »Und zwar sechs Jahre hintereinander.«

Drei seiner Fahrgäste starrten ihn ratlos an, während Clary Simon ein aufmunterndes Lächeln schenkte, das er jedoch ignorierte. Er blickte zu den tief hängenden Wolken hoch. »Wir sollten los, ehe es wieder zu gießen anfängt.«

Die vordere Sitzbank war mit leeren Chipstüten und Plätzchenresten übersät. Clary versuchte, die Krümel wegzufegen. Doch Simon legte den Gang ein und fuhr los, ehe sie fertig war, wodurch sie in ihren Sitz geschleudert wurde. »Au«, stieß sie missbilligend hervor.

»'tschuldigung«, murmelte er, schaute sie aber nicht an.

Clary hörte, wie die anderen sich auf der Rückbank leise unterhielten – vermutlich über Kampfstrategien und wie man einen Dämon enthauptet, ohne dabei Blut oder giftige Sekrete auf die neuen Lederstiefel zu spritzen. Obwohl der vordere Bereich des Transporters durch keine Glasscheibe vom Fond getrennt war, spürte Clary die unangenehme Stille zwischen ihr und Simon so deutlich, als wären sie allein im Wagen.

»Was hat es eigentlich mit dieser ›Hi‹-Geschichte auf sich?«, fragte sie, während Simon den Transporter auf den FDR Parkway steuerte, den Highway, der sich entlang des East River erstreckte.

»Was für eine ›Hi‹-Geschichte?«, erwiderte er und überholte haarscharf einen schwarzen Geländewagen, dessen Fahrer – ein elegant gekleideter Mann mit Mobiltelefon am Ohr – hinter den getönten Scheiben eine obszöne Geste machte.

»Na ja, dieses ›Hi‹, mit dem Jungs sich immer begrüßen. Als du eben Jace und Alec gesehen hast, hast du ›Hi‹ gesagt und sie haben dir das Gleiche geantwortet. Was ist verkehrt an ›Hallo‹?«

Clary glaubte, einen Muskel in seiner Wange zucken zu sehen. »›Hallo‹ ist mädchenhaft«, erklärte er. »Echte Männer sind kurz angebunden. Wortkarg.«

»Also je männlicher ein Mann ist, desto weniger sagt er?«

»Genau.« Simon nickte. Durch das Fenster auf seiner Seite konnte Clary den feuchten Nebel erkennen, der über dem East River lag und das Hafenviertel in einen grauen Schleier hüllte. Die Fluten schimmerten in der Farbe von dunklem Blei und besaßen weiße Schaumkronen. »Das ist auch der Grund, warum die ganz harten Typen in Filmen sich gegenseitig nicht begrüßen, sondern einander nur zunicken. Das Nicken bedeutet: ›Ich bin ein knallharter Typ und ich sehe, dass du auch einer bist.‹ Aber sie sagen nichts, weil sie Wolverine und Magneto sind und weil es ihren Auftritt versauen würde.«

»Ich hab keine Ahnung, wovon ihr redet«, rief Jace von der Rückbank.

»Gut«, sagte Clary und erhielt von Simon dafür den Hauch eines Lächelns, während er den Wagen über die Manhattan Bridge steuerte, in Richtung Brooklyn und Clarys Zuhause.

Als sie vor Clarys Haus eintrafen, hatte der Regen endlich aufgehört. Im Schein der Sonnenstrahlen lösten sich die letzten Nebelschwaden auf und die Pfützen auf dem Bürgersteig trockneten. Jace, Alec und Isabelle ließen Simon und Clary beim Transporter zurück, um die Umgebung nach – wie Jace sich ausdrückte – »Anzeichen für dämonische Aktivität« zu überprüfen.

Simon sah den drei Schattenjägern nach, die den von Rosenbüschen gesäumten Weg zum Haus entlanggingen. »Anzeichen für dämonische Aktivität? Haben die etwa ein Gerät, mit dem sich messen lässt, ob die Dämonen im Haus Power-Yoga betreiben?«

»Nein«, sagte Clary und schob ihre feuchte Kapuze so weit zurück, dass sie die Wärme des Sonnenlichts auf ihrem Haar spüren konnte. »Der Sensor zeigt ihnen, wie mächtig die Dämonen sind – falls überhaupt welche da sind.«

Simon sah beeindruckt aus. »Das ist mal *wirklich* praktisch.«

Sie wandte sich ihm zu. »Simon, wegen gestern Nacht . . .«

Er hob eine Hand. »Wir brauchen nicht darüber zu reden. Ehrlich gesagt wär mir das sogar lieber.«

»Dann lass mich dir nur eins sagen«, meinte sie schnell. »Als du sagtest, dass du mich liebst, habe ich dir nicht die Antwort gegeben, die du hören wolltest. Das weiß ich.«

»Stimmt. Ich hatte immer gehofft, wenn ich eines Tages ›Ich liebe dich‹ zu einem Mädchen sage, würde sie mit ›Ich weiß‹ antworten, so wie Prinzessin Leia zu Han Solo in *Rückkehr der Jedi-Ritter.*«

»Das ist so *kitschig*«, konnte Clary sich einfach nicht verkneifen.

Er starrte sie wütend an.

»Tut mir leid«, murmelte sie. »Schau mal, Simon, ich . . .«

»Nein«, unterbrach er sie. »Schau *du* mal, Clary. Schau mich an und versuche, mich wirklich zu sehen. Kriegst du das hin?«

Sie sah ihn an. Betrachtete seine dunklen Augen, die zum äußeren Rand der Iris hin heller wurden, die vertrauten, etwas ungleichen Augenbrauen, die langen Wimpern, das dunkle Haar, das zögernde Lächeln und die feingliedrigen, musikalischen Hände, die so zu Simon gehörten, wie er zu ihr gehörte. Hatte sie tatsächlich nicht gewusst, dass er sie liebte? Oder hatte sie einfach nicht gewusst, was sie hätte antworten sollen, wenn er ihr seine Liebe gestand?

Sie seufzte. »Zauberglanz lässt sich leicht durchschauen. Das kann man von Leuten nicht gerade behaupten.«

»Wir alle sehen, was wir sehen wollen«, sagte er leise.

»Jace nicht«, erwiderte sie unwillkürlich und musste an seinen klaren, unbestechlichen Blick denken.

»Für den gilt das mehr als für jeden anderen.«

Sie runzelte die Stirn. »Was willst du . . .«

»Alles okay«, unterbrach Jace' Stimme ihren Satz. Clary drehte sich hastig um. »Wir haben uns das ganze Haus angesehen – nichts. Niedrige Aktivität. Wahrscheinlich nur die Forsaken und selbst die dürften uns in Ruhe lassen, solange wir nicht versuchen, die obere Wohnung zu betreten.«

»Und wenn sie uns doch nicht in Ruhe lassen sollten«, sagte Isabelle mit einem Grinsen, so gefährlich wie ihre Peitsche, »werden wir ihnen einen höllischen Empfang bereiten.«

Alec zerrte die schwere Segeltasche von der Ladefläche des Transporters und ließ sie auf den Bürgersteig fallen. »Alles klar«, verkündete er. »Lasst uns ein paar Dämonen fertigmachen!«

Jace schaute ihn ein wenig irritiert an. »Alles okay mit dir?«

»Bestens.« Ohne Jace' Blick zu erwidern, legte Alec Bogen und Pfeile beiseite und griff nach einem Stab aus poliertem Holz, aus dem auf einen leichten Druck seiner Finger zwei funkelnde Klingen hervorschossen. »Der ist besser.«

Isabelle warf ihrem Bruder einen besorgten Blick zu. »Aber der Bogen . . .«

»Ich weiß, was ich tue, Isabelle«, schnitt Alec ihr das Wort ab.

Der Bogen lag auf dem Rücksitz, glänzte im Sonnenlicht. Simon griff danach, zog jedoch sofort seine Hand weg, als eine Gruppe junger Frauen mit Kinderwagen vorbeikam und lachend in Richtung des Parks ging. Sie schienen die drei schwer bewaffneten Teenager neben dem gelben Transporter überhaupt nicht zu bemerken. »Wieso kann ich euch alle sehen?«, fragte Simon. »Was ist mit eurem Unsichtbarkeitszauber passiert?«

»Du kannst uns sehen«, antwortete Jace, »weil du nun die Wahrheit dessen kennst, was du ansiehst.«

»Stimmt«, sagte Simon. »Ich schätze, das tue ich.«

Er sträubte sich ein wenig, als sie ihn aufforderten, beim Bus zu bleiben, aber Jace überzeugte ihn schließlich mit der Bemerkung, wie wichtig ein Fluchtfahrzeug sei, das abfahrbereit vor dem Haus auf sie wartete. »Sonnenlicht kann für Dämonen tödlich sein, macht aber den Forsaken nichts aus. Was ist, wenn sie uns jagen? Und was passiert, wenn man unser Auto dann *abgeschleppt* hat?«

Das Letzte, was Clary von Simon sah, als sie sich auf der Veranda noch einmal umdrehte, um ihm zuzuwinken, waren seine langen Beine – sie lagen auf dem Armaturenbrett, während er in aller Ruhe Erics CD-Sammlung durchsah. Sie seufzte erleichtert; wenigstens war Simon in Sicherheit.

Als sie das Haus betraten, traf der Gestank sie wie ein Schlag. Er war kaum zu beschreiben, wie eine Mischung aus verfaulten Eiern, madigem Fleisch und Algen, die an einem warmen Strand verrotten.

Isabelle rümpfte angeekelt die Nase und Alec wurde grün im Gesicht, doch Jace sah so aus, als schnupperte er ein kostbares Parfüm.

»Hier sind Dämonen gewesen«, verkündete er mit einem kalten Funkeln in den Augen. »Und zwar vor kurzer Zeit.«

Clary schaute ihn ängstlich an. »Aber sie sind nicht mehr da, oder?«

»Nein.« Er schüttelte den Kopf. »Der Sensor hätte es angezeigt. Trotzdem ist Vorsicht geboten.« Er deutete mit dem Kinn in Richtung von Madame Dorotheas Wohnungstür, die so sorgfältig verschlossen war, dass kein Lichtschimmer durch den Türspalt drang. »Sie dürfte einige unangenehme Fragen zu beantworten haben, wenn der Rat erfährt, dass sie Dämonen Unterschlupf gewährt hat.«

»Der Rat wird von der ganzen Aktion ohnehin nicht sehr erfreut sein«, meinte Isabelle. »Gut möglich, dass sie am Ende sogar weniger Ärger kriegt als wir.«

»Das alles wird den Rat nicht weiter interessieren, wenn wir ihm den Kelch zurückbringen.« Alec schaute sich um; seine blauen Augen streiften prüfend über das imposante Treppenhaus, die gewundene Treppe hinauf ins Obergeschoss, die Flecken an den Wänden. »Und wenn wir dabei auch gleich noch ein paar Forsaken töten.«

Jace schüttelte den Kopf. »Die sind in der oberen Wohnung. Ich schätze, dass sie uns in Ruhe lassen, solange wir nicht versuchen, da oben einen Fuß durch die Tür zu setzen.«

Isabelle blies sich eine klebrige Haarsträhne aus dem Gesicht und warf Clary einen düsteren Blick zu. »Worauf wartest du noch?«

Clary schaute unwillkürlich Jace an, der ihr kurz zulächelte. *Nur keine Angst,* sagten seine Augen.

Mit leisen, vorsichtigen Schritten ging sie durch das Treppenhaus auf Madame Dorotheas Wohnungstür zu. Durch das verschmutzte Oberlicht drang kein Licht, und da auch die Birne im Treppenhaus noch nicht ausgewechselt worden war, leuchtete nur Jace' Elbenlicht ihr den Weg. Die Luft war warm und stickig und vor ihr schienen die Schatten an den Wändern emporzuwuchern wie Nachtschattengewächse in einem Zauberwald. Sie hob die Hand und klopfte an – zunächst zögernd und leise und dann noch einmal und mit mehr Kraft. Als die Tür aufschwang, ergoss sich eine Woge von goldenem Licht ins Treppenhaus. Vor ihr stand Madame Dorothea, wuchtig und imposant in grünen und orangefarbenen Gewändern. Dieses Mal trug sie einen leuchtend gelben Turban, bestickt mit Zackenlitze, auf dem ein ausgestopfter Kanarienvogel thronte. Lüsterförmige Ohrringe baumelten zu beiden Seiten ihres Gesichts herab und ihre großen Füße waren nackt. Das überraschte Clary – sie hatte Madame Dorothea zuvor noch nie barfuß gesehen oder mit anderem Schuhwerk als ihren ausgeblichenen Pantoffeln.

Ihre Zehennägel waren in einem hellen, überraschend geschmackvollen Muschelrosa lackiert.

»Clary!«, rief sie und zog Clary in einer alles überwältigenden Umarmung an sich. Einen Augenblick kämpfte Clary dagegen an, weil sie in der Fülle von parfümiertem Fleisch, Samtgewändern und den Quasten von Madame Dorotheas Schal zu ersticken drohte. »Liebe Güte, Mädchen«, sagte die Hexe und schüttelte den Kopf, wobei ihre Ohrringe hin und her flogen wie Windspiele in einem Sturm. »Als ich dich das letzte Mal gesehen habe, bist du durch mein Portal verschwunden. Wo seid ihr damals gelandet?«

»In Williamsburg«, antwortete Clary, deren Atmung sich langsam wieder beruhigte.

Madame Dorothea zog die Augenbrauen hoch. »Und da sage noch einer, es gäbe keine brauchbaren öffentlichen Verkehrsmittel in Brooklyn.« Damit öffnete sie die Tür ganz und winkte auch die anderen herein.

Madame Dorotheas Wohnung schien sich seit Clarys letztem Besuch nicht verändert zu haben: Die Kristallkugel stand noch an ihrem Platz und auch die Tarotkarten lagen auf dem Tisch. Es juckte Clary in den Fingern, sie sich einfach zu greifen und nachzusehen, was unter ihren so sorgsam bemalten Oberflächen verborgen lag.

Madame Dorothea ließ sich seufzend in einen Sessel sinken und studierte die Schattenjäger mit einem Blick, der so glänzend und leblos wirkte wie die Perlenaugen des ausgestopften Vogels auf ihrem Turban. Duftkerzen brannten in kleinen Schalen auf beiden Seiten des Tisches, doch sie konnten den überwältigenden Gestank, der jeden Zentimeter des Hauses zu durchdringen schien, nicht vertreiben. »Ich nehme einmal an, dass du deine Mutter noch nicht gefunden hast?«, fragte sie.

Clary schüttelte den Kopf. »Nein. Aber ich weiß, wer sie entführt hat.«

Madame Dorotheas Augen zuckten von Clary zu Alec und Isabelle hinüber, die das Plakat mit der Erläuterung der Handlinien betrachteten. Jace, der seine Rolle als Bodyguard äußerst sorglos aufzufassen schien, lehnte lässig an einem Sessel. Offensichtlich beruhigt, dass keine ihrer Besitztümer zerstört wurden, richtete Madame Dorothea ihren Blick wieder auf Clary. »Und wer war es?«

»Valentin«, sagte Clary.

Madame Dorothea seufzte. »So etwas hatte ich befürchtet.« Sie ließ sich wieder in die Kissen zurückfallen. »Weißt du, was er mit ihr vorhat?«

»Ich weiß, dass sie mit ihm verheiratet war . . .«

»Enttäuschte Liebe«, brummte die Hexe. »Es gibt nichts Schlimmeres.«

Von Jace kam ein leises, fast unhörbares Geräusch – ein Lachen. Madame Dorothea spitzte die Ohren wie eine Katze. »Was ist daran so komisch, mein Junge?«

»Was verstehen Sie schon davon?«, fragte er. »Von Liebe, meine ich.«

Sanft faltete Madame Dorothea ihre weichen blassen Hände im Schoß. »Mehr, als du ahnst«, erwiderte sie. »Ich habe dir doch deine Teeblätter gelesen, Schattenjäger. Hast du dich schon in die falsche Person verliebt?«

»Unglücklicherweise gilt meine einzige und wahre Liebe nur mir selbst«, sagte Jace.

Madame Dorothea brüllte vor Lachen. »Dann musst du dir zumindest keine Sorgen machen, zurückgewiesen zu werden, Jace Wayland.«

»Nicht unbedingt. Ab und zu gebe ich mir selbst einen Korb, um das Ganze interessanter zu machen.«

Madame Dorothea begann, erneut zu lachen, doch Clary unterbrach sie. »Sicher fragen Sie sich, warum wir hier sind, Madame Dorothea.«

Das Lachen der Hexe ebbte ab und sie wischte sich die Tränen aus den Augen. »Bisher hatte ich angenommen«, fuhr sie fort, »dass du mir einen kleinen Höflichkeitsbesuch abstatten wolltest. Habe ich mich da etwa geirrt?«

»Ich habe leider nicht die Zeit für Höflichkeitsbesuche. Ich muss meiner Mutter helfen und dafür brauche ich etwas ganz Bestimmtes.«

»Und worum handelt es sich dabei?«

»Um etwas, das man den Kelch der Engel nennt«, sagte Clary, »und von dem Valentin annimmt, dass meine Mutter ihn versteckt hat. Darum hat er sie auch entführt.«

Madame Dorothea wirkte jetzt vollkommen verblüfft. »Der Engelskelch?«, fragte sie ungläubig. »Der Kelch des Raziel, in dem dieser das Blut der Engel mit dem Blut der Menschen mischte, diese Mixtur einem Mann zu trinken gab und so den ersten Schattenjäger erschuf?«

»Genau um den geht's«, meinte Jace trocken.

»Warum in aller Welt sollte Valentin glauben, dass sie ihn hat?«, fragte Madame Dorothea. »Ausgerechnet Jocelyn?« Noch ehe Clary antworten konnte, schien ihr eine Erkenntnis zu dämmern. »Natürlich – weil sie gar nicht Jocelyn Fray war«, fuhr sie fort. »Sondern Jocelyn Fairchild, seine Frau. Die Frau, die alle für tot gehalten haben. Sie nahm sich den Kelch und floh, richtig?«

Irgendetwas schien in den Augen der Hexe aufzuflackern, doch sie senkte ihre Lider so schnell, dass Clary glaubte, sich das Ganze nur eingebildet zu haben. »Und«, fragte Madame Dorothea, »weißt du, wie du weiter vorgehen willst? Wo immer sie den Kelch auch versteckt hat, er dürfte nicht leicht zu finden sein . . . falls du ihn überhaupt finden willst. Schließlich könnte Valentin schreckliche Dinge tun, wenn er den Kelch in die Hände bekommt.«

»Ich muss ihn finden«, sagte Clary. »Wir wollen . . .«

»Wir wissen, wo er ist«, schnitt Jace ihr schnell das Wort ab. »Nun geht es nur noch darum, ihn zurückzuholen.«

Madame Dorotheas Augen weiteten sich. »Und, wo steckt er?«

»Hier«, erwiderte Jace in einem so selbstgefälligen Ton, dass Isabelle und Alec ihre sorgfältige Durchsicht des Bücherregals unterbrachen und zu ihnen hinüberkamen.

»Hier? Willst du damit sagen, dass du ihn bei dir trägst?«

»Nicht ganz«, antwortete Jace, der die Situation auf fast schon abstoßende Art zu genießen schien. »Ich will damit sagen, dass *Sie* ihn haben.«

Madame Dorothea fiel der Mund zu. »Das ist nicht komisch«, sagte sie so spitz, dass Clary sich besorgt fragte, ob hier nicht irgendetwas furchtbar falsch lief. Warum musste Jace immer alles und jeden vor den Kopf stoßen?

»Sie haben ihn tatsächlich«, unterbrach Clary hastig, »aber nicht . . .«

Madame Dorothea erhob sich aus ihrem Sessel zu ihrer vollen, beeindruckenden Größe und schaute sie finster an. »Du machst einen großen Fehler«, sagte sie eisig. »Sowohl mit der Behauptung, dass ich den Kelch haben könnte, als auch mit der Dreistigkeit, mit der du mich eine Lügnerin nennst.«

Alecs Hand fuhr zu seinem Klingenstab. »Oh Mann«, murmelte er gepresst.

Verwirrt schüttelte Clary den Kopf. »Nein«, erwiderte sie schnell, »ich würde Sie nie eine Lügnerin nennen, ganz bestimmt nicht. Ich will damit nur sagen, dass der Kelch hier ist, aber *ohne dass Sie davon wussten.*«

Madame Dorothea starrte sie an. Ihre Augen, tief in den Falten ihres Gesichts verborgen, wirkten jetzt wie zwei harte Murmeln. »Das musst du mir erklären«, sagte sie.

»Meine Mutter muss den Kelch hier versteckt haben«, erläuterte Clary. »Und zwar schon vor Jahren. Sie hat es Ihnen nur nie erzählt, weil sie Sie nicht mit hineinziehen wollte.«

»Also gab sie Ihnen den Kelch«, ergänzte Jace, »getarnt in Form eines Geschenks.«

Madame Dorothea schaute ihn verständnislos an.

*Erinnert sie sich denn nicht mehr?,* dachte Clary verblüfft. »Das Tarotspiel«, sagte sie. »Die Karten, die sie für Sie gemalt hat.«

Der Blick der Hexe wanderte zu dem Kartenstapel, der in Seidenbänder eingeschlagen auf dem Tisch lag. »Die Karten?« Ihre Augen weiteten sich noch mehr, als Clary an den Tisch trat und den Stapel an sich nahm. In ihren Händen fühlten sich die Karten warm an, fast schon rutschig. Und zum ersten Mal spürte sie auch, wie die Kraft der Runen, die auf den Kartenrücken aufgemalt waren, durch ihre Fingerspitzen strömte. Sie fand das Ass der Kelche allein durch die Berührung ihrer Finger und zog es aus dem Stapel heraus. Die übrigen Karten legte sie wieder auf den Tisch.

»Hier ist er«, sagte sie.

Alle im Raum sahen sie an, erwartungsvoll, völlig regungslos. Langsam drehte sie die Karte um und betrachtete die künstlerische Arbeit ihrer Mutter: die schlanke gemalte Hand, deren Finger den goldenen Stiel des Engelskelchs hielten.

»Jace«, sagte Clary, »gib mir deine Stele.«

Er legte sie in ihre Hand, warm und beinahe lebendig. Sie drehte die Karte um und fuhr mit der Stele über die Runen, die auf ihrem Rücken aufgemalt waren – ein Schnörkel hier, eine Linie dort, und plötzlich bedeuteten sie etwas völlig anderes. Als Clary die Karte erneut umdrehte, hatte das Bild sich kaum merklich verändert: Die Finger hatten ihren Griff vom Stiel des Kelchs gelöst und schienen ihr den Kelch förmlich anzubieten, als ob sie sagen wollten: *Hier, nimm ihn*.

Sie ließ die Stele in ihre Tasche gleiten. Dann schob sie die Hand durch das kleine bemalte Rechteck der Karte, so mühelos, als handelte es sich um ein breites Fenster. Ihre Hand erfasste den Stiel des Kelchs und sie schloss ihre Finger darum. Als sie ihre Hand wieder zurückzog, den Kelch fest im Griff, war es ihr, als hörte sie einen winzigen Seufzer. Dann zerfiel die Karte, hohl und leer, zu Asche, die zwischen ihren Fingern auf den Teppich rieselte.

# 19
# ABBADON

Clary war sich nicht sicher, was sie erwartet hatte – Freudenschreie vielleicht oder zumindest ein wenig Applaus. Stattdessen herrschte absolutes Schweigen, das erst gebrochen wurde, als Jace sagte: »Irgendwie hatte ich angenommen, er wäre eindrucksvoller.«

Clary schaute auf den Kelch in ihrer Hand. Er wirkte kaum größer als ein ganz gewöhnliches Weinglas, war aber viel schwerer. Sie konnte spüren, dass eine Kraft in ihm pulsierte wie Blut, das durch Adern strömt. »Er ist absolut perfekt«, erwiderte sie entrüstet.

»Jaja, er ist schon ganz okay«, meinte Jace gönnerhaft, »aber irgendwie hatte ich gedacht, er würde . . . du weißt schon.« Mit den Händen beschrieb er eine Form von der Größe einer Hauskatze.

»Es ist der Kelch der Engel, nicht die Toilettenschüssel der Engel«, sagte Isabelle. »Sind wir hier fertig? Dann lasst uns abhauen.«

Madame Dorothea hatte den Kopf auf die Seite gelegt; ihre kleinen Augen glänzten fasziniert. »Er ist ja beschädigt!«, rief sie. »Wie konnte das passieren?«

»Beschädigt?« Verblüfft schaute Clary den Kelch an. Ihres Erachtens war er völlig in Ordnung.

»Hier«, sagte die Hexe, »ich zeige es dir.« Sie machte einen Schritt auf Clary zu und streckte ihre langen Finger mit den rot lackierten Nägeln nach dem Kelch aus. Unwillkürlich wich Clary zurück. Plötzlich stand Jace zwischen ihnen, die Hand am Griff seines Schwerts.

»Nichts für ungut«, sagte er ruhig, »aber außer uns fasst niemand den Kelch an.«

Dorothea schaute ihn einen Moment lang an und wieder wirkten ihre Augen seltsam leer. »Nur nichts überstürzen«, erwiderte sie. »Es würde Valentin gar nicht gefallen, wenn dem Kelch etwas zustieße.«

Mit einem leisen Sirren zuckte Jace' Schwert in die Höhe, bis seine Spitze genau unter Dorotheas Kinn schwebte. »Ich weiß nicht, wovon Sie reden«, sagte Jace mit festem Blick. »Aber wir werden jetzt gehen.«

Die Augen der alten Frau schimmerten. »Natürlich, Schattenjäger«, murmelte sie und wich in Richtung der Wand mit den Vorhängen zurück. »Möchtet ihr vielleicht das Portal benutzen?«

Die Spitze von Jace' Schwert schwankte leicht hin und her und verriet seine Verblüffung. Dann bemerkte Clary, wie sich seine Kiefer anspannten. »Nicht anfassen . . .«

Mit einem leisen Lachen riss Madame Dorothea blitzschnell die Vorhänge von der Wand. Sie fielen fast lautlos zu Boden. Das Portal, das sie verdeckt hatten, war offen.

Clary hörte, wie Alec hinter ihr überrascht die Luft einsog. »Was ist das?« Clary konnte nur einen kurzen Blick auf das werfen, was hinter der Tür lag – blutrote, dichte Wolken, aus denen schwarze Blitze zuckten, und eine grauenerregende dunkle Gestalt, die auf sie zustürmte –, als Jace auch schon brüllte: »Alle runter!« Damit ließ er sich auf den Boden fallen und riss Clary mit sich. Mit dem Bauch auf dem Teppich liegend, hob sie gerade rechtzeitig den Kopf, um mitzuerleben, wie das heranbrausende dunkle Etwas gegen Madame Dorothea prallte, die aufschrie und die Arme in die Höhe warf. Doch anstatt sie umzureißen, umhüllte das dunkle Ding die alte Hexe wie eine Wolke und durchdrang ihren Körper wie Tinte einen Bogen Löschpapier. Aus ihrem Rücken wuchs ein gigantischer Buckel und ihre ganze Gestalt wurde länger und länger, dehnte und reckte und verformte sich. Ein lautes Rasseln wie von fallenden Gegenständen ließ Clary zu Boden schauen: Dort lagen Dorotheas Armreifen, verbogen und zerbrochen. Dazwischen verstreut erblickte sie etwas, das an kleine weiße Steinchen erinnerte. Clary brauchte einen Moment, um zu begreifen, dass es sich in Wahrheit um Zähne handelte.

Neben ihr flüsterte Jace irgendetwas; es klang wie ein Ausruf des Unglaubens. Direkt neben ihm meinte Alec gepresst: »Aber du hattest doch gesagt, es gäbe kaum Anzeichen für dämonische Aktivität – angeblich waren die Spuren doch gering!«

»Waren sie auch«, knurrte Jace.

»Du musst unter gering etwas anderes verstehen als ich!«, rief Alec, während das Wesen, das einmal Madame Dorothea gewesen war, sich hin und her wand und aufheulte. Es schien immer weiter zu wachsen, bucklig und krumm und grotesk missgebildet ...

Clary riss sich von diesem Anblick los, als Jace aufstand und sie mit sich zog. Auch Isabelle und Alec kamen schwankend auf die Füße und griffen nach ihren Waffen. Die Peitsche in Isabelles Hand zitterte leicht.

»Raus hier!« Jace schob Clary in Richtung der Wohnungstür. Als sie über die Schulter einen Blick zurückwarf, sah sie nur ein wirbelndes, dichtes Grau, wie eine Unwetterfront, mit einer dunklen Gestalt im Zentrum ...

Die vier rannten hinaus ins Treppenhaus, Isabelle vorneweg. Sie stürzte auf die Eingangstür zu, zerrte daran und drehte sich mit angsterfülltem Gesicht um: »Sie lässt sich nicht öffnen. Muss ein Bann sein ...«

Jace fluchte und suchte fieberhaft in seinen Taschen. »Wo zum Teufel ist meine Stele ...?«

»Ich hab sie«, erinnerte sich Clary. Während sie in ihre Tasche griff, erfüllte ein Donnerschlag den Raum. Der Boden erbebte unter ihren Füßen und sie stolperte und wäre fast hingefallen, konnte sich jedoch gerade noch am Treppengeländer festhalten. Als sie aufschaute, klaffte ein riesiges Loch in der Wand, die das Treppenhaus von Madame Dorotheas Wohnung trennte. An den ausgefransten Rändern des Lochs hingen Holzsplitter und Stückchen von Gips und mitten hindurch kletterte, sickerte irgendetwas ...

»Alec!«, brüllte Jace. Alec stand genau vor dem Loch, leichenblass und wie versteinert vor Angst. Fluchend rannte Jace auf ihn zu, packte ihn und zerrte ihn genau in dem Moment weg, als das Wesen sich von den Resten der Wand löste und in das Treppenhaus vordrang.

Clary hörte, wie ihr Atem rasselte. Die gräuliche Haut der Kreatur war tropfnass und von Narben übersät. Überall stachen Knochen daraus hervor – keine lebendigen weißen Knochen, sondern Knochen, die so aussahen, als hätten sie tausend Jahre lang in der Erde gelegen, schwarz und geborsten und scheußlich. Statt Händen hatte die Kreatur Klauen aus Skelettknochen und ihre dürren Arme waren mit eitrigen schwarzen Geschwüren übersät, durch die man weitere vergilbte Knochen erkennen konnte. Auf dem Rumpf saß ein Totenkopf, mit tiefen Höhlen anstelle von Nase und Augen, und an den Gelenken und Schultern baumelten bunte Stofffetzen – die Reste von Madame Dorotheas Seidentüchern und Turban. Inzwischen war das Wesen gut drei Meter groß.

Aus leeren Augenhöhlen starrte es auf die vier Teenager hinab. »Gebt mir den Kelch der Engel«, forderte es mit einer Stimme wie eine heulende Windbö. »Gebt ihn mir und ich werde euch am Leben lassen.«

Voller Panik starrte Clary die anderen an. Isabelle sah aus, als hätte sie der Anblick der Kreatur wie ein Schlag in den Magen getroffen. Alec war vollkommen erstarrt. Nur Jace hatte sich – wie immer – bereits wieder gefangen: »Was bist du?«, fragte er mit fester Stimme, auch wenn er bestürzter wirkte, als Clary ihn je zuvor gesehen hatte.

Das Wesen neigte den Kopf. »Ich bin Abbadon. Ich bin der Herrscher des Abgrunds. Mein ist die ewige Leere zwischen den Welten. Mein ist der Wind und die unendliche Dunkelheit. Ich bin keines jener jämmerlichen Wesen, die ihr Dämonen nennt – so wenig, wie man einen Adler eine Fliege nennen könnte. Lasset alle Hoffnung fahren, mich besiegen zu können. Gebt mir den Kelch oder sterbt.«

Isabelles Peitsche zitterte. »Ein Dämonenfürst«, flüsterte sie. »Jace, wenn wir . . .«

»Was ist mit Madame Dorothea?«, fragte Clary mit schriller Stimme, noch ehe sie sich zurückhalten konnte. »Was ist mit ihr passiert?«

Der Dämon heftete seine leeren Augen auf sie. »Sie war nichts als eine Hülle«, dröhnte er. »Sie öffnete das Portal und ich ergriff Besitz von ihr. Ihr Tod kam schnell und schmerzlos.« Sein Blick wanderte zu dem Kelch in ihrer Hand. »Deiner wird es nicht sein.«

Im nächsten Moment bewegte er sich auf sie zu. Jace stellte sich ihm in den Weg, das glänzende Schwert in einer Hand, eine Seraphklinge in der anderen. Alec beobachtete ihn mit panischem Entsetzen in den Augen.

»Beim Erzengel«, sagte Jace und musterte den Dämon. »Ich wusste ja, dass Dämonenfürsten hässlich sind, aber niemand hat mich gewarnt, dass sie auch so stinken.«

Abbadon öffnete den Mund und fauchte. Im Inneren seiner Mundöffnung funkelten zwei Reihen gezackter, rasiermesserscharfer Zähne.

»Ich verstehe ja nicht viel von diesem ganzen Heulender-Wind-und-dräuende-Dunkelheit-Tamtam«, fuhr Jace fort, »aber für mich riecht das hier mehr nach Mülldeponie. Bist du sicher, dass du nicht von der auf Staten Island stammst?«

Der Dämon warf sich auf ihn. Blitzschnell riss Jace seine Klingen hoch und stieß sie dem Dämon tief in den fleischigsten Teil seines Körpers, kurz unterhalb der Brust. Die Kreatur heulte auf, schlug nach ihm und schleuderte ihn beiseite wie eine Katze eine Maus. Jace überschlug sich und kam wieder auf die Füße, doch an der Art, wie er sich seinen Arm hielt, sah Clary, dass er verletzt war.

Das war zu viel für Isabelle. Sie schnellte vorwärts und schlug mit ihrer Peitsche nach dem Dämon. Die gräuliche Haut riss auf und ein roter Striemen erschien, aus dem Blut tropfte. Doch Abbadon ignorierte sie und stampfte auf Jace zu.

Mit seiner unverletzten Hand zog Jace eine zweite Seraphklinge hervor. Er flüsterte etwas und die Klinge erwachte zum Leben, schimmernd und funkelnd. Er hob die Klinge genau in dem Moment, als der Dämon über ihm stand – verglichen mit ihm wirkte er fast schon lächerlich klein, wie ein Kind vor einem Riesen. Doch Jace grinste, selbst als der Dämon nach ihm griff. Mit einem Schrei schlug Isabelle erneut mit der Peitsche auf die Kreatur ein und ein Strahl von Blut ergoss sich auf den Boden . . .

Dann griff der Dämon an; seine rasiermesserscharfe Klaue schlug nach Jace. Jace stolperte rückwärts, blieb jedoch unverletzt. Irgendetwas hatte sich zwischen ihn und Abbadon geworfen, ein schlanker schwarzer Schatten mit einer schimmernden Klinge in der Hand. Alec. Der Dämon kreischte auf – Alecs Klingenstab hatte seine Haut durchbohrt. Schnaubend schlug er zurück; seine Knochenhand traf Alec mit solcher Wucht, dass dieser von den Füßen gehoben und gegen die gegenüberliegende Wand geschleudert wurde. Mit einem entsetzlichen Knirschen prallte er gegen das Mauerwerk und sank zu Boden.

Isabelle schrie den Namen ihres Bruders, doch der bewegte sich nicht. Sie ließ die Peitsche sinken und rannte auf ihn zu. Der Dämon drehte sich und traf sie mit einem Rückhandschlag, der sie zu Boden gehen ließ. Blut spuckend versuchte sie, wieder auf die Füße zu kommen, doch Abbadon traf sie erneut und dieses Mal blieb sie liegen.

Der Dämon bewegte sich nun auf Clary zu.

Jace blickte wie erstarrt hinüber zu Alecs zusammengesacktem Körper; er wirkte wie jemand, der nicht aus einem Albtraum erwachen kann. Clary schrie auf, als Abbadon immer näher kam. Bleich vor Entsetzen wich sie rückwärts die Treppe hinauf und stolperte fast über eine zerbrochene Treppenstufe. Die Stele brannte in ihrer Hand. Wenn sie nur eine Waffe hätte, irgendetwas . . .

Isabelle hatte sich mühsam wieder aufgesetzt, schob sich das blutige Haar aus dem Gesicht und schrie Jace irgendetwas zu. Clary hörte ihren eigenen Namen in Isabelles Schrei und sah, wie Jace sich plötzlich schüttelte, als ob er aus einem Traum erwachte. Dann drehte er sich blitzschnell um und lief auf sie zu. Inzwischen war der Dämon Clary so nahe, dass sie die schwarzen Geschwüre auf seiner Haut sehen konnte – irgendwelche Dinge krochen darin herum. Er griff nach ihr . . .

Aber Jace war zur Stelle und schlug Abbadons Klaue zur Seite. Dann schleuderte er die Seraphklinge auf den Dämon; sie blieb in seiner Brust stecken, nahe der Stelle, an der bereits die beiden anderen Klingen saßen. Doch der Dämon schnaubte nur kurz, als ob die Waffen ihm schlicht lästig wären.

»Schattenjäger«, knurrte er. »Es wird mir ein Vergnügen sein, dich zu töten. Ich will deine Knochen so bersten hören wie die deines Freundes . . .«

Jace sprang auf das Treppengeländer und warf sich von dort aus auf Abbadon. Die Wucht des Aufpralls ließ den Dämon rückwärtsstolpern; er taumelte, doch Jace klammerte sich an seinem Rücken fest, zog eine der Seraphklingen aus Abbadons Brust, wobei eine Fontäne von Eiter aufspritzte, und jagte die Klinge wieder und wieder in den Rücken des Dämons, bis dessen Schultern vor schwarzer Flüssigkeit glänzten.

Schnaubend wich Abbadon rückwärts zur Wand zurück: Jace musste abspringen oder er wäre zerquetscht worden. Er ließ sich zu Boden fallen, kam leichtfüßig auf die Beine und hob erneut die Klinge. Aber Abbadon war zu schnell für ihn; seine Klaue schoss nach vorn und presste Jace gegen die Treppe, wo er zu Boden sackte. Die Krallen des Dämons waren nur Millimeter von seiner Kehle entfernt.

»Sag ihr, sie soll mir den Kelch geben«, knurrte Abbadon. »Sag ihr, sie soll ihn mir geben, und ich werde sie am Leben lassen.«

Jace schluckte. »Clary . . .«

Doch Clary sollte nie erfahren, was er hatte sagen wollen, denn im selben Augenblick flog die Haustür auf. Einen Moment lang sah sie nur blendende Helligkeit und musste mehrmals blinzeln, um durch das feurige Nachglühen auf ihrer Netzhaut Simon erkennen zu können, der in der offenen Tür stand. Simon. Sie hatte ganz vergessen, dass er noch draußen war, hatte beinahe vergessen, dass er überhaupt existierte.

Er sah sie zusammengekrümmt auf der Treppe hocken; dann schoss sein Blick zu Abbadon und Jace. Blitzschnell griff er mit einer Hand rückwärts über seine Schulter. Sie erkannte, dass er in der anderen Hand Alecs Bogen hielt und dessen Köcher umgeschnallt hatte. Er zog einen Pfeil daraus hervor, legte ihn auf die Sehne und hob den Bogen mit gekonntem Schwung, so als ob er das schon Hunderte von Male getan hätte.

Der Pfeil schnellte von der Sehne. Mit einem wütenden Brummen, wie dem einer gewaltigen Hummel, schoss er über Abbadons Kopf hinweg in Richtung Dach ...

Und durchschlug das Oberlicht. Schmutzige Glassplitter regneten zu Boden und durch die zerbrochene Scheibe strömte Sonnenlicht hinein – breite goldene Lichtstrahlen, die wie Dolche hinabstießen und das Treppenhaus mit Licht durchfluteten.

Abbadon schrie auf, stolperte rückwärts und versuchte, seinen missgebildeten Kopf mit den Händen zu schützen. Jace legte eine Hand um seine unverletzte Kehle und starrte ungläubig auf den Dämon, der sich heulend auf dem Boden zusammenkrümmte. Einen Moment lang kam Clary der Gedanke, dass er eigentlich in Flammen aufgehen müsste, doch stattdessen begann er, immer stärker in sich zusammenzufallen. Seine Beine klappten in Richtung Rumpf, sein Totenschädel schrumpelte wie verkokelndes Papier und kaum eine Minute später war er vollkommen verschwunden und hinterließ nur ein paar Brandflecken.

Simon senkte den Bogen. Er blinzelte ein paar Mal und starrte mit offenem Mund auf die Flecken. Er sah genauso verblüfft aus, wie Clary sich fühlte.

Jace lag neben der Treppe, dort wo der Dämon ihn zu Boden geschleudert hatte. Mühsam setzte er sich auf, während Clary die Stufen hinuntereilte und neben ihm niederkniete. »Jace . . .«

»Mir geht es gut.« Er wischte sich Blut aus dem Mundwinkel, musste husten und spuckte roten Schleim aus. »Alec . . .«

»Deine Stele«, unterbrach sie ihn und griff in ihre Tasche. »Brauchst du sie, um dich selbst zu heilen?«

Er schaute sie an. Durch das zerbrochene Oberlicht fiel Sonnenlicht auf sein Gesicht und es hatte den Anschein, als versuchte er mit aller Kraft, irgendetwas zu unterdrücken. »Mir geht es gut«, wiederholte er und schob sie fast schon grob zur Seite. Dann stand er auf, taumelte und wäre beinahe gestürzt – das erste Mal, dass Clary an ihm eine unbeholfene Bewegung sah. »Alec?«

Clary schaute ihm nach, wie er durch das Treppenhaus auf seinen bewusstlosen Freund zuhumpelte. Sie ließ den Kelch der Engel in die Tasche ihrer Kapuzenjacke gleiten, zog den Reißverschluss zu und erhob sich ebenfalls. Isabelle war zu ihrem Bruder gekrochen, wiegte seinen Kopf in ihrem Schoß und strich ihm über das Haar. Alecs Brust hob und senkte sich – langsam zwar, doch er atmete. Simon lehnte an einer Wand, beobachtete die ganze Szene und wirkte völlig erschöpft. Im Vorbeigehen drückte Clary seine Hand. »Vielen Dank«, flüsterte sie. »Das war einfach unglaublich.«

»Dank nicht mir«, sagte er, »dank lieber dem Bogenschützen-Programm im B'nai-B'rith-Ferienlager.«

»Simon, ich wollte nicht . . .«

»Clary!«, rief Jace. »Ich brauch die Stele.«

Simon ließ sie widerstrebend gehen. Als sie neben den Schattenjägern niederkniete, spürte sie, wie der Kelch der Engel gegen ihre Hüfte schlug. Alecs Gesicht war leichenblass und blutbespritzt, die Augen unnatürlich blau. Seine Hände hinterließen eine blutige Spur auf Jace' Handgelenken. »Habe ich . . .«, setzte er an und schien dann Clary zum ersten Mal richtig wahrzunehmen. In seinem Blick lag etwas, das sie nicht erwartet hatte – Triumph. »Habe ich ihn umgebracht?«

Jace verzog gequält das Gesicht. »Du . . .«

»Ja«, antwortete Clary. »Er ist tot.«

Alec schaute sie an und lachte. Blutiger Schaum bildete sich in seinem Mundwinkel. Jace befreite seine Handgelenke aus Alecs Griff und berührte mit den Fingern sein Gesicht. »Nicht«, sagte er. »Halt still, halt einfach still, okay?«

Alec schloss die Augen. »Tu, was du tun musst«, flüsterte er.

Isabelle hielt Jace ihre Stele hin. »Hier.«

Er nickte und führte die Spitze der Stele von oben nach unten über Alecs Hemdbrust. Der Stoff fiel auseinander, als ob er ihn mit einem Messer zerschnitten hätte. Isabelle beobachtete mit verzweifeltem Blick, wie er das Hemd gänzlich aufriss und Alecs Brust freilegte. Seine Haut war sehr blass und an einigen Stellen mit alten, schimmernden Narben bedeckt. Daneben konnte man noch andere Verletzungen erkennen: ein rasch dunkler werdendes Netz von Klauenspuren, aus denen rotes Blut sickerte. Konzentriert fuhr Jace mit der Stele über Alecs Haut, bewegte sie mit geschmeidigen, hundertfach geübten Bewegungen hin und her. Doch irgendetwas war anders als sonst: Noch während er die Heilrunen zeichnete, verschwanden sie so schnell, als hätte er sie auf eine Wasseroberfläche gekritzelt.

Jace schleuderte die Stele zur Seite. »Verdammt!«

»Was ist los?«, fragte Isabelle mit schriller Stimme.

»Er hat ihn mit seinen Klauen erwischt«, sagte Jace. »Alec hat Dämonengift in den Adern. Die Male helfen nicht.« Erneut berührte er sanft Alecs Gesicht. »Alec«, sagte er, »hörst du mich?«

Alec bewegte sich nicht; die Schatten unter seinen Augen waren so dunkel, dass sie wie Blutergüsse aussahen. Wenn er nicht geatmet hätte, hätte Clary ihn für tot gehalten.

Isabelle ließ den Kopf sinken; ihre Haare bedeckten Alecs Gesicht. »Vielleicht«, flüsterte sie, »können wir . . .«

»Ihn ins Krankenhaus bringen.« Simon stand über ihnen, den Bogen locker in einer Hand. »Ich helfe euch, ihn in den Transporter zu tragen. Unten auf der Seventh Avenue ist das Methodist . . .«

»Kein Krankenhaus«, sagte Isabelle. »Wir müssen ihn ins Institut schaffen.«

»Aber . . .«

»Die Leute im Krankenhaus werden nicht wissen, wie sie ihn behandeln sollen«, erklärte Jace. »Er ist von einem Dämonenfürsten verwundet worden. Kein irdischer Arzt könnte diese Wunden heilen.«

Simon nickte. »Verstehe. Wir bringen ihn zum Auto.«

Sie hatten Glück – der Bus war nicht abgeschleppt worden. Isabelle drapierte eine schmutzige Decke über den Rücksitz; dann legten sie Alec so darauf, dass sein Kopf in Isabelles Schoß ruhte. Jace hockte sich auf den Boden neben seinen Freund. Sein Hemd war an den Ärmeln und auf der Brust dunkel vor Blut, das teils von dem Dämon, teils von ihm selbst stammte. Als er Simon anschaute, sah Clary, dass der goldene Schimmer aus seinen Augen verschwunden war und etwas anderem Platz gemacht hatte – Panik.

»Fahr schnell, Irdischer«, stieß er hervor. »Fahr, als ob der Teufel dir auf den Fersen wäre.«

Und Simon raste los.

Sie jagten schwankend durch Flatbush und rasten über die Brücke, so schnell wie der Zug, der neben ihnen über das blaue Wasser donnerte.

Das helle Sonnenlicht ließ Lichtreflexe auf der Wasseroberfläche aufblitzen und schmerzte Clary in den Augen. Sie klammerte sich am Sitz fest, während Simon mit fünfundsiebzig Stundenkilometern die Kurve der Brückenabfahrt nahm. Sie musste an die schrecklichen Dinge denken, die sie zu Alec gesagt hatte, daran, wie er sich auf Abbadon gestürzt hatte, und an den triumphalen Ausdruck auf seinem Gesicht. Dann drehte sie den Kopf und schaute sich zu Jace um, der neben seinem Freund kniete, während Blut durch die Decke unter Alec sickerte. Sie dachte an den kleinen Jungen mit dem toten Falken. *Lieben heißt zerstören.*

Als Clary sich wieder umwandte, spürte sie einen Kloß tief in der Kehle. Im Rückspiegel, der in einem seltsamen Winkel herabhing, konnte sie Isabelle sehen, die die Decke über Alec zurechtzog. Sie schaute auf und bemerkte Clarys Blick. »Wie lange noch?«

»Vielleicht zehn Minuten. Simon fährt, so schnell er kann.«

»Ich weiß«, sagte Isabelle. »Simon, was du da eben getan hast, war unglaublich. Du hast blitzschnell reagiert. Ich hätte nie gedacht, ein Irdischer könnte auf so eine Idee kommen.«

Simon schien das Lob aus dieser für ihn unerwarteten Richtung kaltzulassen; seine Augen blieben auf die Straße gerichtet. »Das Oberlicht zu zerschießen, meinst du? Der Gedanke kam mir schon, als ihr ins Haus gegangen seid. Ich musste an das Oberlicht denken und daran, dass du gesagt hattest, Dämonen könnten kein direktes Sonnenlicht ertragen. Im Grunde habe ich also eine ganze Weile gebraucht, um auf die Idee zu kommen. Und mach dir keine Vorwürfe«, fügte er hinzu, »ohne von der Existenz des Oberlichts zu wissen, hätte man es niemals entdecken können.«

*Ich wusste, dass es da war,* dachte Clary. *Ich hätte reagieren müssen. Obwohl ich keinen Pfeil und Bogen hatte wie Simon, hätte ich etwas dagegenwerfen oder Jace davon erzählen können.* Sie kam sich dumm, nutzlos und unfähig vor, als hätte sie lauter Watte im Kopf. Tatsächlich war sie verängstigt gewesen – zu verängstigt, um einen klaren Gedanken zu fassen. Eine Woge der Scham durchflutete sie und brandete heiß gegen ihre geschlossenen Augenlider.

»Das war richtig gut«, mischte Jace sich ein.

Simon kniff die Augen leicht zusammen. »Falls es dir nichts ausmacht, beantworte mir eine Frage: Wo kam das Ding, der Dämon, her?«

»Es war Madame Dorothea«, sagte Clary. »Ich meine, irgendwie war sie es.«

»Die Gute war ja nie ein Supermodel, aber ich kann mich nicht daran erinnern, dass sie je dermaßen mies ausgesehen hätte.«

»Ich glaube, sie war besessen«, erwiderte Clary langsam, im Versuch, eine Erklärung für die Ereignisse zu finden. »Sie wollte, dass ich ihr den Kelch gebe. Und dann hat sie das Portal geöffnet . . .«

»Das war ziemlich clever«, meinte Jace. »Der Dämon ergriff von ihr Besitz und verbarg dann den Großteil seiner ätherischen Form kurz hinter dem Portal, wo ihn der Sensor nicht aufspüren konnte. Also gingen wir rein, erwarteten bestenfalls ein paar Forsaken und stießen stattdessen auf einen Dämonenfürsten. Abbadon – einer der Alten. Der Herrscher des Abgrundes.«

»Sieht so aus, als müsste der Abgrund von jetzt an ohne ihn auskommen«, meinte Simon und wandte seine Aufmerksamkeit wieder der Straße zu.

»Abbadon ist nicht tot«, erklärte Isabelle. »Kaum jemandem ist es je gelungen, einen Dämonenfürsten zu töten. Man muss sie in ihrer irdischen und ihrer ätherischen Form töten, damit sie wirklich sterben. Wir haben ihn nur verjagt.«

»Ach so.« Simon wirkte enttäuscht. »Und was ist mit Madame Dorothea? Wird sie wieder in Ordnung kommen, jetzt da . . .«

Er unterbrach sich, weil Alec zu husten begonnen hatte; bei jedem Atemzug kam ein Pfeifen aus seiner Brust. Jace fluchte leise, von tödlichem Ernst erfüllt. »Warum sind wir noch nicht da?«

»Wir sind gerade angekommen. Ich will nur nicht gegen die Wand knallen.« Während Simon den Bus vorsichtig an der Ecke ausrollen ließ, sah Clary, dass die Tür des Instituts offen stand und Hodge sie im Eingang erwartete.

Sobald der Wagen stand, sprang Jace hinaus und hob Alec so mühelos vom Rücksitz, als ob er ein kleines Kind auf den Arm nehmen würde. Isabelle folgte ihm den Weg zum Institut hinauf, den blutigen Klingenstab ihres Bruders in den Händen. Dann schlug die Tür des Instituts hinter ihnen zu.

Von einer Welle der Müdigkeit erfasst, schaute Clary Simon an. »Tut mir leid, aber ich hab keine Ahnung, wie wir Eric das ganze Blut erklären sollen.«

»Scheiß auf Eric«, sagte er mit Inbrunst. »Geht es dir gut?«

»Ich hab nicht mal 'nen Kratzer. Alle anderen wurden verletzt, nur ich hab nichts abbekommen.«

»Das ist ihre Aufgabe, Clary«, meinte Simon sanft. »Sie wurden dazu ausgebildet, Dämonen zu bekämpfen – du nicht.«

»Aber was ist dann meine Aufgabe, Simon?«, fragte sie und suchte in seinem Gesicht nach einer Antwort.

»Tja ... du hast den Kelch gefunden«, sagte er. »Oder etwa nicht?«

Sie nickte und klopfte auf ihre Tasche. »Doch.«

Er wirkte erleichtert. »Ich habe mich beinahe nicht zu fragen getraut. Das ist doch gut, oder?«

»Und ob«, sagte sie. Sie musste an ihre Mutter denken und ihre Hand schloss sich um den Kelch. »Und ob es das ist.«

Church erwartete sie am Ende der Treppe, maunzend wie ein Nebelhorn, und führte sie zur Krankenstation. Durch die geöffneten Doppeltüren sah sie Alecs Körper reglos auf einem der weißen Betten liegen. Hodge stand über ihn gebeugt; neben ihm hielt Isabelle ein silbernes Tablett in den Händen.

Jace war nicht bei ihnen. Er lehnte vor der Krankenstation an der Wand, die blutigen Hände zu Fäusten geballt. Als Clary zu ihm trat, öffneten sich seine Lider ruckartig und sie sah, dass alles Gold aus seinen großen Pupillen verschwunden war; stattdessen wirkten sie nun tiefschwarz. »Wie geht es ihm?«, fragte sie, so sanft wie möglich.

»Er hat viel Blut verloren. Vergiftungen durch Dämonen sind nichts Ungewöhnliches, aber da es ein Dämonenfürst war, ist Hodge sich nicht sicher, ob seine üblichen Gegenmittel auch wirken werden.«

Sie streckte ihre Hand aus, um seinen Arm zu berühren. »Jace ...«

Er zuckte zurück. »Nicht.«

»Ich habe nie gewollt, dass Alec irgendwas passiert. Es tut mir so leid«, murmelte sie leise.

Er schaute sie an, als sähe er sie zum ersten Mal. »Es ist nicht deine Schuld«, erwiderte er. »Es ist meine.«

»Deine? Nein, Jace, das stimmt nicht . . .«

»Oh doch«, sagte er mit einer Stimme, so dünn und zerbrechlich wie ein Eissplitter. *»Mea culpa, mea maxima culpa.«*

»Was bedeutet das?«

»Meine Schuld, meine übergroße Schuld. Es ist Latein.« Geistesabwesend strich er ihr eine Haarlocke aus der Stirn. »Ein Teil der Liturgie.«

»Ich dachte, du glaubst nicht an Religion.«

»Ich glaube zwar nicht an die Sünde«, sagte er, »aber ich empfinde Schuld. Wir Schattenjäger leben nach einem Verhaltenskodex und dieser Kodex ist eindeutig. Begriffe wie Ehre, Schuld und Buße sind für uns keine hohlen Phrasen; allerdings haben sie nichts mit Religion zu tun, sondern ausschließlich damit, wer und was wir sind. So bin ich nun mal, Clary«, fuhr er verzweifelt fort. »Ich gehöre dem Rat an. Es steckt in meinen Genen, in meinem Blut. Wenn du dir also so sicher bist, dass es nicht mein Fehler war, dann sag mir eines: Woher kommt es, dass ich im ersten Moment, als ich Abbadon sah, nicht an meine Mitkämpfer gedacht habe, sondern an dich?« Er hob die andere Hand und hielt ihr Gesicht zwischen seinen Handflächen fest. »Ich weiß . . . ich wusste . . . dass Alec nicht wie er selbst handelte. Ich wusste, dass etwas nicht in Ordnung war. Doch stattdessen habe ich nur an dich gedacht . . .«

Er ließ den Kopf sinken, bis seine Stirn die ihre berührte. Clary konnte spüren, wie sein Atem ihre Wimpern erbeben ließ. Sie schloss die Augen, gab sich ganz dem Gefühl seiner Nähe hin. »Wenn Alec stirbt, wird es so sein, als ob ich ihn getötet hätte«, murmelte Jace. »Ich habe meinen Vater sterben lassen und jetzt habe ich den einzigen Bruder umgebracht, den ich je hatte.«

»Das stimmt nicht«, flüsterte sie.

»Doch.« Sie standen so dicht beieinander, dass er sie hätte küssen können. Und noch immer hielt er sie so fest, als ob nichts ihn davon überzeugen könnte, dass sie real war. »Clary«, sagte er, »was passiert mit mir?«

Sie suchte verzweifelt nach einer Antwort – und hörte plötzlich, wie jemand sich räusperte. Als sie die Augen öffnete, stand Hodge in der Tür der Krankenstation; sein ehemals makelloser Tweedanzug war mit Flecken übersät. »Ich habe getan, was ich konnte. Er hat Beruhigungsmittel bekommen und ist schmerzfrei, aber . . .« Er schüttelte den Kopf. »Ich muss die Stillen Brüder informieren. Das hier geht über meine Fähigkeiten hinaus.«

Jace ließ Clary langsam los. »Wie lange wird es dauern, bis sie hier sind?«

»Keine Ahnung.« Kopfschüttelnd ging Hodge den Korridor entlang. »Ich werde Hugo sofort losschicken, aber letztlich entscheiden die Brüder selbst, wann sie sich der Sache annehmen.«

»Aber in einem Fall wie diesem . . .« Selbst Jace hatte Mühe, mit Hodges langen Schritten mitzuhalten; Clary war inzwischen einige Meter hinter den beiden zurückgeblieben und verstand ihre Worte nur noch bruchstückhaft. »Er könnte sonst sterben.«

»Das wäre möglich«, erwiderte Hodge knapp.

Die Bibliothek war dunkel und roch nach Regen: Eines der Fenster stand offen und unter den Vorhängen hatte sich eine Wasserpfütze gebildet. Hugo krächzte und hüpfte auf seiner Stange auf und ab, während Hodge zu ihm hinüberging und auf dem Weg die Lampe auf seinem Schreibtisch einschaltete. »Ein Jammer«, sagte Hodge und griff nach Papier und Füllfederhalter, »dass ihr den Kelch nicht gefunden habt. Ich bin mir sicher, für Alec und gewiss auch für seine Familie wäre es ein großer Trost gewesen, wenn . . .«

»Aber wir haben den Kelch«, rief Clary verwirrt. »Hast du es ihm denn nicht erzählt, Jace?«

Jace blinzelte, wobei Clary nicht sagen konnte, ob das an seiner eigenen Verblüffung oder der plötzlichen Helligkeit im Raum lag. »Dafür war noch gar keine Zeit . . . ich habe erst Alec nach oben gebracht . . .«

Hodge stand plötzlich stocksteif da; die Spitze des Füllers verharrte bewegungslos auf dem Papier. »Ihr habt den Kelch?«

»Ja.« Clary holte den Kelch aus ihrer Tasche: Er fühlte sich immer noch kalt an, als ob der Kontakt mit ihrer Haut das Metall nicht erwärmen konnte. Die Rubine glitzerten wie rote Augen. »Hier ist er.«

Der Füller glitt Hodge aus den Fingern, rollte über den Tisch und fiel neben seinen Füßen zu Boden. Das aufwärtsscheinende Licht der Lampe ließ sein zerfurchtes Gesicht plötzlich noch härter, sorgenvoller und verzweifelter wirken als je zuvor. »Das da ist der Engelskelch?«

»Genau der«, sagte Jace. »Er war . . .«

»Das spielt jetzt keine Rolle«, unterbrach Hodge ihn. Er kam hinter dem Schreibtisch hervor, ging hinüber zu Jace und fasste seinen Schüler bei den Schultern. »Jace Wayland, weißt du, was du getan hast?«

Überrascht blickte Jace zu Hodge auf. Clary fiel auf, wie unterschiedlich beide aussahen: hier das zerfurchte, narbige Antlitz des älteren Mannes, dort das faltenlose Gesicht des Jungen – wobei die hellen Haarsträhnen, die Jace in die Augen fielen, ihn noch jünger aussehen ließen, als er tatsächlich war. »Ich weiß nicht, was du meinst«, erwiderte Jace.

Hodges Atem kam zischend durch seine zusammengebissenen Zähne. »Du erinnerst mich so an ihn.«

»An wen?«, fragte Jace erstaunt. Ganz offensichtlich hatte Hodge noch nie zuvor so mit ihm gesprochen.

»An deinen Vater«, sagte Hodge und richtete seinen Blick nach oben, wo Hugo mit trägen Flügelschlägen über ihnen schwebte.

Hodges Augen verengten sich zu Schlitzen. *»Hugin«,* rief er und mit einem unheimlichen Krächzen stürzte sich der Vogel, die Krallen vorgereckt, auf Clarys Gesicht.

Clary hörte Jace rufen und im nächsten Moment war sie umgeben von flatternden Flügeln, spitzen Krallen und einem Schnabel, der unbarmherzig zustieß. Ein brennender Schmerz breitete sich auf ihrer Wange aus und sie schrie und schlug instinktiv die Hände vors Gesicht.

Sie spürte, wie der Kelch der Engel ihren Fingern entrissen wurde. »Nein!«, schrie sie und versuchte, danach zu greifen. Doch ein quälender Stich fuhr ihr durch den Arm. Ihre Beine schienen unter ihr weggezogen zu werden, sie verlor das Gleichgewicht und fiel mit den Knien hart auf den Holzboden. Spitze Klauen krallten sich in ihrer Stirn fest.

»Das reicht, Hugo«, befahl Hodge ruhig.

Gehorsam gab der Vogel Clary frei. Würgend blinzelte sie durch einen Schleier von Blutstropfen. Ihr Gesicht fühlte sich an, als sei es zerfetzt.

Hodge hatte sich nicht von der Stelle bewegt und hielt den Kelch der Engel in der Hand. Hugo umkreiste ihn aufgeregt und krächzte leise. Und Jace . . . Jace lag vor Hodge auf dem Boden, vollkommen reglos, als sei er plötzlich eingeschlafen.

»Jace!«, schrie Clary. Jeder andere Gedanke war wie weggefegt. Sprechen tat weh; der Schmerz in ihrer Wange traf sie wie ein Peitschenhieb und sie schmeckte Blut in ihrem Mund. Jace bewegte sich nicht.

»Er ist nicht verletzt«, sagte Hodge. Clary rappelte sich auf und wollte sich auf ihn stürzen, wurde jedoch von einer verborgenen Barriere, so hart und stark wie Glas, daran gehindert. Rasend vor Wut, schlug sie mit der Faust gegen die unsichtbare Mauer.

»Hodge!«, schrie sie und trat mit voller Wucht zu, wobei sie sich fast den Fuß verstauchte. »Machen Sie keinen Quatsch. Wenn der Rat herausfindet, was Sie getan haben . . .«

»Bin ich längst über alle Berge«, erwiderte er und beugte sich über Jace.

»Aber . . .« Die Erkenntnis durchzuckte sie wie ein Stromschlag. »Sie haben dem Rat überhaupt nicht geschrieben, richtig? Deswegen haben Sie auch so merkwürdig reagiert, als ich Sie danach gefragt hab. Sie wollten den Kelch für sich.«

»Nein«, entgegnete Hodge, »nicht für mich.«

Clarys Kehle war staubtrocken. »Sie arbeiten für Valentin«, flüsterte sie.

»Nein, ich arbeite nicht für Valentin«, sagte Hodge. Er hob Jace' Hand und zog etwas von seinem Finger. Es war der Ring mit der Gravur, den Jace immer trug. Hodge schob ihn sich auf einen seiner Finger. »Aber es stimmt – ich bin einer von Valentins Gefolgsleuten.«

Mit einer raschen Bewegung drehte er den Ring dreimal um seinen Finger. Einen kurzen Moment lang geschah gar nichts, doch dann hörte Clary das Geräusch einer sich öffnenden Tür und wirbelte instinktiv herum, um nachzusehen, wer die Bibliothek betrat. Als sie sich wieder umdrehte, erkannte sie, dass die Luft neben Hodge flimmerte wie die Oberfläche eines weit entfernten Sees. Im nächsten Moment teilte sich die schimmernde Luftsäule wie ein silberner Vorhang und plötzlich stand ein groß gewachsener Mann neben Hodge, als hätte er sich aus der feuchten Luft materialisiert.

»Starkweather«, sagte er. »Hast du den Kelch?«

Hodge hob den Kelch hoch, schwieg allerdings. Er schien wie gelähmt – ob aus Furcht oder Verwunderung, vermochte Clary nicht zu sagen. Er war ihr stets als ein großer Mann erschienen, doch im Vergleich zu seinem Besucher wirkte er klein und gebückt. »Valentin«, stammelte er schließlich. »Ich hatte dich nicht so schnell erwartet.«

Valentin. Trotz seiner dunklen Augen besaß er nur noch wenig Ähnlichkeit mit dem gut aussehenden Jungen auf dem Foto, dachte Clary. Sein Gesicht sah völlig anders aus, als sie erwartet hatte: Er wirkte beherrscht, verschlossen, in sich gekehrt – die Züge eines Priesters, mit sorgenvollen Augen. Unter den schwarzen Ärmeln seines maßgeschneiderten Anzugs ragten tiefe weiße Narben hervor, die vom jahrelangen Gebrauch der Stele zeugten. »Ich hatte dir doch gesagt, dass ich durch ein Portal zu dir kommen würde«, erwiderte er. Seine volltönende Stimme klang seltsam vertraut. »Hast du mir etwa nicht geglaubt?«

»Doch. Ich dachte nur . . . du würdest Pangborn oder Blackwell schicken, statt selbst zu kommen.«

»Glaubst du ernsthaft, ich würde sie entsenden, um den Kelch zu holen? Ich bin kein Narr. Ich weiß, was für eine Verlockung er darstellt.« Valentin streckte eine Hand aus und Clary sah, dass an seinem Finger ein Ring glänzte – das Gegenstück zu Jace' Ring. »Gib mir den Kelch.«

Doch Hodge rührte sich nicht. »Zuerst gib mir das, was du mir versprochen hast.«

»Du traust mir nicht, Starkweather?« Valentin lächelte amüsiert. »Ich werde meinen Teil der Abmachung halten. Geschäft ist schließlich Geschäft. Obwohl ich allerdings sagen muss, dass ich überrascht war, als ich deine Nachricht erhielt. Ich hätte nicht gedacht, dass dir ein Leben in innerer Einkehr – um es mal so zu formulieren – missfallen würde. Du warst schließlich nie ein Freund von Krieg und Schlachtengetümmel.«

»Du weißt nicht, wie das ist«, erwiderte Hodge zischend. »Ständig in Angst und Schrecken leben zu müssen . . .«

»Das ist wohl wahr – das weiß ich nicht.« Valentins Stimme war so betrübt wie der Ausdruck in seinen Augen, als hätte er Mitleid mit Hodge. Doch in seinem Blick lag auch Verachtung. »Wenn du nicht vorhast, mir den Kelch zu geben, hättest du mich nicht rufen sollen«, tadelte er.

Hodges Kiefer zuckte. »Es ist nicht einfach, das zu verraten, woran man glaubt – diejenigen zu hintergehen, die einem vertrauen.«

»Meinst du die Lightwoods oder ihre Kinder?«

»Beide«, sagte Hodge.

»Ah, die Lightwoods.« Valentin streckte die Hand aus und strich über den Messingglobus auf dem Schreibtisch; seine langen Finger zeichneten die Umrisse von Kontinenten und Ozeanen nach. »Aber was schuldest du ihnen eigentlich? Dir wurde die Strafe zuteil, welche die Lightwoods verdient hatten. Hätten sie nicht Beziehungen in die höchsten Kreise des Rats gehabt, wären sie mit dir zusammen verflucht worden. Doch sie kommen und gehen, wie es ihnen gefällt; sie spazieren unter der Sonne wie alle anderen. Und sie können jederzeit nach Hause.« Er betonte den Ausdruck »nach Hause«, legte sämtliche Gefühle hinein, die diese Worte weckten. Sein Finger verharrte reglos auf dem Globus. Clary war sich sicher, dass er die Stelle berührte, an der Idris lag.

Hodge schaute betreten zur Seite. »Sie haben nur das getan, was jeder andere auch getan hätte.«

»Einen Freund an seiner statt leiden zu lassen? Du hättest so was nicht getan. Und ich hätte es auch nicht getan. Es muss dich doch mit Bitterkeit erfüllen, Starkweather, dass sie dich so einfach deinem Schicksal überließen . . .«

Hodges Schultern bebten. »Aber die Kinder tragen keine Schuld. Sie haben nichts getan . . .«

»Ich wusste gar nicht, dass du so ein großer Freund von Kindern bist, Starkweather«, bemerkte Valentin, als amüsiere ihn der Gedanke.

Hodges Atem ging rasselnd. »Jace . . .«

»Kein Wort über Jace.« Zum ersten Mal klang Valentin wütend. Er betrachtete die reglose Gestalt auf dem Boden. »Er blutet«, stellte er fest. »Warum?«

Hodge presste den Kelch an seine Brust; seine Fingerknöchel standen weiß hervor. »Das ist nicht sein Blut. Er ist zwar bewusstlos, aber unverletzt.«

Valentin hob den Kopf und lächelte zuckersüß. »Ich frage mich, was er wohl von dir halten wird, wenn er erfährt, was du getan hast«, sagte er. »Betrug ist nie schön, aber ein Kind zu hintergehen – das ist doppelter Betrug, findest du nicht auch?«

»Du wirst ihm nicht wehtun«, flüsterte Hodge. »Du hast geschworen, dass du ihn nicht verletzen wirst.«

»Ich habe nichts dergleichen geschworen«, erwiderte Valentin. »Und jetzt gib mir endlich den Kelch.« Er ging ein paar Schritte auf Hodge zu, der wie ein kleines, gefangenes Tier zurückwich. Clary konnte seine Verzweiflung erkennen. »Außerdem: Was würdest du machen, wenn ich sagte, ich hätte vor, ihn zu verletzen? Würdest du dich gegen mich stellen? Mir den Kelch vorenthalten? Selbst wenn es dir gelänge, mich zu töten, würde der Rat niemals den Fluch aufheben, mit dem er dich gestraft hat. Du würdest dich bis ans Ende deiner Tage verstecken müssen, würdest dich nicht einmal trauen, auch nur ein Fenster zu weit zu öffnen. Was würdest du dafür geben, nicht länger mit dieser Furcht leben zu müssen? Was würdest du nicht alles dafür geben, nach Hause zurückkehren zu können?«

Clary blickte zur Seite; sie konnte den Ausdruck auf Hodges Gesicht nicht länger ertragen.

»Sag mir, dass du ihm nicht wehtun wirst, und ich gebe dir den Kelch«, murmelte Hodge mit erstickter Stimme.

»Nein. Du wirst ihn mir so oder so geben«, erwiderte Valentin noch leiser und streckte seine Hand aus.

Hodge schloss die Augen. Einen Moment lang erinnerte sein Gesicht an das Antlitz der Marmorengel unter dem Schreibtisch – gepeinigt, ernst und von einer schweren Last niedergedrückt. Dann stieß er einen leisen Fluch aus und hielt Valentin den Kelch der Engel entgegen. Seine Hand zitterte wie Espenlaub.

»Vielen Dank«, sagte Valentin, nahm den Kelch und betrachtete ihn nachdenklich. »Ich glaube, du hast den Rand ein wenig beschädigt.«

Hodge schwieg. Sein Gesicht war grau. Valentin bückte sich zu Jace hinunter. Als er ihn mühelos hochhob, sah Clary, wie sich der Stoff seines tadellosen Anzugs an Armen und Rücken spannte, und sie erkannte, dass Valentin ein überraschend kräftiger Mann war, dessen Rumpf an einen Eichenstamm erinnerte. Im Vergleich dazu wirkte der bewusstlose Jace in seinen Armen wie ein Kind.

»Er wird bald bei seinem Vater sein«, verkündete Valentin und betrachtete Jace' weißes Gesicht. »Dort, wo er hingehört.«

Hodge zuckte zusammen. Valentin drehte sich um und ging auf

die flimmernde Luftsäule zu, durch die er gekommen war. *Offenbar hat er das Portal offen gelassen,* dachte Clary und versuchte, einen Blick hindurchzuwerfen. Doch das Licht blendete sie wie ein Sonnenstrahl, der von einem Spiegel reflektiert wird.

Hodge streckte eine Hand aus. »Warte!«, rief er flehentlich. »Was ist mit deinem Versprechen? Du hast geschworen, meinen Fluch aufzuheben.«

»Das ist wahr«, sagte Valentin. Er blieb stehen und starrte Hodge konzentriert in die Augen, der daraufhin nach Luft schnappte, zurücktaumelte und mit der Hand in Richtung Brust fuhr, als hätte ihn etwas mitten ins Herz getroffen. Ein schwarzes Sekret sickerte zwischen seinen gespreizten Fingern hindurch und tropfte zu Boden. Hodge hob das von Narben gezeichnete Gesicht und sah Valentin an. »Ist es vollbracht?«, fragte er fiebrig. »Der Fluch . . . ist er aufgehoben?«

»Ja«, bestätigte Valentin. »Möge dir deine erkaufte Freiheit Freude bereiten.« Mit diesen Worten trat er durch die flimmernde Luftsäule. Einen Moment lang schien er selbst zu schimmern, als befände er sich unter Wasser. Dann war er verschwunden – und Jace mit ihm.

# 20
# In der Sackgasse

Keuchend und mit zusammengeballten Fäusten starrte Hodge ihm hinterher. Seine linke Hand war von der schwarzen Flüssigkeit bedeckt, die aus seiner Brust gesickert war. Auf seinem Gesicht spiegelte sich eine Mischung aus Freude und Selbstverachtung.

»Hodge!« Clary hämmerte mit der Hand gegen die unsichtbare Mauer zwischen ihnen. Ein heftiger Schmerz schoss ihr durch den Arm, aber das war nichts im Vergleich zu dem brennenden Schmerz in ihrer Brust. Sie hatte das Gefühl, als wäre ihr das Herz herausgerissen worden. Jace, Jace, Jace – sein Name hallte in ihrem Inneren; am liebsten hätte sie ihn laut herausgeschrien. Doch sie hielt sich zurück. »Hodge, lassen Sie mich raus!«

Hodge drehte sich zu ihr um und schüttelte den Kopf. »Ich kann nicht«, sagte er, während er sich die Hand mit seinem perfekt gebügelten Taschentuch säuberte. Sein Bedauern klang aufrichtig. »Du würdest nur versuchen, mich zu töten.«

»Das würde ich nicht«, rief sie. »Ich verspreche es.«

»Du bist nicht als Schattenjägerin aufgewachsen, daher haben deine Versprechen keinerlei Bedeutung«, erwiderte er. Vom Rand seines Taschentuchs stieg eine dünne Rauchsäule auf, als hätte er es in Säure getaucht. Dann schimmerte seine Hand wieder weiß. Mit gerunzelter Stirn beendete er seine Reinigungsprozedur.

»Aber Hodge«, rief Clary verzweifelt, »haben Sie denn nicht gehört, was Valentin gesagt hat? Er wird Jace umbringen.«

»Das hat er nicht gesagt.« Hodge stand nun vor seinem Schreibtisch, zog eine Schublade auf und holte ein Blatt Papier hervor.

Dann nahm er einen Füllfederhalter aus seiner Sakkotasche und klopfte ihn mehrmals auf die Schreibtischkante, um die Tinte zum Fließen zu bringen. Clary starrte ihn an. Was hatte er vor? Wollte er einen Brief schreiben?

»Hodge«, setzte sie an, »Valentin hat gesagt, Jace würde bald bei seinem Vater sein. Jace' Vater ist tot. Was könnte er also anderes gemeint haben, als ihn umzubringen?«

Hodge blickte nicht auf, sondern kritzelte etwas auf das Papier. »Das Ganze ist kompliziert. Du würdest es nicht verstehen.«

»Dafür verstehe ich aber etwas anderes.« Die Bitterkeit in ihrer Stimme fühlte sich an, als würde sie ihr die Zunge verätzen. »Ich verstehe zum Beispiel, dass Jace Ihnen vertraut hat und Sie ihn an einen Mann verkauft haben, der seinen Vater gehasst hat und wahrscheinlich auch Jace hasst – und zwar nur deshalb, weil Sie zu feige sind, mit der Strafe zu leben, die Sie verdient haben.«

Hodge hob ruckartig den Kopf. »Das glaubst du also?«

»Das weiß ich.«

Er legte den Federhalter beiseite und schüttelte den Kopf. Er wirkte müde und so alt, so viel älter als Valentin, obwohl sie ungefähr der gleiche Jahrgang sein mussten. »Du kennst nur winzige Teile der ganzen Geschichte. Und das ist auch besser so.« Er faltete den Brief zu einem exakten Quadrat und warf ihn ins Feuer, wo er mit einer leuchtend grünen Stichflamme aufloderte und dann zerfiel.

»Was machen Sie da?«, fragte Clary in forderndem Ton.

»Eine Nachricht verschicken.« Hodge drehte sich vom Feuer weg und stellte sich direkt vor sie, nur getrennt durch die unsichtbare Mauer. Clary presste ihre Hände dagegen und wünschte, sie könnte ihm die Fingernägel in die Augen graben – auch wenn diese sie traurig musterten. »Du bist noch jung«, sagte er. »Für dich hat die Vergangenheit keinerlei Bedeutung; du empfindest sie weder als ein anderes Land, so wie die Alten sie sehen, noch als Albtraum, wie die Schuldigen sie sehen. Der Rat hat mich mit diesem Fluch belegt, weil ich Valentin geholfen habe. Aber ich war keineswegs das einzige Mitglied des Kreises, das ihm gedient hat. Sind die Lightwoods nicht genauso schuldig wie ich? Und was ist mit den Waylands? Trotzdem bin ich der Einzige, der zu einem Leben fern jeden Sonnenstrahls verurteilt wurde. Ich kann keinen Fuß vor die Tür setzen, nicht mal eine Hand aus dem Fenster strecken.«

»Das ist nicht meine Schuld«, erwiderte Clary. »Und auch nicht die von Jace. Warum bestrafen Sie ihn für das, was der Rat Ihnen angetan hat? Ich kann ja verstehen, dass Sie Valentin den Kelch gegeben haben, aber Jace? Valentin wird Jace töten, genau wie er seinen Vater getötet hat . . .«

»Valentin hat Jace' Vater nicht getötet«, entgegnete Hodge.

»Das glaube ich Ihnen nicht!«, schluchzte Clary nun. »Sie erzählen doch nur Lügen! Alles, was Sie jemals gesagt haben, war eine Lüge!«

»Ah«, meinte Hodge, »der moralische Absolutismus der Jugend, der keinerlei Konzessionen erlaubt. Kannst du denn nicht erkennen, Clary, dass ich auf meine Art und Weise versuche, ein guter Mensch zu sein?«

Sie schüttelte den Kopf. »So funktioniert das nicht. Ihre guten Taten machen Ihre schlechten nicht ungeschehen. Aber . . .« Sie biss sich auf die Lippe. »Aber wenn Sie mir verraten würden, wo ich Valentin finde . . .«

»Nein«, stieß er leise hervor. »Es heißt, dass die Nephilim die Kinder von Menschen und Engeln sind. Aber dieses himmlische Erbe hat nur dazu beigetragen, dass wir aus größerer Höhe fallen.« Er berührte die unsichtbare Mauer mit den Fingerspitzen. »Du bist nicht als eine der Unsrigen aufgewachsen. Du hast keinen Anteil an diesem Leben voller Narben und Töten. Du kannst immer noch fortgehen. Verlasse das Institut, Clary, so schnell wie möglich. Gehe fort und komm nie mehr zurück.«

Clary schüttelte den Kopf. »Das kann ich nicht«, erwiderte sie.

»Ja dann: mein herzliches Beileid.« Er drehte sich um und verließ die Bibliothek.

Als die Tür hinter Hodge ins Schloss fiel, blieb Clary in der Stille allein zurück. Außer ihrem rasselnden Atem und dem Kratzen ihrer Fingernägel an der unsichtbaren Mauer war nichts zu hören. Sie tat genau das, wovon sie wusste, dass sie es nicht tun sollte: Wieder und wieder warf sie sich gegen die unnachgiebige Barriere, bis sie erschöpft war und ihre Schulter schmerzte. Dann sank sie zu Boden und versuchte, nicht in Tränen auszubrechen.

Irgendwo jenseits dieses transparenten Hindernisses lag Alec im Sterben, während Isabelle darauf wartete, dass Hodge kam und ihm das Leben rettete. Irgendwo jenseits dieses Raums wurde Jace von Valentin unsanft aus dem Schlaf gerissen. Irgendwo jenseits dieses Instituts schwanden die Überlebenschancen ihrer Mutter mit jeder Sekunde. Und sie saß hier gefangen, so nutzlos und hilflos wie ein kleines Kind.

Plötzlich richtete Clary sich auf: Sie erinnerte sich, dass Jace ihr bei Madame Dorothea seine Stele in die Hand gedrückt hatte. Hatte sie sie ihm überhaupt zurückgegeben? Atemlos griff sie in ihre linke Jackentasche; sie war leer. Langsam schob sie ihre Hand in die rechte Tasche. Ihre klammen Finger ertasteten ein paar Fussel und dann etwas Hartes, glatt und rund – die Stele.

Mit klopfendem Herzen sprang Clary auf; dann tastete sie mit der linken Hand nach der unsichtbaren Mauer. Als sie sie gefunden hatte, atmete sie tief durch und schob die Stele vorsichtig vorwärts, bis ihre Spitze die Barriere berührte. Tief in ihrem Inneren bildete sich bereits ein Symbol – wie ein Fisch, der im trüben Wasser auftaucht und dessen Schuppen immer deutlicher hervortreten, je näher er der Oberfläche kommt. Langsam bewegte sie die Stele über die Mauer, zunächst zögernd, doch dann immer sicherer, bis die grell strahlenden Linien vor ihr in der Luft schwebten.

Sie konnte förmlich spüren, dass die Rune vollendet war, und ließ die Hand sinken; ihr Atem ging schnell. Einen Moment lang blieb alles reglos und still und die Rune hing wie eine leuchtende Neonschrift in der Luft, brannte ihr in den Augen. Doch dann ertönte ein ohrenbetäubendes Krachen, als stünde sie unter einem tosenden Wasserfall aus Steinen. Die Rune verfärbte sich schwarz und zerfiel zu Asche; der Boden unter ihren Füßen bebte, dann war es plötzlich wieder still. Aber Clary wusste, dass sie frei war.

Mit der Stele in der Hand rannte sie zum Fenster und schob den Vorhang beiseite. Die Dämmerung war angebrochen und die Straßen unter ihr schimmerten rötlich im warmen Abendlicht. Plötzlich entdeckte sie Hodge, der eine Seitenstraße überquerte; sein grauer Schopf ragte aus der Menschenmenge heraus.

Clary stürzte aus der Bibliothek, den Korridor entlang und die Treppe hinunter. Sie blieb nur kurz stehen, um die Stele wieder in ihre Jackentasche zu stecken. So schnell sie konnte, rannte sie auf die Straße, und als sie auf dem Gehweg stand, hatte sie bereits Seitenstiche. Die Leute, die im schwülen Dämmerlicht ihre Hunde ausführten, sprangen beiseite, als Clary sich einen Weg über den Bürgersteig bahnte, der parallel zum East River verlief. Als sie um eine Ecke bog, sah sie kurz ihr Spiegelbild im Fenster eines Mietshauses. Ihre Haare klebten schweißfeucht an ihrer Stirn und ihr Gesicht war mit getrockneten Blutspritzern übersät.

Endlich erreichte sie die Straßenkreuzung, an der sie Hodge gesehen hatte. Einen Moment lang dachte sie, sie hätte ihn verloren. Sie stürzte sich in die Menge, die aus dem U-Bahn-Schacht herausdrängte, stieß die Passanten beiseite, indem sie ihre Knie und Ellbogen wie Waffen einsetzte. Als sie die Menschenmassen endlich hinter sich gelassen hatte, entdeckte sie gerade noch rechtzeitig einen Zipfel von Hodges Tweedanzug, der in eine schmale Lieferantengasse zwischen zwei Gebäuden einbog.

Vorsichtig drückte sie sich an dem Müllcontainer am Eingang der Gasse vorbei. Ihre Kehle brannte bei jedem Atemzug. Obwohl die Hauptstraßen noch im Dämmerlicht gelegen hatten, herrschte in der Gasse bereits nachtschwarze Dunkelheit. An ihrem anderen Ende, das von der Rückseite eines Schnellimbisses begrenzt wurde, konnte sie Hodge gerade so noch erkennen. Vor der Hintertür des

Imbisses stapelten sich Restaurantabfälle: Müllsäcke mit Essensresten, schmutzige Papierteller und benutztes Plastikbesteck, das unangenehm unter Hodges Schuhen knirschte, als er sich zu ihr umdrehte. Clary erinnerte sich an ein Gedicht, das sie in der Schule gelesen hatten: *Ich denke, wir sind in der Sackgasse / Wo die Toten ihre Gebeine verloren haben*.

»Du bist mir gefolgt«, sagte er. »Das hättest du nicht tun sollen.«

»Ich lasse Sie in Ruhe, wenn Sie mir verraten, wo Valentin ist.«

»Das kann ich nicht«, erwiderte er. »Er würde sofort wissen, dass ich es dir erzählt habe, und dann wäre es mit meiner Freiheit und meinem Leben vorbei.«

»Das ist es sowieso, wenn der Rat herausfindet, dass Sie Valentin den Kelch der Engel gegeben haben«, konterte Clary. »Nachdem Sie uns mit einem Trick dazu gebracht haben, ihn für Sie zu finden. Wie können Sie nur damit leben? Sie wissen doch, was Valentin mit dem Kelch vorhat.«

Er unterbrach sie mit einem kurzen Lachen. »Ich fürchte Valentin mehr als den Rat und das solltest du auch, wenn du schlau bist«, höhnte er. »Er hätte den Kelch gefunden, mit oder ohne meine Hilfe.«

»Und es ist Ihnen egal, dass er mit dem Kelch kleine Kinder töten wird?«

In seinem Gesicht zuckte ein Muskel; dann kam er schnell auf sie zu. Clary sah, dass er etwas Glänzendes in der Hand hielt. »Macht dir das wirklich so viel aus?«

»Ich habe es Ihnen ja schon gesagt«, erwiderte sie. »Ich kann nicht einfach fortgehen.«

»Jammerschade«, meinte er. Clary sah, dass er den Arm hob, und erinnerte sich plötzlich an Jace' Worte: Das Chakram sei Hodges bevorzugte Waffe gewesen. Sie duckte sich, noch ehe sie die leuchtende, rasiermesserscharfe Metallscheibe auf sich zufliegen sah. Sirrend zischte sie an ihrem Kopf vorbei und bohrte sich in die metallene Feuerleiter zu ihrer Linken, nur wenige Zentimeter von ihrem Gesicht entfernt.

Clary blickte auf. Hodge musterte sie; das zweite Chakram lag bereits in seiner rechten Hand. »Du kannst immer noch weglaufen«, rief er.

Instinktiv hob sie die Hände, obwohl ihr Verstand ihr sagte, dass die Metallscheibe sie zerfetzen würde. »Hodge . . .«

Plötzlich raste etwas an Clary vorbei, etwas Großes, Grauschwarzes und sehr Lebendiges. Sie hörte Hodge entsetzt aufschreien. Während sie strauchelnd zurückwich, konnte sie die Kreatur besser erkennen, die auf Hodge zulief. Es war ein schwerer, zwei Meter großer Wolf mit nachtschwarzem Fell, das einen einzelnen grauen Streifen aufwies.

Hodge hielt das Chakram wurfbereit; er war kreidebleich. »Du bist es«, stieß er hervor. Überrascht erkannte Clary, dass er mit dem Wolf redete. »Ich dachte, du wärst geflohen . . .«

Der Wolf zog die Lefzen zurück, sodass seine scharfen Zähne und die lange rote Zunge zum Vorschein kamen. Als er Hodge musterte, funkelte Hass in seinen Augen – abgrundtiefer, menschlicher Hass.

»Bist du meinetwegen hier oder wegen des Mädchens?«, fragte Hodge. Schweißperlen liefen seine Schläfen hinab, doch seine Hand war ruhig.

Mit einem tiefen Knurren schlich der Wolf auf Hodge zu.

»Es ist noch nicht zu spät«, stammelte Hodge. »Valentin würde dich wieder bei sich aufnehmen . . .«

Heulend setzte der Wolf zum Sprung an. Hodge schrie erneut, dann blitzte etwas Silbermetallisches auf und das Chakram bohrte sich mit einem entsetzlichen Geräusch in die Flanke des Tiers. Der Wolf bäumte sich auf und Clary sah die Metallscheibe in seinem blutenden Pelz aufleuchten, als er sich auf Hodge stürzte.

Mit einem Schrei ging Hodge zu Boden, die Zähne des Wolfs bohrten sich in seine Kehle. Blut spritzte wie aus einer explodierenden Sprühdose, klatschte gegen die Mauer und färbte sie rot. Der Wolf hob den Kopf, wandte sich von dem leblosen Körper ab und richtete seine grauen, wölfischen Augen auf Clary, während scharlachrote Tropfen von seinen Zähnen trieften.

Clary wollte schreien, hatte aber nicht genug Luft in den Lungen, um auch nur irgendein Geräusch zu erzeugen. Stattdessen rappelte sie sich auf und rannte los, in Richtung der Gassenmündung, der vertrauten Neonlichter der Hauptstraße, in Richtung von Sicherheit und Realität. Hinter sich konnte sie den Wolf knurren hören, seinen heißen Atem an ihren nackten Waden spüren. Unter Aufbietung all ihrer Kräfte warf sie sich in Richtung Straße . . .

Das Maul des Wolfs schloss sich um ihr Bein und riss sie zurück. Kurz bevor ihr Kopf auf dem harten Steinboden auftraf und Dunkelheit ihren Geist umhüllte, stellte sie fest, dass sie doch noch genug Luft zum Schreien besaß.

Sie erwachte vom Geräusch tropfenden Wassers. Langsam öffnete sie die Augen, allerdings gab es um sie herum nicht viel zu sehen: Sie lag auf einer breiten Pritsche, die auf dem Boden eines kleinen, schmuddeligen Raums stand. An einer Wand lehnte ein wackliger Tisch, auf dem ein billiger Messingkerzenständer eine dicke rote Kerze hielt. Ihr Licht warf flackernde Schatten an die unebene, feuchte Decke; eine dunkle Flüssigkeit sickerte durch ihre Risse. Clary hatte das unbestimmte Gefühl, dass irgendetwas an dem Raum nicht stimmte, dass etwas fehlte, doch jeder Gedanke daran wurde von einem überwältigenden Geruch nach nassem Hundefell verdrängt.

Sie setzte sich auf und wünschte sofort, sie hätte sich nicht von der Stelle gerührt. Bohrende Kopfschmerzen pochten in ihrem Schädel, gefolgt von einem quälenden Anflug von Übelkeit. Wenn sie irgendetwas im Magen gehabt hätte, hätte sie sich jetzt übergeben.

Über der Pritsche baumelte ein Spiegel an einem Nagel, den jemand zwischen zwei Mauersteine geschlagen hatte. Sie warf einen Blick hinein und schrak entsetzt zurück. Kein Wunder, dass ihr Gesicht derart schmerzte – von ihrem rechten Auge erstreckten sich mehrere lange, tiefe Kratzer bis zu ihrem Mundwinkel. Ihre rechte Wange war blutverkrustet und auch ihr Hals und der vordere Bereich ihres T-Shirts und ihrer Jacke starrten vor Blut. In einem plötzlichen Anfall von Panik griff sie in ihre Tasche und entspannte sich wieder. Die Stele war noch da.

In diesem Moment erkannte sie auch, was an dem Raum so merkwürdig war. Eine der Wände bestand nicht aus Steinen, sondern aus einem Gitter – dicke Eisenstäbe, die von der Decke bis zum Boden reichten. Sie befand sich in einer Gefängniszelle.

Adrenalin schoss durch ihre Adern und Clary versuchte, schwankend aufzustehen. Ein starker Schwindelanfall erfasste sie wie eine Woge und sie klammerte sich am Tisch fest. *Ich werde nicht in Ohnmacht fallen,* ermahnte sie sich eisern. Und dann hörte sie Schritte.

Irgendjemand kam den Flur vor der Zelle entlang. Clary wich zurück und lehnte sich gegen den Tisch.

Es war ein Mann. Er trug eine Laterne, deren Licht viel heller strahlte als der matte Schein der roten Kerze und Clary blendete. Sie musste blinzeln und konnte nur eine schattenartige, große Gestalt ausmachen, mit breiten Schultern und wirrem Haar. Erst als sie die Zellentür öffnete und den Raum betrat, erkannte sie, wer es war.

Er sah aus wie immer: alte Jeans, dickes Holzfällerhemd, Arbeitsstiefel, strubblige Haare, hochgeschobene Brille. Die Narben an seiner Kehle, die sie bei ihrem letzten Besuch in seiner Wohnung bemerkt hatte, waren größtenteils verheilt und schimmerten hell.

Luke.

Plötzlich wurde es Clary einfach zu viel. Erschöpfung, der Mangel an Schlaf und Nahrung, das Gefühl der Angst und der Blutverlust schlugen über ihr zusammen wie eine tosende Welle. Sie spürte, wie ihre Knie nachgaben und ihr die Beine wegsackten.

Im Bruchteil einer Sekunde war Luke bei ihr. Er durchquerte den

Raum derart schnell, dass sie nicht einmal den Boden berührt hatte, als er sie auch schon auffing und hochhob – so wie er sie als kleines Kind in die Luft gewirbelt hatte. Er legte sie auf die Pritsche, trat einen Schritt zurück und musterte sie besorgt. »Clary? Alles in Ordnung?«, fragte er und streckte eine Hand nach ihr aus.

Clary zuckte zurück und riss abwehrend die Hände hoch. »Fass mich nicht an.«

Auf seinem Gesicht spiegelten sich Kränkung und tief empfundener Schmerz. Müde fuhr er sich mit der Hand durchs Haar. »Ich schätze, das habe ich wohl verdient.«

»Ja, das hast du.«

»Ich gehe besser nicht davon aus, dass du mir vertraust . . .«, sagte er betrübt.

»Gut so. Denn das tue ich nicht.«

»Clary . . .« Er wanderte in der Zelle auf und ab. »Was ich getan habe . . . ich erwarte nicht, dass du das verstehst. Ich weiß, du fühlst dich von mir im Stich gelassen . . .«

»Genau das hast du ja auch getan«, erwiderte sie. »Du hast mir gesagt, ich solle dich nicht mehr anrufen. Ich habe dir nie etwas bedeutet und meine Mutter auch nicht. Das waren alles nur Lügen.«

»Nein, nicht alles«, widersprach er.

»Dann ist Luke Garroway also dein richtiger Name?«

Schuldbewusst ließ er die Schultern hängen. »Nein«, sagte er und blickte an sich herab. Ein dunkelroter Fleck breitete sich auf seinem blauen Holzfällerhemd aus.

Clary richtete sich kerzengerade auf. »Ist das Blut?«, fragte sie entschlossen. Einen Moment lang vergaß sie ihre Wut.

»Ja«, bestätigte Luke, eine Hand gegen seine Seite gedrückt. »Die Wunde muss wieder aufgegangen sein, als ich dich hochgehoben habe.«

»Welche Wunde?«, hakte Clary nach.

Er seufzte und wählte seine Worte bedachtsam: »Hodges Metallscheiben sind noch immer messerscharf, auch wenn sein Wurfarm nicht mehr das ist, was er früher mal war. Ich denke, er hat mir eine Rippe angeritzt.«

»Hodge?«, fragte Clary. »Wann hast du ihn denn . . .?«

Schweigend sah er sie an. Plötzlich erinnerte sie sich an den Wolf in der Gasse, mit der einzelnen grauen Strähne in seinem schwarzen Fell, und daran, wie das Wurfgeschoss ihn in der Flanke getroffen hatte. Die Erkenntnis traf sie wie ein Schlag.

»Du bist ein Werwolf.«

Luke nahm die Hand von seinem Hemd; seine Finger waren blutverschmiert. »Ja«, erwiderte er lakonisch, ging zu einer der Mauern und klopfte fest dagegen: einmal, zweimal, dreimal. Dann wandte er sich ihr wieder zu. »Ich bin ein Werwolf.«

»Du hast Hodge getötet«, sagte sie, als sie sich wieder an die Szene in der Gasse erinnerte.

»Nein.« Luke schüttelte den Kopf. »Ich habe ihn schwer verletzt, aber als ich später zurückging, um den Leichnam zu beseitigen, war er verschwunden. Er muss sich irgendwie aus der Gasse geschleppt haben.«

»Du hast ihn in die Kehle gebissen. Das habe ich gesehen.«

»Ja. Allerdings möchte ich darauf hinweisen, dass er dich gerade umbringen wollte. Hat er sonst noch jemanden verletzt?«

Clary biss sich auf die Lippe. Sie schmeckte Blut, doch es handelte sich um altes Blut, von der Verletzung, die Hugo ihr beigebracht hatte. »Jace«, stieß sie flüsternd hervor. »Hodge hat ihm irgendetwas verabreicht und dann . . . Valentin übergeben.«

»Valentin?« Luke blickte erstaunt auf. »Ich wusste, dass Hodge Valentin den Kelch der Engel gegeben hat, aber mir war nicht klar . . .«

»Woher weißt du das?«, unterbrach Clary ihn, doch dann fiel es ihr wieder ein. »Du hast mich mit Hodge in der Gasse reden hören. Ehe du ihn angefallen hast.«

»Ich habe ihn *angefallen,* wenn du es so nennen willst, weil er im Begriff war, dir den Kopf abzutrennen«, entgegnete Luke und drehte sich um, als die Zellentür erneut aufging. Ein großer Mann kam herein, gefolgt von einer winzigen Frau, die so klein war, dass sie fast wie ein Kind wirkte. Beide trugen schlichte Freizeitkleidung: Jeans und Baumwollhemden. Und beide besaßen die gleichen wirren Haare – auch wenn die Frau blond war und der Mann grau meliert – und die gleichen alterslosen Gesichter, ohne jede Falte, aber mit müden Augen. »Clary«, sagte Luke, »darf ich dir Nummer eins und Nummer zwei vorstellen: Gretel und Alaric.«

Alaric senkte seinen massiven Kopf und nickte Clary zu. »Wir sind uns schon mal begegnet.«

Clary starrte ihn beunruhigt an. »Tatsächlich?«

»Ja, im Hotel Dumort«, erklärte er. »Du hast mir einen Dolch zwischen die Rippen gejagt.«

Sie kauerte sich an die Wand. »Ich, äh . . . es tut mir leid . . .«

»Das muss es nicht. Schließlich war es ein exzellenter Wurf.« Er griff in seine Brusttasche, holte Jace' Dolch mit dem rot schimmernden Knauf hervor und hielt ihn ihr entgegen. »Ich glaube, der gehört dir, oder?«

»Aber . . .«, stammelte Clary.

»Keine Sorge«, beruhigte er sie. »Ich habe die Klinge gesäubert.«

Wortlos nahm sie den Dolch entgegen. Luke lachte leise in sich hinein. »Aus heutiger Sicht war der Überfall auf das Hotel Dumort vielleicht doch nicht so gut organisiert, wie er hätte sein sollen«, meinte er. »Ich hatte eine Gruppe meiner Wölfe beauftragt, auf dich aufzupassen und dir zu folgen, falls du in Gefahr schweben solltest. Und als du dann in das Dumort hineinmarschiert bist . . .«

»Jace und ich wären auch ohne Hilfe klargekommen.« Clary schob den Dolch in ihren Gürtel.

Gretel betrachtete sie mit einem milden Lächeln. »Hatten Sie uns aus diesem Grund gerufen, Sir?«

»Nein«, erwiderte Luke und berührte seine Seite. »Meine Wunde ist wieder aufgegangen und Clary hat auch ein paar Verletzungen, die behandelt werden müssten. Wenn du dich darum kümmern könntest . . .«

Gretel nickte. »Ich komme gleich mit dem Verbandszeug zurück«, sagte sie und verließ die Zelle, wobei Alaric ihr wie ein überdimensionierter Schatten folgte.

»Sie hat dich ›Sir‹ genannt«, stellte Clary in dem Moment fest, als die Zellentür sich hinter ihnen schloss. »Und was meinst du mit ›Nummer eins‹ und ›Nummer zwei‹?«

»Mein Erster und Zweiter Offizier«, erwiderte Luke gedehnt. »Ich bin der Anführer dieses Wolfsrudels. Deshalb hat Gretel mich auch mit ›Sir‹ angesprochen. Glaub mir, es hat ziemlich viel Mühe gekostet, ihr abzugewöhnen, mich ›Gebieter‹ zu nennen . . .«

»Hat meine Mutter davon gewusst?«

»Wovon gewusst?«

»Dass du ein Werwolf bist.«

»Ja. Sie wusste es seit dem Moment, in dem es geschah.«

»Aber natürlich hat keiner von euch beiden es für nötig gehalten, mir davon zu erzählen.«

»Ich wollte es dir sagen«, erwiderte Luke. »Aber deine Mutter war fest entschlossen, dass du nichts von der Verborgenen Welt und den Schattenjägern erfahren solltest. Und ich hätte dir meine Existenz als Werwolf nicht als einzelnen, unabhängigen Vorfall auftischen können, Clary. Das alles ist Teil eines größeren Ganzen, das deine Mutter aber vor dir verbergen wollte. Ich weiß nicht, was du inzwischen alles herausgefunden hast . . .«

»Eine Menge«, sagte Clary tonlos. »Ich weiß, dass meine Mutter eine Schattenjägerin war. Ich weiß, dass sie mit Valentin verheiratet war und dass sie ihm den Kelch der Engel entwendet und sich vor ihm versteckt hat. Ich weiß, dass sie mich seit meiner Geburt alle zwei Jahre zu Magnus Bane gebracht hat, damit er mir mein Zweites Gesicht nahm. Ich weiß, dass Valentin von dir den Aufenthaltsort des Kelchs erfahren wollte, im Tausch gegen das Leben meiner Mutter, und dass du ihm daraufhin geantwortet hast, sie wäre dir egal.«

Luke blickte zur Seite. »Ich wusste nicht, wo sich der Kelch befand. Jocelyn hat es mir nie gesagt«, murmelte er.

»Du hättest versuchen können, einen Handel mit Valentin zu vereinbaren . . .«

»Valentin verhandelt nicht. Das hat er noch nie. Wenn er nicht ganz klar im Vorteil ist, kommt er noch nicht einmal zu einem Verhandlungsgespräch. Er ist vollkommen auf sein Ziel fixiert und kennt kein Erbarmen. Und obwohl er deine Mutter einst geliebt haben mag, würde er keine Sekunde zögern, sie zu töten. Nein, ich hatte nicht vor, mit Valentin zu feilschen.«

»Und deshalb hast du beschlossen, sie einfach im Stich zu lassen?«, erwiderte Clary wütend. »Du bist der Anführer eines ganzen Rudels von Werwölfen und bist einfach zu dem Schluss gekommen, dass sie deine Hilfe nicht benötigt? Es war schon schlimm genug, als ich dachte, du wärst ein Schattenjäger und hättest dich wegen irgendeines blöden Schattenjägerschwurs von ihr abgewendet. Aber jetzt weiß ich, dass du nur ein mieses Schattenwesen bist, dem es nicht die Bohne bedeutet, dass sie dich all die Jahre wie einen Freund, wie einen der ihren behandelt hat. Und so dankst du es ihr!«

»Du solltest dich mal hören«, sagte Luke ruhig. »Du klingst wie eine Lightwood.«

Clary kniff die Augen zusammen. »Rede nicht von Alec und Isabelle, als ob du sie kennen würdest.«

»Ich meinte ihre Eltern«, entgegnete Luke. »Die ich übrigens sehr gut kannte – damals, als wir alle noch Schattenjäger waren.«

Clary öffnete überrascht den Mund. »Ich weiß ja, dass du dem Kreis angehört hast, aber wie hast du es vor ihnen verbergen können, dass du ein Werwolf bist? Haben sie es nicht gewusst?«

»Nein«, sagte Luke. »Denn ich bin nicht als Werwolf geboren worden – ich wurde zu einem gemacht. Und eines ist mir klar: Wenn ich dich davon überzeugen will, mir zu vertrauen, dann solltest du meine ganze Vergangenheit kennen. Es ist eine lange Geschichte, aber ich denke, wir haben genügend Zeit.«

## Teil drei

# Der Abstieg lockt

Der Abstieg lockt,
wie der Aufstieg lockte.

William Carlos Williams, *The Descent*

# 21
# Die Geschichte des Werwolfs

Tatsächlich kenne ich deine Mutter bereits seit unserer Kindheit. Wir sind zusammen in Idris aufgewachsen. Es ist ein wundervolles Land und ich habe immer bedauert, dass du nie dort gewesen bist. Es würde dir bestimmt gefallen – die dunklen, glänzenden Tannen im Winter, die schwere Erde und die kalten, kristallklaren Flüsse. Neben ein paar kleineren Orten gibt es eine große Stadt, Alicante, in der der Rat zusammentritt. Man nennt sie auch die Gläserne Stadt, weil ihre Türme aus derselben dämonenabstoßenden Substanz erschaffen wurden, aus der auch unsere Stelen bestehen und die im Sonnenlicht schimmert wie Glas.

Als Jocelyn und ich alt genug waren, wurden wir nach Alicante zur Schule geschickt. Dort bin ich auch zum ersten Mal Valentin begegnet. Er war ein Jahr älter als ich und der beliebteste Schüler der ganzen Schule. Valentin sah gut aus, er war schlau, reich, entschlossen, ein großartiger Kämpfer. Ich war ein Nichts – weder reich noch besonders intelligent, aus einer der armen Familien vom Land. Beim Lernen kam ich kaum mit. Jocelyn war eine geborene Schattenjägerin; ich dagegen tat mich schwer. Ich ertrug nicht einmal die kleinsten Male und brachte selbst die simpelsten Techniken durcheinander. Manchmal war ich nahe dran, einfach wegzulaufen und in Schimpf und Schande nach Hause zurückzukehren. Ich habe sogar darüber nachgedacht, ein Irdischer zu werden – so unglücklich war ich.

Valentin hat mich gerettet. Eines Tages besuchte er mich auf meinem Zimmer – bis dahin hatte ich gedacht, er würde noch nicht mal meinen Namen kennen – und bot mir an, mir zu helfen. Er sagte, er wisse, wie schwer mir das Ganze fiele, doch er sähe in mir die Anlagen für einen großartigen Schattenjäger. Unter seiner Obhut verbesserte ich mich tatsächlich – ich bestand meine Prüfungen, trug meine ersten Male, tötete meinen ersten Dämon.

Ich betete ihn an. Ich glaubte wirklich, die Sonne drehte sich nur dank Valentin Morgenstern um die Erde. Natürlich war ich nicht der einzige Außenseiter, dessen er sich annahm. Da gab es andere wie Hodge Starkweather, der mit Büchern besser zurechtkam als mit Menschen, Maryse Trueblood, deren Bruder eine Irdische geheiratet hatte, oder Robert Lightwood, der sich mehr vor den Malen fürchtete als vor allem anderen – und Valentin kümmerte sich um uns alle. Damals hielt ich es für Freundschaft; heute bin ich mir dessen nicht mehr so sicher. Inzwischen glaube ich, er schuf sich in dieser Zeit seine Anhängerschaft.

Valentin war besessen von dem Gedanken, dass mit jeder Generation weniger und weniger Schattenjäger zur Welt kamen und dass wir eine vom Aussterben bedrohte Rasse seien. Er glaubte fest daran, man könne mehr Schattenjäger erschaffen, wenn der Rat nur etwas großzügiger mit dem Engelskelch umgehen würde. Für die Lehrer war diese Vorstellung ein Sakrileg: Es ist nicht jedem gegeben zu entscheiden, wer ein Schattenjäger werden kann und wer nicht. Darauf fragte Valentin dann immer spöttisch, warum man nicht einfach alle Menschen zu Schattenjägern machte. Warum schenkten wir ihnen nicht allen die Fähigkeit, die Verborgene Welt zu sehen? Warum behielten wir diese Macht selbstsüchtig für uns?

Wenn die Lehrer antworteten, dass die meisten Menschen diese Verwandlung nicht überleben würden, behauptete Valentin, die Lehrer würden lügen und versuchten, die Kräfte der Nephilim für eine kleine Elite zu bewahren. So argumentierte er damals – heute glaube ich, dass seiner Ansicht nach der Zweck wahrscheinlich jedes Mittel und sämtliche zu erwartenden Schäden heiligt. Na, jedenfalls überzeugte er unsere kleine Gruppe von der Richtigkeit seiner Ansichten und wir gründeten den Kreis, mit dem erklärten Ziel, die Rasse der Schattenjäger vor dem Aussterben zu bewahren. Natürlich waren wir als Siebzehnjährige nicht ganz sicher, wie wir das schaffen sollten, aber das hinderte uns nicht, fest daran zu glauben, dass wir eines Tages etwas Bedeutendes erreichen würden.

Dann kam die Nacht, in der Valentins Vater bei einer Routineaktion gegen ein Werwolflager getötet wurde. Als Valentin nach der Beerdigung in die Schule zurückkehrte, trug er die roten Male der Trauer. Doch das war nicht die einzige Veränderung: Ab jetzt neigte er immer häufiger zu Wutausbrüchen, die teilweise grausame Züge trugen. Ich machte seine Trauer für dieses an ihm neuartige Verhalten verantwortlich und versuchte mehr denn je, ihm jeden Wunsch von den Augen abzulesen. Nicht ein einziges Mal reagierte ich auf seinen Zorn meinerseits mit Zorn – stattdessen fühlte ich mich schuldig, weil ich ihn enttäuscht hatte.

Die Einzige, die seine Wutausbrüche lindern konnte, war deine Mutter. Sie hatte nie so richtig zu unserer Gruppe gehört und uns manchmal spöttisch als Valentins Fanclub bezeichnet. Das änderte sich nach dem Tod seines Vaters: Valentins Schmerz weckte ihr Mitgefühl und sie verliebten sich ineinander.

Auch ich liebte Valentin: Er war mein bester Freund und ich freute mich, dass Jocelyn nun mit ihm zusammen war. Nachdem wir die Schule beendet hatten, heirateten die beiden und lebten danach auf dem Landsitz von Jocelyns Familie. Ich kehrte ebenfalls nach Hause zurück, aber der Kreis blieb bestehen. Was ursprünglich einmal als eine Art Schülerstreich begonnen hatte, nahm an Umfang und Macht immer mehr zu und Valentins Bedeutung wuchs in gleichem Maße. Auch seine Ideale hatten sich verändert: Der Kreis beanspruchte immer noch den Kelch der Engel für sich, aber nach dem Tod seines Vaters hatte Valentin sich außerdem zu einem offenen Befürworter eines Krieges gegen alle Schattenwesen entwickelt – und nicht nur gegen jene, die das Abkommen missachtet hatten. Diese Welt sollte ausschließlich den Menschen vorbehalten sein, argumentierte er, Halbdämonen hätten keinen Platz darin. Denn schließlich könnte man einem Dämon nie wirklich vertrauen.

Mir gefiel die Richtung nicht, in die der Kreis steuerte, aber ich blieb loyal – teils, weil ich es immer noch nicht über mich brachte, Valentin zu enttäuschen, teils, weil Jocelyn mich darum gebeten hatte. Sie hoffte, ich würde einen mäßigenden Einfluss auf den Kreis ausüben können, doch das erwies sich als Trugschluss. Niemand von uns war in der Lage, Valentin zu mäßigen, und Robert und Maryse Lightwood – inzwischen miteinander verheiratet – unterstützten ihn und gingen dabei fast ebenso rücksichtslos vor wie er. Michael Wayland hatte seine Zweifel, so wie ich, doch trotz unserer Bedenken machten wir weiter mit. Unermüdlich jagte unsere Gruppe Schattenwesen – und bekämpfte dabei selbst jene, die sich nur geringe Verstöße gegen das Abkommen hatten zuschulden kommen lassen. Valentin tötete zwar nur Kreaturen, die das Abkommen missachtet hatten, aber auch gegen alle anderen ging er grausam vor. Ich habe gesehen, wie er einem Werwolfmädchen Silbermünzen an den Augenlidern befestigte, bis sie erblindete, nur weil er wissen wollte, wo der Bruder der Kleinen war. Ich habe gesehen, wie ... aber das musst du dir nicht anhören. Nein. Entschuldige.

Irgendwann war Jocelyn schwanger. Am selben Tag, an dem sie mir davon erzählte, gestand sie mir auch, dass sie inzwischen Angst vor ihrem Ehemann hatte. Sein Verhalten war immer seltsamer, unberechenbarer geworden. Manchmal verschwand er ganze Nächte in den Kellern ihres Landguts und dann hörte sie gelegentlich Schreie, selbst durch die dicken Mauern hindurch ...

Ich konfrontierte ihn damit. Er lachte mich aus, tat ihre Ängste als die Gefühlsschwankungen einer Frau ab, die ihr erstes Kind erwartet. Und dann lud er mich ein, am selben Abend mit ihm auf die Jagd zu gehen. Wir versuchten damals schon seit einiger Zeit, das Lager jener Werwölfe auszuräuchern, die Jahre zuvor seinen Vater getötet hatten. Valentin und ich waren *Parabatai,* ein perfektes Jägerpaar, Krieger, die füreinander starben. Also glaubte ich Valentin, als er mir an diesem Abend versprach, er würde mir den Rücken decken. Ich sah den Wolf erst, als er über mir war. Ich weiß nur noch, wie seine Zähne sich in meine Schulter gruben – der Rest der Nacht ist aus meiner Erinnerung gelöscht. Als ich erwachte, lag ich in Valentins Haus, die Schulter bandagiert, und Jocelyn war bei mir.

Nicht alle Werwolfbisse führen dazu, dass man sich in einen Wolf verwandelt. Meine Wunde heilte und ich verbrachte die nächsten Wochen in quälender Angst, in Erwartung des Vollmonds. Wenn der Rat davon erfahren hätte, hätte man mich in eine Beobachtungszelle gesperrt. Aber Valentin und Jocelyn hielten dicht. Drei Wochen später stand der Vollmond groß und leuchtend am Himmel und ich begann, mich zu verändern. Die erste Veränderung ist immer die schwerste. Ich erinnere mich an völlige Verwirrung, Todesqualen, tiefe Dunkelheit. Stunden später kam ich wieder zu mir, auf einer Wiese, Kilometer von der Stadt entfernt. Ich war von Kopf bis Fuß mit Blut bespritzt und um mich herum lagen die zerrissenen Kadaver kleiner Waldtiere.

Ich stolperte zurück zum Landgut, wo mich die beiden an der Tür erwarteten. Jocelyn fiel mir weinend um den Hals, aber Valentin zog sie weg. Ich stand nur da, blutig und am ganzen Körper zitternd, unfähig, einen klaren Gedanken zu fassen, immer noch den Geschmack von rohem Fleisch im Mund. Keine Ahnung, was ich erwartet hatte, aber ich schätze, ich hätte es wissen müssen.

Valentin zerrte mich die Treppe hinunter in den Wald. Er sagte mir, dass er mich eigentlich töten müsste, es aber nicht über sich brächte. Stattdessen holte er einen *kindjal* hervor, der einst seinem Vater gehört hatte. Er meinte, ich sollte das einzig Ehrenhafte tun und meinem Leben selbst ein Ende setzen. Dann küsste er den *kindjal*-Dolch, gab ihn mir, ging zurück ins Haus und verbarrikadierte die Tür.

Ich lief durch die Nacht, teils als Mensch, teils als Werwolf, bis ich die Grenze überquerte. Ich platzte mitten hinein in das Werwolflager, zog meinen Dolch und forderte denjenigen, der mich gebissen und in einen der ihren verwandelt hatte, zum Kampf. Lachend zeigte das ganze Rudel auf den Anführer. Klauen und Zähne immer noch blutig von der Jagd, erhob er sich und kam auf mich zu.

Ich habe den Kampf Mann gegen Mann nie gemocht. Die Armbrust war meine Waffe; ich besaß ein hervorragendes Auge und eine ruhige Hand. Aber im Zweikampf war ich nie sehr gut gewesen – so etwas hatte Valentin immer mehr gelegen als mir. Doch dieses Mal wollte ich nur sterben und dabei die Kreatur mit in den Tod nehmen, die mir das angetan hatte. Wahrscheinlich habe ich gedacht, wenn ich mich rächen und zugleich die Wölfe töten könnte, die Valentins Vater auf dem Gewissen hatten, würde er um mich trauern. Während wir miteinander rangen, teilweise in menschlicher, teilweise in Wolfsgestalt, sah ich, wie sehr meine wilde Entschlossenheit meinen Gegner überraschte. Als der Morgen dämmerte, wurde er langsam müde, doch meine Wut kannte keine Grenzen. Bei Sonnenaufgang jagte ich ihm meinen Dolch in den Hals und er starb und tränkte mich mit seinem Blut.

Eigentlich hatte ich erwartet, dass sich nun das ganze Rudel auf mich stürzen und mich in Stücke reißen würde. Stattdessen knieten sie vor mir nieder und boten mir unterwürfig ihre Kehlen dar. Bei den Wölfen gibt es ein ehernes Gesetz: Wer auch immer den Anführer tötet, nimmt dessen Platz ein. Ich war in das Lager der Wölfe eingedrungen, doch statt Rache und Tod fand ich dort ein neues Leben.

Ich ließ mein altes Selbst hinter mir und vergaß beinahe, wie es war, ein Schattenjäger zu sein. Nur Jocelyn konnte ich nicht vergessen; der Gedanke an sie war mein ständiger Begleiter. Ich hatte Angst um sie, weil sie mit Valentin zusammenleben musste, aber ich wusste, wenn ich auf das Landgut zurückkehrte, würde der Kreis mich jagen und töten.

Und dann kam sie eines Tages zu mir. Ich schlief in unserem Lager, als mein Erster Offizier mich weckte und mir mitteilte, dass draußen eine junge Schattenjägerin sei, die mich sehen wollte. Ich wusste sofort, um wen es sich handelte. Als ich in aller Hektik aufstand, um sie zu empfangen, sah ich das Missfallen in den Augen meines Untergebenen. Natürlich wusste das ganze Lager, dass ich einst ein Schattenjäger gewesen war, doch das wurde als dunkles Geheimnis behandelt, von dem niemand offen sprach. Valentin hätte sich köstlich amüsiert.

Jocelyn wartete außerhalb des Lagers auf mich. Sie war nicht mehr schwanger und wirkte blass und abgespannt. Sie erzählte mir, dass sie einen Jungen zur Welt gebracht hatte, Jonathan Christopher. Als sie mich sah, begann sie zu weinen. Und sie war wütend auf mich, weil ich sie nicht hatte wissen lassen, dass ich noch lebte. Valentin hatte dem Kreis erzählt, ich hätte mich umgebracht, doch sie hatte ihm nicht geglaubt – sie wusste, dass ich so etwas nie tun würde. Ich hielt ihr Vertrauen in mich für ungerechtfertigt, war aber so erleichtert, sie wiederzusehen, dass ich ihr nicht widersprach.

Ich fragte sie, wie sie mich gefunden hatte, und sie erzählte mir, dass in Alicante Gerüchte von einem Werwolf die Runde machten, der einst ein Schattenjäger gewesen sei. Auch Valentin hatte von diesen Gerüchten gehört; daher sei sie zu mir gekommen, um mich zu warnen. Kurze Zeit später tauchte er tatsächlich vor unserem Lager auf, doch ich verbarg mich vor ihm, wie nur Werwölfe es können, und er zog wieder ab, ohne dass es zum Blutvergießen gekommen wäre.

Danach begann ich, mich regelmäßig heimlich mit Jocelyn zu treffen. Es war das Jahr des Abkommens und in der ganzen Schattenwelt machten die wildesten Gerüchte die Runde – so hieß es unter anderem, Valentin werde möglicherweise versuchen, den Abschluss des Abkommens zu verhindern. Ich hörte, dass er sich im Rat leidenschaftlich gegen das Abkommen ausgesprochen hatte, jedoch ohne Erfolg. Also schmiedete der Kreis in aller Stille einen neuen Plan: Sie verbündeten sich mit den Dämonen, den größten Feinden der Schattenjäger, um so an Waffen zu kommen, die unentdeckt in die Große Halle des Erzengels geschmuggelt werden konnten, wo das Abkommen unterzeichnet werden sollte. Und mit der Hilfe eines Dämons stahl Valentin den Kelch der Engel und ließ an seiner Stelle eine Nachbildung zurück. Es sollte Monate dauern, bis der Rat bemerkte, dass der Engelskelch gestohlen worden war, und da war es längst zu spät.

Jocelyn versuchte herauszufinden, was Valentin mit dem Kelch vorhatte, doch es gelang ihr nicht. Aber sie wusste, dass der Kreis plante, die unbewaffneten Schattenwesen in der Großen Halle zu überfallen und zu töten. Nach einem solchen Massenmord wäre das Abkommen ein für alle Mal zum Scheitern verurteilt gewesen.

In diesen unruhigen Zeiten waren wir seltsamerweise sehr glücklich. Jocelyn und ich sandten geheime Botschaften an die Elben, die Hexenmeister und selbst an die Erzfeinde der Werwölfe, die Vampire, in denen wir sie vor Valentins Plänen warnten und aufforderten, sich auf einen Kampf vorzubereiten. Wir arbeiteten zusammen – Werwölfe und Nephilim.

Am Tage des Abkommens beobachtete ich aus einem Versteck, wie Jocelyn und Valentin das Herrenhaus verließen. Ich erinnere mich, wie sie sich niederbeugte und das flachsblonde Haar ihres Sohnes küsste. Ich erinnere mich, wie die Sonne auf ihr Haar schien; ich erinnere mich an ihr Lächeln.

Sie fuhren mit der Kutsche nach Alicante hinein; ich folgte ihnen auf vier Pfoten und mein Rudel begleitete mich. Die Große Halle des Erzengels war bis zum Bersten gefüllt mit den versammelten Mitgliedern des Rats und großen Abordnungen aus allen Teilen der Schattenwelt. Als das Abkommen unterzeichnet werden sollte, sprang Valentin auf und die Mitglieder des Kreises erhoben sich mit ihm und zogen ihre Waffen aus den Gewändern. Als daraufhin in der Großen Halle Panik ausbrach, lief Jocelyn zu der gewaltigen, doppelflügligen Eingangstür und riss sie auf.

Mein Rudel lauerte direkt vor dem Portal. Wir stürmten in die Halle, zerrissen die Nacht mit unserem Geheul und wurden gefolgt von

Elbenrittern mit Waffen aus Glas und gewundenen Dornen. Nach ihnen kamen die Kinder der Nacht, die Fänge kampfbereit, und die Hexenmeister mit Flammen und Schwertern. Während die Massen in Panik aus der Großen Halle flohen, stürzten wir uns auf die Mitglieder des Kreises.

Nie zuvor hatte die Halle des Erzengels ein solches Blutbad erlebt. Wir versuchten, jene Schattenjäger zu schonen, die nicht zum Kreis gehörten – Jocelyn hatte sie mithilfe eines Hexenmeister-Spruchs markiert. Doch viele von ihnen kamen dennoch ums Leben und ich fürchte, dass mein Rudel für einige der Morde verantwortlich war. Mit Sicherheit hat man uns im Nachhinein alle toten Schattenjäger angelastet. Was den Kreis betraf, so waren seine Mitglieder viel zahlreicher, als wir erwartet hatten, und sie attackierten die Schattenwesen mit größter Erbitterung. Ich kämpfte mich durch das Gemetzel bis zu Valentin vor. Mein einziges Streben galt ihm – ich wollte derjenige sein, der ihn tötete, ich wollte, dass mir diese Ehre zuteil wurde. Ich entdeckte ihn schließlich bei der großen Statue des Erzengels, wo er einen Elbenritter mit einem einzigen, blitzschnellen Stoß seines bluttriefenden Dolches niederstreckte. Als er mich sah, lächelte er grausam und entschlossen. »Ein Werwolf, der mit Schwert und Dolch kämpft«, sagte er, »ist so unnatürlich wie ein Hund, der mit Messer und Gabel isst.«

»Du kennst dieses Schwert, du kennst diesen Dolch«, erwiderte ich. »Und du weißt, wer ich bin. Wenn du mit mir reden willst, nenn mich beim Namen.«

»Ich kenne keine Halbmenschen mit Namen«, höhnte Valentin. »Einst hatte ich einen Freund, einen ehrbaren Mann, der lieber gestorben wäre, als sein Blut verunreinigen zu lassen. Jetzt steht ein namenloses Monster vor mir, das sein Gesicht trägt.« Er hob seine Klinge. »Ich hätte dich schon damals töten sollen!«, brüllte er und stürzte sich auf mich.

Ich wehrte seinen Stoß ab und wir kämpften miteinander auf dem Rednerpodium, während die Schlacht um uns tobte und ein

Mitglied des Kreises nach dem anderen sein Leben aushauchte. Ich sah, wie die Lightwoods ihre Waffen fallen ließen und flohen – Hodge war schon längst verschwunden, er hatte sich gleich am Anfang der Schlacht aus dem Staub gemacht. Und dann stürzte Jocelyn die Stufen hinauf auf mich zu, das Gesicht verzerrt vor Angst. »Valentin, hör auf!«, rief sie. »Das ist Luke, dein Freund, dein Bruder . . .«

Mit einem verächtlichen Schnauben packte Valentin sie, zog sie an sich und presste ihr seinen Dolch an die Kehle. Ich ließ mein Schwert sinken, denn ich wollte nicht, dass er sie verletzte. Dann sah er es in meinen Augen. »Du hast sie immer schon gewollt«, zischte er. »Und jetzt habt ihr beiden euch gegen mich verschworen. Das werdet ihr noch bereuen, und zwar für den Rest eures Lebens.«

Mit diesen Worten riss er Jocelyn das Medaillon vom Hals und schleuderte es mir entgegen. Die Silberkette traf meine Haut wie eine Peitsche. Ich brüllte vor Schmerz und stolperte rückwärts und im selben Moment verschwand er im Handgemenge, Jocelyn mit sich ziehend. Ich folgte ihm, verbrannt und blutend, doch er war zu schnell für mich, bahnte sich mit schweren Hieben einen Weg durch die Kämpfenden und die Toten.

Ich stolperte hinaus ins Mondlicht. Die Große Halle brannte und das Feuer hatte die Nacht zum Tag gemacht. Ich rannte die grünen Rasenflächen der Hauptstadt hinunter bis zum dunklen Fluss und suchte die Uferstraße ab, auf der die Menschen in die Nacht flohen. Schließlich fand ich Jocelyn irgendwo am Fluss. Valentin war verschwunden und sie hatte schreckliche Angst um Jonathan und wollte unbedingt zurück nach Hause. Wir fanden ein Pferd und sie galoppierte davon. Ich wechselte in meine Wolfsgestalt und folgte ihr, so gut ich konnte.

Wölfe sind schnell, doch ein ausgeruhtes Pferd läuft schneller. Irgendwann fiel ich zurück und sie kam lange vor mir am Herrenhaus an.

Schon als ich mich dem Haus näherte, wusste ich, dass irgendetwas Schreckliches passiert sein musste. Auch hier hing der Geruch von Feuer in der Luft, jedoch überlagert von irgendetwas anderem – dem süßlichen Gestank eines Dämonenzaubers. Ich wurde wieder zum Mann und humpelte die lange Auffahrt hinauf, die im Mondlicht vor mir lag, so hell wie ein Silberfluss ... bis ich auf die Ruinen stieß. Jemand hatte das Herrenhaus in Schutt und Asche gelegt und der Nachtwind verstreute die weißen Flocken weithin über die Felder der Umgebung. Die Grundmauern waren noch zu erkennen, weiß wie verbrannte Knochen: hier ein Fenster, dort ein Kamin – doch vom eigentlichen Haus, seinen Ziegeln, dem Mörtel, den unbezahlbaren Büchern und den uralten Wandteppichen, die von Generation zu Generation weitervererbt worden waren, sah man nichts mehr außer feinem Staub, der durch das Mondlicht schwebte.

Valentin hatte das Haus mit Dämonenfeuer zerstört. So muss es gewesen sein: Kein irdisches Feuer brennt so heiß oder lässt so wenige Reste zurück.

Ich bahnte mir einen Weg durch die immer noch schwelenden Trümmer und fand Jocelyn schließlich. Sie kniete auf etwas, das einst die Vordertreppe gewesen sein musste. Die Stufen waren schwarz vor Ruß. Und dann sah ich die Knochen. Völlig verkohlt, aber erkennbar menschlicher Herkunft, umgeben von Tuchfetzen und Juwelen, die das Feuer nicht verschlungen hatte. Rote und goldene Fäden hingen noch an den Knochen von Jocelyns Mutter und die Hitze hatte den Dolch ihres Vaters mit seiner Skeletthand verschmolzen. Auf einem anderen Knochenstapel glitzerte Valentins silbernes Amulett mit den immer noch weiß glühenden Insignien des Kreises ... und verstreut unter den übrigen Resten, fanden sich die Knochen eines Kindes – als ob sie zu klein und leicht gewesen wären, um beieinanderzubleiben.

*Das werdet ihr noch bereuen,* hatte Valentin gesagt. Und während ich neben Jocelyn auf den verbrannten Stufen kniete, wusste ich, dass er recht behalten würde. Ich habe es damals bereut und ich bereue es seither jeden Tag meines Lebens.

In jener Nacht ritten wir zurück in die Stadt, durch die immer noch wütenden Feuer und die schreienden Menschenmassen hindurch, hinaus in die Dunkelheit des weiten Landes. Es dauerte eine Woche, bis Jocelyn wieder sprach. Ich nahm sie mit mir und wir verließen Idris und flohen nach Paris. Wir hatten kein Geld, aber sie weigerte sich, das dortige Institut aufzusuchen und um Hilfe zu bitten. Sie hatte ein für alle Mal genug von den Schattenjägern, erzählte sie mir, ein für alle Mal genug von der Verborgenen Welt.

Wir saßen in dem winzigen, billigen Hotelzimmer, das wir gemietet hatten, und ich versuchte, sie zu überzeugen, aber ohne Erfolg – sie blieb stur. Irgendwann gestand sie mir den Grund dafür: Sie trug ein weiteres Kind unter dem Herzen, hatte schon seit Wochen gewusst, dass sie wieder schwanger war. Sie wünschte sich ein neues Leben für sich und ihr Baby und wollte unbedingt verhindern, dass das Kind jemals etwas vom Rat oder vom Bündnis erfuhr. Dann zeigte sie mir das Amulett, das sie von dem Knochenstapel an sich genommen hatte. Sie verkaufte es auf dem Flohmarkt von Clignancourt und erwarb von dem Geld ein Flugticket. Sie wollte mir nicht sagen, wohin die Reise ging; je weiter sie von Idris entfernt sei, sagte sie, desto besser.

Ich wusste, dass sie mit ihrem alten Leben auch mich zurücklassen würde, und versuchte, sie zum Bleiben zu bewegen, doch ohne Erfolg. Ich war mir sicher: Wenn sie kein Kind unter dem Herzen getragen hätte, hätte sie sich selbst umgebracht. Und da es immer noch besser war, sie an die Welt der Irdischen zu verlieren als an den Tod, stimmte ich ihren Plänen letztlich widerstrebend zu.

Dann kam der Moment unseres Abschieds am Flughafen. Und die letzten Worte, die Jocelyn in dieser trostlosen Abflughalle zu mir sagte, trafen mich bis ins Mark: »Valentin ist nicht tot.«

Nachdem sie verschwunden war, kehrte ich zu meinem Rudel zurück, doch ich fand keinen Frieden dort. Eine unstillbare Sehnsucht ließ mich nicht mehr los und jeden Morgen erwachte ich mit ihrem Namen unausgesprochen auf meinen Lippen. Ich wusste, dass ich nicht mehr der Anführer war, der ich einst gewesen war. Ich handelte gerecht und fair, blieb aber immer distanziert und ich fand unter den Wolfsmenschen weder Freunde noch eine Gefährtin. Letzten Endes war ich zu sehr Mensch, zu sehr Schattenjäger, um unter Werwölfen wirklichen Frieden zu finden. Ich ging auf die Jagd, doch auch das schenkte mir keine Befriedigung; und als die Zeit für die Unterzeichnung des Abkommens endlich gekommen war, ging ich in die Stadt, um meine Unterschrift zu leisten.

In der Großen Halle des Erzengels, in der man inzwischen sämtliche Spuren jener blutigen Nacht beseitigt hatte, trafen sich die Schattenjäger und die vier Rassen der Halbmenschen ein weiteres Mal, um jenes Abkommen zu unterzeichnen, das uns allen den Frieden bringen würde. Ich war überrascht, die Lightwoods anzutreffen, die ihrerseits genauso überrascht schienen, dass ich noch lebte. Sie erzählten, dass sie neben Hodge Starkweather und Michael Wayland die einzigen Mitglieder des Kreises seien, die jene Nacht in der Großen Halle überlebt hätten. Michael, der die Trauer über den Verlust seiner Frau nicht verwinden konnte, hatte sich zusammen mit seinem jungen Sohn auf sein Landgut zurückgezogen. Die anderen drei waren vom Rat mit Verbannung bestraft worden: Sie würden bald nach New York aufbrechen, um das dortige Institut zu leiten. Dabei waren die Lightwoods dank ihrer Beziehungen zu den höchsten Kreisen des Rates mit einer viel leichteren Strafe davongekommen als Hodge. Der Rat hatte ihn mit einem Fluch belegt: Er sollte mit den Lightwoods nach New York gehen, doch sobald er versuchte, den geweihten Boden des dortigen Instituts zu verlassen, würde er augenblicklich einen grausamen Tod sterben. Hodge wollte sich in New York seinen Studien widmen, erzählten sie, und würde ihren Kindern bestimmt ein großartiger Tutor sein.

Nach der Unterzeichnung des Abkommens erhob ich mich von meinem Stuhl, verließ die Halle und ging hinunter zum Fluss, wo ich

Jocelyn in jener Nacht gefunden hatte. Ich stand dort, betrachtete die dunklen Fluten und wusste, ich würde in meiner Heimat nie mehr Frieden finden. Ich wollte bei ihr sein und nirgendwo sonst. Damals nahm ich mir vor, sie zu suchen.

Ich verließ mein Rudel und ernannte einen anderen Anführer – ich glaube, sie waren erleichtert, dass ich fortging. Ich reiste so, wie ein Wolf ohne Rudel reist: allein, immer bei Nacht, auf den Nebenstraßen und Landstraßen. Als Erstes kehrte ich nach Paris zurück, fand aber dort keine Spur mehr von ihr. Von dort aus fuhr ich nach London und nahm schließlich ein Schiff nach Boston.

Nach einer Weile in dieser Stadt ging ich schließlich in die Weißen Berge des hohen Nordens. Lange Jahre blieb ich auf Reisen, doch mit der Zeit dachte ich immer häufiger an New York und an die Schattenjäger, die dort im Exil lebten. In gewisser Weise war das ja auch Jocelyns Schicksal. Irgendwann kam ich in New York an, mit nichts als einer Reisetasche in der Hand; ich hatte keine Ahnung, wo ich nach deiner Mutter suchen sollte. Es wäre ein Leichtes gewesen, ein Wolfsrudel zu finden und mich ihm anzuschließen, doch ich widerstand der Versuchung. Stattdessen sandte ich, wie schon in anderen großen Städten, Botschaften in die Schattenwelt aus mit der Frage, ob irgendjemand Jocelyn gesehen hatte. Doch es kam keine Antwort, nichts – es schien, als ob sie ohne einen Hinweis in der Welt der Irdischen verschwunden war. Langsam begann ich zu verzweifeln.

Schließlich fand ich sie durch einen Zufall. Eines Tages streifte ich ziellos durch die Straßen von SoHo, als mir im Fenster einer Galerie auf der Broome Street ein Gemälde ins Auge fiel. Es handelte sich um die Darstellung einer Landschaft, die ich sofort wiedererkannte: der Blick aus dem Fenster ihres Elternhauses. Grüne Rasenflächen führten in einem kühnen Schwung hinunter zu einer Baumreihe, welche die dahinterliegende Straße verbarg. Ich erkannte ihren Malstil, ihre Pinselführung, jedes einzelne Detail. Ich hämmerte gegen die Tür der Galerie, doch sie war verschlossen. Also sah ich mir das Bild noch einmal genau an und dann entdeckte ich ihre Signatur. Damals las ich zum ersten Mal ihren neuen Namen: Jocelyn Fray.

Noch am selben Abend habe ich sie gefunden. Sie lebte in einem fünfstöckigen Haus ohne Aufzug, mitten im Künstlerviertel East Village. Mit pochendem Herzen stieg ich das halbdunkle Treppenhaus hinauf und klopfte an. Die Tür ihrer Wohnung öffnete sich und vor mir stand ein kleines Mädchen mit dunkelroten Zöpfen und neugierigen Augen. Und hinter ihr entdeckte ich Jocelyn, die auf mich zukam, die Hände voller Farbe. Sie sah noch genauso aus, wie ich sie in Erinnerung hatte, wie sie mir seit unserer Kindheit vertraut war ...

Den Rest kennst du.

# 22
# Renwicks Ruine

Nachdem Luke geendet hatte, blieb es lange Zeit totenstill in der Zelle; nur das leise Tropfen von Wasser an einer der Steinmauern war zu hören. Nach einer Weile durchbrach Luke die Stille:

»Sag doch was, Clary.«

»Was soll ich denn sagen?«

Er seufzte. »Vielleicht, dass du verstehst, was ich dir erzählt habe?«

Clary hörte das Blut in ihren Ohren rauschen. Sie hatte das Gefühl, als wäre ihr ganzes Leben auf einer hauchdünnen Eisscholle aufgebaut gewesen – und jetzt begann dieses Eis zu brechen und drohte, sie mit sich in das darunterliegende eisige Wasser zu reißen. Hinab in die dunkle Tiefe, dachte sie, in der all die Geheimnisse ihrer Mutter lagen, die vergessenen Überreste eines schiffbrüchigen Lebens.

Sie schaute Luke an. Er wirkte plötzlich verschwommen und unscharf, so als ob sie ihn durch eine Milchglasscheibe sähe. »Mein Vater«, setzte sie an, »dieses Bild, das meine Mutter immer auf dem Kaminsims stehen hatte . . .«

»Das war nicht dein Vater«, erklärte Luke.

»Hat es ihn denn je gegeben?«, fragte Clary mit zunehmend zorniger Stimme. »Gab es jemals einen John Clark oder hat meine Mutter ihn auch erfunden?«

»John Clark hat tatsächlich existiert. Aber er war nicht dein Vater. Er war der Sohn eurer Nachbarn, damals im East Village. Er kam bei einem Autounfall ums Leben, so wie deine Mutter es dir erzählt hat, aber sie haben einander nie kennengelernt. Sie besaß sein Foto, weil die Nachbarn sie beauftragt hatten, ein Porträt von ihm in seiner Army-Uniform zu malen. Nachdem sie das Bild gemalt hatte, behielt sie das Foto und behauptete, dass der Mann darauf dein Vater gewesen sei. Ich schätze, für sie war es so einfacher. Denn wenn sie dir erzählt hätte, er habe sich aus dem Staub gemacht oder sei verschwunden, hättest du irgendwann nach ihm suchen wollen. Und ein Toter . . .«

». . . kann sich nicht gegen Lügen wehren«, beendete Clary mit bitterer Stimme seinen Satz. »Und sie fand es in Ordnung, mich all die Jahre glauben zu lassen, mein Vater sei tot? Und dabei ist mein richtiger Vater . . .«

Luke sagte nichts, ließ sie das Ende des Satzes selbst finden, das Undenkbare selbst denken.

*»Valentin.«* Ihre Stimme zitterte. »Das willst du mir doch damit sagen, richtig? Dass Valentin mein Vater war . . . ist?«

Luke nickte; nur seine ineinander verschränkten Hände verrieten seine Anspannung. »Ja.«

»Oh mein *Gott.«* Clary sprang auf und lief durch die Zelle. »Das ist nicht wahr. Das ist einfach nicht wahr.«

»Clary, bitte reg dich nicht so auf . . .«

»Reg dich nicht so auf? Du erzählst mir gerade, dass mein richtiger Vater im Grunde der Herrscher alles Bösen ist, und ich soll mich nicht aufregen?«

»Er war nicht immer böse«, erwiderte Luke und klang dabei fast schon entschuldigend.

»Oh, da bin ich aber anderer Meinung. In meinen Augen ist er *nie was anderes* gewesen. Der ganze Blödsinn über die Reinhaltung der Rasse und die Bedeutung des unverdorbenen Blutes – das klingt doch wie einer dieser widerlichen Faschisten. Und ihr beide seid auch noch voll drauf reingefallen.«

»Ich bin nicht derjenige, der noch vor ein paar Minuten etwas von ›miesen‹ Schattenwesen erzählt hat«, sagte Luke leise. »Oder davon, dass man ihnen nicht trauen kann.«

»Das ist nicht dasselbe!« Clary konnte die Tränen in ihrer Stimme hören. »Ich hatte einen Bruder«, fuhr sie stockend fort. »Und Großeltern. Sind sie tot?«

Luke nickte und blickte hinunter auf seine großen Hände, die nun geöffnet auf seinen Knien lagen. »Ja.«

»Jonathan«, sagte sie leise. »Um wie viel wäre er älter als ich? Ein Jahr?«

Luke schwieg.

»Ich habe mir immer einen Bruder gewünscht«, murmelte sie.

»Nicht«, sagte er unglücklich. »Quäl dich nicht. Du begreifst doch wohl, warum deine Mutter dies alles von dir ferngehalten hat, oder? Was hätte es für einen Nutzen gehabt, dich wissen zu lassen, was du schon vor deiner Geburt verloren hattest?«

»Dieses Kästchen«, begann Clary, deren Gedanken sich nun überschlugen, »mit den Initialen J. C. darauf. Jonathan Christopher. Deshalb hat sie immer geweint, wenn sie es betrachtet hat. Das war seine Haarlocke – die meines Bruders, nicht meines Vaters.«

»Ja.«

»Und als du sagtest ›Clary ist nicht Jonathan‹, hast du meinen Bruder gemeint. Deshalb war Mom auch immer so überfürsorglich – weil sie bereits ein Kind verloren hatte.«

Ehe Luke antworten konnte, öffnete sich die Zellentür mit einem metallischen Klang und Gretel betrat den Raum. Das »Verbandszeug«, unter dem Clary sich eine Hartplastik-Box mit aufgedrucktem rotem Kreuz vorgestellt hatte, erwies sich als ein großes Holztablett mit aufgerollten Bandagen und dampfenden Schüsseln voll undefinierbaren Flüssigkeiten und Kräutern, die ein intensives zitronenartiges Aroma verströmten. Gretel stellte das Tablett neben dem Bett ab und bedeutete Clary, sich aufzusetzen, was dieser mit einiger Mühe auch gelang.

»Braves Mädchen«, meinte die Wolfsfrau, tunkte etwas Mull in eine der Schüsseln und tupfte damit sanft das getrocknete Blut von Clarys Gesicht. »Wie hast du denn das geschafft?«, fragte sie missbilligend, als ob sie annähme, Clary sei sich mit einer Käsereibe durchs Gesicht gefahren.

»Das habe ich mich auch schon gefragt«, sagte Luke, der die Prozedur mit verschränkten Armen beobachtete.

»Hugo hat mich angegriffen.« Clary versuchte, nicht zusammenzuzucken, als sich die blutstillende Flüssigkeit beißend auf ihren Wunden verteilte.

»Hugo?«, meinte Luke verblüfft.

»Hodges Vogel. Zumindest nehme ich an, es ist sein Vogel. Er könnte natürlich auch zu Valentin gehören.«

*»Hugin«,* sagte Luke leise. »Hugin und Munin waren Valentins zahme Vögel. Ihre Namen bedeuten ›Gedanke‹ und ›Erinnerung‹.«

»Eigentlich sollten sie ›Angriff‹ und ›Tod‹ heißen«, meinte Clary. »Hugo hätte mir fast die Augen ausgekratzt.«

»Dafür hat man ihn abgerichtet.« Luke klopfte mit den Fingerspitzen einer Hand auf seinen anderen Arm. »Hodge muss ihn nach dem Aufstand mitgenommen haben. Aber er war immer noch Valentins Geschöpf.«

»Genau wie Hodge«, sagte Clary und verzog das Gesicht, als Gretel die lange Risswunde an ihrem Arm säuberte, die mit Schmutz und getrocknetem Blut verkrustet war, und anschließend verband.

»Clary . . .«

»Ich will nicht weiter über die Vergangenheit reden«, unterbrach sie ihn aufgebracht. »Sag mir lieber, was wir nun tun sollen. Jetzt hat Valentin meine Mom, Jace und den Kelch. Und wir haben gar nichts.«

»Das würde ich nicht gerade behaupten«, erwiderte Luke. »Wir haben ein mächtiges Wolfsrudel. Unser Problem ist nur, dass wir nicht wissen, wo Valentin steckt.«

Clary schüttelte den Kopf und mehrere Haarsträhnen fielen ihr ins Gesicht, die sie mit einer ungeduldigen Handbewegung zur Seite strich. *Mein Gott, ich bin ja völlig verdreckt,* dachte sie. *Ich würde alles – na ja,* fast *alles – für eine Dusche geben.* »Hat Valentin nicht irgendeine Art von Versteck? Ein geheimes Lager?«

»Falls er so etwas besitzt«, sagte Luke, »dann ist es ihm wirklich gelungen, das geheim zu halten.«

Inzwischen war Gretel mit Clarys Verband fertig und sie bewegte vorsichtig ihren Arm. Die grünliche Salbe, die Gretel ihr auf die Wunde geschmiert hatte, unterdrückte den Schmerz, aber der Arm fühlte sich noch immer steif und starr an. »Warte mal«, sagte Clary.

»Diesen Spruch werde ich nie verstehen«, meinte Luke. »Ich hatte nicht vor wegzugehen.«

»Könnte Valentin noch irgendwo in New York sein?«

»Möglich wär's.«

»Als ich ihn im Institut sah, kam er durch ein Portal. Magnus erzählte mir, dass es in New York nur zwei Portale gäbe, eines bei Madame Dorothea und eines bei Renwicks. Aber das bei Madame Dorothea ist zerstört und außerdem kann ich mir nicht vorstellen, dass er sich dort verstecken würde, also . . .«

»Bei Renwicks?«, meinte Luke verwirrt. »Renwick ist kein Schattenjäger-Name.«

»Und wenn Renwick gar keine Person ist?«, fragte Clary. »Was ist, wenn damit ein Ort gemeint wäre? *Bei Renwicks.* So wie ein Restaurant oder . . . oder ein Hotel oder etwas in der Art.«

Plötzlich schien Luke ein Gedanke zu kommen. Er wandte sich an Gretel, die mit dem Tablett in den Händen auf ihn zutrat und ihn verarzten wollte. »Ich brauche ein Telefonbuch.«

Gretel hielt mitten in der Bewegung inne, das Tablett anklagend vor sich ausgestreckt. »Aber Sir, Ihre *Wunden . . .«*

»Vergiss meine Wunden und hol mir ein Telefonbuch«, knurrte er. »Wir sind in einer Polizeistation, da sollten genug alte Exemplare herumliegen.«

Gekränkt stellte Gretel das Tablett auf den Boden und marschierte aus der Zelle. Luke warf Clary über seine halb auf der Nase thronende Brille einen Blick zu und meinte: »Schlaues Mädchen.«

Clary schwieg. Ihr Magen fühlte sich an wie ein einziger fester Klumpen und sie hatte das Gefühl, als müsse sie um ihn herumatmen. Irgendwo in ihrem Gehirn meldete sich ein winziger Gedanke, der sich den Weg zu einer ausgewachsenen Erkenntnis bahnen wollte. Doch sie schob ihn mit Macht beiseite – im Augenblick konnte sie es sich nicht leisten, ihre Energie an Dinge zu verschwenden, die nichts mit den aktuellen Problemen zu tun hatten.

Gretel kam mit einem feucht wirkenden Branchenbuch zurück und warf es Luke hin. Er blätterte die Seiten im Stehen durch, während die Wolfsfrau sich mit Verbänden und klebrig aussehenden Salben an seinen Verletzungen zu schaffen machte. »Es gibt sieben Renwicks im Telefonbuch«, sagte er schließlich. »Aber keine Restaurants, Hotels oder Ähnliches.« Er schob seine Brille hoch, die jedoch sofort wieder ein Stück nach unten rutschte. »Die aufgeführten Renwicks sind alles keine Schattenjäger«, fuhr er fort, »und es erscheint mir unwahrscheinlich, dass Valentin sein Hauptquartier im Haus eines Irdischen oder Schattenwesens aufschlägt. Obwohl, vielleicht . . .«

»Habt ihr ein Telefon?«, unterbrach Clary ihn.

»Ich hab meins nicht dabei.« Luke schaute Gretel an. »Kannst du uns das Telefon holen?«

Mit einem angewiderten Schnauben schleuderte sie das Bündel blutiger Verbände, das sie in den Händen hielt, zu Boden und stapfte ein weiteres Mal aus der Zelle. Luke legte das Telefonbuch auf den Tisch, griff nach einer Bandage und begann, damit die Schnittwunde zu verbinden, die quer über seine Rippen verlief. »Tut mir leid«, sagte er, als er Clarys Blick bemerkte. »Ich weiß, dass es abstoßend aussieht.«

»Wenn wir Valentin kriegen«, fragte sie plötzlich, »können wir ihn dann töten?«

Luke ließ fast das Verbandszeug fallen. »Was?«

Clary spielte mit einem Faden, der aus der Tasche ihrer Jeans herabhing. »Er hat meinen großen Bruder umgebracht. Er hat meine Großeltern getötet. Oder etwa nicht?«

Luke legte den Rest der Bandage auf den Tisch und zog sein Hemd zurecht. »Und was willst du mit seinem Tod erreichen? Seine Taten ungeschehen machen?«

Ehe Clary antworten konnte, tauchte Gretel wieder auf. Mit einem gequälten Ausdruck in den Augen hielt sie Luke ein klobiges, altmodisches Mobiltelefon hin. Clary fragte sich, wer wohl die Rechnungen dafür bezahlte.

Dann streckte sie ihre Hand aus. »Ich muss jemanden anrufen.«

Luke zögerte. »Clary . . .«

»Es geht um Renwicks. Dauert nicht lange.«

Misstrauisch reichte er ihr das Telefon. Sie tippte eine Nummer ein und drehte sich dann halb von ihm weg, um für sich selbst die Illusion von Privatsphäre zu schaffen.

Nach dem dritten Klingeln hob Simon den Hörer ab. »Hallo?«

»Ich bin's.«

Sein Tonfall wanderte eine Oktave nach oben. »Wo bist du? Alles in Ordnung mit dir?«

»Mir geht's prima. Warum? Hast du irgendwas von Isabelle gehört?«

»Nein. Was sollte Isabelle mir denn erzählen? Ist was nicht in Ordnung? Geht es um Alec?«

»Nein«, erwiderte Clary, die nicht lügen und behaupten wollte, Alec sei wohlauf. »Es geht nicht um Alec. Eigentlich wollte ich dich nur bitten, im Internet was für mich rauszusuchen.«

Simon schnaubte. »Machst du Witze? Habt ihr da drüben etwa keinen Computer? Schon gut, erspar mir die Antwort.« Clary hörte, wie eine Tür geöffnet wurde und dann ein lautes Miau, als Simon die Katze seiner Mutter von ihrem Lieblingsplatz auf seiner Computertastatur verscheuchte. Sie sah ihn genau vor sich, wie er sich vor den PC setzte und die Finger über das Keyboard fliegen ließ. »Was soll ich checken?«

Sie sagte es ihm. Während sie mit Simon sprach, konnte sie Lukes besorgten Blick auf sich spüren. Genauso hatte er sie damals angesehen, als sie mit elf Jahren eine schwere Grippe hatte und ihr Fieber einfach nicht sinken wollte. Er hatte ihr Eiswürfel zum Lutschen gebracht, ihr aus ihren Lieblingsbüchern vorgelesen und dabei alle Stimmen gesprochen.

»Du hast recht«, riss Simons Stimme sie aus ihren Erinnerungen. »Es ist ein Gebäude. Oder besser, es war eines – und ist heute verlassen.«

Fast wäre ihr das Telefon aus den schweißfeuchten Fingern gerutscht. Sie umklammerte den Hörer fester. »Erzähl mal mehr darüber.«

*»Renwick Smallpox Hospital war das berühmteste aller Irrenhäuser, Schuldnergefängnisse und Krankenhäuser, die während des neunzehnten Jahrhunderts auf Roosevelt Island erbaut wurden«*, las Simon pflichtbewusst vor. *»Vom Architekten Jacob Renwick entworfen, diente es als Quarantänestation für die ärmsten Opfer der unkontrollierbaren Pockenepidemie, die Manhattan heimsuchte. Fast alle, die dieses makabre neugotische Gebäude betraten, starben innerhalb seiner Mauern. Im Laufe des nächsten Jahrhunderts wurde das Hospital aufgrund seines schlechten baulichen Zustands aufgegeben. Der Zugang zu den Ruinen ist heute verboten.«*

»Okay, das genügt«, sagte Clary mit klopfendem Herzen. »Das *muss* es sein. Roosevelt Island? Lebt da denn überhaupt noch jemand?«

»Nicht alle von uns sind mit einem goldenen Löffel im Mund geboren, Prinzesschen«, sagte Simon mit gespieltem Sarkasmus. »Wie auch immer – braucht ihr mich noch mal als Fahrer oder für was anderes?«

»Nein! Alles okay hier, wir brauchen nichts. Ich musste nur ein paar Informationen haben.«

»Wie du meinst.« Simon klang ein wenig gekränkt, dachte Clary. Doch dann sagte sie sich, dass es so besser sei – er saß heil und gesund zu Hause und darauf kam es letztlich an.

Sie beendete das Telefonat und wandte sich an Luke. »Am Südende von Roosevelt Island gibt es ein verlassenes Hospital namens Renwicks. Meiner Meinung nach steckt Valentin dort.«

Luke schob seine Brille wieder die Nase hinauf. »Blackwell's Island. Natürlich.«

»Wieso Blackwell's Island? Ich sagte . . .«

Er schnitt ihr mit einer Handbewegung das Wort ab. »So hat man Roosevelt Island früher genannt – Blackwell's. Es gehörte einer alten Schattenjäger-Familie. Ich hätte daran denken müssen.« Er drehte sich zu Gretel um. »Hol Alaric. Wir brauchen das ganze Rudel hier, und zwar so schnell wie möglich.« Sein Mund verzog sich zu einem schiefen Lächeln, das Clary an jenes kalte Grinsen erinnerte, das Jace' Lippen kurz vor einem Kampf umspielte. »Sag ihnen, sie sollen sich auf eine Schlacht vorbereiten.«

Ihr Weg hinauf zur Straße führte sie durch ein weitläufiges Labyrinth aus Zellen und Korridoren, die sich letztlich zu einem Raum öffneten, der einst der Eingangsbereich einer Polizeiwache gewesen war. Das Gebäude war inzwischen verlassen; in der schräg einfallenden Nachmittagssonne warfen die leeren Tische und die Umkleideschränke mit ihren Vorhängeschlössern und Termitenlöchern eigenartige Schatten. Auf den gesprungenen Bodenfliesen las Clary das Motto der New Yorker Polizei: *Fidelis ad Mortem.*

»Treu bis in den Tod«, übersetzte Luke, der ihrem Blick gefolgt war.

»Lass mich raten«, meinte Clary. »Im Inneren ist es eine verlassene Polizeiwache, aber von außen sehen die Irdischen nur ein abbruchreifes Mietshaus oder ein leeres Baugrundstück oder . . .«

»Eigentlich sieht es von außen aus wie ein chinesisches Restaurant«, erklärte Luke. »Alle Gerichte nur zum Mitnehmen, kein Restaurantbetrieb.«

»Ein chinesisches Restaurant?«, wiederholte Clary ungläubig.

Luke zuckte die Achseln. »Tja, wir sind nun mal in Chinatown. Das hier war einst die Wache des Zweiten Bezirks.«

»Die Leute finden es wahrscheinlich ziemlich eigenartig, dass es keine Telefonnummer für Essensbestellungen gibt.«

»Doch, die gibt es«, sagte Luke grinsend. »Wir gehen allerdings nicht sehr oft ans Telefon. Nur manchmal, wenn sie sich langweilen, liefern ein paar von den Wölflingen Schweinefleisch süßsauer aus.«

»Du machst Witze.«

»Ganz und gar nicht. Außerdem können wir die Trinkgelder gut gebrauchen.« Damit öffnete er die Vordertür und strahlendes Sonnenlicht erfüllte den Raum.

Clary war sich immer noch nicht sicher, ob er sie auf den Arm genommen hatte, und folgte Luke über die Baxter Street zu seinem Auto. Das Innere des Pick-ups wirkte auf sie beruhigend vertraut – der schwache Geruch nach Holzspänen, Altpapier und Seife, die weggeworfenen Kaugummipapierchen und leeren Kaffeebecher auf dem Boden und die von der Sonne ausgebleichten Würfel aus goldfarbenem Plüsch, die sie ihm mit zehn Jahren geschenkt hatte, weil sie genauso aussahen wie die goldenen Würfel am Rückspiegel des Millennium Falcon. Clary schwang sich auf den Beifahrersitz und ließ sich mit einem Seufzer gegen die Kopfstütze sinken. Sie war erschöpfter, als sie es sich selbst eingestanden hatte.

Luke schloss die Tür hinter ihr. »Schön hierbleiben.«

Sie schaute ihm nach, als er zu Gretel und Alaric hinüberging, die geduldig auf den Stufen der alten Polizeiwache warteten. Dann vertrieb sie sich die Zeit damit, ihren Blick absichtlich scharf und wieder unscharf werden zu lassen, wodurch der Zauberglanz abwechselnd sichtbar und unsichtbar wurde. Das Gebäude auf der anderen Straßenseite, das zunächst wie eine alte Polizeiwache ausgesehen hatte, verwandelte sich auf diese Weise in eine heruntergekommene Ladenfront mit einem gelben Vordach, auf dem »China-Restaurant Jade Wolf« stand.

Luke unterhielt sich gestenreich mit seinem Ersten und Zweiten Offizier und deutete irgendwann die Straße hinunter. Sein Pick-up war das erste Fahrzeug in einer Reihe von Transportern, Motorrädern, Jeeps und sogar einem schrottreif aussehenden alten Schulbus. Die Fahrzeugkolonne erstreckte sich in einer Linie den ganzen Häuserblock entlang und um die nächste Straßenecke herum – ein ganzer Konvoi von Werwölfen. Clary fragte sich, wie sie in so kurzer Zeit so viele fahrbare Untersätze zusammengeraubt, erbettelt oder organisiert hatten. Einen Vorteil hatte das Ganze jedenfalls: Zumindest mussten sie nicht alle mit der Luftseilbahn nach Roosevelt Island reisen.

Luke bekam von Gretel eine weiße Papiertüte gereicht, nickte kurz und kam dann zum Pick-up zurückgelaufen. Während er seinen schlaksigen Körper hinter das Steuer zwängte, gab er Clary die Tüte. »Hier, dafür bist du zuständig.«

Clary musterte die Tüte misstrauisch. »Was ist da drin? Waffen?«

Luke schüttelte sich vor lautlosem Lachen. »Eigentlich sind es Wan-Tans«, sagte er und lenkte den Pick-up in den Verkehr. »Und Kaffee.«

Während sie nach Norden rollten, öffnete Clary mit wild knurrendem Magen die Tüte. Sie riss eine der Teigtaschen auf, genoss den pikant-salzigen Geschmack des Schweinefleischs und machte sich mit Appetit über den hellen Teig her. Anschließend spülte sie das Ganze mit einem Schluck supersüßen Kaffees hinunter und bot Luke eine zweite Teigtasche an. »Auch eine?«

»Klar.« Es war fast wie in alten Zeiten, dachte sie, während sie durch die Canal Street rollten. Früher hatten sie hier immer große Tüten mit Apfeltaschen bei der Golden Carriage Bakery geholt – und sie schon zur Hälfte verputzt, noch bevor sie auf dem Rückweg die Manhattan Bridge erreichten.

»Erzähl mir was über diesen Jace«, sagte Luke.

Clary hätte sich fast an einer Teigtasche verschluckt. Schnell griff sie nach dem Kaffee und ertränkte ihren Hustenanfall in der heißen Flüssigkeit. »Was soll mit ihm sein?«

»Hast du irgendeine Ahnung, was Valentin von ihm wollen könnte?«

»Nein.«

Luke blinzelte im Licht der untergehenden Sonne. »Ich dachte, Jace wäre eines der Lightwood-Kinder?«

»Nein.« Clary biss in ihre dritte Teigtasche. »Sein Nachname ist Wayland. Sein Vater war . . .«

»Michael Wayland?«

Sie nickte. »Und als Jace zehn Jahre alt war, hat Valentin ihn getötet. Michael, meine ich.«

»So was wäre ihm durchaus zuzutrauen«, sagte Luke. Sein Tonfall blieb neutral, doch irgendetwas in seiner Stimme veranlasste Clary, ihm einen Seitenblick zuzuwerfen. Glaubte er ihr etwa nicht?

»Jace hat mit angesehen, wie er starb«, fügte sie hinzu, um ihrer Behauptung Nachdruck zu verleihen.

»Das ist ja schrecklich«, sagte Luke. »Armer Junge.«

Sie rollten nun über die Brücke an der 59. Straße. Clary schaute hinunter und sah den Fluss in der untergehenden Sonne rotgolden schimmern. Von hier aus konnte man schon die Südspitze von Roosevelt Island erkennen, wenn auch erst als kleinen Fleck weit oben im Norden. »Er ist darüber hinweggekommen«, sagte sie. »Die Lightwoods haben sich gut um ihn gekümmert.«

»Das kann ich mir vorstellen. Sie waren immer eng mit Michael befreundet«, bemerkte Luke und wechselte in die linke Spur. Im Seitenspiegel sah Clary, wie die Karawane der ihnen folgenden Fahrzeuge ebenfalls ihre Fahrtrichtung anpasste. »Sie haben sich bestimmt gern seines Sohnes angenommen.«

»Was passiert eigentlich, wenn der Mond aufgeht?«, fragte sie. »Werdet ihr dann alle plötzlich zu Wölfen?«

Lukes Mundwinkel zuckten. »Nicht alle. Nur die Jungen, diejenigen, die sich vor Kurzem zum ersten Mal verändert haben, können ihre Transformation nicht kontrollieren. Aber die meisten von uns haben das im Laufe der Jahre gelernt. Nur der Vollmond kann meine Transformation heute noch erzwingen.«

»Also wenn der Mond nur halb voll ist, fühlst du dich auch nur wie ein Halbwolf?«, fragte Clary.

»So könnte man das sagen.«

»Na ja, du kannst ja immer noch deinen Kopf aus dem Autofenster hängen und heulen, wenn dir danach ist.«

Luke lachte. »Ich bin ein Werwolf, kein Golden Retriever.«

»Wie lange bist du schon der Anführer dieses Rudels?«, wechselte Clary plötzlich das Thema.

Luke zögerte. »Etwa eine Woche.«

Clary wandte sich ihm ruckartig zu. »Eine *Woche?*«

Er seufzte. »Ich wusste, dass Valentin deine Mutter entführt hatte«, sagte er tonlos. »Und ich wusste, dass ich allein kaum eine Chance gegen ihn haben würde und dass ich vom Rat keine Hilfe erwarten konnte. Ich brauchte etwa einen Tag, um das nächste große Werwolfrudel in der Stadt zu finden.«

»Du hast den Rudelführer umgebracht und seinen Platz eingenommen?«

»Es war der schnellste Weg, um in kurzer Zeit an eine große Zahl von Verbündeten zu kommen«, erwiderte Luke, ohne jedes Bedauern, aber auch ohne Stolz in der Stimme. Clary erinnerte sich, wie sie ihn heimlich in seinem Haus beobachtet hatte, wie ihr die tiefen Kratzer auf seinen Händen und in seinem Gesicht aufgefallen waren. »Ich hatte es vorher schon einmal getan und ich war mir ziemlich sicher, dass ich es wieder tun könnte.« Er zuckte die Achseln. »Deine Mutter war verschwunden und ich wusste, dass ich dich dazu gebracht hatte, mich zu hassen. Ich hatte nichts mehr zu verlieren.«

Clary stemmte die Sohlen ihrer grünen Turnschuhe gegen das Armaturenbrett. Durch die gesprungene Windschutzscheibe, über ihre Schuhspitzen hinweg, konnte sie erkennen, wie der Mond über der Brücke aufging. »Tja«, sagte sie. »Das ist jetzt anders.«

Das Hospital am Südende von Roosevelt Island wurde von Flutlicht angestrahlt, was seine gespenstischen Konturen scharf gegen den dunklen Fluss und die hell erleuchtete Silhouette Manhattans hervortreten ließ. Luke und Clary verstummten, als der Pick-up auf die winzige Insel rollte und aus der gepflasterten Straße ein Schotterweg wurde, der schließlich als gestampfter Lehmpfad endete. Der Weg verlief parallel zu einem hohen Maschendrahtzaun, dessen Krone dick mit Stacheldraht umwickelt war.

Als der Untergrund zu uneben wurde, um noch länger weiterzufahren, brachte Luke den Pick-up zum Stehen und schaltete das Licht aus. Dann schaute er Clary an. »Würdest du hier auf mich warten, wenn ich dich darum bitte?«

Sie schüttelte den Kopf. »Im Wagen muss es nicht unbedingt sicherer sein. Wer weiß, wie Valentin seine Stellung bewachen lässt?«

Luke lachte leise. »*Stellung*. Hör sich das einer an.« Er schwang sich aus dem Pick-up und ging dann auf ihre Seite hinüber, um ihr vom Beifahrersitz zu helfen. Sie hätte zwar auch selbst aus dem Wagen springen können, aber es war schön, dass er ihr half – so wie er es getan hatte, als sie noch zu klein gewesen war, um allein sicher auszusteigen.

Als ihre Füße den trockenen Lehmboden berührten, stiegen kleine Staubwolken in die Höhe. Die Autos, die ihnen gefolgt waren, schlossen nun eins nach dem anderen so zu ihnen auf, dass sie eine Art Kreis um Lukes Pick-up bildeten. Im Licht ihrer Scheinwerfer blitzte der Maschendrahtzaun silberweiß. Hinter dem Zaun ragte das Hospital auf – eine Ruine, deren verfallener Zustand im grellen Flutlicht unbarmherzig deutlich wurde: Mauerreste ohne Dach ragten aus dem unebenen Boden hervor wie abgebrochene Zähne und die steinernen Zinnen waren von einem dichten Efeuteppich überwuchert. »Es ist ein Trümmerhaufen«, hörte Clary sich selbst leise und leicht beklommen sagen. »Keine Ahnung, wie Valentin sich hier verstecken könnte.«

Lukes Augen folgten ihrem Blick in Richtung Hospital. »Es ist ein starker Zauberglanz«, erklärte er. »Versuch, an den Lichtern vorbeizuschauen.« Alaric kam über den Pfad auf sie zu; seine Jeansjacke öffnete sich in der leichten Brise, sodass seine vernarbte Brust zum Vorschein kam. *Die Werwölfe, die ihm folgen, sehen aus wie ganz normale Menschen,* dachte Clary. Wenn ihr die Gruppe unter anderen Umständen in einer Menge aufgefallen wäre, hätte sie wahrscheinlich angenommen, dass sie sich von irgendwoher kannten. Sie ähnelten einander auf eine Weise, die nicht auf körperlichen Merkmalen beruhte –

es lag mehr in ihren unverblümten Blicken, in ihrer energischen Ausstrahlung. Sie waren sonnengebräunter, schlanker und sehniger als der durchschnittliche Stadtmensch, so wie eine Gruppe von Farmern oder eine Motorradgang. Auf jeden Fall sahen sie überhaupt nicht wie Monster aus.

Sie versammelten sich bei Lukes Pick-up zu einer kurzen Lagebesprechung, fast wie ein Footballteam vor dem Anpfiff. Clary, die sich wie eine Außenseiterin fühlte, drehte sich um und betrachtete erneut das Hospital. Dieses Mal versuchte sie, an den Lichtern vorbei- oder durch sie hindurchzuschauen, so wie sie manchmal durch eine dünne Deckschicht von Farbe hindurchschaute, um das darunterliegende Gemälde zu sehen. Wie schon zuvor musste sie sich nur vorstellen, ein solches Bild zu zeichnen – die Lichter schienen zu verschwinden und plötzlich schaute sie über eine von Eichen gesäumte Rasenfläche auf ein prunkvolles neugotisches Bauwerk, das zwischen den Bäumen emporragte wie das Bollwerk eines gewaltigen Schiffes. Die Fenster in den unteren Geschossen waren dunkel, ihre Blenden geschlossen, aber aus den spitz zulaufenden Fensterbögen im dritten Stock fiel Licht, als handle es sich um Feuer auf den Gipfeln einer weit entfernten Gebirgskette. Eine massive steinerne Veranda verbarg die Eingangstür des Gebäudes.

»Kannst du es jetzt sehen?«, fragte Luke, der sich ihr lautlos von hinten genähert hatte, auf den leisen Sohlen . . . eines Wolfs.

»Sieht eher wie eine Burg als ein Krankenhaus aus«, sagte sie, während sie das Gebäude unverwandt musterte.

Luke packte sie bei den Schultern und drehte sie mit dem Gesicht zu sich. »Hör mir zu, Clary.« Sein Griff war so fest, dass es schmerzte. »Bleib immer in meiner Nähe. Beweg dich, wenn ich mich bewege. Halt dich zur Not an meinem Hemd fest. Die anderen werden einen Ring um uns bilden und uns schützen, doch wenn du außerhalb dieses Rings gerätst, werden sie nichts für dich tun können. Sie werden uns jetzt langsam zur Tür bringen.« Er ließ ihre Schultern los, und als er sich bewegte, sah sie unter seiner Jacke etwas metallisch aufblitzen. Sie hatte gar nicht bemerkt, dass er eine Waffe trug, doch dann erinnerte sie sich daran, was Simon über den Inhalt von Lukes alter grüner Reisetasche gesagt hatte. »Versprichst du mir zu tun, was ich sage?«

»Versprochen.«

Der Zaun war echt und nicht durch den Zauberglanz erschaffen. Alaric, der die Führung übernommen hatte, rüttelte prüfend daran und hob dann langsam eine Hand. Lange Klauen wuchsen unter seinen Fingernägeln hervor, mit denen er auf den Maschendrahtzaun einhieb und das Metall wie Butter zerschnitt. Die Maschen fielen zu einem großen Haufen zusammen.

»Los.« Er winkte die anderen durch das Loch im Zaun. Sie strömten vorwärts wie ein Mann, in einer geschlossenen, perfekt koordinierten Bewegung. Luke packte Clary am Arm, schob sie vor sich her und duckte sich, um ihr durch den Zaun zu folgen. Hinter dem Zaun gruppierten sie sich neu und spähten in Richtung des ehemaligen Pocken-Krankenhauses, wo sich dunkle Schatten auf der Veranda gesammelt hatten und sich nun langsam die Vortreppe hinunterbewegten.

Alaric hob den Kopf und schnüffelte prüfend gegen den Wind. »Der Gestank des Todes liegt in der Luft.«

*»Forsaken«,* stieß Luke zischend hervor.

Er schob Clary hinter sich, die auf dem unebenen Boden ins Stolpern geriet. Die Mitglieder des Rudels begannen, sich um Luke und sie zu scharen. Während sie sich dem Haus näherten, ließen sie sich auf alle viere fallen, Lippen wichen hinter hervortretenden Fängen zurück, Gliedmaßen verwandelten sich in lange, pelzige Extremitäten und dichtes Fell überwucherte die Kleidung. Irgendwo in Clarys Hinterkopf schrie eine winzige Stimme instinktiv: *»Wölfe! Lauf weg!«* Aber sie kämpfte dagegen an und blieb, wo sie war, obwohl sie spürte, wie ihre Nackenhaare sich aufrichteten und ihre Hände zu zittern begannen.

Das Rudel umringte sie, die Schnauzen nach außen gerichtet. Auf beiden Seiten flankierten weitere Wölfe den Kreis; es war, als ob Luke und sie sich im Mittelpunkt eines Sterns befänden. In dieser Formation bewegten sie sich langsam auf die Eingangstür des Hospitals zu. Clary, die immer noch hinter Luke ging, sah nicht einmal, wie der erste Forsaken angriff. Sie hörte einen Wolf unter Schmerzen aufheulen. Dann stieg das Heulen einen Moment lang an, verwandelte sich in ein Knurren, gefolgt von einem dumpfen Schlag, einem gurgelnden Aufschrei und einem Geräusch wie reißendes Papier ...

Einen kurzen Moment fragte Clary sich, ob Forsaken essbar waren.

Sie warf Luke einen Blick zu. Sein Gesicht war angespannt. Jetzt sah Clary sie auch, am äußeren Rand des Rings der Werwölfe, beschienen vom grellen Flutlicht und dem sanften Schimmer Manhattans, der aus der Ferne zu ihnen herüberdrang: Dutzende von Forsaken, mit leichenblasser Haut, über und über gebrandmarkt mit Runen, die an ihnen wie Verletzungen aussahen. Mit leeren Augen stürzten sie sich auf die Wölfe, die sich ihnen frontal entgegenstellten, mit ausgefahrenen Klauen und gebleckten Zähnen. Sie sah einen der Forsaken – eine Frau – mit rudernden Armen und aufgeschlitzter Kehle rückwärtsstolpern. Ein anderer hieb mit einem Arm auf einen Wolf ein, während sein anderer Arm einen guten Meter entfernt auf dem Boden lag; Blut strömte pulsierend aus dem Stumpf. Schwarzes Blut, zäh und trübe wie Sumpfwasser, floss in Strömen und machte das Gras so rutschig, dass Clary fast gestolpert wäre. Luke konnte sie gerade noch festhalten. »Hiergeblieben.«

*Ich bleibe doch hier,* wollte sie ihm zurufen, doch sie brachte keinen Ton hervor. Die Wölfe bewegten sich immer noch – quälend langsam – über den Rasen auf das Hospital zu. Lukes Hand umklammerte ihren Arm wie eine Stahlfalle. Clary hätte nicht sagen können, wer gewann – und ob überhaupt jemand gewann. Die Wölfe waren schneller und größer, doch die Forsaken attackierten sie mit grausiger Unerbittlichkeit und waren überraschend schwer zu töten. Sie sah, wie ein riesiger, grau melierter Wolf, den sie als Alaric erkannte, einen Forsaken niederstreckte, indem er ihm die Beine wegschlug und ihm mit einem Sprung an die Kehle ging. Doch selbst mit herausgerissenem Kehlkopf bewegte sich die Kreatur weiter und ihr Axtschlag hinterließ eine tiefe rote Schnittwunde in Alarics glänzendem Fell.

Derart abgelenkt, bemerkte Clary den Forsaken, der den schützenden Ring um sie durchbrochen hatte, erst, als er drohend über ihr aufragte – es kam ihr vor, als wäre er vor ihren Füßen aus dem Boden geschossen. Mit weißen Augen und verfilztem Haar hob er ein bluttriefendes Messer.

Sie schrie auf. Luke wirbelte herum, drängte sie zur Seite, packte die Kreatur beim Handgelenk und drehte es herum. Sie hörte Knochen brechen und das Messer fiel ins Gras. Die Hand des Forsaken baumelte leblos an seinem Körper herab, aber er kam weiter auf sie zu, ohne ein Anzeichen von Schmerz. Luke rief mit rauer Stimme nach Alaric. Clary versuchte, den Dolch an ihrem Gürtel zu erreichen, doch Lukes Griff um ihren Arm war zu fest. Ehe sie ihn anschreien konnte, sie loszulassen, warf sich eine schlanke Gestalt wie ein silberner Blitz zwischen sie und den Angreifer. Es war Gretel. Sie landete mit ihren Vorderpfoten auf der Brust des Forsaken und warf ihn zu Boden. Ein wütendes Heulen stieg aus ihrer Kehle auf, doch der Forsaken war stärker; er schleuderte sie beiseite wie eine Stoffpuppe und rollte sich wieder auf die Füße.

Irgendetwas hob Clary hoch. Sie protestierte lautstark, aber es war nur Alaric, halb in menschlicher, halb in Werwolfgestalt, die Hände mit scharfen Klauen versehen. Dennoch war die Bewegung, mit der er sie in seine Arme nahm, sanft.

»Schaff sie hier raus! Bring sie zur Tür!«, rief Luke und deutete mit dem Arm die Richtung an.

»Luke!« Clary wand sich in Alarics Griff hin und her.

»Nicht hinschauen«, sagte Alaric knurrend.

Aber sie konnte nicht anders – und sah, wie Luke mit gezückter Klinge in der Hand Gretel beistehen wollte. Doch er kam zu spät: Der Forsake packte sein Messer, das ins blutige Gras gefallen war, und jagte es Gretel in den Rücken, wieder und wieder, während sie mit den Klauen um sich schlug und kämpfte und immer schwächer wurde, bis das Licht in ihren silbrigen Augen schließlich erstarb. Mit einem Schrei schwang Luke seine Klinge in Richtung der Kehle des Forsaken . . .

»Ich hab dir doch gesagt, du sollst nicht hinsehen«, knurrte Alaric und drehte sich so, dass Clarys Sicht von seinem gewaltigen Rumpf versperrt wurde. Inzwischen hetzten sie die Stufen hinauf, wobei Alarics Klauen über den Granit kratzten wie Nägel über eine Schultafel.

»Alaric«, sagte Clary.

»Ja?«

»Tut mir leid, dass ich ein Messer nach dir geworfen habe.«

»Das muss es nicht. Wie gesagt, es war ein guter Wurf.«

Sie versuchte, an ihm vorbeizuschauen. »Wo ist Luke?«

»Ich bin hier«, sagte Luke und Alaric drehte sich um. Luke kam die Stufen hinauf und schob sein Schwert zurück in die Scheide, die er unter der Jacke an seinem Körper befestigt hatte. Die Klinge war schwarz und klebrig.

Auf der Veranda ließ Alaric Clary aus seinen Armen gleiten. Als sie auf die Füße kam, drehte sie sich um, doch sie konnte weder Gretel sehen noch den Forsaken, der sie getötet hatte, nur ein Meer aus hin und her wogenden Körpern und blitzendem Metall. Ihr Gesicht war feucht. Sie führte eine Hand an ihre Wange, um zu sehen, ob sie blutete, doch dann wurde ihr klar, dass sie weinte. Luke sah sie mit einem seltsamen Blick an. »Sie war doch nur ein Schattenwesen«, sagte er.

Clarys Augen brannten. »Sag so was nicht.«

»Verstehe.« Er drehte sich zu Alaric um. »Danke, dass du auf sie aufgepasst hast. Während wir reingehen . . .«

»Ich komme mit euch«, unterbrach Alaric ihn. Inzwischen hatte er sich fast vollständig in einen Menschen zurückverwandelt, doch seine Augen waren immer noch die eines Wolfs und zwischen den zurückgezogenen Lippen schauten Zähne hervor, so lang wie Zahnstocher. Er dehnte seine Finger, an denen Clary lange Nägel sah.

Luke musterte ihn besorgt. »Nein, Alaric.«

Alaric knurrte mit tonloser Stimme: »Du bist der Rudelführer, und nachdem Gretel tot ist, bin ich dein Erster Offizier. Es wäre nicht richtig, dich allein gehen zu lassen.«

»Ich . . .« Luke schaute Clary an und sah dann wieder auf das Schlachtfeld vor dem Hospital. »Ich brauche dich hier draußen, Alaric. Tut mir leid, aber das ist ein Befehl.«

In Alarics Augen blitzte Verärgerung auf, doch dann trat er beiseite. Die schwere Eingangstür des Hospitals war mit prunkvollen Holzschnitzereien versehen – Muster, die Clary bekannt vorkamen, wie die Rosen von Idris, ineinander verschlungene Runen, strahlende Sonnen. Als Luke dagegentrat, hörte man das Krachen eines aufbrechenden Riegels. Er stieß die Tür auf und schob Clary hindurch. »Rein mit dir.«

Sie stolperte an ihm vorbei, drehte sich auf der Schwelle noch einmal um. Alaric beobachtete sie mit glühenden Wolfsaugen. Hinter ihm war der Rasen übersät mit Leichen, der Boden durchtränkt von schwarzem und rotem Blut. Als die Tür hinter ihr zuschlug und ihr die Sicht versperrte, war sie dankbar.

Clary und Luke standen nun im Dämmerlicht des steinernen Eingangsbereichs, der von einer einzelnen Fackel beleuchtet wurde. Nach dem Dröhnen des Schlachtengetümmels umhüllte die Stille sie wie ein dämpfender Umhang. Clary schnappte nach Luft – Luft, die nicht schwül und feucht und vom Geruch nach Blut erfüllt war.

»Alles in Ordnung?« Luke hielt sie an der Schulter fest.

Sie wischte sich die Tränen von den Wangen. »Du hättest das

eben nicht sagen sollen. Das über Gretel – dass sie nur ein Schattenwesen war. So was würde ich nie denken.«

»Freut mich zu hören.« Er griff nach der Fackel in der Metallhalterung. »Ich hatte schon befürchtet, die Lightwoods hätten dich in eine Kopie ihrer selbst verwandelt.«

»Nein, das ist ihnen nicht gelungen.«

Die Fackel ließ sich nicht aus dem Wandhalter nehmen. Luke runzelte die Stirn. Clary wühlte in ihrer Tasche, brachte den glatten Elbenlichtstein zum Vorschein, den Jace ihr zum Geburtstag geschenkt hatte, und hielt ihn hoch. Lichtstrahlen brachen zwischen ihren Fingern hervor, als hätte sie eine magische Nussschale geknackt und die darin eingeschlossene Lichtquelle befreit.

»Elbenlicht?«, fragte Luke und wandte sich von der Fackel ab.

»Jace hat mir den Stein geschenkt.« Clary spürte, dass er in ihrer Hand pulsierte wie das Herz eines winzigen Vogels. Sie fragte sich, wo Jace sich in diesem Gemäuer aus grauen Steinen wohl befinden mochte, ob er Angst hatte und sich fragte, ob er sie jemals wiedersehen würde.

»Lange her, dass ich im Schein von Elbenlicht gekämpft habe«, meinte Luke. Dann stieg er die ersten Stufen der Treppe hinauf, die unter seinen Stiefeln laut knarrten. »Mir nach.«

Das flackernde Elbenlicht warf seine langen, seltsam verzerrten Schatten an die glatten Granitmauern. Als sie einen steinernen Absatz erreichten, an dem die Treppe in einen Bogen mündete, blieben sie stehen. Über ihnen brannte Licht. »Hat das Hospital so ausgesehen . . . damals, vor über hundert Jahren?«, flüsterte Clary.

»Die Strukturen des alten Gebäudes, das Renwick errichten ließ, sind sicher noch vorhanden – obwohl ich mir vorstellen könnte, dass Valentin, Blackwell und die anderen das Haus nach ihrem Geschmack umbauen ließen«, erwiderte Luke. »Sieh mal.« Er kratzte mit dem Stiefel über den Boden. Clary blickte nach unten und entdeckte eine in den Granit gemeißelte Rune – ein Kreis mit der lateinischen Inschrift *»In Hoc Signo Vinces«*.

»Was heißt das?«, fragte sie.

»Der Satz bedeutet: ›In diesem Zeichen wirst du siegen.‹ Es war das Motto des Kreises.«

Sie schaute hoch, in Richtung der Lichter über ihnen. »Dann sind sie also hier.«

»Oh ja, sie sind hier«, bestätigte Luke und aus seiner rauen Stimme klang angespannte Erwartung. »Komm.«

Sie stiegen die Wendeltreppe weiter hinauf, immer dem Licht entgegen, bis sich ein langer, schmaler Korridor vor ihnen öffnete. Entlang der Wände zuckten die Flammen rußender Fackeln. Clary schloss die Hand um den Elbenstein, dessen Licht wie das eines verlöschenden Sterns aufflackerte und verschwand.

Auf beiden Seiten des Korridors befanden sich zahlreiche schwere, geschlossene Türen. Clary fragte sich, ob dahinter wohl Krankensäle gelegen hatten, als das Gebäude noch als Hospital gedient hatte, oder ob die Türen zu Privatgemächern führten. Als sie weitergingen, entdeckte Clary Fußspuren auf dem Boden – feuchte, schlammige Stiefelabdrücke von der matschigen Wiese vor dem Haus. Jemand musste kurz vor ihnen den Korridor entlanggegangen sein.

Die erste Tür, die sie zu öffnen versuchten, gab sofort nach und schwang auf, doch der Raum dahinter war leer: Die polierten Holzdielen und die steinernen Mauern glänzten gespenstisch im Schein des Mondes, der durch das hohe Fenster fiel. Von draußen drang gedämpft das Dröhnen des Kampfgetümmels herein – rhythmisch wie das Rauschen des Meeres. Im zweiten Zimmer, in das sie einen Blick warfen, lagerten unzählige Waffen: Schwerter, Keulen und Äxte. Bleiches Mondlicht ergoss sich wie silbriges Wasser über die Reihen von nacktem, kaltem Stahl. Luke stieß einen leisen Pfiff aus. »Das nenn ich mal eine Waffensammlung.«

»Glaubst du, das sind Valentins persönliche Kriegswerkzeuge?«

»Das ist eher unwahrscheinlich. Ich vermute, sie sind für seine Armee bestimmt.« Luke wandte sich ab und ging weiter.

Der dritte Raum entpuppte sich als ein Schlafzimmer. Die Vorhänge des Himmelbetts glänzten dunkelblau, der Perserteppich auf dem Boden zeigte ein Muster aus blauen, schwarzen und grauen Tönen und sämtliche Möbel waren weiß gestrichen – wie das Mobiliar eines Kinderzimmers. Über allem schwebte eine dünne, gespenstische Staubschicht, die im Mondlicht schwach schimmerte.

In dem Himmelbett lag Jocelyn.

Sie schlief tief und fest auf dem Rücken, eine Hand achtlos über die Brust gelegt. Ihre langen Haare waren über das Kissen ausgebreitet und sie trug ein weißes Nachthemd, das Clary noch nie gesehen hatte. Ihr Atem ging ruhig und regelmäßig. Im bleichen Mondlicht, das auf das Bett fiel, konnte Clary erkennen, dass die Lider ihrer Mutter wie im Traum zuckten.

Mit einem unterdrückten Schrei wollte Clary sich auf das Bett stürzen, doch Lukes ausgestreckter Arm hielt sie zurück, versperrte ihr wie eine eiserne Schranke den Weg. »Warte«, stieß er angespannt hervor, »wir müssen vorsichtig sein.«

Clary sah zu ihm auf, aber er schaute mit wütendem und schmerzerfülltem Gesicht an ihr vorbei. Sie folgte seinem Blick und entdeckte etwas, das sie vorher nicht hatte sehen wollen: Silberne Fesseln, die mit schweren Ketten auf beiden Seiten des Betts im Granitboden verankert waren, schlossen sich um Jocelyns Hand- und Fußgelenke. Der Nachttisch neben dem Bett war übersät mit einer seltsamen Mischung aus Schläuchen und Phiolen, Glasgefäßen und langen, spitz zulaufenden, chirurgischen Instrumenten aus glänzendem, messerscharfem Stahl. Eine dünne Sonde führte von einem der Glasgefäße zu einer Vene in Jocelyns linkem Arm.

Clary riss sich von Luke los, warf sich auf das Bett und schlang die Arme um den reglosen Körper ihrer Mutter. Doch genauso gut hätte sie eine Schaufensterpuppe umarmen können. Jocelyn lag starr und steif da; ihr langsamer Atemrhythmus blieb unverändert.

Noch eine Woche zuvor – als sie die schreckliche Auseinandersetzung mit ihrer Mutter gehabt hatte und diese bei ihrer Rückkehr verschwunden war – wäre Clary in Tränen ausgebrochen. Doch nun fühlte sie sich wie versteinert, als sie sich aufrichtete und ihre Mutter losließ. Sie verspürte weder Furcht noch Selbstmitleid, nur eine kalte Wut und den brennenden Wunsch, den Mann zu finden, der Jocelyn das angetan hatte, der für all dies verantwortlich war.

»Valentin«, sagte sie bitter.

»Natürlich. Wer sonst?« Luke stand neben Clary, berührte vorsichtig Jocelyns Gesicht und hob ihre Lider. Ihre Augen wirkten leer und ausdruckslos wie Murmeln. »Man hat ihr keine Drogen oder Beruhigungsmittel verabreicht«, murmelte er. »Vermutlich handelt es sich um eine Art Zauberbann.«

Clary stieß einen kleinen unterdrückten Schluchzer aus. »Wie kriegen wir sie hier raus?«

»Ich kann ihre Fesseln nicht berühren«, sagte Luke. »Silber. Hast du vielleicht . . .«

»Die Waffenkammer«, rief Clary. »Da habe ich eine Axt gesehen. Mehrere sogar. Wir könnten die Ketten durchschneiden . . .«

»Diese Ketten lassen sich nicht zerbrechen.« Die Stimme, die von der Tür herüberdrang, klang tief, knurrig und vertraut. Clary wirbelte herum und entdeckte Blackwell. Er trug die gleiche Robe wie bei seinem Besuch in Lukes Wohnung und hatte die Kapuze in den Nacken geschoben. Unter dem Saum der Robe schauten schlammige Stiefel hervor. »Graymark«, sagte er und grinste hämisch. »Welch nette Überraschung.«

Luke richtete sich auf. »Falls du wirklich überrascht sein solltest, bist du ein Narr. Schließlich habe ich mich nicht besonders leise hier reingeschlichen.«

Blackwells Wangen leuchteten in einem noch dunkleren Violettrot auf als zuvor, doch er blieb reglos an der Tür stehen. »Bist du wieder mal der Anführer eines Wolfsrudels?«, fragte er und lachte gehässig. »Du hast dich nicht verändert, was? Lässt die Drecksarbeit immer noch von deinen Schattenwesen machen. Valentins Truppen sind dabei, sie in der Luft zu zerreißen und ihre Glieder über die gesamte

Wiese zu verteilen, und du hockst hier oben im Trockenen und schäkerst mit deinen Freundinnen.« Er musterte Clary höhnisch. »Ist die Kleine hier nicht ein bisschen zu jung für dich, Lucian?«

Clary lief vor Wut rot an und ballte die Hände zu Fäusten, doch Luke blieb vollkommen ruhig. »Die da draußen würde ich nicht gerade als ›Truppen‹ bezeichnen, Blackwell«, erwiderte er höflich. »Das sind Forsaken. Gepeinigte, einst menschliche Wesen. Wenn ich mich recht erinnere, vertritt der Rat eine eindeutige Haltung zu alldem hier – dem Quälen von Menschen, dem Ausüben schwarzer Magie. Ich kann mir nicht vorstellen, dass die Ratsmitglieder darüber sehr erfreut sein werden.«

»Pfeif auf den Rat«, knurrte Blackwell. »Wir brauchen weder ihn noch seine tolerante Haltung gegenüber Halbblütern. Außerdem werden die Forsaken nicht mehr lange Forsaken sein. Wenn Valentin erst einmal den Kelch an ihnen ausprobiert hat, sind sie Schattenjäger genau wie wir anderen. Und viel besser als die Milchbärte mit einem Herz für Schattenwesen, die der Rat heutzutage als Krieger losschickt.« Er grinste breit, wodurch seine Zahnstummel zum Vorschein kamen.

»Wenn das Valentins Pläne mit dem Kelch sind, warum hat er ihn dann nicht längst eingesetzt?«, fragte Luke. »Worauf wartet er noch?«

Blackwell hob beide Augenbrauen. »Weißt du das denn nicht? Er hat seinen . . .«

Ein aalglattes Lachen unterbrach ihn. Pangborn tauchte neben ihm auf; er war ganz in Schwarz gekleidet und trug einen Ledergurt über der Schulter. »Das reicht, Blackwell«, sagte er. »Du redest mal wieder zu viel.« Er ließ seine spitzen Zähne aufblitzen. »Interessanter Schachzug, Graymark. Ich hätte nicht gedacht, dass du die Gefühllosigkeit hast, dein neuestes Rudel auf ein Himmelfahrtskommando zu schicken.«

Ein Muskel zuckte in Lukes Wange. »Was ist mit Jocelyn?«, fragte er. »Was hat Valentin ihr angetan?«

Pangborn lachte amüsiert. »Ich dachte, sie wäre dir egal.«

»Ich begreife nicht, was er noch von ihr will«, fuhr Luke fort und ignorierte die höhnische Bemerkung. »Er hat den Kelch. Jetzt kann sie doch von keinem großen Nutzen mehr für ihn sein. Valentin war noch nie ein Freund von sinnlosem Töten. Morde mit einem bestimmten Ziel oder Zweck – das klingt schon eher nach ihm.«

Pangborn zuckte gleichgültig die Achseln. »Für uns spielt es keine Rolle, was er mit ihr vorhat«, erwiderte er. »Schließlich war sie mal seine Frau. Vielleicht hasst er sie ja. Da hast du deinen Zweck.«

»Lasst sie gehen«, sagte Luke. »Wenn ihr sie freigebt, werden wir mit ihr verschwinden und ich werde mein Rudel zurückrufen. Dann habt ihr was bei mir gut.«

»Nein!« Clarys wütender Ausruf veranlasste Pangborn und Blackwell zu einem teils ungläubigen, teils angewiderten Stirnrunzeln, als wäre sie eine sprechende Kakerlake. Clary wandte sich an Luke. »Was ist mit Jace? Er muss hier irgendwo sein.«

Blackwell lachte in sich hinein. »Jace? Ich kenne keinen Jace«, meinte er. »Natürlich könnte ich Pangborn bitten, Jocelyn freizulassen. Aber ich habe keine Lust dazu. Das Miststück hat mich immer wie ein Stück Dreck behandelt. Hielt sich wohl für was Besseres ... mit ihrem Aussehen und ihrer Abstammung. Dabei war sie nichts weiter als ein kleines Biest mit einer langen Ahnenreihe. Und sie hat Valentin nur geheiratet, damit sie uns alle verraten konnte ...«

»Enttäuscht, dass er nicht *dich* geheiratet hat, Blackwell?«, entgegnete Luke spöttisch, doch Clary konnte die kalte Wut in seiner Stimme hören.

Blackwells Gesicht lief dunkelrot an; er machte wütend einen Schritt in den Raum hinein und setzte zu einer Antwort an.

Im gleichen Moment griff Luke mit einer blitzartigen Bewegung, die Clary kaum wahrnahm, nach dem Skalpell auf dem Nachttisch und warf es. Der Stahl wirbelte durch die Luft und bohrte sich mit der Spitze in Blackwells Kehle, schnitt ihm förmlich das Wort ab. Er würgte, verdrehte die Augen und fiel auf die Knie, die Hände an der Kehle.

Scharlachrote Flüssigkeit sprudelte zwischen seinen gespreizten Fingern hervor. Er öffnete die Lippen, als wollte er etwas sagen, doch stattdessen lief nur ein dünnes Blutrinnsal aus seinem Mund. Seine Hände sanken herab und er ging dröhnend zu Boden wie ein gefällter Baum.

»Ach, herrje«, näselte Pangborn und betrachtete angewidert den reglosen Körper seines Waffenbruders. »Wie unangenehm.«

Das Blut aus Blackwells aufgeschlitzter Kehle ergoss sich wie eine dickflüssige rote Suppe über den Boden. Luke packte Clary an der Schulter und flüsterte ihr etwas ins Ohr. Doch seine Worte drangen nicht zu ihr durch – Clary spürte nur ein dumpfes Dröhnen in ihrem Kopf. Plötzlich erinnerte sie sich an irgendein Gedicht, das sie in der Schule gelernt hatte – irgendetwas über den Tod ... *wenn man den ersten Toten gesehen hat, spielen alle weiteren keine Rolle mehr*. Dieser Dichter hatte keine Ahnung gehabt, wovon er sprach, dachte sie.

Luke ließ sie los. »Die Schlüssel, Pangborn«, sagte er.

Pangborn stieß Blackwell mit dem Fuß an und blickte auf. Er wirkte gereizt. »Oder was? Wirst du sonst eine Spritze nach mir werfen? Auf dem Tisch lag nur ein einziges Skalpell«, höhnte er, griff über seine Schulter und zückte ein langes, rasiermesserscharfes Schwert. »Nein, nein. Wenn du die Schlüssel haben willst, wirst du wohl zu mir kommen und sie dir holen müssen. Nicht, weil mich Jocelyn Morgenstern in irgendeiner Weise interessieren würde, sondern einzig und allein deshalb, weil ich schon so lange darauf warte, dich ins Jenseits zu befördern. Und jetzt ist es endlich so weit.«

Er schien sich an seinen Worten förmlich zu weiden, während er in beinahe freudiger Erwartung langsam näher kam. Seine Klinge blitzte im Mondlicht heimtückisch und drohend auf. Clary sah, wie Luke eine Handbewegung in ihre Richtung machte – seine Hand wirkte seltsam lang und seine Fingernägel waren spitz wie winzige Dolche –, und erkannte gleichzeitig zwei Dinge: dass er im Begriff war, sich zu verwandeln, und dass er ihr nur ein einziges Wort ins Ohr geflüstert hatte.

*Lauf.*

Clary lief. Sie umkurvte Pangborn, der sie kaum eines Blickes würdigte, sprang über Blackwells Leichnam und war im nächsten Moment durch die Tür, noch bevor Lukes Verwandlung vollständig vollzogen war. Ihr Herz raste, aber sie schaute sich nicht um, als sie hinter sich ein langes, durchdringendes Wolfsheulen hörte, den Klang von Metall und ein krachendes Klirren. *Splitterndes Glas,* dachte sie. Vielleicht hatten sie Jocelyns Nachttischchen umgestoßen.

Sie stürzte durch den Korridor zur Waffenkammer und griff nach einer verwitterten Axt mit Stahlheft, die an einer Wand hing. Doch die Waffe rührte sich keinen Millimeter, sosehr sie auch daran zerrte. Clary versuchte ihr Glück bei einem Schwert, dann bei einem Klingenstab und sogar bei einem kleinen Dolch, doch nicht eine einzige Waffe ließ sich aus ihrer Halterung nehmen. Nach einer Weile musste sie ihre Versuche mit blutig eingerissenen Fingernägeln aufgeben. Dieser Raum war beherrscht von einem Zauberbann. Nicht von der vertrauten Kraft der Runen, sondern von einer wilden, seltsamen, *düsteren* Form von Magie.

Clary taumelte rückwärts aus der Waffenkammer; in diesem Geschoss gab es nichts, was ihr weiterhelfen konnte. Sie humpelte den Korridor entlang – allmählich spürte sie den Schmerz abgrundtiefer Erschöpfung in Armen und Beinen – und stand schließlich wieder im Treppenhaus. Nach oben oder nach unten? Unten war alles dunkel und verlassen gewesen, erinnerte sie sich. Natürlich hätte sie sich mit ihrem Elbenlicht einen Weg suchen können, doch bei dem Gedanken daran, diese schwarzen Tiefen allein zu erkunden, ließ irgendetwas sie zögern. Über ihr strahlten weitere Lichter und einen Moment lang glaubte sie, einen Schatten oder eine Bewegung gesehen zu haben.

Mühsam stieg sie die Stufen hinauf. Ihre Beine brannten, ihre Füße schmerzten, alles tat weh. Zwar waren ihre Verletzungen verbunden worden, doch das bedeutete nicht, dass sie ihr nicht länger zusetzten. Die Spuren von Hugos Krallen brannten auf ihrer Wange und in ihrem Mund verspürte sie einen metallischen, bitteren Geschmack.

Endlich erreichte sie den obersten Treppenabsatz. Das geschwungene Geländer erinnerte an die Bugreling eines Schiffs. Auch in diesem Stockwerk herrschte eine unheimliche Stille; das Schlachtgetümmel drang nicht bis hier hoch. Vor ihr erstreckte sich ein weiterer langer Korridor mit unzähligen Türen, die jedoch nicht alle verschlossen waren. Aus manchen drang zusätzliches Licht auf den Flur. Instinktiv zog es sie zur letzten Tür auf der linken Seite. Als sie davorstand, warf sie vorsichtig einen Blick in den dahinterliegenden Saal.

Im ersten Moment erinnerte sie der Raum an eines der historischen Zimmer im Metropolitan Museum of Art. Es schien fast, als machte sie einen Schritt in die Vergangenheit – die Holzvertäfelung an den Wänden glänzte, als wäre sie gerade erst frisch poliert worden, und der endlos lange Esstisch war mit feinstem Porzellan gedeckt. Ein schimmernder Spiegel mit einem kunstvollen Goldrahmen schmückte die hintere Wand, flankiert von zwei Ölgemälden in wuchtigen Rahmen. Alles glitzerte und funkelte im Licht der Fackeln – die Servierplatten, auf denen sich die Speisen stapelten, die wie Lilien geformten Weinkelche, das blendend weiße Tafelleinen. Am Ende des Saals befanden sich zwei breite Fenster, die von schweren Samtvorhängen umrahmt wurden. Vor einem der Fenster stand Jace – so reglos, dass Clary ihn erst für eine Statue hielt, bis sie erkannte, dass sich das Licht in seinen hellen Haaren brach. Mit der linken Hand hielt er einen der Vorhänge beiseite und in der dunklen Fläche des Fensters sah Clary die Reflexion von Dutzenden Kerzen, die im Raum verteilt waren – Lichtspiegelungen, die wie Glühwürmchen im Glas der Scheibe gefangen schienen.

»Jace.« Sie hörte ihre eigene Stimme wie aus großer Ferne; Erstaunen und Dankbarkeit schwangen darin mit und eine Sehnsucht, die so stark war, dass es wehtat. Er ließ den Vorhang sinken und drehte sich um, ein verblüffter Ausdruck machte sich auf seinem Gesicht breit.

»Jace!«, rief sie erneut und rannte auf ihn zu. Er fing sie auf, als sie sich ihm in die Arme warf, und drückte sie fest an sich.

»Clary.« Seine Stimme klang vollkommen verändert, war fast nicht wiederzuerkennen. »Clary, was tust *du* denn hier?«

»Ich bin deinetwegen hier«, erwiderte sie, halb erstickt und gegen sein Hemd gedrückt.

»Das hättest du nicht tun sollen.« Plötzlich löste er sich von ihr und hielt sie auf Armeslänge von sich, um sie betrachten zu können. »Großer Gott«, murmelte er und berührte ihr Gesicht. »Du Närrin. Was für eine verrückte Idee.« Seine Stimme klang nun zornig, doch sein Blick strich zärtlich über ihre Züge und seine Finger schoben behutsam eine ihrer roten Locken nach hinten. Nie zuvor hatte sie ihn auf diese Weise gesehen: Er strahlte eine ungeheure Zerbrechlichkeit aus, als hätte ihn jemand zutiefst verletzt. »Warum denkst du eigentlich nie nach?«, flüsterte er.

»Aber ich habe doch nachgedacht«, entgegnete sie. »Ich habe an *dich* gedacht.«

Einen kurzen Moment lang schloss er die Augen. »Wenn dir irgendwas zugestoßen wäre . . .« Seine Finger fuhren zärtlich über ihre Arme, bis hinunter zu den Handgelenken, als müsse er sich vergewissern, dass sie wirklich vor ihm stand. »Wie hast du mich gefunden?«

»Luke«, erwiderte sie. »Ich bin mit Luke gekommen. Um dich zu retten.«

Während er sie noch immer festhielt, ging sein Blick zum Fenster und seine Mundwinkel verzogen sich missbilligend. »Also sind das . . . du bist mit dem Wolfsrudel gekommen?«, fragte er mit einem seltsamen Unterton in der Stimme.

»Es ist Lukes Rudel«, erklärte sie. »Er ist ein Werwolf und . . .«

»Ich weiß«, schnitt Jace ihr das Wort ab. »Ich hätte es wissen müssen – die Handfesseln.« Dann blickte er schnell zur Tür. »Wo ist er jetzt?«

»Unten«, antwortete Clary langsam. »Er hat Blackwell getötet. Ich bin hier heraufgekommen, um dich zu suchen . . .«

»Er muss sie zurückrufen«, forderte Jace.

Sie blickte ihn verständnislos an. »Was?«

»Luke«, sagte Jace. »Er muss sein Rudel zurückrufen. Das Ganze ist ein Missverständnis.«

»Was soll das heißen? Hast du dich etwa selbst entführt?« Sie hatte es halb scherzhaft sagen wollen, aber der Satz kam wie gepresst aus ihrem Mund. »Komm schon, Jace.«

Sie versuchte, ihn am Handgelenk mit sich zu ziehen, doch er gab nicht nach. Stattdessen schaute er sie forschend an und ihr wurde plötzlich etwas bewusst, was ihr in ihrer ersten Erleichterung gar nicht aufgefallen war.

Als sie ihn das letzte Mal gesehen hatte, war er mit Schnittwunden und Prellungen übersät gewesen, seine Kleidung hatte vor Schmutz und Blut gestarrt und sein Haar war völlig verklebt gewesen von Staub und Wundsekret. Doch jetzt trug er ein weites weißes Hemd und dunkle Hosen und sein frisch gewaschenes flachsblondes Haar fiel ihm locker ins Gesicht. Als er mit seiner schlanken Hand eine widerspenstige Strähne zur Seite strich, bemerkte Clary, dass der schwere Silberring wieder an seinem Finger steckte.

»Sind das deine Sachen?«, fragte sie verblüfft. »Und . . . du bist ja komplett verarztet worden . . .« Ihre Stimme verstummte langsam. »Valentin scheint sich ja wirklich sehr um dich zu kümmern.«

Er schenkte ihr ein trauriges und zugleich liebevolles Lächeln. »Wenn ich dir die Wahrheit sage, wirst du mich für verrückt halten«, meinte er.

Sie spürte ihr Herz in ihrer Brust pochen, so schnell wie den Flügelschlag eines Kolibris. »Ganz bestimmt nicht.«

»Mein Vater hat mir diese Sachen gegeben«, sagte er.

Das Pochen verwandelte sich in ein lautes Wummern. »Jace«, setzte sie vorsichtig an, »dein Vater ist tot.«

»Nein.« Er schüttelte den Kopf. Sie hatte das Gefühl, dass er eine tiefe, intensive Gefühlsregung unterdrückte, etwas wie Entsetzen oder Entzücken – oder beides. »Das habe ich bisher auch gedacht, aber es stimmt nicht. Das alles war nur ein Missverständnis.«

Clary erinnerte sich daran, was Hodge über Valentin erzählt hatte, über seine Fähigkeit, gewinnende und glaubhaft klingende Lügen zu erzählen. »Hat Valentin dir das vielleicht eingeredet? Er ist ein Lügner, Jace. Erinnere dich daran, was Hodge gesagt hat. Wenn Valentin behauptet, dass dein Vater noch lebt, dann nur, um von dir alles zu bekommen, was er will.«

»Ich habe meinen Vater gesehen«, erwiderte Jace. »Ich habe mit ihm gesprochen. Und er hat mir das hier gegeben.« Er zupfte an seinem neuen, sauberen Hemd, als ob es sich dabei um einen unwiderlegbaren Beweis handelte. »Mein Vater ist nicht tot. Valentin hat ihn nicht umgebracht. Hodge hat mich belogen. All die Jahre habe ich geglaubt, er wäre tot, aber das stimmte nicht.«

Clary schaute sich hastig in dem Raum um, mit seinem glänzenden Porzellan, den flackernden Fackeln und den funkelnden, leeren Spiegeln. »Wenn dein Vater wirklich hier ist, wo steckt er dann? Hat Valentin ihn auch entführt?«

Jace' Augen leuchteten. Sein Hemdkragen stand offen und sie konnte die dünnen weißen Narben auf seinem Schlüsselbein erkennen, wie Risse auf seiner glatten gebräunten Haut. »Mein Vater . . .«

Mit einem lauten Quietschen schwang die Tür auf, die Clary hinter sich zugezogen hatte, und ein Mann betrat den Saal.

Es war Valentin. Sein silbernes, kurz geschorenes Haar leuchtete wie ein polierter Stahlhelm und ein harter Zug umspielte seine Lippen. An einer Seite seines breiten Gürtels hing eine Scheide, aus der am oberen Ende der Griff eines langen Schwerts herausragte. »Und«, fragte er, eine Hand auf das Heft gelegt, »hast du deine Sachen zusammengesucht? Unsere Forsaken werden die Wolfsmenschen nicht ewig aufhalten . . .«

Als er Clary erblickte, unterbrach er sich mitten im Satz. Er war kein Mann, der sich von irgendetwas völlig überrumpeln ließ, doch sie sah ein kurzes Erstaunen in seinen Augen aufflackern. »Wer ist das?«, fragte er und schaute Jace dabei an.

Doch Clary griff bereits an ihre Hüfte, auf der Suche nach ihrem Dolch. Sie fasste ihn am Heft, zerrte ihn aus seiner Scheide und holte zum Wurf aus. Blinde Wut pochte in ihrem Kopf wie ein Trommelwirbel. Sie konnte diesen Mann töten. Sie *würde* ihn töten.

Jace umfasste ihr Handgelenk. »Nicht.«

»Aber Jace . . .«, sagte sie ungläubig.

»Clary«, unterbrach er sie mit fester Stimme. »Das ist mein Vater.«

# 23
# Valentin

»Oh, ich störe wohl gerade«, meinte Valentin trocken. »Hättest du die Güte, mein Sohn, mir zu sagen, wer das ist? Vielleicht eines der Lightwood-Kinder?«

»Nein«, sagte Jace. Er klang müde und unglücklich, hielt Clary aber weiterhin am Handgelenk fest. »Das ist Clary. Clarissa Fray. Sie ist eine Freundin. Sie . . .«

Valentins schwarze Augen musterten sie langsam, von ihren zerzausten Haaren bis zu den Spitzen ihrer verschlissenen Turnschuhe, und blieben schließlich an dem Dolch in ihrer Hand hängen.

Ein undefinierbarer Ausdruck breitete sich auf seinem Gesicht aus – teils Belustigung, teils Verärgerung. »Woher hast du diese Waffe, junges Fräulein?«

»Jace gab sie mir«, erwiderte Clary kalt.

»Natürlich«, sagte Valentin in mildem Ton. »Darf ich den Dolch mal sehen?«

»Nein!« Clary wich einen Schritt zurück, als fürchtete sie, er würde sich auf sie stürzen. Doch im nächsten Moment spürte sie, wie ihr die Waffe aus den Fingern gewunden wurde. Jace warf ihr einen entschuldigenden Blick zu; er hielt den Dolch in der Hand. *»Jace«,* zischte sie und in ihrer Stimme schwang die Enttäuschung mit, die sie angesichts dieses Verrats empfand.

»Du verstehst noch immer nicht, Clary«, erwiderte er nur und ging auf Valentin zu. »Hier bitte, Vater«, sagte er derart ehrerbietig, dass Clary sich der Magen umdrehte, und reichte ihm die Waffe.

Valentin nahm den Dolch in seine große, langgliedrige Hand und betrachtete ihn. »Das ist ein *kindjal,* ein tscherkessischer Dolch. Dieser hier ist Teil eines speziell gefertigten Paares. In die Klinge ist das Zeichen der Morgensterns eingraviert. Hier, siehst du?« Er drehte den Dolch und zeigte ihn Jace. »Es überrascht mich, dass die Lightwoods das nicht bemerkt haben.«

»Ich habe ihnen den Dolch nicht gezeigt«, erklärte Jace. »Und sie haben nicht in meinen Privatsachen herumgeschnüffelt.«

»Natürlich nicht«, bestätigte Valentin. Er gab Jace den *kindjal* zurück. »Schließlich dachten sie, du wärst Michael Waylands Sohn.«

Jace schob den Dolch mit dem roten Knauf in seinen Gürtel. »Das habe ich auch gedacht«, sagte er leise und in diesem Moment erkannte Clary, dass es sich nicht um einen Scherz handelte, dass Jace nicht einfach gute Miene zum bösen Spiel machte, während er seine eigenen Ziele verfolgte. Er dachte ernsthaft, dass Valentin sein verloren geglaubter Vater sei, der nun zu ihm zurückgekehrt war.

Eine kalte Verzweiflung erfasste Clary. Wenn Jace wütend gewesen wäre oder feindselig, damit hätte sie umgehen können. Doch dieser neue Jace, zerbrechlich und strahlend vor Glück über das ihm widerfahrene Wunder, kam ihr wie ein Fremder vor.

Valentin schaute an Jace vorbei zu Clary; seine Augen funkelten vor Belustigung. »Vielleicht wäre das jetzt der richtige Moment, sich hinzusetzen, Clary?«

Trotzig verschränkte sie die Arme vor der Brust. »Nein.«

»Wie du willst.« Valentin zog einen Stuhl heran und ließ sich am Kopfende des Tischs nieder. Jace zögerte einen Moment, setzte sich dann aber neben ihn. Vor ihm auf dem Tisch stand eine halb leere Flasche Wein. »Aber du wirst ein paar Dinge zu hören bekommen, die möglicherweise dafür sorgen, dass du wünschst, du hättest dich hingesetzt.«

»Ich lass es dich wissen, wenn es so weit ist«, entgegnete Clary kühl.

»Schön.« Valentin lehnte sich zurück und verschränkte die Hände hinter dem Kopf. Der Kragen seines Hemds öffnete sich leicht, sodass seine vernarbten Schlüsselbeine zum Vorschein kamen. Von Malen übersät, genau wie die seines Sohnes, wie die aller Nephilim. *Ein Leben voller Narben und Töten,* hatte Hodge gesagt. »Clary«, sagte Valentin, als koste er den Klang ihres Namens auf seiner Zunge. »Eine Kurzform von Clarissa? Kein Name, den ich ausgewählt hätte.«

Ein spöttisches Grinsen umspielte seine Lippen. *Er weiß, dass ich seine Tochter bin,* dachte Clary. *Irgendwoher weiß er es. Aber er sagt es nicht. Warum hält er diese Information zurück?*

Wegen Jace, erkannte sie plötzlich. Jace würde denken ... sie wollte sich gar nicht vorstellen, was er denken würde. Valentin hatte beim Betreten des Saals gesehen, wie Jace und sie sich umarmt hatten; er musste wissen, welch brisante Information er damit in den Händen hielt. Irgendwo hinter diesen unergründlichen Augen arbeitete sein scharfer Verstand fieberhaft, versuchte er abzuschätzen, wie er sein Wissen am besten nutzen konnte.

Erneut warf Clary Jace einen flehentlichen Blick zu, aber er starrte auf ein Weinglas, das zur Hälfte mit einer purpurrot schimmernden Flüssigkeit gefüllt war. Sie sah, wie sich seine Brust mit jedem Atemzug rasch hob und senkte; er war bestürzter, als er zugeben wollte.

»Es interessiert mich nicht, welchen Namen du ausgewählt hättest«, sagte Clary.

»Davon bin ich überzeugt«, erwiderte Valentin und beugte sich vor.

»Außerdem bist du nicht Jace' Vater. Du versuchst nur, uns reinzulegen«, fuhr sie fort. »Michael Wayland war sein Vater. Die Lightwoods wissen das. Alle wissen das.«

»Die Lightwoods waren falsch unterrichtet«, entgegnete Valentin. »Sie haben wahrhaftig geglaubt – *geglaubt* –, dass Jace der Sohn ihres Freundes Michael ist. Das Gleiche gilt für den Rat. Nicht einmal die Stillen Brüder kennen seine wahre Identität. Aber es wird nicht mehr lange dauern, bis sie es erfahren.«

»Aber der Ring der Familie Wayland ...«

»Richtig, der Ring«, sagte Valentin und warf einen Blick auf Jace' Hand, wo der Ring wie die schillernde Haut einer Schlange funkelte. »Wie ich sehe, hast du in den letzten Tagen wieder angefangen, ihn zu tragen. Ist es nicht lustig, dass ein M, auf den Kopf gestellt, einem W täuschend ähnlich sieht? Wenn du dir natürlich die Mühe gemacht hättest, einmal genauer darüber nachzudenken, wäre es dir wahrscheinlich merkwürdig erschienen, dass die Waylands eine Sternschnuppe als Wappen gewählt haben sollten. Dagegen passt dieses Symbol perfekt zum Namen der Familie Morgenstern.«

Clary starrte ihn an. »Ich hab keine Ahnung, wovon du redest.«

»Entschuldige, ich vergaß, wie bedauernswert unvollkommen die Bildung der Irdischen ist«, spottete Valentin. »Morgenstern – so wie in *›Wie bist du vom Himmel gefallen, du schöner Morgenstern! Wie wurdest du zu Boden geschlagen, der du alle Völker niederschlugst!‹*«

Clary lief es eiskalt über den Rücken. »Du spielst auf Satan an.«

»Oder auf jeden anderen großen Machtverlust, den man in Kauf nimmt, wenn man sich weigert, anderen zu dienen«, entgegnete Valentin. »So wie bei mir. Ich war nicht gewillt, einer korrupten Regierung zu dienen, und dafür verlor ich meine Familie, meine Ländereien und fast mein Leben . . .«

»Du trägst die Schuld für den Aufstand!«, fauchte Clary. »Deinetwegen sind viele Menschen gestorben! Schattenjäger wie du!«

»Clary.« Jace beugte sich vor und stieß dabei fast das Weinglas mit dem Ellbogen um. »Hör ihm einfach nur zu, okay? Es ist nicht so, wie du denkst. Hodge hat uns belogen.«

»Ich weiß«, sagte Clary. »Er hat uns an Valentin verraten. Er war Valentins Marionette.«

»Nein«, sagte Jace. »Nein, Hodge wollte den Kelch der Engel all die Jahre für sich. Er hat die Ravener ausgeschickt, um deine Mutter zu holen. Mein Vater . . . Valentin erfuhr erst später davon und kam hierher, um ihn aufzuhalten. Er hat deine Mutter in dieses Haus gebracht, um sie zu heilen, nicht um ihr wehzutun.«

»Und du glaubst diesen Mist?«, erwiderte Clary voller Abscheu.

»Nichts davon ist wahr. Hodge hat für Valentin gearbeitet; sie waren beide gemeinsam hinter dem Kelch her. Es stimmt, Hodge hat uns reingelegt, aber er war nur ein Werkzeug ...«

»Aber er war derjenige, der den Kelch der Engel gebraucht hat«, sagte Jace. »Auf diese Weise konnte er sich von dem Fluch befreien und fliehen, bevor mein Vater dem Rat von seinen Untaten berichtet hätte.«

»Das stimmt nicht!«, entgegnete Clary zornig. »Ich war dabei!« Sie schaute Valentin an. »Ich war in der Bibliothek, als du aufgetaucht bist, um den Kelch zu holen. Du hast mich nicht gesehen, aber ich war da; und ich habe dich gesehen. Du hast den Kelch an dich genommen und Hodge von seinem Fluch befreit. Er hätte es allein gar nicht tun können; das hat er selbst gesagt.«

»Ich habe tatsächlich den Fluch von ihm genommen«, antwortete Valentin ruhig, »aber ich habe es nur aus Mitleid getan. Er war so eine jämmerliche Figur.«

»Du hast kein Mitleid empfunden. Du hast rein gar nichts empfunden.«

»Das reicht, Clary!« Es war Jace. Sie starrte ihn an; seine Wangen waren so rot, als hätte er von dem Wein getrunken, der vor ihm stand, und seine Augen glänzten viel zu hell. »Sprich nicht so mit meinem Vater.«

*»Er ist nicht dein Vater!«*

Jace sah aus, als hätte sie ihm ins Gesicht geschlagen. »Warum bist du so fest entschlossen, uns nicht zu glauben?«

»Weil sie dich liebt«, sagte Valentin.

Clary spürte, wie ihr das Blut aus dem Gesicht wich. Sie schaute ihn an, wusste nicht, was er als Nächstes sagen würde, fürchtete sich aber davor. Es kam ihr so vor, als würde sie auf einen Abgrund zugeschoben, als stünde sie kurz vor einem schrecklichen, rasenden Sturz in ein unendliches Nichts. Um sie herum begann sich alles zu drehen.

»Was?«, fragte Jace, völlig verblüfft.

Amüsiert musterte Valentin Clary – mit einem Blick, als hätte er einen Schmetterling auf ein Stück Karton aufgespießt. »Sie hat Angst, dass ich dich ausnutze«, sagte er. »Dass ich dich einer Gehirnwäsche unterzogen habe. Doch das stimmt selbstverständlich nicht. Schau in deine eigenen Erinnerungen, Clary, dann weißt du es.«

»Clary.« Jace erhob sich langsam, ohne den Blick von ihr zu wenden. Sie sah die dunklen Ringe unter seinen Augen, spürte seine Anspannung. »Ich . . .«

»Setz dich«, kommandierte Valentin. »Sie wird von ganz allein daraufkommen, Jonathan.«

Jace gehorchte sofort und ließ sich wieder auf seinen Stuhl sinken. Clary, die immer noch gegen den Schwindel ankämpfte, versuchte zu verstehen. *Jonathan?* »Ich dachte, dein Name sei Jace«, sagte sie. »Hast du dabei auch gelogen?«

»Nein. Jace ist ein Spitzname.«

Inzwischen war sie dem Abgrund so nahe, dass sie fast hineinschauen konnte. »Wofür?«

Er sah sie an, als könne er nicht verstehen, warum sie aus einer solchen Kleinigkeit eine derart große Sache machte. »Er steht für meine Initialen«, erklärte er. »J. C.«

Der Abgrund tat sich vor ihr auf. Sie vermeinte zu spüren, wie sie ins Nichts stürzte. »Jonathan«, flüsterte sie kaum hörbar. »Jonathan Christopher.«

Jace runzelte die Stirn. »Woher weißt du . . .?«

Valentin unterbrach ihn; seine Stimme hatte einen beruhigenden Ton angenommen. »Jace, ich hatte gehofft, dir das ersparen zu können. Ich glaubte, die Geschichte von einer verstorbenen Mutter würde dir weniger wehtun als die einer Mutter, die dich noch vor deinem ersten Geburtstag verlassen hat.«

Jace' schlanke Finger schlossen sich so krampfartig um den Stiel des Weinglases, dass Clary einen Moment lang fürchtete, er würde zerbrechen. »Meine Mutter lebt?«

»Ja«, sagte Valentin. »Sie lebt und liegt in diesem Augenblick schlafend in einem der Zimmer im Untergeschoss. Es stimmt«, fuhr er fort, noch ehe Jace etwas sagen konnte, »Jocelyn ist deine Mutter, Jonathan. Und Clary . . . Clary ist deine Schwester.«

Jace' Hand zuckte zurück. Das Weinglas stürzte um und schäumende scharlachrote Flüssigkeit ergoss sich über das weiße Tischtuch.

»Jonathan«, sagte Valentin.

Jace' Gesicht hatte eine schreckliche grünweiße Farbe angenommen. »Das ist nicht wahr«, stieß er hervor. »Das muss ein Fehler sein. Das kann einfach nicht stimmen.«

Valentin blickte seinem Sohn fest in die Augen. »Eigentlich ein Grund zum Feiern«, sagte er leise, fast schon nachdenklich. »Zumindest hätte ich das angenommen. Gestern noch warst du ein Waisenkind, Jonathan. Und heute hast du einen Vater, eine Mutter und eine Schwester, von deren Existenz du noch nie etwas geahnt hast.«

»Das ist nicht wahr«, sagte Jace erneut. »Clary kann nicht meine Schwester sein. Wenn sie es wäre . . .«

»Was dann?«, fragte Valentin.

Jace gab keine Antwort, doch sein entsetzter und zugleich angewiderter Gesichtsausdruck genügte Clary. Auf unsicheren Beinen näherte sie sich dem Tisch, kniete sich neben seinen Stuhl und griff nach seiner Hand. »Jace . . .«

Er zuckte vor ihrer Berührung zurück; seine Finger krallten sich in das durchnässte Tischtuch. »Lass mich.«

Der Hass auf Valentin brannte in ihrer Kehle wie unvergossene Tränen. Er hatte Jace verschwiegen, was er wusste – dass sie seine Tochter war –, und sie durch sein Schweigen zu seiner Komplizin gemacht. Und nun, nachdem er die Wahrheit mit der Wucht eines riesigen, alles zermahlenden Felsbrockens auf sie hatte niederstürzen lassen, lehnte er sich zurück und betrachtete das Ergebnis mit eiskalter Genugtuung. Warum konnte Jace nicht begreifen, wie abscheulich dieser Mann war?

»Sag mir, dass es nicht wahr ist«, meinte Jace und starrte auf das Tischtuch.

Clary musste schlucken, um das Brennen aus ihrer Kehle zu vertreiben. »Das kann ich nicht.«

»Du gibst also zu, dass ich die ganze Zeit die Wahrheit gesagt habe?«, fragte Valentin und klang, als ob er dabei lächelte.

»Nein«, fauchte sie zurück, ohne ihn anzuschauen. »Du verbreitest Lügen, vermischt mit ein klein wenig Wahrheit – und nichts anderes.«

»Das wird langsam langweilig«, näselte Valentin. »Wenn du unbedingt die Wahrheit hören willst, Clarissa – bitte, das *ist* die Wahrheit. Du hast Geschichten über den Aufstand gehört und deshalb glaubst du, dass ich der Bösewicht bin. Oder stimmt das etwa nicht?«

Clary antwortete nicht. Sie schaute Jace an, der so aussah, als müsse er sich jeden Augenblick übergeben. Aber Valentin fuhr unerbittlich fort. »Eigentlich ist es ganz einfach. Die Geschichte, die du gehört hast, stimmt in einigen, aber nicht in allen Teilen – Lügen, vermischt mit ein wenig Wahrheit, so wie du gesagt hast. Tatsache bleibt jedoch, dass Michael Wayland niemals der Vater von Jace war oder gewesen ist. Ich habe Michaels Namen an- und seinen Platz eingenommen, als ich mit meinem Sohn aus der Gläsernen Stadt floh. Es war nicht schwer; Wayland hatte keine nahen Verwandten mehr und seine engsten Freunde, die Lightwoods, lebten im Exil. Er selbst war aufgrund seiner Beteiligung am Aufstand in Ungnade gefallen, also lebte ich ein Leben in der Verbannung, in aller Stille, zusammen mit Jace auf dem Gut der Waylands. Ich las meine Bücher. Ich erzog meinen Sohn. Und ich wartete, bis meine Zeit gekommen war.« Nachdenklich fuhren seine Finger über den kunstvoll verzierten Rand des Weinglases. Clary fiel auf, dass er Linkshänder war – genau wie Jace.

»Zehn Jahre später erhielt ich einen Brief. Der Schreiber dieser Zeilen deutete an, dass er meine wahre Identität kenne und sie enthüllen würde, wenn ich nicht bereit wäre, bestimmte Dinge zu tun. Ich wusste nicht, woher dieser Brief kam, aber das spielte auch keine Rolle: Ich war nicht bereit, die Forderungen des Verfassers zu erfüllen. Abgesehen davon war mir klar, dass von nun an meine Sicherheit gefährdet sein würde, bis er mich endgültig für tot halten würde, mich sozusagen außerhalb seines Einflusses glaubte. Also inszenierte ich meinen Tod ein weiteres Mal, mit der Hilfe von Blackwell und Pangborn, und sorgte zu Jaces' Schutz dafür, dass er hierher geschickt wurde, in die Obhut der Lightwoods.«

»Du hast Jace also glauben lassen, dass du tot bist? Du hast ihn all die Jahre leiden lassen? Das ist ja widerlich.«

»Nicht«, sagte Jace dumpf. Er hatte seine Hände vors Gesicht gehoben und sprach durch die Finger. »Hör auf, Clary.«

Valentin betrachtete seinen Sohn mit einem Lächeln, das Jace nicht sehen konnte. »Es stimmt – Jonathan musste glauben, dass ich tot sei. Er musste davon überzeugt sein, dass er Michael Waylands Sohn war, sonst hätten die Lightwoods ihn nicht so fürsorglich behandelt. Schließlich standen sie in Michaels Schuld, nicht in meiner. Sie haben Jace um Michaels willen geliebt, nicht um meinetwillen.«

»Vielleicht haben sie ihn einfach um seiner selbst willen geliebt«, erwiderte Clary.

»Eine bewunderswert sentimentale Interpretation«, sagte Valentin, »aber höchst unwahrscheinlich. Du kennst die Lightwoods nicht so, wie ich sie einst gekannt habe.« Entweder sah er nicht, wie Jace zusammenzuckte, oder er ignorierte dessen Reaktion ganz bewusst. »Letztlich ist es auch völlig unerheblich«, fügte er hinzu. »Die Lightwoods waren als Schutz für Jace gedacht, nicht als dessen Ersatzfamilie. Er hat eine Familie. Er hat einen Vater.«

Jace gab einen kehligen Laut von sich und nahm die Hände vom Gesicht. »Und Mutter . . .«

»Ist nach dem Aufstand geflohen«, sagte Valentin. »Ich war ein entehrter Mann. Hätte man gewusst, dass ich am Leben war, hätte der Rat mich verfolgt und zur Strecke gebracht. Sie ertrug den Gedanken nicht, auf ewig in einem Atemzug mit mir genannt zu werden, und floh.« Der Schmerz in seiner Stimme war deutlich hörbar – und falsch, dachte Clary bitter. Dieser berechnende Widerling. »Ich wusste damals nicht, dass sie schwanger war. Mit Clary.« Er lächelte kurz, strich mit seinem Finger über das Weinglas. »Aber wie heißt es so schön: Blut ist dicker als Wasser«, fuhr er fort. »Das Schicksal hat uns wieder zusammengeführt – unsere Familie ist wieder vereint. Wir können das Portal benutzen«, wandte er sich an Jace. »Nach Idris gehen, zurück auf unsere Ländereien.«

Jace zuckte leicht zusammen, nickte dann aber, den Blick immer noch reglos auf seine Hände gerichtet.

»Dort können wir zusammen leben«, sagte Valentin. »So, wie es von Anfang an hätte sein sollen.«

*Das klingt ja toll,* dachte Clary. *Nur du, deine im Koma liegende Frau, dein völlig verwirrter Sohn und deine Tochter, die dich abgrundtief hasst. Nicht zu vergessen die Tatsache, dass deine beiden Kinder sich wahrscheinlich ineinander verliebt haben. Das klingt wirklich wie das perfekte Familienglück.* Doch laut sagte sie nur: »Ich werde mit dir nirgendwohin gehen – und meine Mutter auch nicht.«

»Er hat recht, Clary«, stieß Jace heiser hervor. Er dehnte seine Hände; die Fingerspitzen hatten rote Flecken. »Es ist der einzige Weg; nur dort können wir alles wieder in Ordnung bringen.«

»Das kann nicht dein Ernst sein . . .«

Ein gewaltiges Krachen drang von unten zu ihnen hinauf, so laut, als ob eine der Mauern des Hospitals eingestürzt wäre. *Luke,* dachte Clary und sprang auf.

Obwohl Jace immer noch kreidebleich um die Nase war, reagierte er automatisch – er erhob sich von seinem Stuhl und seine Hand fuhr zum Gürtel. »Vater, sie sind . . .«

»Sie kommen.« Valentin stand ebenfalls auf. Clary hörte Schritte; einen Augenblick später flog die Tür des Saals auf und Luke stand auf der Schwelle.

Clary unterdrückte einen Aufschrei. Luke war von Kopf bis Fuß mit Blut beschmiert, seine Jeans und sein Hemd waren dunkel und durchtränkt und seine untere Gesichtshälfte leuchtete blutrot. Auch seine Hände schimmerten bis zu den Handgelenken feucht. Clary erkannte, dass frisches Blut von ihnen tropfte, konnte aber nicht sagen, wie viel davon sein eigenes war. Sie hörte sich seinen Namen rufen und dann lief sie quer durch den Raum auf ihn zu und wäre fast über ihre eigenen Beine gestolpert bei dem Versuch, sein Hemd zu packen und sich daran festzuklammern – etwas, das sie zum letzten Mal als Achtjährige getan hatte.

Einen kurzen Moment lang strich er ihr mit seiner großen Hand über den Kopf und zog sie fest an seine Brust. Doch dann schob er sie sanft von sich. »Ich bin ganz voll Blut«, sagte er. »Aber keine Sorge – es ist nicht meins.«

»Von wem ist es dann?«, ertönte Valentins Stimme. Clary drehte sich um, Lukes Arm immer noch schützend auf ihren Schultern. Valentin betrachtete sie beide mit berechnendem Blick, die Augen eng zusammengekniffen. Jace hatte sich ebenfalls erhoben, war um den Tisch getreten und stellte sich nun zögernd hinter seinen Vater. Clary konnte sich nicht erinnern, dass sie ihn jemals hatte zögern sehen.

»Es stammt von Pangborn«, sagte Luke.

Valentin fuhr sich mit einer Hand über das Gesicht, als ob diese Nachricht ihn schmerzlich berührte. »Ich verstehe. Hast du ihm mit deinen Fängen die Kehle herausgerissen?«

»Nein. Tatsächlich habe ich ihn hiermit getötet«, erwiderte Luke. In seiner freien Hand hielt er den langen, dünnen Dolch, mit dem er auch den Forsaken umgebracht hatte. Die Steine im Griff schimmerten bläulich. »Erkennst du ihn?«

Valentin warf einen Blick auf den Dolch und Clary sah, wie sich seine Kiefer anspannten. »Ja«, sagte er und Clary fragte sich, ob er sich ebenfalls an ihr Gespräch erinnerte. *Das ist ein* kindjal, *ein tscherkessischer Dolch. Dieser hier ist Teil eines speziell gefertigten Paares.*

»Vor siebzehn Jahren hast du ihn mir mit dem Rat in die Hand gedrückt, meinem Leben damit ein Ende zu setzen«, meinte Luke und fasste den Dolch fester. Die Klinge war länger als die Klinge des *kind-*

*jal* mit den roten Steinen im Griff, der in Jaces' Gürtel steckte – fast schon wie die eines Schwertes, mit einer nadeldünnen Spitze. »Und ich hätte deinen Rat beinahe befolgt.«

»Erwartest du, dass ich das leugne?« In Valentins Stimme schwang Schmerz mit, die Erinnerung an vergangenen Kummer. »Ich habe versucht, dich vor dir selbst zu schützen, Lucian. Ich habe einen schweren Fehler begangen. Wenn ich damals doch nur die Stärke aufgebracht hätte, dich zu töten, dann wärst du als aufrechter Mann gestorben.«

»So wie du?«, fragte Luke und in diesem Augenblick entdeckte Clary etwas von dem alten Luke in ihm, den sie seit Ewigkeiten kannte – der genau wusste, wann sie log oder ihm etwas vorspielte, und der ihr auf den Kopf zusagte, wenn sie arrogant oder unaufrichtig war. In der Bitterkeit seiner Stimme spürte sie etwas von der Zuneigung, die er einst für Valentin empfunden hatte und die nun Hass und Erschöpfung gewichen war. »Ein Mann, der seine bewusstlose Frau an ein Bett kettet, in der Hoffnung, nach ihrem Erwachen durch Folter Informationen aus ihr herauspressen zu können? Das nennst du *aufrecht?«*

Jace starrte seinen Vater an. Clary sah, wie Valentins Gesichtszüge sich für einen kurzen Augenblick vor Wut verzerrten, doch dieser Moment ging schnell vorüber und seine Augen wirkten wieder ausdruckslos. »Ich habe sie nicht angerührt«, sagte er. »Sie liegt zu ihrem eigenen Schutz in Ketten.«

»Schutz *wovor?«,* wollte Luke wissen und machte einen Schritt nach vorn. »Der Einzige, der sie hier bedroht, bist du. Der Einzige, der sie je bedroht hat, warst du. Sie hat ihr ganzes Leben nichts anderes getan, als vor dir davonzulaufen.«

»Ich habe sie geliebt«, erwiderte Valentin. »Ich hätte ihr niemals wehgetan. Du warst es, der sie gegen mich aufgehetzt hat.«

Luke lachte. »Dafür hätte sie mich nicht gebraucht. Sie hat dich von ganz allein hassen gelernt.«

»Das ist eine *Lüge!«,* brüllte Valentin mit plötzlich aufflackernder

Wildheit und riss sein Schwert aus der Scheide. Die Klinge war flach und mattschwarz, mit einem Muster aus silbernen Sternen. Er richtete die Schwertspitze auf Lukes Herz.

Jace machte einen Schritt auf Valentin zu. »Vater . . .«

»Jonathan, *schweig!«*, donnerte Valentin, doch es war zu spät; Clary erkannte den Schock in Lukes Augen, als er Jace anstarrte.

*»Jonathan?«*, flüsterte er.

Jace verzog den Mund. »Nenn mich nicht so«, entgegnete er wütend und seine goldenen Augen blitzten. »Ich werde dich eigenhändig töten, wenn du mich noch einmal so nennst.«

Luke schien die Klinge, die auf sein Herz gerichtet war, zu ignorieren und schaute Jace unverwandt an. »Deine Mutter wäre stolz auf dich«, sagte er so leise, dass selbst Clary, die neben ihm stand, Mühe hatte, ihn zu verstehen.

»Ich habe keine Mutter«, konterte Jace. Seine Hände zitterten. »Die Frau, die mir das Leben geschenkt hat, ließ mich im Stich, ehe ich alt genug war, mich an ihr Gesicht erinnern zu können. Ich habe ihr nichts bedeutet, also bedeutet auch sie mir nichts.«

»Deine Mutter ist nicht diejenige, die dich im Stich gelassen hat«, sagte Luke und richtete seine Augen langsam auf Valentin. »Ich hätte gedacht, nicht einmal du würdest so tief sinken, dein eigen Fleisch und Blut als Pfand zu missbrauchen. Da habe ich mich wohl getäuscht.«

»Das reicht jetzt.« Valentins Stimme klang beinahe gelangweilt, doch in ihr schwang eine unbändige Wut mit, ein gieriges Verlangen nach Gewalt. »Nimm die Hände von meiner Tochter oder ich töte dich auf der Stelle.«

»Ich bin nicht deine Tochter«, rief Clary wütend, aber Luke stieß sie so heftig von sich, dass sie beinahe hingefallen wäre.

»Raus mit dir«, sagte er. »Bring dich in Sicherheit.«

»Ich lass dich nicht allein!«

»Clary, ich mein's ernst. *Raus mit dir.«* Luke hob bereits seinen Dolch. »Das ist nicht dein Kampf.«

Clary stolperte weg von ihm, in Richtung der Tür, die zum Treppenhaus führte. Vielleicht konnte sie Hilfe holen, vielleicht war Alaric . . .

Plötzlich stand Jace vor ihr, blockierte den Weg zur Tür. Sie hatte ganz vergessen, wie schnell er sich bewegen konnte – sanft wie eine Katze, geschwind wie Quecksilber. »Bist du wahnsinnig?«, zischte er. »Sie haben die Eingangstür aufgebrochen. Da unten wird es vor Forsaken nur so wimmeln.«

Sie versuchte, ihn wegzustoßen. »Lass mich . . .«

Jace packte sie und hielt sie eisern fest. »Damit sie dich in Fetzen reißen? Kommt nicht infrage.«

Plötzlich ertönte hinter ihnen ein lautes metallisches Geräusch. Clary wandte sich um und sah, dass Valentin Luke angegriffen hatte, der wiederum den Schwertstreich mit einem ohrenbetäubenden Krachen parierte. Knirschend lösten sich die Klingen voneinander und jetzt bewegten sich die beiden Männer in einem verschwommenen Schleier von Finten und Paraden durch den Raum. »Oh mein Gott«, flüsterte sie. »Sie bringen sich gegenseitig um.«

Jace' Augen wirkten beinahe schwarz. »Du verstehst das nicht«, sagte er. »Nur so kann es entschieden werden . . .« Er unterbrach sich und hielt kurz die Luft an, als Luke Valentins Parade unterlief und ihn mit einem Hieb an der Schulter traf. Valentins weißes Hemd verfärbte sich blutrot.

Valentin warf den Kopf zurück und lachte. »Tatsächlich ein Treffer«, sagte er. »Ich hätte nicht gedacht, dass du es noch in dir hast, Lucian.«

Luke hatte sich zu voller Größe aufgerichtet; die Klinge seines Dolchs versperrte Clary die Sicht auf sein Gesicht. »Du hast mir diese Finte selbst beigebracht.«

»Aber das ist lange her«, erwiderte Valentin mit einer Stimme wie wilde Seide, »und seither wirst du wohl kaum eine Klinge geführt haben, oder? Wo du doch jetzt mit Klauen und Fängen kämpfst.«

»Mit ihnen werde ich dir das Herz herausreißen.«

Valentin schüttelte den Kopf. »Du hast mir schon vor Jahren das Herz herausgerissen«, entgegnete er und nicht einmal Clary hätte sagen können, ob die Trauer in seiner Stimme echt oder gespielt war. »Als du mich betrogen und hintergangen hast.« Luke setzte zu einem erneuten Hieb an, aber Valentin machte schnell einen Schritt zurück. Für einen so großen Mann bewegte er sich überraschend leichtfüßig. »Du hast meine Frau gegen ihre eigene Art aufgehetzt. Du bist zu ihr gelaufen, als sie sich am wenigsten wehren konnte, gegen deine bemitleidenswerte, hilflose Not. Ich war nicht da und sie glaubte, dass du sie liebst. Sie war eine Närrin.«

Jace stand stocksteif neben Clary. Sie konnte seine Spannung förmlich fühlen – wie Funken, die aus einem zu Boden gefallenen Stromkabel sprühen. »So spricht Valentin von deiner Mutter«, sagte sie.

»Sie hat mich im Stich gelassen«, erwiderte Jace. »Eine tolle Mutter.«

»Sie dachte, du seist *tot*. Willst du wissen, woher ich das weiß? Weil sie ein Kästchen in ihrem Schlafzimmer aufbewahrt hat, ein Kästchen mit deinen Initialen – J. C.«

»Na schön, sie hatte also ein Kästchen«, sagte Jace. »Viele Leute haben Kästchen. Sie bewahren Dinge darin auf. Scheint in letzter Zeit ganz groß in Mode zu kommen, habe ich gehört.«

»Eine Haarlocke lag darin. Von dir. Und ein, vielleicht zwei Fotos. Sie hat sie jedes Jahr hervorgeholt und sich darüber die Augen ausgeweint, verzweifelt und untröstlich . . .«

Jace' Hand ballte sich zur Faust. »Hör auf«, stieß er zwischen zusammengebissenen Zähnen hervor.

»Aufhören womit? Dir die Wahrheit zu erzählen? Sie glaubte, du seist tot – sie hätte dich nie zurückgelassen, wenn sie gewusst hätte, dass du noch am Leben bist. Du hast selbst geglaubt, dein Vater sei tot . . .«

»Ich *habe gesehen,* wie er starb! Oder zumindest habe ich das gedacht. Ich habe nicht einfach . . . nicht einfach davon gehört und beschlossen, es zu glauben!«

»Sie fand deine verbrannten Knochen«, sagte Clary leise. »In den Ruinen ihres Hauses. Neben den Knochen ihrer Mutter und ihres Vaters.«

Endlich schaute Jace sie an. Sie sah den offensichtlichen Unglauben in seinen Augen und die Anstrengung, mit der er diesen Unglauben aufrechterhielt. Und als würde sie einen Zauberglanz durchschauen, erkannte sie, dass er den zerbrechlichen Glauben an seinen Vater trug wie eine durchscheinende Rüstung, die ihn vor der Wahrheit schützte. Irgendwo, dachte sie, hatte diese Rüstung einen Riss; mit den richtigen Worten konnte sie sie durchbrechen.

»Das ist lächerlich«, sagte er. »Ich bin nicht gestorben – es gab keine Knochen.«

»Oh doch.«

»Dann muss es ein Zauberglanz gewesen sein«, erwiderte er grob.

»Frag deinen Vater, was mit den Eltern seiner Frau geschehen ist«, sagte Clary und berührte seine Hand. »Und frag ihn, ob es ein Zauberglanz war . . .«

*»Halt die Klappe!«* Jace' Selbstbeherrschung brach zusammen und er wandte sich gegen sie, fuchsteufelswild. Clary sah, wie Luke, irritiert durch den Lärm, einen kurzen Blick in ihre Richtung warf und wie Valentin diesen Moment der Ablenkung nutzte: Er tauchte unter Lukes Dolch hindurch und jagte ihm mit einem Stoß die Klinge seines Schwerts kurz unterhalb des Schlüsselbeins tief in die Brust.

Lukes Augen öffneten sich weit, eher überrascht als schmerzverzerrt. Valentin zog sein Schwert zurück, das bis zum Griff rötlich glänzte. Mit einem kurzen Lachen stieß er erneut zu und dieses Mal fiel der Dolch aus Lukes Hand und schlug klirrend auf dem Boden auf. Valentin schob die Waffe mit dem Fuß beiseite; sie rutschte unter den Tisch, während Luke zusammenbrach.

Valentin hob das schwarze Schwert hoch über Lukes hilflosen Körper, bereit, ihm den Todesstoß zu versetzen. Die silbernen Sterne auf der Klinge glitzerten und einen schrecklichen, scheinbar unendlich langen Augenblick fragte Clary sich, wie etwas so Tödliches so schön sein konnte.

Noch ehe sie selbst wusste, was sie tun würde, wirbelte Jace zu ihr herum – als ob er ahnte, was sie vorhatte. »Clary . . .«

Der unendlich lange Augenblick war vorüber. Clary entwand sich Jace' Griff, tauchte unter seinen nachfassenden Händen hindurch und rannte über den Steinfußboden zu Luke. Er lag auf dem Boden und versuchte, sich mit einem Arm hochzudrücken.

Clary warf sich genau in dem Moment über ihn, als Valentins Schwert abwärtsstieß.

Als das Schwert auf sie zuschoss, sah sie Valentin in die Augen – es kam ihr wie eine Ewigkeit vor, auch wenn es in Wahrheit nur den Bruchteil einer Sekunde dauerte. Sie sah, dass er den Stoß hätte abbrechen können, wenn er es gewollt hätte; sah, dass er genau wusste, er würde sie ebenfalls damit durchbohren; sah, dass es ihm völlig egal war.

Schützend hielt sie sich die Hände vors Gesicht, kniff die Augen zusammen . . .

Es klirrte. Sie hörte Valentin aufschreien, öffnete die Augen und sah, dass seine Schwerthand plötzlich leer war und blutete. Der *kindjal* mit dem roten Knauf lag einige Meter entfernt auf dem Steinboden, neben ihm das schwarze Schwert. Erstaunt wandte sie sich um, sah Jace an der Tür stehen, den Arm immer noch erhoben, und begriff plötzlich, dass er den Dolch mit genug Kraft geworfen haben musste, um seinem Vater das schwarze Schwert aus der Hand zu schlagen.

Leichenblass ließ er den Arm sinken, die Augen unverwandt auf Valentin gerichtet, weit aufgerissen und flehend. »Vater, ich . . .«

Valentin schaute auf seine blutende Hand und Clary sah, wie seine Züge sich einen winzigen Augenblick vor Wut verzerrten und dann wieder glätteten – so, als ob eine Kerze aufflackernd erlosch. Dann sagte er milde: »Das war ein hervorragender Wurf, Jace.«

Jace zögerte. »Aber deine Hand – ich dachte, du . . .«

»Ich hätte deiner Schwester nichts zuleide getan«, sagte Valentin, während er rasch zu seinem Schwert und dem *kindjal* mit dem roten Knauf ging und beide aufhob. »Ich hätte den Stoß natürlich abgebremst«, fuhr er fort und schob sich den Dolch in den Gürtel. »Aber die Sorge um deine Familie ist lobenswert.«

*Lügner.* Aber Clary hatte keine Zeit für Valentins Verdrehung der Tatsachen; sie wandte sich Luke zu und spürte, wie ihr übel wurde. Luke lag auf dem Rücken, die Augen halb geschlossen, und sein Atem ging stoßweise. Über dem Loch in seinem zerrissenen Hemd bildeten sich Blutblasen. »Ich brauche einen Verband«, rief Clary erstickt. »Ein Tuch, irgendwas.«

»Bleib, wo du bist, Jonathan«, sagte Valentin mit stahlharter Stimme und Jace, der bereits in seine Tasche hatte greifen wollen, erstarrte mitten in der Bewegung. »Clarissa«, fuhr Valentin fort, seine Stimme so ölig wie ein in Butter getauchtes Schwert, »dieser Mann ist ein Feind unserer Familie, ein Feind des Rats. Wir sind Jäger und das bedeutet, dass wir manchmal töten müssen. Das verstehst du doch?«

*»Dämonenjäger«,* erwiderte Clary. *»Dämonentöter.* Aber keine *Mörder*. Das ist ein Unterschied.«

»Aber er *ist* ein Dämon, Clarissa«, sagte Valentin, mit der gleichen sanften Stimme wie zuvor. »Ein Dämon mit dem Gesicht eines Menschen. Ich weiß, wie trügerisch solche Monster sein können – ich selbst verschonte ihn, wie du weißt.«

*»Monster?«,* wiederholte Clary. Sie dachte an Luke, der sie als Fünfjährige auf der Schaukel angeschubst hatte, höher und immer höher; Luke am Tag ihrer Einschulung, der mit gezückter Kamera ein Foto nach dem anderen schoss, wie ein stolzer Vater; Luke, der jeden Bücherkarton, der in seinem Laden eintraf, gründlich durchforstete, immer auf der Suche nach einem Buch, das ihr gefallen und das er beiseitelegen konnte. Luke, der sie hochhob, damit sie Äpfel von den Bäumen auf seiner Farm pflücken konnte. Luke, dessen Platz als Vater nun der Mann einzunehmen versuchte, der vor ihr stand. »Luke ist kein Mons-

ter«, konterte sie mit einer Stimme, die Valentins in nichts nachstand – Stahl traf auf Stahl. »Oder ein Mörder. Ganz im Gegensatz zu dir.«

»Clary!«, rief Jace.

Clary beachtete ihn nicht; ihr Blick bohrte sich in Valentins kalte schwarze Augen. »Du hast die Eltern deiner Frau umgebracht – hast sie nicht während eines Kampf getötet, sondern kaltblütig ermordet. Und ich wette, du hast auch Michael Wayland und seinen kleinen Jungen umgebracht. Hast ihre Knochen zu denen meiner Großeltern geworfen, damit meine Mutter glaubte, Jace und du wären tot. Hast deine Halskette um Michael Waylands Hals gelegt, bevor du ihn verbrannt hast, damit alle annahmen, seine Knochen wären deine. Und dann dieses ganze Gerede über unbesudeltes Blut – als du sie umgebracht hast, waren dir ihr Blut und ihre Unschuld doch völlig egal! Kinder und alte Leute kaltblütig ermorden . . . so etwas nenne *ich* monströs.«

Erneut verzerrten sich Valentins Züge vor Wut. *»Das reicht!«*, brüllte er, hob sein schwarzes Schwert ein weiteres Mal an und Clary vernahm in seiner Stimme die Wahrheit dessen, was er wirklich war, erkannte die Wut, die ihn sein ganzes Leben lang beherrscht hatte – jene immerwährende, tief in ihm brodelnde Wut. »Jonathan! Bring deine Schwester hier weg oder ich schwöre beim Erzengel, ich schlage sie nieder, ehe ich dieses Monster töte, welches sie zu schützen versucht!«

Einen winzigen Moment lang zögerte Jace; dann hob er den Kopf. »Sofort, Vater«, sagte er und ging durch den Raum auf Clary zu. Noch bevor sie die Arme heben konnte, um ihn abzuwehren, hatte er sie grob an den Handgelenken gepackt, riss sie auf die Füße und zerrte sie von Luke weg.

»Jace«, flüsterte sie entsetzt.

»Nicht«, sagte er. Seine Finger gruben sich schmerzhaft in ihre Unterarme. Er roch nach Wein und Metall und Schweiß. »Kein Wort mehr.«

»Aber . . .«

»Ich sagte: *Kein Wort!*« Er schüttelte sie grob. Sie stolperte, fing sich wieder und schaute hinüber zu Valentin, der triumphierend über Lukes zusammengesunkenem Körper stand. Mit der Spitze seines eleganten Stiefels stieß er Luke in die Seite, worauf dieser einen erstickten Laut von sich gab.

»Lass ihn in Ruhe!«, schrie Clary und versuchte, sich aus Jace' Griff loszureißen, doch ohne Erfolg – er war viel zu stark für sie.

»Hör auf«, zischte er ihr ins Ohr. »Du machst es dir selbst nur noch schwerer. Es ist besser, wenn du nicht hinsiehst.«

»So wie du?«, zischte sie zurück. »Einfach die Augen vor etwas verschließen und so tun, als ob es gar nicht passierte, macht es nicht ungeschehen, Jace. Das solltest du eigentlich am besten wissen . . .«

»Clary, *hör auf damit.*« Der Ton seiner Stimme ließ sie fast innehalten – so verzweifelt klang er.

Valentin lachte leise. »Hätte ich nur daran gedacht, eine Klinge aus reinem Silber mitzubringen, Lucian – dann hätte ich dich auf die Art und Weise ins Jenseits befördern können, die deiner Art gebührt.«

Luke knurrte etwas, das Clary nicht verstand. Sie hoffte nur, dass es eine Gemeinheit war. Erneut versuchte sie, sich aus Jace' Griff zu befreien; dabei rutschte sie aus und er fing ihren Sturz ab, zog sie mit ungeheurer Kraft wieder zu sich heran. Endlich legte er seine Arme um sie, dachte sie – doch nicht so wie erhofft, sondern auf eine Art, die sie nie für möglich gehalten hätte.

»Lass mich wenigstens aufstehen«, sagte Luke. »Lass mich aufrecht sterben.«

Valentin schaute über sein Schwert hinweg auf ihn hinab und zuckte die Achseln. »Du kannst auf dem Rücken sterben oder auf deinen Knien«, erwiderte er. »Aber nur ein Mann verdient es, stehend zu sterben – und du bist keiner.«

»Nein!«, schrie Clary, während Luke unter großen Schmerzen versuchte, sich hinzuknien.

»Warum musst du es dir selbst so schwer machen?«, fragte Jace leise und angespannt. »Ich hab dir doch gesagt, du sollst nicht hinschauen.«

Sie keuchte vor Anstrengung und Schmerz. »Warum belügst du dich selbst?«

»Ich lüge nicht!« Seine Hände umklammerten sie mit brutaler Kraft, obwohl sie gar nicht versucht hatte, sich zu befreien. »Ich will nur das Gute in meinem Leben behalten . . . meinen Vater . . . meine Familie . . . ich kann sie nicht noch einmal verlieren.«

Luke kniete inzwischen mit aufrechtem Oberkörper und Valentin hob das blutbefleckte Schwert. Luke hielt die Augen geschlossen und murmelte irgendetwas: ein paar Worte, ein Gebet, Clary wusste es nicht. Verzweifelt wand sie sich in Jace' Armen hin und her, bis sie ihm ins Gesicht schauen konnte. Seine Lippen waren nur ein dünner Strich, sein ganzes Gesicht angespannt, aber seine Augen . . .

Die Rüstung zeigte erste Risse; sie brauchte nur noch einen letzten Stoß und Clary suchte nach den richtigen Worten.

»Du hast eine Familie«, sagte sie. »Deine Familie, das sind die Menschen, die dich lieben – wie die Lightwoods, Alec, Isabelle . . .« Ihre Stimme brach. »Luke ist meine Familie und du zwingst mich dazu, seinen Tod mit anzusehen, so wie du als Zehnjähriger den angeblichen Tod deines Vaters mit ansehen musstest? Ist es das, was du willst, Jace? Ist das die Art von Mann, die du sein willst? So wie . . .«

Sie hielt inne, plötzlich erschreckt von dem Gedanken, dass sie vielleicht zu weit gegangen sei.

»Wie mein Vater«, sagte er.

Seine Stimme klang eiskalt und distanziert, flach wie eine Rasierklinge. *Ich habe ihn verloren,* dachte sie verzweifelt.

»Runter mit dir«, sagte er und stieß sie grob von sich. Sie stolperte, fiel zu Boden und überschlug sich. Als sie wieder auf die Knie kam, sah sie, wie Valentin sein Schwert hoch über den Kopf hob.

Das Licht des Kronleuchters brachte die Klinge zum Funkeln und seine Reflexionen explodierten wie kleine Lichtblitze vor ihren Augen. *»Luke!«*, schrie sie gellend.

Die Klinge stieß ruckartig abwärts – in den Boden. Luke war verschwunden. Jace, der sich schneller bewegt hatte, als Clary es selbst für einen Schattenjäger für möglich gehalten hätte, hatte ihn aus dem Weg gestoßen, wodurch er einige Meter über das Parkett geschleudert worden war. Nun stand Jace seinem Vater gegenüber und blickte ihn über das zitternde Heft des Schwerts hinweg an, leichenblass, aber mit festem Blick.

»Du solltest jetzt besser gehen«, sagte er.

Valentin starrte seinen Sohn ungläubig an. *»Was hast du gerade gesagt?«*

Luke war es gelungen, sich aufzusetzen; frisches Blut durchtränkte sein Hemd. Er starrte Jace an, der eine Hand ausstreckte und sanft, beinahe desinteressiert den Griff des Schwerts streichelte, das noch immer im Boden steckte. »Ich glaube, du hast mich verstanden, Vater.«

Valentins Stimme klang schneidend wie ein Peitschenhieb. »Jonathan Morgenstern . . .«

Blitzschnell umfasste Jace den Griff des Schwerts, zog es ruckartig aus den Bodendielen und hob es an. Er hielt es locker, ausbalanciert, mit der breiten Seite nach oben, sodass die Schwertspitze nur Zentimeter unter dem Kinn seines Vaters schwebte. »Das ist nicht mein Name«, erwiderte er. »Ich heiße Jace Wayland.«

Valentins Augen waren unverwandt auf Jace gerichtet; er schien das Schwert an seiner Kehle kaum wahrzunehmen. *»Wayland?«*, brüllte er. »Du hast keinen Tropfen Wayland-Blutes in dir! Michael Wayland ist ein Fremder für dich . . .«

»Genau wie du«, sagte Jace ruhig. Dann ließ er das Schwert sinken. »Und jetzt geh.«

Valentin schüttelte den Kopf. »Niemals. Ich nehme keine Befehle von einem Halbstarken entgegen.«

Die Schwertspitze zuckte hoch und berührte Valentin an der Kehle. Mit einer Mischung aus Faszination und Entsetzen beobachtete Clary die Szene. »Ich bin ein sehr gut ausgebildeter Halbstarker«, sagte Jace. »Du selbst hast mich die hohe Kunst des Tötens gelehrt. Ist dir bewusst, dass ich nur zwei Finger bewegen muss, um dir die Kehle aufzuschlitzen?« Seine Augen funkelten eiskalt. »Ganz bestimmt ist es das.«

»Du magst zwar gut ausgebildet sein«, meinte Valentin abschätzig, bewegte sich jedoch keinen Millimeter, »aber du bist nicht fähig, mich zu töten. Du hattest immer schon ein weiches Herz.«

»Er ist vielleicht nicht fähig dazu«, erwiderte Luke, der inzwischen wieder aufrecht stand, bleich und blutig, »aber ich bin es. Und ich bin mir nicht sicher, ob er mich aufhalten könnte.«

Valentins Augen zuckten fieberhaft zwischen Luke und seinem Sohn hin und her. Als Luke sprach, hatte Jace sich nicht umgedreht, sondern war reglos wie eine Statue stehen geblieben; sein Schwert hatte sich keinen Zentimeter bewegt. »Hörst du, wie dieses Monster mir droht, Jonathan?«, fragte Valentin. »Und du stellst dich auf seine Seite?«

»Er hat nicht unrecht«, sagte Jace sanft. »Ich bin mir wirklich nicht sicher, ob ich ihn aufhalten könnte, wenn er dich angreift. Werwölfe regenieren sich so schnell.«

Valentin verzog verächtlich das Gesicht. »Also ziehst du diese Kreatur, diesen halbblütigen Dämon deinem eigenen Blut, deiner eigenen Familie vor – so wie deine Mutter?«

Zum ersten Mal schien das Schwert in Jace' Hand leicht zu zittern. »Du hast mich verlassen, als ich ein Kind war«, sagte er mit fester Stimme. »Du hast mich glauben lassen, du wärst tot, und mich fortgeschickt, damit ich bei Fremden aufwachse. Du hast mir nie gesagt, dass ich eine Mutter habe und eine Schwester. Du hast mich zurückgelassen, und zwar *allein*.« Das letzte Wort klang wie ein Aufschrei.

»Ich habe es für dich getan – zu deiner eigenen Sicherheit«, widersprach Valentin.

»Wenn Jace dir etwas bedeuten würde, wenn Blutsbande dir etwas bedeuten würden, hättest du seine Großeltern nicht umgebracht. Du hast unschuldige Menschen ermordet«, warf Clary wütend ein.

»Unschuldig?«, zischte Valentin. »In einem Krieg gibt es keine Unschuldigen! Sie haben sich mit Jocelyn gegen mich gestellt! Sie hätten zugelassen, dass sie meinen Sohn mitnimmt!«

»Das heißt, du wusstest, dass sie dich verlassen wollte?«, stieß Luke hervor. »Du wusstest, dass sie fliehen wollte, schon vor dem Aufstand?«

»Natürlich habe ich es gewusst!«, brüllte Valentin. Seine kühle, beherrschte Maske hatte Risse bekommen und jetzt konnte Clary die unbändige Wut sehen, die dahinter tobte, die die Sehnen an seinem Hals hervortreten und ihn die Hände zu Fäusten ballen ließ. »Ich tat, was ich tun musste, um mein Eigentum zu schützen, und am Schluss schenkte ich ihnen mehr, als sie je verdient hatten: einen Scheiterhaufen, wie er nur den größten Kriegern des Rats zugestanden wird!«

»Du hast sie verbrannt«, sagte Clary mit ausdrucksloser Stimme.

»Ja!«, brüllte Valentin. *»Ich habe sie verbrannt!«*

»Meine Großeltern . . .«, murmelte Jace halb erstickt.

»Du hast sie doch nie kennengelernt«, erwiderte Valentin. »Täusch doch keinen Kummer vor, den du nicht fühlst.«

Die Schwertspitze zitterte immer heftiger. Luke legte eine Hand auf Jace' Schulter. »Ganz ruhig«, sagte er.

Jace schaute ihn nicht an. Er atmete so schwer wie nach einem langen Lauf. Clary sah, dass Schweiß auf seinen Schulterblättern schimmerte und sein Haar an den Schläfen klebte. Die Adern auf seinen Handrücken traten deutlich hervor. *Er wird ihn umbringen,* dachte sie. *Er wird Valentin töten.*

Schnell machte sie einen Schritt nach vorn. »Jace – wir brauchen den Kelch. Du weißt, was er sonst damit tun wird.«

Jace leckte sich die trockenen Lippen. »Der Kelch, Vater. Wo ist er?«

»In Idris«, entgegnete Valentin kühl. »Wo ihr ihn nie finden werdet.«

Jace' Hand zitterte. »Sag mir . . .«

»Gib mir das Schwert, Jonathan«, sagte Luke ruhig, beinahe freundlich.

Jace' Stimme klang, als würde er auf dem Boden eines tiefen Brunnenschachts stehen. »Was?«

Clary kam noch einen Schritt näher. »Gib Luke das Schwert, Jace.«

Er schüttelte den Kopf. »Das kann ich nicht.«

Sie machte einen weiteren Schritt auf ihn zu – noch ein Schritt und sie würde ihn berühren können. »Doch, du kannst es«, sagte sie sanft. »Bitte.«

Er schaute sie nicht an; seine Augen blieben unverwandt auf das Gesicht seines Vaters gerichtet. Der Augenblick schien sich unendlich lange hinzuziehen. Schließlich nickte er kurz, ohne jedoch den Arm zu senken. Aber er ließ zu, dass Luke sich neben ihn stellte und seine Hand auf Jace' Schwerthand legte. »Du kannst jetzt loslassen, Jonathan«, sagte Luke – und korrigierte sich nach einem Blick in Clarys Gesicht: »Jace.«

Jace schien ihn nicht gehört zu haben. Er löste seinen Griff um das Schwert und bewegte sich von seinem Vater weg. Sein Gesicht hatte inzwischen wieder etwas Farbe angenommen und wirkte nicht mehr völlig aschfahl, seine Lippe blutete an einer Stelle, wo er sie aufgebissen hatte. Clary drängte es danach, ihn zu berühren, ihre Arme um ihn zu legen; doch sie wusste, dass er das nicht zugelassen hätte.

»Ich mache dir einen Vorschlag«, wandte Valentin sich in überraschend ausgeglichenem Ton an Luke.

»Lass mich raten«, sagte Luke. »Er lautet ›Töte mich nicht‹, richtig?«

Valentin lachte freudlos. »Ich würde mich wohl kaum so weit erniedrigen, dich um mein Leben anzuflehen.«

»Gut«, sagte Luke und hob Valentins Kinn mit der Schwertspitze leicht an. »Ich habe nicht vor, dich zu töten, außer du zwingst mich dazu. Ich will dich nicht vor deinen eigenen Kindern umbringen müssen. Mir geht es nur um den Kelch.«

Der Lärm von unten wurde langsam lauter und Clary glaubte, Schritte im Flur vor der Tür zu hören. »Luke . . .«

»Ich höre es«, antwortete er knapp.

»Der Kelch ist in Idris, das habe ich doch schon gesagt«, beteuerte Valentin und seine Augen blickten nervös an Luke vorbei zur Tür.

Luke schwitzte. »Wenn er in Idris ist, hast du das Portal genutzt, um ihn dorthin zu bringen. Ich gehe mit dir und wir holen ihn zurück.« Lukes Augen zuckten nun ebenfalls unruhig hin und her. Inzwischen waren die Geräusche im Flur immer lauter geworden – man hörte Rufe und irgendetwas zerbrach auf dem Boden. »Clary, du bleibst bei deinem Bruder. Wenn wir durch das Portal gegangen sind, benutzt es ebenfalls, um euch an einen sicheren Ort zu bringen.«

»Ich gehe hier nicht weg«, sagte Jace.

»Oh doch, das wirst du.« Irgendetwas prallte gegen die Tür. »Valentin, das Portal. Vorwärts«, befahl Luke mit lauter Stimme.

»Oder was?« Valentin warf lauernde Blicke in Richtung Tür.

»Oder ich töte dich, solltest du mich dazu zwingen«, sagte Luke. »Vor ihren Augen, wenn es sein muss. Das Portal, Valentin. Sofort.«

Valentin hob seine Hände. »Ganz, wie du willst.«

Er machte genau in dem Moment einen Schritt zurück, als die Tür zersplitterte und ihre Angeln quer durch den Raum schlitterten. Luke duckte sich instinktiv, um nicht von den entgegenstürzenden Teilen getroffen zu werden, und drehte sich, das Schwert noch immer in der Hand.

Ein Wolf stand in der Tür – ein Gebirge aus knurrendem, grau meliertem Pelz, die Schultern nach vorn gewölbt, die Lefzen weit hinter die gebleckten Zähne zurückgezogen. Blut floss aus unzähligen klaffenden Wunden in seinem Pelz.

Jace fluchte leise. Eine Seraphklinge lag bereits in seiner Hand, als

Clary ihn am Handgelenk zu fassen bekam. »Nicht – er ist ein Freund.«

Jace warf ihr einen skeptischen Blick zu, ließ aber den Arm sinken.

»Alaric . . .« Luke rief ihm etwas zu, in einer Sprache, die Clary nicht verstand. Alaric knurrte erneut und duckte sich zu Boden und einen kurzen, verwirrten Augenblick lang glaubte sie, er wolle sich auf Luke stürzen. Doch dann sah sie Valentins Hand zum Gürtel fahren, gefolgt von einem Blitz aus roten Juwelen, und ihr fiel ein, dass Valentin immer noch Jace' Dolch hatte.

Sie hörte, wie jemand Lukes Namen rief, und dachte, sie sei es selbst gewesen – bis ihr auffiel, dass ihre Kehle wie zugeschnürt war und es Jace gewesen sein musste, der gerufen hatte.

Luke drehte sich um – quälend langsam, wie es Clary schien –, doch der Dolch hatte schon Valentins Hand verlassen und wirbelte auf ihn zu wie ein silbernes Rad. Luke riss das Schwert hoch – und plötzlich warf sich etwas Riesiges und Graumeliertes zwischen ihn und Valentin. Sie hörte Alaric aufheulen; dann brach das Heulen plötzlich ab, als die Klinge ihr Ziel traf. Clary schnappte nach Luft und versuchte, in Lukes Richtung zu stürzen, doch Jace zog sie zurück.

Der Wolf krümmte sich zu Lukes Füßen; auf seinem Fell breitete sich ein großer Blutfleck aus. Verzweifelt versuchte Alaric, mit seinen Klauen den Dolch zu packen, der bis zum Heft in seiner Brust steckte.

Valentin lachte. »Auf diese Weise vergiltst du also die bedingungslose Loyalität, die du dir so billig erkauft hast, Lucian«, sagte er. »Indem du sie für dich sterben lässt.« Er wich zurück, die Augen unverwandt auf Luke gerichtet.

Leichenblass starrte Luke erst ihn, dann Alaric an, der zu seinen Füßen lag; schließlich schüttelte er den Kopf, fiel auf die Knie und beugte sich über den sterbenden Werwolf. Jace, der Clary noch immer an den Schultern festhielt, zischte: »Bleib hier, hörst du mich? Bleib *hier*.« Dann setzte er Valentin nach, der mit unerklärlicher Hast in Richtung der rückwärtigen Wand zurückwich. Hatte er etwa vor, sich aus dem Fenster zu stürzen? Clary erblickte sein Spiegelbild in dem großen Spiegel mit Goldrahmen und der Ausdruck auf seinem Gesicht – eine Art höhnischer Erleichterung – erfüllte sie mit wilder Wut.

»Einen Teufel werde ich tun«, murmelte sie und folgte Jace. Sie hielt nur kurz inne, um den *kindjal* mit dem blauen Griff aufzuheben, den Valentin mit dem Fuß unter den Tisch geschoben hatte. Die Waffe lag warm und beruhigend in ihrer Hand, während sie einen umgestürzten Stuhl aus dem Weg schob und langsam auf den Spiegel zuging.

Jace hatte die Seraphklinge gezückt und ihr helles, aufwärtsgerichtetes Licht ließ die Ringe unter seinen Augen und seine eingefallenen Wangen noch stärker hervortreten als zuvor. Valentin hatte sich umgewandt und stand jetzt im Schein der Klinge mit dem Rücken zum Spiegel. Clary konnte auch Luke darin erkennen; sie sah im Spiegelbild, dass er sein Schwert weggelegt hatte und sanft und vorsichtig den *kindjal* mit dem roten Knauf aus Alarics Brust zog. Ihr wurde heiß und sie umfasste den Griff ihres eigenen Dolchs fester. »Jace . . .«, sagte sie.

Er drehte sich nicht zu ihr um, blickte jedoch in den Spiegel in Richtung ihrer Reflexion. »Clary, ich hab dir doch gesagt, du sollst zurückbleiben.«

»Sie ist genau wie ihre Mutter«, meinte Valentin; mit einer Hand hinter dem Rücken, tastete er den schweren vergoldeten Rahmen des Spiegels ab. »Die tut auch nie das, was man ihr sagt.«

Jace zitterte zwar nicht mehr so stark wie vorhin, doch Clary spürte, dass er angespannt war wie das Fell einer Trommel. »Ich werde mit ihm nach Idris gehen, Clary. Ich bringe den Kelch zurück.«

»Das kannst du nicht machen«, setzte Clary an und sah im Spiegel, wie sich sein Gesicht verzog.

»Hast du vielleicht eine bessere Idee?«, konterte er.

»Aber Luke . . .«

»Lucian«, berichtigte Valentin in seidenweichem Ton, »kümmert sich gerade um einen gefallenen Kameraden. Und was den Kelch angeht und Idris, so sind beide nicht weit. Im Spiegelreich sozusagen.«

Jace' Augen verengten sich. »Der Spiegel ist das Portal?«

Valentins Mund wurde schmal; dann ließ er die Hand sinken und trat vom Spiegel zurück, dessen Oberfläche plötzlich zu verschwimmen begann wie feuchte Wasserfarben auf einer Leinwand. Statt des Saals mit seinem dunklen Holz und den vielen Kerzen sah Clary plötzlich grüne Felder, dicht belaubte smaragdgrüne Bäume und eine große Wiese, die in sanftem Schwung zu einem großen, steinernen Haus in der Ferne abfiel. Sie hörte Bienen summen, das Rascheln von Blättern im Wind und roch den Duft von Geißblatt, der mit der Brise herangetragen wurde.

»Ich sagte doch, es ist nicht weit.« Inzwischen war Valentin vor den Spiegel getreten, der sich in eine Art goldumrahmten Torbogen verwandelt hatte; sein Haar flatterte im selben Wind, der auch die Blätter an den weit entfernten Bäumen rascheln ließ. »Ist es so, wie du es in Erinnerung hast, Jonathan? Hat sich irgendetwas verändert?«

Clarys Herz zog sich zusammen. Zweifellos war dies Jace' frühere Heimat, mit der er in Versuchung gebracht werden sollte, wie man ein Kind mit Süßigkeiten oder einem Spielzeug in Versuchung bringt. Sie schaute zu ihm hinüber, doch er schien sie überhaupt nicht mehr wahrzunehmen. Er starrte auf das Portal und auf das dahinterliegende Panorama, die grünen Weiden und das große Haus. Sie sah, wie sein Gesicht weicher wurde, sah den melancholischen Zug um seinen Mund, als ob er jemanden anschaute, den er liebte.

»Du kannst immer noch nach Hause zurückkehren«, sagte sein Vater. Das Licht der Seraphklinge in Jace' Hand ließ seinen Schatten auf das Portal fallen und verdunkelte die grünen Felder und sanft geschwungenen Wiesen.

Das Lächeln verschwand von Jace' Lippen. »Es ist nicht mehr mein Zuhause«, sagte er. »Ich bin jetzt hier zu Hause.«

Mit heiß lodernder Wut in den Augen schaute Valentin seinen Sohn an. Clary würde diesen Blick nie vergessen; sie sehnte sich plötzlich heftig nach ihrer Mutter. Denn ganz egal, wie zornig ihre Mutter auf sie gewesen war, Jocelyn hatte sie niemals auf diese Weise angeschaut – aus ihren Augen hatte immer nur Liebe gesprochen.

Wenn sie nicht schon voller Mitleid für Jace gewesen wäre, hätte sie es spätestens in diesem Moment empfunden.

»Wie du willst«, sagte Valentin und machte einen schnellen Schritt rückwärts durch das Portal, sodass seine Füße den Boden von Idris berührten. Seine Lippen verzogen sich zu einem Lächeln. »Ah«, sagte er, »die Heimat.«

Jace stürzte auf den Rand des Portals zu, fing sich aber mit einer Hand am Rahmen ab. Ein seltsames Zögern sprach aus seiner Haltung, obwohl Idris lockte wie eine Fata Morgana in der Wüste. Er musste nur noch einen Schritt tun . . .

»Jace, nicht«, sagte Clary schnell. »Versuch nicht, ihm zu folgen.«

»Aber der Kelch«, murmelte Jace. Clary hätte nicht sagen können, was er in diesem Augenblick dachte, doch die Klinge in seiner Hand zitterte heftig.

»Lass das den Rat machen! Jace, bitte.« *Wenn du durch das Portal gehst, wirst du nie wieder zurückkommen. Valentin wird dich töten – auch wenn du es nicht glauben willst, er wird es tun.*

»Deine Schwester hat recht.« Valentin stand inmitten von grünem Gras und Wildblumen; Blattlaub kräuselte sich zu seinen Füßen und Clary wurde plötzlich bewusst, dass er und sie, obwohl nur wenige Zentimeter voneinander entfernt, in zwei unterschiedlichen Ländern standen. »Glaubst du wirklich, dass du eine Chance gegen mich hättest? Selbst mit deiner Seraphklinge und obwohl ich unbewaffnet bin? Ich bin nicht nur stärker als du, ich bezweifle auch, dass du es in dir hast, mich zu töten. Und du wärst gezwungen, mich zu töten, Jonathan, bevor ich dir den Kelch überlasse.«

Jace' Hand verkrampfte sich um das Heft seiner Engelsklinge. »Ich kann ...«

»Nein, das kannst du nicht.« Valentin griff plötzlich *durch* das Portal, packte Jace am Handgelenk und zog seinen Arm auf ihn zu, bis die Spitze der Seraphklinge seine Brust berührte. An der Stelle, an der Jace' Hand und Arm durch das Portal reichten, schienen sie zu schimmern wie unter einer Wasseroberfläche. »Komm schon«, sagte Valentin. »Stoß mit der Klinge zu. Zehn Zentimeter reichen, vielleicht fünfzehn.« Ruckartig zog er die Klinge in seine Richtung, bis die Spitze den Stoff seines Hemds durchtrennte. Genau über seinem Herzen erschien ein roter Kreis, wie eine Mohnblüte. Jace keuchte, riss seinen Arm los und taumelte zurück.

»Genau wie ich es mir gedacht habe«, sagte Valentin. »Viel zu weichherzig.« Dann schlug er blitzschnell mit geballter Faust in Jace' Richtung. Clary schrie auf, doch der Schlag erreichte sein Ziel nicht – stattdessen traf er die Oberfläche des Portals zwischen ihnen. Es klang so, als ob Tausende kleiner Gegenstände zerbrechen würden; dann erschien ein Netz winziger Risse auf dem Glas, das kein Glas war, und das Letzte, was Clary hörte, ehe das Portal in einem Regen spitzer Scherben zerfiel, war Valentins höhnisches Gelächter.

Die Splitter strömten über den Boden wie ein Schauer aus Eis, eine Kaskade silberner Spiegelbilder von seltsamer Schönheit. Clary machte unwillkürlich einen Schritt zurück, doch Jace blieb regungslos inmitten des gläsernen Schauers stehen und starrte den leeren Spiegelrahmen an.

Clary hatte angenommen, er würde explodieren, seinem Vater etwas nachschreien oder ihn verfluchen, doch stattdessen stand er nur da, bis die letzten Scherben zu Boden gefallen waren. Danach kniete er sich schweigend hin, suchte vorsichtig in dem Wirrwarr aus zerbrochenem Glas ein größeres Stück heraus und drehte es langsam in den Händen.

»Nicht.« Clary kniete neben ihm nieder und legte den Dolch auf den Boden, den sie noch immer in der Hand hielt. Das beruhigende Gefühl, das die Waffe ihr gegeben hatte, war verschwunden. »Du hättest nichts tun können, um ihn aufzuhalten.«

»Doch, das hätte ich.« Jace starrte noch immer auf die Spiegelscherbe. Glassplitter glitzerten in seinen Haaren. »Ich hätte ihn töten können.« Er drehte das Bruchstück, sodass sie hineinschauen konnte. »Hier, sieh mal«, sagte er.

Clary warf einen Blick in die Scherbe und sah Teile von Idris – ein Stückchen blauen Himmel, den Schatten von grünen Blättern. Sie stieß einen gequälten Seufzer aus. »Jace . . .«

»Alles in Ordnung?«

Clary schaute hoch. Es war Luke, der sich über sie beugte. Er war unbewaffnet und hatte tiefe dunkle Ringe unter den Augen. »Mit uns ist alles in Ordnung«, erwiderte sie. Hinter ihm erkannte sie eine gekrümmte Gestalt auf dem Boden, halb bedeckt von Valentins langem Mantel. Eine Hand mit spitzen Klauen ragte unter dem Saum heraus. »Alaric . . .?«

»Er ist tot«, sagte Luke. Seine Stimme klang schmerzerfüllt. Clary wusste, auch wenn er Alaric kaum gekannt hatte, würde die schwere Last der Schuld ihn für immer begleiten. *Auf diese Weise vergiltst du also die bedingungslose Loyalität, die du dir so billig erkauft hast, Lucian. Indem du sie für dich sterben lässt.*

»Mein Vater ist entkommen. Mit dem Kelch«, murmelte Jace matt. »Wir haben ihm den Kelch regelrecht in die Hände gespielt. Ich habe versagt.«

Luke legte eine Hand auf Jace' Schulter, fegte ein paar Glassplitter beiseite. Seine Krallen waren noch immer ausgefahren und blutverschmiert, doch Jace nahm die Berührung wortlos hin, als störte es ihn nicht im Geringsten. »Es ist nicht deine Schuld«, widersprach Luke und schaute Clary an. Seine blauen Augen wirkten ruhig und schienen zu sagen: *Dein Bruder braucht dich jetzt; bleib bei ihm.*

Clary nickte. Luke ging zum Fenster und stieß es auf. Eine starke

Brise frischer Luft strömte in den Saal und ließ die Kerzen flackern. Clary hörte, wie er den unten versammelten Wölfen etwas zurief.

Sie wandte sich wieder Jace zu. »Alles wird gut«, sagte sie zögernd, obwohl sie wusste, dass das möglicherweise nicht stimmte, und legte eine Hand auf seine Schulter. Der Stoff seines Hemdes fühlte sich rau und schweißdurchtränkt an, irgendwie seltsam beruhigend. »Wir haben meine Mutter wieder. Wir haben dich. Wir haben alles, was wirklich wichtig ist.«

»Er hatte recht. Deshalb konnte ich mich auch nicht dazu überwinden, durch das Portal zu gehen«, flüsterte Jace. »Ich konnte es einfach nicht. Ich konnte ihn nicht töten.«

»Du hättest nur dann wahrhaftig versagt, wenn du es getan hättest – wenn du ihn getötet hättest«, entgegnete Clary.

Er erwiderte nichts darauf, murmelte nur leise etwas vor sich hin, das sie nicht verstehen konnte. Sie beugte sich vor und nahm ihm den Glassplitter aus der Hand. Er blutete aus zwei feinen Schnittwunden, die die Scherbe in seiner Handfläche hinterlassen hatte. Sie legte das Bruchstück beiseite, nahm behutsam seine Hand und schloss seine Finger über der verletzten Haut. »Also ehrlich, Jace«, tadelte sie ihn milde, »du solltest doch wissen, dass man nicht mit Glasscherben spielt.«

Er stieß einen Laut hervor, der wie ein unterdrücktes Lachen klang, und zog sie in seine Arme. Clary wusste, dass Luke sie vom Fenster aus beobachtete, doch sie kniff entschlossen die Augen zu und vergrub ihr Gesicht in Jace' Schulter. Er roch nach Salz und Blut, und erst als sein Mund dicht an ihrem Ohr war, verstand sie, was er da sagte, was er die ganze Zeit vor sich hin gemurmelt hatte wie eine Beschwörung: ihren Namen, immer wieder ihren Namen.

## Epilog

# Der Aufstieg lockt

Der Krankenhausflur erstrahlte in blendendem Weiß. Nach so vielen Tagen, die Clary im Schein von Fackeln, Gaslaternen und gespenstischem Elbenlicht verbracht hatte, wirkte das Kunstlicht der Neonröhren auf sie fahl und unnatürlich. Als sie sich am Empfang in die Besucherliste eintrug, bemerkte sie, dass die Haut der Krankenschwester, die ihr das Klemmbrett reichte, unter der grellen Beleuchtung gelblich schimmerte. *Vielleicht ist sie ja ein Dämon,* dachte Clary und gab ihr die Liste zurück.

»Die letzte Tür am Ende des Ganges«, erklärte die Schwester und schenkte ihr ein freundliches Lächeln.

*Oder ich werde allmählich verrückt,* überlegte Clary und erwiderte laut: »Ich weiß. Ich war gestern schon hier.« *Und vorgestern und vorvorgestern.* Die Abenddämmerung hatte bereits eingesetzt und die meisten Besucher waren längst gegangen. Auf dem Flur kamen ihr nur ein alter Mann in Bademantel und Pantoffeln mit einem Sauerstoffgerät und zwei Ärzte in grüner OP-Kleidung entgegen. Sie hielten Plastikbecher in den Händen, aus denen heißer Kaffeedampf aufstieg. Obwohl das Wetter inzwischen umgeschlagen hatte und der Herbst in der Luft lag, lief die Klimaanlage im Krankenhaus noch auf vollen Touren.

Clary erreichte das Zimmer am Ende des Ganges und warf vorsichtig einen Blick durch die weit geöffnete Tür. Sie wollte Luke nicht wecken, falls er im Stuhl neben dem Bett eingenickt war – so wie bei ihren beiden letzten Besuchen. Doch er stand am Fenster und unterhielt sich mit einem groß gewachsenen Mann, der die pergamentfarbene Robe der Stillen Brüder trug und sich im selben Moment umdrehte, als habe er Clarys Kommen gespürt. Es war Bruder Jeremiah.

Clary verschränkte die Arme vor der Brust. »Was ist los?«

Luke wirkte mit seinem Dreitagebart und den müden Augen hinter der hochgeschobenen Brille erschöpft. Unter seinem weiten Holzfällerhemd konnte sie den dicken Verband erkennen, der um seine Brust gewickelt war. »Bruder Jeremiah wollte gerade gehen«, sagte er.

Jeremiah zog die Kapuze über den Kopf und bewegte sich auf die Tür zu, doch Clary versperrte ihm den Weg. »Und? Werden Sie meiner Mutter helfen?«, fragte sie fordernd.

Jeremiah kam auf sie zu; sie konnte die Kälte spüren, die sein Körper verströmte – wie die frostigen Schwaden eines Eisbergs. *Du kannst niemand anderen retten, ohne dich zuerst selbst zu retten,* verkündete die Stimme in Clarys Kopf.

»Diese Glückskeks-Weisheiten gehen mir allmählich auf die Nerven«, erwiderte Clary. »Was fehlt meiner Mutter? Können die Stillen Brüder ihr nicht helfen, so wie sie Alec geholfen haben?«

*Wir haben niemandem geholfen,* sagte Jeremiah. *Und es ist auch nicht unsere Aufgabe, denjenigen beizustehen, die sich freiwillig vom Rat entfernt haben.*

Clary trat einen Schritt beiseite, als Jeremiah an ihr vorbei hinaus auf den Flur schwebte, und beobachtete, wie er sich unauffällig unter die Leute mischte, die ihn gar nicht zu bemerken schienen. Als sie die Augenlider halb schloss, erkannte sie die schimmernde Aura des Zauberglanzes, die ihn umgab. Sie fragte sich, was die anderen wohl sahen: Einen Patienten? Einen Arzt, der in OP-Kleidung über den Flur eilte? Einen trauernden Besucher?

»Bruder Jeremiah hat die Wahrheit gesagt«, erklärte Luke vom Fenster aus. »Er hat Alec nicht geheilt; das war Magnus Bane. Und er weiß auch nicht, was deiner Mutter fehlt.«

»Ich weiß.« Clary wandte sich ihm zu und nickte. Vorsichtig näherte sie sich dem Bett. Es fiel ihr schwer, die kleine bleiche Gestalt darin, die an eine Fülle von Schläuchen und Infusionen angeschlossen war, mit ihrer rothaarigen, temperamentvollen Mutter in Verbindung zu bringen. Natürlich leuchteten ihre auf dem Kissen ausgebreiteten Haare immer noch kupferfarben, aber ihre Haut war so blass, dass Clary sich an Dornröschen in Madame Tussauds Wachsfigurenkabinett erinnert fühlte – deren Brust sich nur deshalb hob und senkte, weil sie von einem Uhrwerk angetrieben wurde.

Vorsichtig nahm sie die dünne Hand ihrer Mutter und hielt sie fest, so wie sie es schon an den Tagen zuvor getan hatte. Sie konnte den Pulsschlag in Jocelyns Handgelenk spüren, ruhig und beständig. *Sie möchte aufwachen,* dachte Clary. *Ich weiß es ganz genau.*

»Natürlich möchte sie aufwachen«, sagte Luke und Clary erkannte verblüfft, dass sie ihre Gedanken laut ausgesprochen haben musste. »Sie hat allen Grund, aus dem Koma zu erwachen – sogar noch mehr Gründe, als sie selbst weiß.«

»Du meinst Jace«, erwiderte Clary und legte die Hand ihrer Mutter behutsam auf die Bettdecke zurück.

»Natürlich meine ich Jace«, bestätigte Luke. »Seit siebzehn Jahren hat sie um ihn getrauert. Wenn ich ihr nur mitteilen könnte, dass sie nicht länger um ihn weinen muss . . .«

»Es heißt, Menschen, die im Koma liegen, können manchmal hören, was andere sagen«, versuchte Clary, ihn zu trösten. Aber die Ärzte hatten auch gesagt, dass es sich nicht um ein gewöhnliches Koma handelte; denn ihr Zustand war weder durch eine Verletzung noch durch Sauerstoffmangel oder plötzliches Herzversagen hervorgerufen worden. Es schien, als wäre Jocelyn nur in einen tiefen Schlaf versunken, aus dem sie nicht geweckt werden konnte.

»Ich weiß.« Luke nickte. »Ich habe die ganze Zeit mit ihr geredet. Fast ununterbrochen.« Er schenkte Clary ein müdes Lächeln. »Ich habe ihr erzählt, wie tapfer du warst. Und dass sie stolz auf dich sein kann – auf ihre Kriegertochter.«

Clary spürte einen dicken, schmerzhaften Kloß in der Kehle. Sie schluckte zwei-, dreimal und sah an Luke vorbei aus dem Fenster, hinter dem sich die nackte Ziegelsteinwand des gegenüberliegenden Gebäudes erhob. Leider keine schöne Aussicht auf Bäume oder den Fluss, dachte Clary. »Ich habe die Einkäufe erledigt, um die du mich gebeten hast«, sagte sie. »Ich hab Erdnussbutter, Milch und Cornflakes und Brot besorgt.« Sie griff in ihre Jeanstasche. »Hier ist das Wechselgeld . . .«

»Behalt es«, meinte Luke. »Davon kannst du nachher das Taxi bezahlen.«

»Simon bringt mich nach Hause«, erwiderte Clary und warf einen Blick auf die Uhr, die an ihrem Schlüsselbund baumelte. »Wahrscheinlich wartet er unten schon auf mich.«

»Gut. Ich bin froh, dass du etwas Zeit mit ihm verbringst«, sagte Luke erleichtert. »Behalt das Geld trotzdem. Dann kannst du dir heute Abend eine Pizza bestellen.«

Sie öffnete den Mund, um zu protestieren, schloss ihn dann aber wieder. Luke war ein Fels in der Brandung, wie ihre Mutter immer zu sagen pflegte – solide, zuverlässig und vollkommen unerschütterlich. »Komm auch bald nach Hause, ja? Du brauchst etwas Schlaf.«

»Schlaf? Wer braucht schon Schlaf?«, spottete Luke, doch Clary sah die Erschöpfung in seinem Gesicht, als er sich wieder auf dem Stuhl neben dem Bett niederließ. Behutsam strich er Jocelyn eine Haarsträhne aus der Stirn. Clary wandte sich ab; in ihren Augen brannten heiße Tränen.

Als sie das Krankenhaus verließ, wartete Erics Transporter schon vor dem Haupteingang. Über ihr wölbte sich ein hoher Himmel, dessen kobaltblaue Tönung über dem Hudson River in ein dunkles Saphirblau überging. Simon beugte sich vor, um die Beifahrertür zu öffnen, und Clary kletterte auf den Sitz neben ihm. »Danke.«

»Und wohin soll's jetzt gehen? Nach Hause?«, fragte er, während er den Wagen in den Verkehr steuerte.

Clary seufzte. »Ich weiß nicht einmal, wo mein Zuhause jetzt ist.«

Simon warf ihr einen Seitenblick zu. »Badet da jemand in Selbstmitleid?«, zog er sie auf, doch seine Stimme klang sanft. Als sie nach hinten schaute, konnte sie noch die dunklen Flecken auf der Rückbank erkennen, wo Alec schwer verletzt und blutend auf Isabelles Schoß gelegen hatte.

»Ja. Nein. Ach, ich weiß auch nicht.« Sie seufzte erneut und wickelte sich eine kupferrote Haarsträhne um die Finger. »Alles ist so anders, so verändert. Manchmal wünschte ich, ich könnte die Zeit zurückdrehen und wieder so sein wie früher.«

»Ich nicht«, entgegnete Simon zu ihrer großen Überraschung. »Wo soll ich dich jetzt hinbringen? Sag mir wenigstens, ob nach Süden oder Norden.«

»Zum Institut«, erklärte Clary. »Tut mir leid«, fügte sie hinzu, als er eine wunderbar illegale Hundertachtzig-Grad-Wende machte. Der Bus legte sich so auf die Seite, dass die Reifen quietschten. »Das hätte ich dir gleich sagen sollen.«

»Ach was«, erwiderte Simon. »Du bist noch nicht wieder dort gewesen, oder? Ich meine, nicht mehr, seit . . .«

»Nein, seitdem nicht mehr«, sagte Clary. »Jace hat mich angerufen und mir mitgeteilt, dass es Alec und Isabelle gut geht. Anscheinend sind ihre Eltern bereits auf dem Weg von Idris hierher, nachdem ihnen endlich mal jemand Bescheid gegeben hat. Sie müssten in ein paar Tagen in New York sein.«

»War es merkwürdig . . . mit Jace zu sprechen?«, fragte Simon in bewusst neutralem Ton. »Ich meine, seitdem du herausgefunden hast . . .« Er verstummte.

»Was? Seitdem ich was herausgefunden habe?«, erwiderte Clary scharf. »Dass er ein mordlustiger Transvestit ist, der Katzen sexuell belästigt?«

»Kein Wunder, dass sein Kater alle Menschen hasst.«

»Ach, halt einfach den Mund, Simon«, murmelte Clary verärgert. »Ich weiß, was du meinst. Nein, es war nicht merkwürdig. Außerdem ist zwischen uns ja auch gar nichts gewesen.«

»Gar nichts?«, wiederholte Simon ungläubig.

»Nein, gar nichts«, bestätigte Clary mit fester Stimme und schaute aus dem Fenster, damit er nicht sehen konnte, wie sie errötete. Sie fuhren an einer Reihe von Restaurants vorbei und sie erkannte die helle Leuchtreklame von Taki's in der Dämmerung.

Der Bus bog genau in dem Moment um die Ecke, als die Sonne hinter dem Rosettenfenster des Instituts unterging und die Straße in ein muschelrosafarbenes Licht tauchte. Simon hielt vor dem Portal an, stellte den Motor ab und spielte mit den Autoschlüsseln. »Willst du, dass ich mit raufkomme?«

Clary zögerte. »Nein. Ich muss das allein erledigen.«

Sie sah den enttäuschten Ausdruck in seinen Augen, der jedoch sofort wieder verschwand. Simon war in den vergangenen beiden Wochen deutlich erwachsener geworden, dachte sie – zum Glück, denn sie wollte ihn nicht hinter sich zurücklassen. Er war ein Teil von ihr, genau wie ihr Zeichentalent, die staubige Luft von Brooklyn, das Lachen ihrer Mutter und ihr eigenes Schattenjägerblut. »Okay«, sagte er. »Soll ich dich nachher abholen?«

Sie schüttelte den Kopf. »Luke hat mir Geld für ein Taxi gegeben. Hast du Lust, morgen vorbeizukommen?«, fragte sie. »Dann machen wir Popcorn und sehen uns zusammen *Trigun* auf DVD an. Ich könnte mal 'ne Pause vertragen.«

Simon nickte. »Klingt gut.« Er beugte sich zu ihr hinüber und streifte ihre Wange mit den Lippen. Der Kuss war so zart wie der Flügelschlag eines Schmetterlings, aber sie spürte, wie sie tief in ihrem Inneren erbebte. Sie sah ihm in die Augen.

»Glaubst du, das war ein Zufall?«, fragte sie.

»Was soll ein Zufall gewesen sein?«

»Dass wir genau an jenem Abend im Pandemonium gelandet sind, an dem Jace und die anderen auch da waren und einen Dämon verfolgt haben? Der Abend, bevor Valentin meine Mutter entführt hat?«

Simon schüttelte den Kopf. »Ich glaube nicht an Zufälle«, sagte er.

»Ich auch nicht.«

»Aber ich muss zugeben, Zufall hin oder her, es hat sich als ein Zusammentreffen glücklicher Umstände entpuppt«, meinte Simon.

»Ein Zusammentreffen glücklicher Umstände . . . ›The Fortuitous Occurrences‹«, wiederholte Clary. »Das wäre doch mal ein Bandname.«

»Jedenfalls besser als die meisten anderen, die bisher zur Wahl standen«, räumte Simon ein.

»Darauf kannst du wetten.« Sie sprang aus dem Bus, warf die Tür hinter sich zu und lief die grasüberwucherten Steinplatten zum Eingangsportal hinauf. Als er kurz hupte, winkte sie, drehte sich aber nicht mehr um.

Der Eingangsbereich der Kathedrale war kühl und dunkel und es roch nach Regen und feuchtem Papier. Ihre Schritte hallten laut auf dem Steinboden wider und sie musste an Jace denken und an das, was er in der Kirche in Brooklyn zu ihr gesagt hatte: *Möglicherweise gibt es einen Gott, Clary, und möglicherweise auch nicht. Aber ich denke nicht, dass das eine Rolle spielt. So oder so sind wir auf uns allein gestellt.*

Als sich die Aufzugtür hinter ihr schloss, warf sie einen verstohlenen Blick auf ihr Spiegelbild. Fast alle Verletzungen und Kratzer waren verheilt. Sie fragte sich, ob Jace sie jemals so mustergültig gekleidet gesehen hatte: Für den Krankenhausbesuch hatte sie einen schwarzen Faltenrock und eine Bluse mit Matrosenkragen angezogen und sogar etwas rosa Lipgloss aufgelegt – sie kam sich vor wie eine Achtjährige.

Nicht dass es noch irgendeine Rolle spielte, was Jace von ihrem Aussehen hielt, dachte sie und fragte sich, ob es zwischen ihnen jemals so sein würde wie zwischen Simon und seinen Schwestern: Eine Mischung aus Langeweile und liebevoller Gereiztheit. Sie konnte es sich nicht vorstellen.

Noch bevor die Aufzugstür aufschwang, hörte sie das laute Miauen. »Hi Church«, sagte sie und beugte sich zu dem blauen Fellknäuel hinab. »Wo sind die anderen?«

Church, der eindeutig gestreichelt werden wollte, schnurrte irgendetwas Unverständliches. Seufzend gab Clary nach. »Verrückter Kater«, murmelte sie und kraulte ihn hinter den Ohren. »Wo . . .«

»Clary!« Isabelle schwebte in einem langen roten Rock ins Foyer; ihre Haare waren mit glitzernden Nadeln hochgesteckt. »Bin ich froh, dich zu sehen.« Sie stürzte sich auf Clary und umarmte sie so heftig, dass diese fast das Gleichgewicht verlor.

»Isabelle«, keuchte Clary. »Ich freu mich auch.« Sie wartete, bis Isabelle sie wieder freigab.

»Ich hab mir solche Sorgen um dich gemacht«, rief Isabelle mit leuchtenden Augen. »Nachdem ihr beide mit Hodge in die Bibliothek gegangen wart und ich allein bei Alec saß, hörte ich eine unglaubliche Explosion. Als ich nachgesehen habe, wart ihr alle verschwunden, die ganze Bibliothek war ein einziges Chaos und überall sah man Blut und so eine klebrige schwarze Flüssigkeit.« Sie schüttelte sich bei der Erinnerung daran. »Was war das für ein Zeug?«

»Ein Fluch«, erklärte Clary leise. »Hodges Verbannungszauber.«

»Ach ja, richtig«, sagte Isabelle. »Jace hat mir das von Hodge erzählt.«

»Tatsächlich?« Clary war überrascht.

»Ja, dass der Fluch von ihm genommen wurde und er das Institut verlassen hat. Ich hätte nur gedacht, er würde sich noch von uns verabschieden«, fügte Isabelle hinzu. »Ich muss sagen, ich bin ein bisschen enttäuscht, aber vermutlich hatte er Angst vor dem Rat. Irgendwann wird er sich bestimmt wieder bei uns melden.«

Dann hatte Jace ihnen also nicht erzählt, dass Hodge sie alle betrogen hatte, dachte Clary verwirrt. Andererseits: Wenn Jace Isabelle und Alec die Enttäuschung und Bestürzung ersparen wollte, war es vielleicht besser, sie mischte sich nicht ein.

»Jedenfalls war das Ganze furchtbar und ich weiß nicht, was ich getan hätte, wenn nicht plötzlich Magnus hier aufgetaucht wäre und Alec gesund gezaubert hätte«, fuhr Isabelle fort und runzelte die Stirn.

»Jace hat uns auch erzählt, was danach auf Roosevelt Island passiert ist. Im Grunde wussten wir es längst, da Magnus die ganze Nacht am Telefon hing. Die gesamte Schattenwelt war in heller Aufregung. Du bist inzwischen eine echte Berühmtheit, wusstest du das?«

»Ich?«

»Klar. Valentins Tochter.«

Clary lief es kalt über den Rücken. »Dann ist Jace vermutlich auch berühmt.«

»Ihr seid beide in aller Munde«, erwiderte Isabelle in dem gleichen, übermäßig gut gelaunten Ton. »Die berühmten Geschwister.«

Clary musterte Isabelle neugierig. »Ehrlich gesagt hätte ich nicht erwartet, dass du dich derart freuen würdest, mich wiederzusehen.«

Entrüstet stemmte Isabelle die Hände in die Hüften. »Wieso nicht?«

»Ich bin nicht davon ausgegangen, dass du mich überhaupt leiden kannst.«

Isabelles Strahlen erlosch und sie schaute auf ihre silbern lackierten Zehennägel. »Ich hätte es auch nicht gedacht«, gestand sie. »Aber als ich nach dir und Jace gesucht habe und ihr weg wart . . .« Sie verstummte einen Moment. »Da hab ich mir nicht nur Sorgen um ihn gemacht, sondern auch um dich«, fuhr sie schließlich fort. »Du hast so etwas Beruhigendes an dir . . . Und Jace ist viel umgänglicher, wenn du in der Nähe bist.«

Clary riss erstaunt die Augen auf. »Tatsächlich?«

»Ja. Er ist dann irgendwie weniger scharfzüngig . . . zwar nicht unbedingt netter, aber man kann die Freundlichkeit erahnen, die unter seiner harten Schale verborgen ist.« Sie zögerte einen Moment. »Natürlich hab ich mich anfangs über dich geärgert, aber dann ist mir klar geworden, wie blöd das war. Nur weil ich noch nie eine Freundin hatte, bedeutet das nicht, dass ich nicht lernen kann, mit einem Mädchen befreundet zu sein.«

»Geht mir auch so«, sagte Clary. »Ach ja, noch was, Isabelle.«

»Ja, was denn?«

»Du musst nicht so übertrieben nett tun. Mir ist es lieber, wenn du dich so gibst, wie du wirklich bist.«

»Wie ein Miststück, meinst du?«, fragte Isabelle und lachte.

Clary wollte gerade protestieren, als Alec auf Krücken ins Foyer gehumpelt kam. Eines seiner Beine war bis zum Knie bandagiert und ein dickes Pflaster klebte auf seiner Schläfe. Doch ansonsten wirkte er erstaunlich gesund für jemanden, der vier Tage zuvor fast gestorben wäre. Er winkte Clary zur Begrüßung mit einer Krücke zu.

»Hi Alec«, sagte Clary. Sie war überrascht, dass er schon wieder auf den Beinen war. »Geht's dir . . .«

»Gut? Ja, alles in Ordnung«, erwiderte Alec. »Noch ein paar Tage und dann brauche ich die hier auch nicht mehr.«

Ein Anflug von schlechtem Gewissen schnürte Clary die Kehle zu. Wenn sie nichts gesagt hätte, stünde Alec jetzt nicht auf Krücken vor ihr. »Ich bin wirklich froh, dass es dir besser geht, Alec«, sagte sie aufrichtig und von ganzem Herzen.

Alec blinzelte. »Danke.«

»Dann hat Magnus dich also kuriert?«, fragte Clary. »Luke mein te . . .«

»Ja, das hat er!«, rief Isabelle. »Das war einfach der Wahnsinn. Er ist wie aus dem Nichts hier aufgetaucht, hat alle nach draußen gescheucht und die Tür zum Krankensaal fest verschlossen. Und dann folgte eine Explosion auf die nächste und blaue und rote Funken schossen unter der Tür durch.«

»Ich kann mich an nichts davon erinnern«, meinte Alec.

»Danach hat er die ganze Nacht an Alecs Bett gewacht, um sicherzugehen, dass er wieder gesund wird«, fügte Isabelle hinzu.

»Auch daran kann ich mich nicht erinnern«, ergänzte Alec hastig.

Ein Lächeln umspielte Isabelles rote Lippen. »Ich frage mich, woher Magnus wusste, dass er hier gebraucht wurde? Als ich ihn danach gefragt habe, wollte er mir keine Antwort geben.«

Clary erinnerte sich an das zusammengefaltete Blatt Papier, das Hodge ins Feuer geworfen hatte, nachdem Valentin verschwunden war. Hodge war schon ein seltsamer Mann, dachte sie. Er hatte sich die Zeit genommen, alles in seiner Macht Stehende zu tun, um Alec zu retten, und zugleich alle – und alles – hintergangen, was ihm jemals etwas bedeutet hatte. »Keine Ahnung«, sagte sie.

Isabelle zuckte die Achseln. »Vermutlich hat er es irgendwo gehört. Allem Anschein nach unterhält er eine richtige Gerüchteküche. Er ist ja so ein *Mädchen.«*

»Magnus ist der Oberste Hexenmeister von Brooklyn«, erinnerte Alec seine Schwester, musste aber ebenfalls grinsen. »Jace ist oben im Gewächshaus, falls du ihn sprechen möchtest«, wandte er sich an Clary. »Ich bring dich hin.«

»Echt?«

»Klar.« Alec musterte sie nur ein kleines bisschen unsicher. »Warum nicht?«

Clary warf Isabelle einen Blick zu, die ihrerseits die Achseln zuckte. Welche Pläne Alec auch verfolgen mochte, seine Schwester hatte er jedenfalls nicht eingeweiht. »Geht ruhig«, sagte Isabelle. »Ich muss sowieso noch ein paar Dinge erledigen.« Sie scheuchte sie mit einer Handbewegung fort. »Na los, ab mit euch.«

Gemeinsam gingen sie den Korridor entlang. Selbst auf Krücken war Alec derart schnell, dass Clary fast laufen musste, um mit ihm Schritt zu halten. »Renn doch nicht so. Ich hab kurze Beine«, erinnerte sie ihn.

»'tschuldigung.« Zerknirscht drosselte er sein Tempo. »Hör mal«, setzte er an, »diese Sachen, die du zu mir gesagt hast, als ich dich wegen Jace angebrüllt habe . . .«

»Ich erinnere mich«, murmelte Clary betreten.

»Als du mir gesagt hast, dass ich . . . dass ich . . . nur weil ich . . .« Alec hatte Schwierigkeiten, einen vollständigen Satz zu bilden. Er stockte und versuchte es erneut. »Als du gesagt hast, ich sei . . .«

»Alec, nicht.«

»Okay. Vergiss es.« Er presste die Lippen zusammen. »Du möchtest nicht darüber reden.«

»Nein, darum geht es nicht. Ich fühle mich nur so mies wegen der Sachen, die ich gesagt habe. Das war einfach gemein. Und es entsprach nicht einmal der Wahrheit . . .«

»Doch, es ist wahr«, sagte Alec. »Jedes einzelne Wort.«

»Aber das ist keine Entschuldigung«, erwiderte Clary. »Nicht alles, was wahr ist, muss auch unbedingt laut ausgesprochen werden. Es war einfach gemein von mir. Und mein Seitenhieb, Jace hätte mir anvertraut, du hättest noch nie einen Dämon getötet, war nur die halbe Wahrheit: Er hat sofort hinzugefügt, das läge daran, dass du ihm und Isabelle jedes Mal Rückendeckung geben würdest. Und das hat er als Lob gemeint. Jace kann manchmal ein Idiot sein, aber er . . .« *Liebt dich,* wollte sie hinzufügen, hielt sich jedoch zurück, »hat nie ein böses Wort über dich gesagt. Das schwöre ich.«

»Das brauchst du nicht zu schwören«, meinte Alec. »Das weiß ich längst.« Er klang vollkommen ruhig und auf eine Weise seiner selbst sicher, wie sie es noch nie an ihm erlebt hatte. Überrascht schaute sie ihn an. »Und ich weiß auch, dass ich Abbadon nicht getötet habe«, fuhr er fort. »Aber ich bin froh, dass du so getan hast.«

Clary lachte verlegen. »Du bist froh, dass ich dich angelogen habe?«

»Es war freundlich«, erwiderte er. »Und das bedeutet mir eine Menge . . . dass du nett zu mir warst . . . obwohl ich mich dir gegenüber so mies verhalten habe.«

»Ich glaube, Jace hätte wegen dieser Lüge bestimmt ziemlich sauer reagiert, wenn er zu dem Zeitpunkt nicht so mitgenommen gewesen wäre«, sagte Clary. »Allerdings nicht annähernd so sauer wie in dem Moment, wenn er erfährt, was ich dir vorher an den Kopf geworfen habe.«

»Ich hab eine Idee«, meinte Alec und ein Lächeln huschte über sein Gesicht. »Wir werden es ihm einfach nicht sagen. Jace mag zwar, nur mit einem Korkenzieher und einem Gummiband bewaffnet, einen Du'sien-Dämon aus fünfzehn Meter Entfernung enthaupten können, aber manchmal habe ich das Gefühl, er versteht nicht viel von Menschen.«

»Ich schätze, da hast du recht.« Clary grinste.

Sie hatten den Fuß der Wendeltreppe erreicht, die zum Dach führte. »Dort kann ich nicht mit hinaufkommen.« Alec klopfte mit der Krücke gegen eine der Eisenstufen.

»Ist schon okay. Ich finde alleine hinauf.«

Er wandte sich zum Gehen, warf ihr aber über die Schulter noch einen Blick zu. »Ich hätte daraufkommen müssen, dass du Jace' Schwester bist«, sagte er nachdenklich. »Ihr habt die gleiche künstlerische Begabung.«

Mit einem Fuß auf der untersten Stufe blieb Clary abrupt stehen und starrte ihn verblüfft an. »Jace kann zeichnen?«

»Nicht die Bohne.« Als Alec lächelte, leuchteten seine Augen auf wie blaue Lichter und Clary erkannte, was Magnus so anziehend an ihm fand. »Das war nur ein Witz. Er kriegt keine gerade Linie hin.« Dann grinste er und humpelte auf seinen Krücken davon.

Clary schaute ihm nachdenklich hinterher. Sie würde sich an einen Alec, der Witze riss und sich über Jace lustig machte, durchaus gewöhnen können, auch wenn seine Art von Humor nicht immer die ihre war.

Das Gewächshaus sah noch genauso aus, wie sie es in Erinnerung hatte; nur der Himmel über dem Glasdach schimmerte dieses Mal saphirblau. Der reine, frische Duft der Blüten sorgte dafür, dass sie einen klaren Kopf bekam. Sie holte tief Luft und bahnte sich ihren Weg durch das dichte Blatt- und Astwerk.

Jace saß auf der Marmorbank in der Mitte des Gewächshauses. Er hatte den Kopf gesenkt und drehte einen Gegenstand in den Händen. Als sie unter einem Ast hindurchtauchte, schaute er auf und schloss die Finger rasch darum. »Clary.« Er klang überrascht. »Was machst du denn hier?«

»Ich wollte dich sehen«, sagte sie. »Ich wollte wissen, wie's dir geht.«

»Mir geht's gut.« Er trug eine Jeans und ein weißes T-Shirt und seine Verletzungen waren kaum noch zu sehen. Natürlich, dachte Clary – die wahren Verletzungen lagen tief in seinem Inneren, verborgen vor den Blicken aller Außenstehenden.

»Was ist das?«, fragte sie und zeigte auf seine zusammengeballte Faust.

Langsam öffnete er die Hand und ein scharfkantiges Stück Silber kam zum Vorschein, das an den Rändern blau und grün schimmerte. »Eine Scherbe des Portals.«

Clary setzte sich neben ihn auf die Bank. »Kannst du irgendwas darin erkennen?«

Er drehte das Bruchstück, ließ das Licht wie Wasser darüberströmen. »Teile des Himmels. Bäume, einen Weg . . . Ich versuche schon die ganze Zeit, die Scherbe so anzuwinkeln, dass ich unser Haus sehen kann . . . meinen Vater.«

»Valentin«, verbesserte sie ihn. »Warum willst du ihn sehen?«

»Ich dachte, ich könnte vielleicht erkennen, was er mit dem Kelch der Engel anstellt«, erklärte er zögernd. »Wo er sich befindet.«

»Jace, das ist nicht mehr unsere Aufgabe. Nicht unser Problem. Jetzt, wo der Rat endlich weiß, was passiert ist, und die Lightwoods schon auf dem Weg hierher sind, sollen sie sich darum kümmern.«

In diesem Moment sah er ihr gerade ins Gesicht und Clary fragte sich, wie es sein konnte, dass sie einander so wenig ähnelten, obwohl sie angeblich Bruder und Schwester waren. Hätte sie nicht wenigstens seine langen dunklen Wimpern haben können oder seine hohen Wangenknochen? Irgendwie war das nicht fair.

»Als ich durch das Portal schaute und Idris sah, wusste ich genau, was Valentin vorhatte . . . dass er versuchte, meinen Willen zu brechen. Aber es war mir egal – ich sehnte mich trotzdem mehr danach, nach Hause zurückzukehren, als ich es mir je hätte vorstellen können.«

Clary schüttelte den Kopf. »Ich versteh nicht, was an Idris so toll sein soll. Es ist doch nur ein Ort. Aber die Art und Weise, wie du und Hodge davon redet . . .« Sie verstummte.

Erneut schloss er die Hand um die Spiegelscherbe. »In Idris war ich glücklich. Es ist der einzige Ort, an dem ich jemals richtig glücklich gewesen bin.«

Clary pflückte einen Zweig von einem Strauch neben ihr und begann, die Blätter einzeln abzuzupfen. »Hodge hat dir leidgetan, richtig? Deswegen hast du Alec und Isabelle auch nicht erzählt, was er getan hat.«

Jace zuckte die Achseln.

»Irgendwann werden sie es herausfinden«, meinte Clary leise.

»Ich weiß. Aber dann bin ich wenigstens nicht derjenige, der es ihnen gesagt hat.«

»Jace . . .« Die Oberfläche des Teichs war übersät mit grünen Blättern. »Wie kannst du dort glücklich gewesen sein? Ich weiß, was du geglaubt hast, aber Valentin war ein schrecklicher Vater. Er hat deinen Lieblingsfalken getötet, dich belogen . . . und ich weiß, dass er dich geschlagen hat. Versuch gar nicht erst, es zu leugnen.«

Ein kleines Lächeln huschte über Jace' Gesicht. »Nur jeden zweiten Donnerstag.«

»Also wie konntest du dann glücklich sein?«

»Idris war der einzige Ort, an dem ich wusste, wer ich war, wo ich hingehörte. Das mag blöd klingen, aber . . .« Er zuckte die Achseln. »Ich töte Dämonen, weil es das ist, was ich gut kann, und weil man mich darin unterrichtet hat. Aber das bin nicht ich. Und ich war als Dämonentöter auch nur deshalb so gut, weil ich nach dem Tod meines Vaters nichts mehr zu verlieren hatte. Es gab keine Konsequenzen mehr zu bedenken. Niemanden, der um mich trauern würde. Niemanden, der in meinem Leben eine Rolle spielte.« Sein Gesicht wirkte wie versteinert. »Doch das hat sich jetzt geändert«, fügte er hinzu.

Der Blattstängel war nun vollkommen kahl und Clary warf ihn beiseite. »Wieso?«

»Deinetwegen«, erwiderte er. »Wenn du nicht gewesen wärst, wäre ich mit meinem Vater durch das Portal gegangen. Wenn es dich nicht gäbe, würde ich ihm sogar jetzt noch folgen.«

Clary starrte auf den mit Blättern bedeckten Teich. Ihre Kehle brannte. »Ich dachte, ich würde dich verwirren.«

»Es ist schon so lange her, dass ich eine Familie hatte. Ich glaube, es war die Vorstellung, zu jemandem zu gehören, die mich so durcheinandergebracht hat«, meinte er schlicht. »Du hast mir das Gefühl gegeben, zu dir zu gehören.«

»Ich möchte, dass du mit mir kommst«, sagte Clary abrupt.

Er warf ihr einen Seitenblick zu und die Art und Weise, wie seine flachsblonden Haare ihm dabei in die Augen fielen, erfüllte sie mit einer unerträglichen Traurigkeit. »Wohin?«, fragte er.

»Ich hatte gehofft, du würdest mit mir ins Krankenhaus fahren.«

»Ich wusste es.« Er kniff die Augen zu engen Schlitzen zusammen. »Clary, diese Frau . . .«

»Sie ist auch deine Mutter, Jace.«

»Ja, ich weiß.« Er nickte. »Aber für mich ist sie eine vollkommen Fremde. Ich habe bisher immer nur einen Elternteil gehabt, meinen Vater, und der ist verschwunden. Auf eine Art, die schlimmer ist, als wenn er tot wäre.«

»Ich weiß. Und ich weiß, dass es keinen Zweck hat, dir zu erzählen, wie toll meine Mom ist . . . was für eine fantastische, großartige, wundervolle Frau sie ist und dass du dich glücklich schätzen könntest, sie zu kennen. Ich bitte dich auch nicht um deinetwillen, mich zu begleiten, sondern um meinetwillen. Ich glaube, wenn sie deine Stimme hört . . .«

»Was dann?«

»Dann wacht sie vielleicht aus dem Koma auf.« Sie sah ihn ruhig an.

Er hielt ihrem Blick stand und schließlich breitete sich ein Lächeln auf seinem Gesicht aus – ein schiefes und leicht verschmitztes, aber aufrichtiges Lächeln. »Okay. Ich komm mit.« Er stand auf. »Du brauchst mir nicht aufzuzählen, welche positiven Eigenschaften deine Mutter hat«, fügte er hinzu. »Das weiß ich längst.«

»Ach ja?«

Jace zuckte leicht die Achseln. »Schließlich hat sie dich großgezogen, oder?« Er schaute zum Glasdach hinauf. »Die Sonne ist schon fast untergegangen.«

Clary erhob sich ebenfalls. »Wir brechen am besten sofort auf. Ich ruf uns ein Taxi«, fügte sie hinzu. »Luke hat mir Geld gegeben.«

»Nicht nötig«, erwiderte Jace mit einem breiten Grinsen. »Komm. Ich muss dir was zeigen.«

»Aber . . . wo hast du das denn her?«, fragte Clary und musterte das Motorrad, das am Rand des Dachs stand. Die Maschine leuchtete in einem glänzenden Giftgrün und besaß silberfarbene Felgen und züngelnde Flammen auf dem Tank.

»Magnus hat sich beschwert, nach der letzten Party habe irgendjemand eine Harley vor seinem Haus stehen gelassen«, erklärte Jace. »Ich konnte ihn davon überzeugen, sie mir zu geben.«

»Und du hast die Maschine hierher geflogen?« Clary starrte ihn an.

»Ja. Ich mausere mich zu einem verdammt guten Fahrer.« Er schwang ein Bein über die Sitzbank und bedeutete Clary, sich hinter ihn zu setzen. »Komm, ich werd's dir zeigen.«

»Zumindest weißt du dieses Mal, wie das Ding funktioniert«, erwiderte sie und kletterte hinter ihn. »Aber wenn wir wieder auf einem Supermarktparkplatz notlanden, bring ich dich um.«

»Mach dich nicht lächerlich«, entgegnete Jace. »An der Upper East Side gibt's keine Supermärkte.« Die Harley startete mit einem lauten Röhren, das sein Lachen übertönte. Erschrocken klammerte Clary sich an seinen Gürtel, als das Motorrad über das schräge Dach des Instituts schoss und sich in die Lüfte erhob.

Der Wind zerrte an Clarys Haaren, während sie höher und höher stiegen, über die Kathedrale und die Dächer der umliegenden Hochhäuser hinaus. Und dann sah sie es: Unter ihr lag die Stadt, wie eine achtlos geöffnete Schmuckschatulle, farbenprächtiger und aufregender, als sie jemals gedacht hätte – das smaragdgrüne Quadrat des Central Park, wo der Rat der Elben während der Mittsommernächte zusammentraf; die Lichter der Clubs und Bars, in denen die Vampire die Nacht durchtanzten; die Gassen von Chinatown, durch die die Werwölfe bei Nacht schlichen, zu erkennen nur an den Lichtreflexen der Straßenlaternen auf ihrem dichten Fell; die Hexenmeister mit ihren prachtvollen Fledermausflügeln und den geheimnisvollen Katzenaugen. Und als sie über den Fluss flogen, sah Clary mehrere silberschuppige Schwänze unter der Wasseroberfläche aufblitzen, gefolgt von schimmernden langen Haaren, und hörte das hohe, perlende Lachen der Meerjungfrauen.

Jace schaute sich über die Schulter zu ihr um; der Wind wirbelte seine Haare durcheinander. »Woran denkst du?«, rief er.

»Nur daran, wie sehr sich da unten alles verändert hat, jetzt, da ich mein Zweites Gesicht zurückhabe und wieder sehen kann.«

»Dort unten ist alles noch genau wie zuvor«, erwiderte er und steuerte die Maschine auf den East River zu. Vor ihnen lag die Brooklyn Bridge. »Du bist diejenige, die sich verändert hat.«

Unwillkürlich klammerten sich ihre Hände fester um seinen Gürtel, als er das Motorrad immer tiefer auf die Wasseroberfläche zulenkte. »Jace!«

»Keine Sorge.« Er klang amüsiert. »Ich weiß, was ich tue. Ich werde uns schon nicht ertränken.«

Clary kniff die Augen gegen den starken Fahrtwind zusammen. »Willst du testen, was Alec über die Vampirmotorräder gesagt hat? Dass einige auch unter Wasser fahren können?«

»Nein.« Sorgfältig richtete er die Maschine wieder auf und sie entfernten sich von der Wasseroberfläche. »Ich denke, das ist nur ein Mythos.«

»Aber Jace«, rief Clary, »alle Mythen sind wahr.«

Sie konnte ihn zwar nicht lachen hören, doch sie spürte, wie sein Brustkorb unter ihren Fingern bebte. Als er die Harley in den Himmel riss, klammerte sie sich noch fester an ihn und dann schossen sie über die Brücke wie ein Vogel, der aus seinem Käfig befreit wurde. Ihr Magen machte einen Satz, als die Pfeiler der Brücke unter den Motorradreifen verschwanden und der silbrig glänzende Fluss tief unter ihnen dahinströmte. Doch dieses Mal ließ Clary die Augen weit geöffnet, damit sie alles sehen konnte.

# Danksagung

Ich danke zunächst meiner Schreib-AG, den Massachusetts All-Stars: Ellen Kushner, Delia Sherman, Kelly Link, Gavin Grant, Holly Black und Sarah Smith. Mein weiterer Dank gilt Tom Holt und Peg Kerr, die mich bereits ermutigten, ehe es dieses Buch auch nur ansatzweise gab; Justine Larbalestier und Eve Sinaiko für ihre Meinung zu diesem Werk, als es schließlich vorlag; meinen Eltern für ihre Hingabe, ihre Zuneigung und ihren unerschütterlichen Glauben daran, dass ich eines Tages etwas Druckreifes zustande bringen würde; Jim Hill und Kate Connor, die mich ebenfalls bestärkt und unterstützt haben. Außerdem möchte ich Eric danken für die mit Dämonenenergie betriebenen Vampirmotorräder und Elka, die in Schwarz besser aussieht als die Witwen ihrer Feinde. Ich danke auch Theo und Val für ihre wundervollen Illustrationen zu meinem Text; meinem glänzenden Agenten Barry Goldblatt und meiner großartigen Lektorin Karen Wojtyla sowie Holly, die das Buch mit mir durchlebt hat, und Josh, für den sich die ganze Mühe überhaupt erst gelohnt hat.

## Quellenverzeichnis

S. 7: William Shakespeare, Julius Cäsar, a. d. Engl. von Ludwig Tieck und August Wilhelm Schlegel

S. 9 : John Milton, Das verlorene Paradies, a. d. Engl. v. Johann Gottfried Herder

S. 155: Vergil, Aeneis VI, lat.-dtsch., hg. v. J. Götte, Kempten 1965

S. 390: T. S. Eliot, The Waste Land, a. d. Amerik. von Franca Fritz und Heinrich Koop

S. 399: William Carlos Williams, The Descent, a. d. Amerik. von Franca Fritz und Heinrich Koop

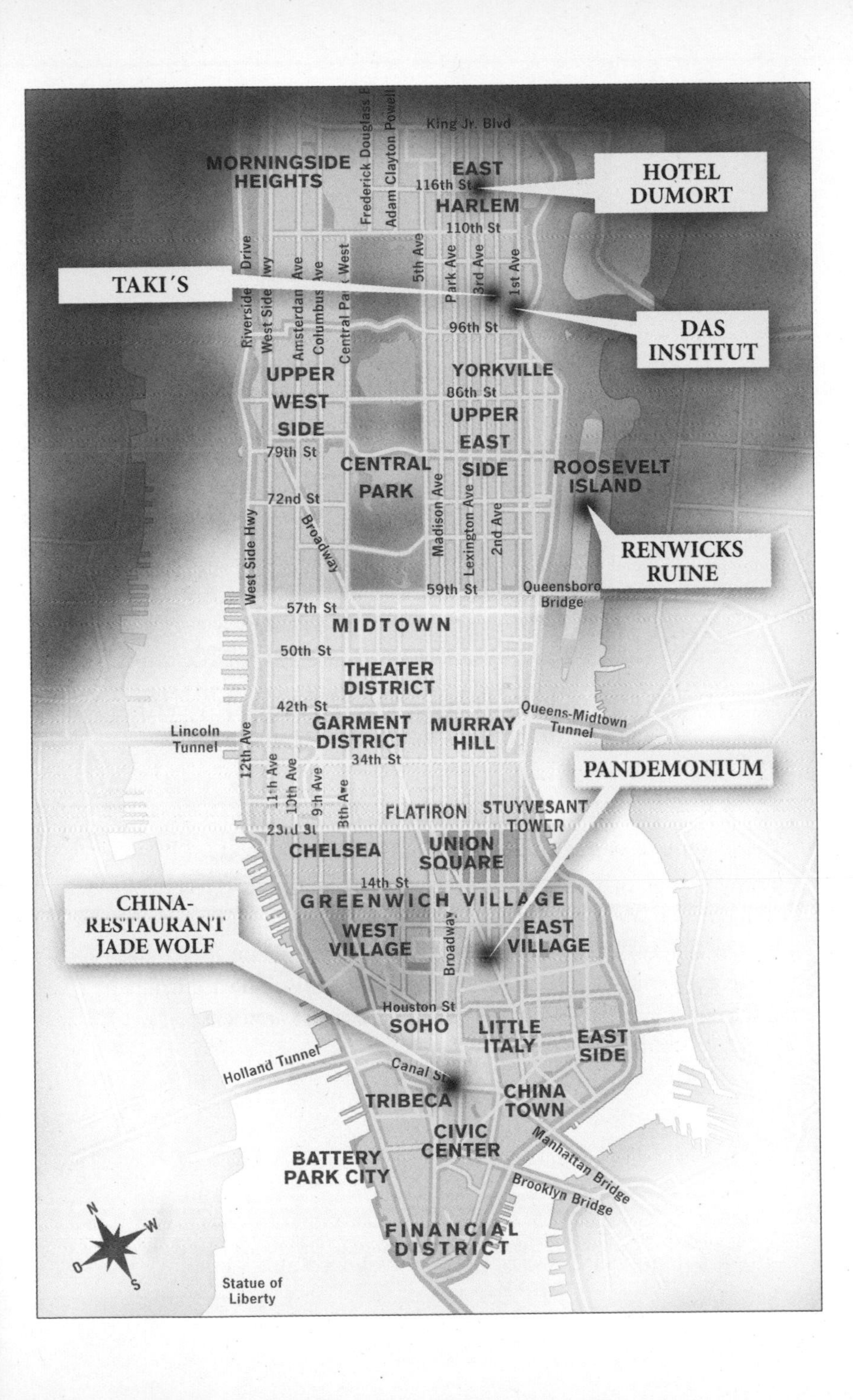

HOTEL DUMORT
TAKI´S
DAS INSTITUT
RENWICKS RUINE
PANDEMONIUM
CHINA-RESTAURANT JADE WOLF
King Jr. Blvd
MORNINGSIDE HEIGHTS
EAST HARLEM
116th St
110th St
96th St
86th St
79th St
72nd St
59th St
57th St
50th St
42nd St
34th St
23rd St
14th St
Frederick Douglass
Adam Clayton Powell
Riverside Drive
West Side Hwy
Amsterdam Ave
Columbus Ave
Central Park West
5th Ave
Park Ave
3rd Ave
1st Ave
2nd Ave
Madison Ave
Lexington Ave
Broadway
12th Ave
11th Ave
10th Ave
9th Ave
8th Ave
UPPER WEST SIDE
YORKVILLE
UPPER EAST SIDE
CENTRAL PARK
ROOSEVELT ISLAND
Queensboro Bridge
MIDTOWN
THEATER DISTRICT
GARMENT DISTRICT
MURRAY HILL
Lincoln Tunnel
Queens-Midtown Tunnel
FLATIRON
STUYVESANT TOWER
CHELSEA
UNION SQUARE
GREENWICH VILLAGE
WEST VILLAGE
EAST VILLAGE
Houston St
SOHO
LITTLE ITALY
EAST SIDE
Holland Tunnel
Canal St
TRIBECA
CHINA TOWN
CIVIC CENTER
BATTERY PARK CITY
Manhattan Bridge
Brooklyn Bridge
FINANCIAL DISTRICT
Statue of Liberty
N
W
O
S

Cassandra Clare

# Chroniken der Unterwelt

## City of Glass

In Idris sind düstere Zeiten angebrochen. Als Valentin sein tödliches Dämonenheer zusammenruft, gibt es nur eine Chance, um zu überleben: Die Schattenjäger müssen ihren alten Hass überwinden und Seite an Seite mit den Schattenwesen in diesen Kampf ziehen. Um Clary vor der drohenden Gefahr zu schützen, würde Jace alles tun – doch dafür muss er sie erst einmal verraten ...

Cassandra Clare

## Chroniken der Unterwelt

### City of Bones / City of Ashes / City of Glass

Als Clary Fray von ihrem Schattenjägerdasein erfährt, wünscht sie sich nichts sehnlicher, als der Unterwelt den Rücken zu kehren. Doch was ist schon normal, wenn man gegen Dämonen, Werwölfe, Vampire und Feen kämpfen muss? Cassandra Clare lockt ihre Leser in ein geheimnisvolles New York City – die coolste Stadt der Welt; die Stadt, die niemals schläft –, wo die Liebe selten gefahrlos ist und Macht zu einer tödlichen Verlockung wird.

Cassandra Clare

## Chroniken der Unterwelt

### City of Lost Souls

Kaum ist die Dämonin Lilith besiegt, fehlt von Jace, den Clary über alles liebt, jede Spur – auch ihr finsterer Halbbruder Sebastian ist verschwunden. Doch Jace findet wieder einen Weg zu Clary und enthüllt sein schreckliches Schicksal: Durch Liliths Magie ist er auf immer mit Sebastian und den dunklen Mächten verbunden. Um Jace zu retten, müssen sich auch die Schattenjäger der schwarzen Magie verschreiben. Clary geht dabei den gefährlichsten Weg: Sie möchte Jaces' Seele retten. Aber kann sie Jace überhaupt noch trauen?

Arena

Auch als E-Book erhältlich
Als Hörbuch bei Lübbe Audio

688 Seiten • Klappenbroschur
ISBN 978-3-401-50568-8
www.chroniken-der-unterwelt.de
www.arena-verlag.de

Cassandra Clare

## Chroniken der Unterwelt

### City of Heavenly Fire

Jace trägt das Himmlische Feuer in sich und Sebastian verkündet den finalen Schlag gegen die irdische Welt. Um zu verhindern, dass Dämonen über die Städte herfallen, müssen Clary und Jace mit ihren Freunden in die Schattenwelt eindringen. Wird es ihnen gelingen, Sebastians finstere Pläne zu stoppen, ohne selbst Schaden zu nehmen? Als sie auf Clarys dunklen Bruder treffen, stellt er Clary vor eine schier unlösbare Aufgabe: Entweder sie kommt an seine Seite oder er vernichtet ihre Familie und Freunde, die Welt und alle Schattenjäger ...

Cassandra Clare

## Die Chroniken des Magnus Bane

Der schillernde Oberste Hexenmeister von Brooklyn hat ein ereignisreiches Leben hinter sich. Sei es die Französische Revolution in Paris oder der Börsencrash von New York – Magnus Bane war immer dabei und hatte seine funkensprühenden Finger im Spiel. Keine Frage, dass es dabei auch manchmal riskant wird. Wer ewig lebt, muss sich schließlich die Zeit vertreiben, und wenn Ihm eine Situation doch mal zu heiß wird, hilft jederzeit der alles verhüllende Zauberglanz.

568 Seiten • Klappenbroschur
ISBN 978-3-401-50819-1
www.chroniken-der-unterwelt.de

## Der Schattenjäger-Codex

Dies ist die ganz persönliche Ausgabe von Clarys Schattenjäger-Codex. Hier lernt sie den Umgang mit der Stele und erwirbt sich ihre Kenntnis über die Dämonen. Und weil Clary gerne zeichnet, finden sich darin ihre Skizzen von Freunden und Familie sowie handschriftliche Notizen am Rand. Irgendwie konnte sie Jace und Simon nicht davon abhalten, ebenfalls ihre Kommentare zu hinterlassen. Also ist dieses Handbuch ein einzigartiges Werk – teils Nachschlagewerk, teils Geschichtsbuch, teils Trainingsanleitung, ergänzt mit Kommentaren von Schattenjägern, die schon viel erlebt haben.

Arena

320 Seiten • Gebunden
ISBN 978-3-401-06981-4
Auch als E-Book erhältlich
www.arena-verlag.de

Cassandra Clare

## Chroniken der Schattenjäger

### Clockwork Angel

London, 1878. Ein mysteriöser Mörder treibt in den dunklen Straßen der Stadt sein Unwesen. Ungewollt gerät Tessa in den Kampf zwischen Vampiren, Hexenmeistern und anderen übernatürlichen Wesen. Als sie erfährt, dass auch sie eine Schattenweltlerin ist und zudem eine seltene Gabe besitzt, wird sie selbst zur Gejagten. Doch dann findet sie Verbündete, und zwar im Institut der Schattenjäger. Dort trifft sie nicht nur auf James, hinter dessen zerbrechlicher Schönheit sich ein tödliches Geheimnis verbirgt, sondern auch auf Will, der mit seinen Launen jeden auf Abstand hält – jeden, außer Tessa. Tessa ist völlig hin und her gerissen, und weiß nicht, wem sie trauen soll. Schließlich sind die Schattenjäger ihre natürlichen Feinde.

Cassandra Clare

# Chroniken der Schattenjäger

## Clockwork Prince

Tessa hat im viktorianischen London bei den Schattenjägern ein neues und sicheres Zuhause gefunden. Doch da wird die Leiterin des Instituts entlassen – ohne ihren Schutz ist Tessa Freiwild für den grausamen Magister. Zusammen mit den beiden jungen Schattenjägern Will und Jem versucht sie, das Rätsel um den Magister zu lösen und findet heraus, dass er einen sie ganz persönlich betreffenden Rachefeldzug führt. Als dann aber auch noch ein Dämon eine Warnung an Will überbringt, wissen sie, dass sie einen Verräter unter sich haben.

584 Seiten • Gebunden
ISBN 978-3-401-06475-8

## Clockwork Princess

Tessa Gray sollte glücklich sein – sind das nicht alle Bräute? Doch während sie noch mitten in den Hochzeitsvorbereitungen steckt, zieht sich die Schlinge um die Schattenjäger des Londoner Instituts immer weiter zu. Denn Mortmain hat eine riesige Armee zusammengestellt, um die Schattenjäger endgültig zu vernichten. Nur ein letztes Detail fehlt Mortmain zur Ausführung seines Plans: Er braucht Tessa. Jem und Will, die beide Anspruch auf Tessas Herz erheben, würden alles für sie geben. Die Zeit tickt, sie alle müssen eine Wahl treffen.

616 Seiten • Gebunden
ISBN 978-3-401-06476-5

Beide Bände auch als E-Books erhältlich

Arena

www.chroniken-der-schattenjaeger.de
www.arena-verlag.de

Cassandra Clare

## Die Schattenjäger

### Das offizielle Handbuch

Die unverzichtbare Einführung in die Welt der Schattenjäger, wie sie im Kinofilm City of Bones dargestellt wird. Hier findest du Kurzbiographien der Hauptcharaktere, einen kurzen Abriss der Geschichte der Schattenjäger und du erhältst Einblick in die wichtigsten Schauplätze, die bedeutendsten Runen sowie die Waffen der Kinder der Nephilim.

## Clockwork Angel

### Graphic Novel

Die sechzehnjährige Tessa sollte sich eigentlich darauf konzentrieren, ihren verschwundenen Bruder zu suchen – und nicht, sich in zwei Jungen gleichzeitig zu verlieben. Während in Londons Straßen nach Einbruch der Dunkelheit finstere Kreaturen umherschleichen, verstrickt Tessa sich immer tiefer in ein gefährliches Liebesgeflecht. Und schon bald braucht sie all ihre Kräfte, um nicht nur ihren Bruder zu retten, sondern auch ihr eigenes Leben.

128 Seiten • Klappenbroschur
Mit farbigen Filmbildern
ISBN 978-3-401-06933-3
www.chroniken-der-schattenjaeger.de

256 Seiten • Broschur
Durchgehend illustriert
ISBN 978-3-401-06909-8
www.arena-verlag.de